W9-BKG-942

南怀瑾选集

（第六卷）

·历史的经验·

·亦新亦旧的一代·

·中国文化泛言·

南怀瑾　著述

復旦大學出版社

图书在版编目(CIP)数据

南怀瑾选集. 第六卷/南怀瑾著述. —上海:复旦大学出版社,2003.9
ISBN 7-309-03703-0

Ⅰ. 南… Ⅱ. 南… Ⅲ. ①南怀瑾-选集②文史哲-研究-中国 Ⅳ. C52

中国版本图书馆 CIP 数据核字(2003)第 067627 号

南怀瑾选集(第六卷)
南怀瑾 著述

出版发行 复旦大学出版社 上海市国权路 579 号 邮编 200433
86-21-65642857(门市零售)
86-21-65118853(团体订购) 86-21-65109143(外埠邮购)
fupnet@fudanpress.com http://www.fudanpress.com

责任编辑 陈士强
装帧设计 孙 曙
总 编 辑 高若海
出 品 人 贺圣遂

印 刷 江苏丹阳市教育印刷厂
开 本 850×1168 1/32
印 张 20.375 插页 4
字 数 529 千
版 次 2006 年 12 月第一版第九次印刷
印 数 48 101—51 200

书 号 ISBN 7-309-03703-0/B·203
定 价 40.00 元

《南怀瑾选集》出版缘起

南怀瑾先生是一位在海内外享有盛誉的著名学者。1918年生于浙江温州乐清县的一户书香门第之家,现年85岁。他幼蒙庭训,少习诸子百家之学。抗日战争爆发以后,时值青年的南怀瑾投笔从戎,跃马于西南边陲。尔后返蜀,执教于当时的中央军校、金陵大学。他资禀超脱,不为物羁,每逢假日闲暇,辄以芒鞋竹杖,遍历名山大川,访求高僧奇士。曾隐遁于峨眉山大坪寺,闭关三年,通读卷帙浩瀚的《大藏经》。旋走康藏,参访密宗大德,对藏传佛教的各派学说均有精深的研究。离藏以后,转赴昆明,初讲学于云南大学,后任教于四川大学。抗战胜利后,回到家乡。不久归隐于杭州天竺山、江西庐山,潜心治学。去台湾以后,先后受聘于文化大学、辅仁大学,以及其他大学、研究所,传学于日本、美国和中美洲诸国。近年迁居香港,为海峡两岸的文化交流做了大量的工作。

南怀瑾先生熟习经史子集,贯通东西文化,学识渊博,著作等身。特别是他用“经史合参”的方法,讲解儒释道三教名典,旁征博引,拈提古今,蕴意深邃,生动幽默,在普及中国传统文化方面取得了引人注目的成就,深受海峡两岸各层次读者的喜爱。

复旦大学出版社为国内最早出版南怀瑾著述的出版社,也是出版南怀瑾著述数量最多、品种最为齐全的一家出版单位。所出的南怀瑾著述总计有二十四种,基本上都是他的代表作。兹经作者和原出版单位授权,将南怀瑾先生的这些著述汇编成十卷,精装印行,以满足广大读者阅读和收藏的需要。各卷收录情况如下:

第一卷:《论语别裁》

第二卷:《老子他说》、《孟子旁通》

第三卷:《易经杂说》、《易经系传别讲》

第四卷:《禅宗与道家》、《道家、密宗与东方神秘学》、《静坐修道与长生不老》

第五卷:《禅海蠡测》、《禅话》、《中国佛教发展史略》、《中国道教发展史略》

第六卷:《历史的经验》、《亦新亦旧的一代》、《中国文化泛言》

第七卷:《如何修证佛法》、《药师经的济世观》、《学佛者的基本信念》

第八卷:《金刚经说什么》、《楞严大义今释》

第九卷:《圆觉经略说》、《定慧初修》、《楞伽大义今释》

第十卷:《原本大学微言》。

复旦大学出版社

2003 年 7 月 3 日

目　　录

·历史的经验·

上　编

下　编

·亦新亦旧的一代·

·中国文化泛言·

儒家之部

易经之部

道家之部

经义之部

禅宗之部

密宗之部

健身之部

历史之部

其 他

·历史的经验·

出版说明

谋略,中国古代文化又称为纵横之术、长短之术、勾距之术。用现代话讲,就是领导的哲学与艺术。为总结历史的经验,著名学者南怀瑾先生曾就中国古代谋略做过系统讲析,其讲记以《历史的经验》为名,由台湾老古文化事业公司于1985、1986年分两册出版。第一册撷取赵蕤《长短经》、刘向《战国策》、桓范《世要论》精华,参以历史上兴亡成败的实例,论述了治世、用人、防邪、辨奸之道。第二册是对《素书》、《太公兵法》、《阴符经》的逐句串讲。《素书》名为黄石公所传,张良辅佐刘邦,兴汉灭楚,兵机谋略,多得是书之助,张良之后,此书不知去向,至晋,有人盗张良墓,于玉枕处发现此书,始得再传于世。本书重在其中经义的阐发,并将近一百五十则历史故事,铺注于原经文之后,供读者经史相参,从中悟得创业待人的道理。1990年我社经作者和原出版单位授权,将《历史的经验》两册合为一册(分上、下编),以《历史上的智谋》为名,改排出版,以供研究。1992年恢复原名再版。如今刊出的是老古文化事业公司1995年11月的最新版。

复旦大学出版社
1996年1月5日

校订版说明

这本书是在十年前出版的,三年前又授权在大陆印行简体字版,出书后广受读者欢迎,得到很大的回响。

后有北京陈四益先生,为文指出本书中有关《晏子论权》一节,讲解似有偏差之处,南师怀瑾先生获悉后,除立即致函陈君,感谢其热心纠正外,并立嘱编辑部重新校订全书,修正疏失。为此也要向读者致歉。

开始参加这次校订工作的人,有阎修篆、周勋男、吴琼恩及杜忠诰等诸先生。但最后独挑大梁者,却是杜忠诰先生一人了。

杜先生是在大学时代由《论语别裁》一书,开始与南师结缘的,后也曾从学南师。大学毕业后攻读硕士而后进行博士研究,致力传统文化艺术,孜孜不倦,成就斐然。近年来曾多次获文艺奖,更为台湾著名书法家。此次在百忙中担负校订工作,盛情可感。

在新版印行之际,略述大概经过,并向参与过校订工作的诸位先生致谢。

老古文化公司编辑部　刘雨虹　记

一九九五年十一月台北

前　言

历史本来就是人和事经验的记录，换言之，把历代人和事的经验记录下来，就成为历史。读历史有两个方向：

一是站在后世——另一个时代，另一种社会型态，另一种生活方式，从自我主观习惯出发，而又自称是客观的观点去看历史，然后再整理那一个历史时代的人事——政治、经济、社会、教育、军事、文学、艺术等等，从各个不同的角度去评论它、歌颂它或讥刺它。这种研究，尽管说是客观的批判，其实，始终是有主观的成见，但不能说不是历史。

二是从历史的人事活动中，撷取教训，学习古人做人临事的经验，作为自己的参考，甚之，藉以效法它、模仿它。中国自宋代开始，极有名的一部历史巨著，便是司马光先生的《资治通鉴》。顾名思义，司马先生重辑编著这一部史书的方向，其重点是正面针对皇帝们——领导人和领导班子们作政治教育必修的参考书的。所谓“资治”的涵义，是比较谦虚客气的用词。资，是资助——帮助的意思。治，便是政治。合起来讲，就是拿古代历史兴衰成败的资料，帮助你走上贤良政治、清明政治的一部历史经验。因此，平常对朋友们谈笑，你最喜欢读《资治通鉴》意欲何为？你想做一个好皇帝,或是做一个顶天立地的大臣和名臣吗?当然,笑话归笑话,事实上,《资治通鉴》就是这样一部历史的书。

我讲历史的经验,时在一九七五年春夏之间,在一个偶然的机会,一时兴之所至,信口开河,毫无目的,也无次序地信手拈来,随便和“恒庐”的一般有兴趣的朋友谈谈。既不从学术立场来讨论历史,更无所谓学问。等于古老农业社会三家村里的落第秀才,潦倒穷酸的老学究,在瓜棚豆架下,开讲《三国演义》、《封神榜》等小说,赢得大众化的会心思忖而已。不料因此而引起许多读者的兴趣,促成老古文化出版公司搜集已经发表过的一部分讲稿,编排付印,反而觉得有欺世盗名的罪过。因此,联想到顾祖禹的一首诗说:“重瞳帐下已知名,隆准军中亦漫行。半世行藏都是错,如何坛上会谈兵。”我当忏悔。

一九八五年端阳　南怀瑾自述

上　　编

话　题

“历史的经验”这个题目,是贵会负责人出的,大得无可比拟。若想要就这个题目研究,同时可走几种路线:一个是应用的方面,怎样用得上历史的经验。一个是纯粹的推论,研究学理的一方面,这是历史学家的事。现在大学中的历史系、历史研究所,大概向这一方面走,偏重研究学理,不大讲应用。我们在这里所讲的性质,是要偏重于讲应用的。

历史的经验,如果我们以逻辑的立场来看,这个题目的本身就是答案,因为历史的本身就是经验。如果我们以学术的观点看历史,所谓历史,全部不过是两个问题:一个人的问题,一个事的问题。历史的记载,不外人与事。从人的方面来讲,大概又分两个方向来立论,拿旧的观念说:一个是经,一个是权。经是大原则,不能变动,权又叫作权变,就是运用的方法。从事的方面来讲,西方文化现在是二十世纪,只有两千年,但在中国来说,已经上下五千年了,所看到的事,似乎有现代与古代的不同,假使我们对历史有真的了解,就没有什么不同了。“风月无今古,情怀自浅深。”宇宙没有什么过去、现在、未来的太多不同,它永远是这样的太阳、这样的月亮、这样的风、这样的雨,只是人的思想观念上感受不同,发生了情感、思想上不同的形态,我们中国人用文学来表达,就成了这样的诗句。古人主张多读书,就是在于吸收历史上许多经验。

今日我们讲“历史的经验”这个课程,应该向哪一方面讲?这就要先有一个立场了。应该先问问我们今日工作上、业务上需要的是什么?就在这个观点去找历史的经验,这是一个立场。假如我们是在大学里,从学术的立场去看历史的经验,又是另外一个讲法。因此,今日我们以应用的立场来讲历史的经验就相当的复杂了。当商量决定这个题目的时候,我觉得好玩,就一口答应下来。我有一大毛病,到老改不了"童心未泯",始终贪玩。等到真正临讲以前,一个星期以来心情非常沉重,因为没有东西可讲;这是一个创新的课程,国内外各大学,还没有这样一门课程,无成规可循。其次包括的资料太多,假使编一本书,一定很有趣,编得现代化一点,销路一定不坏。但没有这个准备和时间,它的范围牵涉到二十五史内外许多学问,什么都用得上,这是第一个精神上感到负担很重的地方。其次站在这个立场来讲这个题目,责任上有一个很重的负担,这里要讲的"历史的经验",实际上就是讲"谋略",看到现在学校里专讲"谋略学"的,我觉得很有趣的,七十二变、三十六计都拿出来了,还有人专门写这类的书。但我觉得讲"谋略学"必须要严格的负责,因为"谋略"是一把刀,它的本身没有善恶,用得好是救人的,用不好,的确是害人的。我们受旧文化的影响很深,因果的观念根深蒂固,去不了的。假使有人听了以后,用来做了一件好事,或者害了别人,自己好像就会背上很大的因果责任,良心上很难受,所以觉得负担很重。

神谋鬼谋

真讲"谋略学",要先有几个方面的认识,以前讲《论语》时曾提到过,中国文化大致分为君道、臣道和师道。君道是领导的哲学与艺术;臣道也包括了领导的艺术,不过,比较有承上接下的哲学与艺术;至于师道又另当别论。可是说到师道,我们中国文化历史上有句成语,在曾子这本书中,曾经提出一个原则:"用师者王,用友者霸,用徒者亡。"我们的历史经验,"用师者王"像周武王用姜太公,称之为尚父,这称呼在古代是很尊重的,当然不是现代所说干爹的意思,但非常非常尊重,是对尊长一辈的人,才能称呼的。历史上列举汤用伊尹,周文王用吕望(姜太公),都是用师,就是领导人非常谦虚,找一个"师"来"用",便"王天下"成大功。至于齐桓公用管仲,汉高祖用陈平、张良之流,刘备用诸葛亮等等,都是"用友者霸"的好例子。至于"用徒者亡",是指专用服从的、听命的、乖乖的人,那是必然会失败的。这是曾子体察古今的历史经验,而后据以说明历史兴衰成败的大原则,由此可知师道也很难讲。

春秋多权谋

那么我们对于谋略学,该怎样讲法?走什么样的路线呢?我们先看谋略的本身。讲到"谋略"两个字,大体上大家很容易了解。假使研究中国文化,古代的书上有几个名词要注意的,如纵横之术、勾距之术、长短之术,都是谋略的别名。古代用谋略的人称谋士或策士,专门出计策,就是拿出办法来。而纵横也好,勾距也好,长短也好,策士也好,谋略也好,统统都属于阴谋之术,以前有人所说的什么"阴谋"、"阳谋",并不相干,反正都是谋略,不要把古代阴谋的阴,和"阴险"相联起来,它的内涵,不完全是这个意思。所谓阴的,是静的,暗的,出之于无形的,看不见的。记载这些谋略方面最多的,是些什么书呢?实际上《春秋左传》就是很好的谋略书,不过它的性质不同。所以我们要研究这一方面的东西,尤其是和现代国际问题有关的,就该把《战国策》、《左传》、《史记》这几本书读通了,将观念变成现代化,自然就懂得了。现在再告诉大家一个捷路:把司马迁所著《史记》的每一篇后面的结论,就是"太史公曰"如何如何的,把它集中下来,这其间就有很多谋略的大原则,不过他并不完全偏重于谋略,同时还注意到君子之道,就是做人的基本原则。

研究这几本书的谋略,其中有个区别。像《战国策》这本书是汉代刘向著的,他集中了当时以及古代关于谋略方面的东西,性质完全偏重于谋略,可以说完全是记载智谋权术之学的。这本书经过几千年的抄写刻板,有许多字句遗漏了,同时其中有许多是当时的方言,所以这本书的古文比较难读懂。左丘明著的《左传》,如果从谋略的观点看这本书,它的性质又不同,它有个主旨——以道德仁义作标准,违反了这个标准的都被刷下去,事实上对历史的评断也被刷下去了。所以虽然是一本谋略的书,但比较注重于经——大原则。至于《史记》这一本书,包括的内容就多了。譬如我们手里这本《素书》中,就有一篇很好的资料——《留侯世家》,就是张良的传记,我想大家一定读过的,这是司马迁在《史记》上为张良所写的传记。如果仔细研究这一篇传记,就可自这一篇当中,了解到谋略的大原则,以及张良做人、做事的大原则,包括了君道、臣道与师道的精神。

正反相生

(《长短经》——反经)

反经在领导哲学的思想上很重要,我们看过去很多的著作,乃至近七八十年来的著作,都不大作正面的写法。所以,我们今日对于一些反面的东西,不能不注意。

反经的“反”字,意思就是说,天地间的事情,都是相对的,没有绝对的。没有绝对的善,也没有绝对的恶;没有绝对的是,也没有绝对的非。这个原理,在中国文化中,过去大家都避免谈,大部分人都没有去研究它。这种思想源流,在我们中国文化里很早就有,是根据《易经》来的,《易经》的八卦,大家都晓得,如"☷"是坤卦,它代表宇宙大现象的大地,"☰"乾卦,它代表宇宙大现象的天体,两个卦重起来,"䷋"为天地"否"卦,否是坏的意思,倒霉了是否,又有所谓"否极泰来",倒霉极点,就又转好了。但是,如果我们倒过来看这个卦,就不是"䷋"这个现象,而变成了"䷊"地天"泰"卦,就是好的意思。《易经》对于这样的卦就叫作综卦,也就是反对卦,每一个卦,都有正对反对的卦象(其实《易经》的"变"是不止这一个法则,这都叫卦变)。

这就说明天地间的人情、事情、物象,没有一个绝对固定不变的。在我的立场看,大家是这样一个镜头,在大家的方向看,我这里又是另外一个镜头。因宇宙间的万事万物,随时随地都在变,立场不同,观念就两样。因此,有正面一定有反面,有好必然有坏。归纳起来,有阴就一定有阳,有阳一定有阴。阴与阳在哪里?当阴的时候,阳的成分一定涵在阴的当中,当阳的时候,阴的成分也一定涵在阳的里面。当我们做一件事情,好的时候,坏的因素已经种因在好的里面。譬如一个人春风得意,得意就忘形,失败的种子已经开始种下去了;当一个人失败时,所谓失败是成功之母,未来新的成功种子,已经在失败中萌芽了,重要的在于能不能把握住成败的时间机会与空间形势。

我们在就反经之前,提起卦象,是说明人类文化在最原始的时代,还没有文字的发明,就有这些图像、重叠的图案。这种图案就已经告诉了我们这样一个原理:宇宙间的事没有绝对的,而且根据时间、空间换位,随时都在变,都在反对,只是我们的古人,对于反面的东西不大肯讲,少数智慧高的人都知而不言。只有老子提出来:"祸兮福之所倚,福兮祸之所伏。"福祸没有绝对的,这虽然是中国文化一个很高深的慧学修养,但也导致中华民族一个很坏的结果。(这也是正反的相对。)因为把人生的道理彻底看通,也就不想动了。所以我提醒一些年轻人对于《易经》、唯识学这些东西不要深入。我告诉他们,学通了这些东西,对于人生就不要看了。万一要学,只可学成半吊子,千万不要学通,学到半吊子的程度,那就趣味无穷,而且觉得自己很伟大,自以为懂得很多。如果学通了,就没有味道了。(一笑。)所以学《易经》还是不学通的好,学通了等于废人,一件事情还没有动就知道了结果,还干嘛去做!譬如预先知道下楼可能跌一跤,那下这个楼就太没道理了。《易经》上对人生宇宙,只用四个现象概括:吉、凶、悔、吝,没有第五个。吉是好。凶是坏。悔是半坏、不太坏、倒霉。吝是闭塞、阻凝、走不通。《周易·系传》有句话:"吉凶悔吝,生乎动者也。"告诉我们上自天文,下至地理,中通人事的道理尽在其中了。人生只有吉凶两个原则。悔吝是偏于凶的。那么吉凶哪里来?事情的好坏哪里来?由行动当中来的,不动当然没有好坏,在动的当中,好的成分有四分之一,坏的成分有四分之三,逃不出这个规则,如乡下人的老话,盖房子三年忙,请客一天忙,讨个老婆一辈子忙,任何一动,好的成分只有一点点。

这些原理知道了,反经的道理就大概可以知道。可是中国过去的读书人,对于反经的道理是避而不讲的。我们当年受教育,这种书是不准看的,连《战国策》都不准多读,小说更不准看,认为读这方面的书会学坏了。如果有人看《孙子兵法》、《三国演义》,大人们会认为这孩子大概想造反,因此纵横家所著的书,一般人更不敢多看。但从另一观点来说,一个人应该让他把道理搞通,以后反而不会做坏人,而会做好人,因为道理通了以后,他会知道,做坏的结果,痛苦的成分占四分之三,做好的,结果麻烦的成分少,计算下来,还是为善最划算。

其次所谓反,是任何一件事,没有绝对的好坏,因此看历史,看政治制度,看时代的变化,没有什么绝对的好坏。就是我们拟一个办法,处理一个案件,拿出一个法规来,针对目前的毛病,是绝对的好。但经过几年,甚至经过几个月以后,就变成了坏的。所以真正懂了其中道理,知道了宇宙万事万物都在变,第一等人晓得要变了,把住机先而领导变;第二等人变来了跟着变;第三等人变都变过了,他还在那里骂变,其实已经变过去了,而他被时代遗弃而去了。反经的原则就在这里。

古今无定法

现在看《长短经》的本文,举了很多历史的例子:

臣闻三代之亡,非法亡也,御法者非其人矣。故知法也者,先王之陈述,苟非其人,道不虚行。故尹文子曰:仁、义、礼、乐、名、法、刑、赏。此八者,五帝三王治世之术。

这是大原则,这里列举中国上古三代的亡去,这个亡不要一定看成亡国的亡,时代过去了,没有了,都称亡,如昨天已经过去了,用古文可写成"昨日亡矣"。这里的写法,不能认为昨天亡掉了,亡者无也,是过去了,没有了的意思。所以三代的成为过去,并不是因为政治上法治有什么不好而亡的。而是说不管走法家的路线、儒家的路线或道家的路线,一切历史的创造在于人,如现在讲民主,民主是很好,但统御这个民主制度的,还是在于人,如果人不对,民主制度也会被用坏了。专制也是一个政治制度,是一个"法",法本身没有好坏,统御法的人,领导的人不对,就会弄坏。所以从这里的论断来说,民主也好,法治也好,专制也好,独裁也好,这些都是历史文化的陈述,都成了过去,实际上做坏做好,还是要靠人。

仁、义、礼、乐、名、刑、赏、罚,是中国文化所处处标榜的,可是在反经的纵横家看来，儒家所讲的“仁义”，道家所讲的“道德”这些名称，都不过是政治的一种措施、一种方法而已，他们认为儒家、道家标榜这些，是好玩的，可笑的，这不过是一种政治方法，有什么好标榜的！

仁爱的流弊

故仁者，所以博施于物，亦所以生偏私。——反仁也。议曰：在礼，家施不及国，大夫不收公利。孔子曰：天子爱天下，诸侯爱境内，不得过所爱者，恶私惠也。故知偏私之仁，王者恶之也。

譬如仁就是爱，普遍地爱大家，当然是好事。可是爱的反面，就有私心，有爱就有偏私，这里并举出，中国古代的礼乐制度，是文化的原则。但家与国是要分开的，所给某一家的义务不能普及到全国，给某一家的鼓励，也不能普及于全国。在位服务公家的人，虽然为官大夫，但对公家的公名公利，绝不能归于己有。如宋史上有名的宰相王旦，他提拔了很多人，可是当面总是教训人，等他死了以后，大家才知道自己曾经被他提拔过。当时范仲淹曾经问他，为什么提拔了而不让人知道？王旦说，他提拔人，只是为国家遴选人才，何必让被提拔的人来感谢他私人，所谓“授爵公朝，感恩私室”的事不干，这是大夫不收公利的例子。

接着又举孔子的话：“天子爱天下，诸侯爱境内，……”仁爱有一定的范围，超过了范围，就变成私了，如果有偏心，他对我好，我就对他仁爱，这是不可以的，只要偏重仁爱，偏私就会来。自古庸主败亡者多仁慈而不智，项羽、梁武帝等人，其例甚多。

仗义的流弊

义者,所以立节行,亦所以成华伪。——反义也。议曰:亡身殉国,临大节而不可夺,此正义也。若赵之虞卿,弃相捐君,以周魏齐之危。信陵无忌,窃符矫命,以赴平原之急。背公死党之义成,守职奉上之节废,故毛公数无忌曰:于赵则有功矣,于魏则未为得。凡此之类,皆华伪者。

义有正反面,如对朋友讲义气,讲了的话,一定做到,言而有信,对朋友有义,这个节操品行很好,但是处理不当,相反的一面,就有大害了。而且变成"华伪",表面上很漂亮,实际上是假的,这就是反义。从历史的经验来说,义的正面是国家有困难,社会有困难,为了救社会,为了救国家,为了帮助很多的人,把自己的生命都牺牲掉,在最要紧的地方,绝不投降,绝不屈服,这才是正义,在义的正的一面,便是大义。

可是历史上有许多事情,看起来是讲义,实际上都错了。

如战国时候,赵国宰相虞卿的故事(在《战国策》,或《史记·虞卿列传》里都有记载)。虞卿这个人了不起,他曾著了一部书——《虞氏春秋》,比吕不韦写的《吕氏春秋》还要早一点——他是一个知识分子,平民出身,游说诸侯,得到赵王的信任当辅相,而在当时国际之间,那么紊乱的情形,他起码比现在的基辛格更高明。这个人非常讲义气,他已经当了赵国平原君极为信任的辅相,而他的朋友,魏国的公子魏齐,在魏国出了事情被通缉了,逃到赵国来找他。按当时的魏赵之间的关系,赵国是应该把魏齐送回魏国去的。可是虞卿是赵国的辅相,魏齐以当年未发达时的私人朋友身份去找他，如果站在法制的立场，虞卿应该把这件事报告赵王，把魏齐引渡到魏国去。而虞卿认为如果这样做太不够义气了。魏齐是自己年轻未发达时的好朋友，今天他在魏国政治上遇到这样大的困难，偷偷来投奔，如果把他送回魏国，就太不够义气，因此"弃相捐君"，连宰相都不当了，偷偷离开了赵王，带魏齐一起跑了。这件历史上的故事，从做人方面来讲是难能可贵的，这是讲义气，但对公的大义而言，这种义气是不对的。

信陵君的故事

第二件故事，在《古文观止》上就有录载，战国时代魏公子信陵君，是战国时的四大公子之一，和齐国的孟尝君，赵国的平原君，楚国的春申君先后齐名，都争相养士。信陵君名无忌，和赵国的平原君是好朋友，平原君有了急难，非要魏国出兵，可是魏王不答应，于是找信陵君，信陵君就把魏王发兵的印信偷出来——送了一件最名贵的皮大衣给魏王宠爱的妃子，把印信偷出来，发令出动自己国家的三军，帮助赵国打垮了敌人。这件事在信陵君来说，对赵国的平原君是够义气了，但到底兵符是偷来的，并不是国家元首发布的命令，也是不对的。

所以对这两件事的结论是"背公死党之义成，守职奉上之节废"。以历史上这两个大名人的故事来讲义，他们违背了大义。为朋友可以卖命，犯法就犯法，为朋友是真的尽心尽力了，这种私人的义气是够重的，但是这两个人可不能只讲私人的义气，因为他们是有公家职务的人，这样做违背了职务的守则，是对上不忠实的。"守职奉上"之节也是义，所以从这两件事上来讲，他们实在有亏职守。因此毛公（赵国隐士）就批评信陵君，这样做，对于赵国虽然有功,而对于他自己的魏国来说,就并不算是合理了。凡这一类的历史故事,把义做得过头,反过来了,就容易变成虚伪,都是为了私心而用手段的。

讲礼的流弊

礼者,所以行谨敬,亦所以生惰慢——反礼也。议曰:汉时欲定礼。文帝曰:繁礼饰貌,无益于礼,躬化为可耳,故罢之。郭嘉谓曹公曰:绍繁礼多仪,公体任自然,此道胜者也。夫节苦难贞,故生惰慢也。

中国文化最喜欢讲礼,礼也包括了一切制度。有礼、有规矩,在公家或私人的行为上,是比较好。但是相反的,制度、规矩,行久了,太多了,会出大毛病,会使人偷懒、逃避。和法令一样,立法太繁,就有空隙可钻了。在这一节中提出反礼的历史事例。汉高祖统一天下以后,除由叔孙通建立了政治制度以外,由春秋战国下来,经过秦始皇到汉代为止,中国文化又被拦腰斩了一刀,没有好好地建立。叔孙通替汉高祖建立的是政治制度,没有建立文化制度。所以现在讲到中国的学术思想,都讲"汉学"。"汉学"也称作"经学",像四书、五经等等,都是在秦始皇的时候,没有被烧光的,由没有被杀的读书人找出来,背出来的,汉时重新建立的。我们现在看到的四书、五经以及《老子》、《庄子》等等古书,认真考证起来,有的地方是有问题,不一定和当时的原书完全一样,在汉代重新建立时,有的还是难免背错了,所以最初文化没有建立根基。到了汉文帝的时候,学者们建议定礼,可是汉文帝反对。后来到汉武帝的时候,才建立以儒家思想为基础的中国文化系统。当时汉文帝和他的母亲，是崇拜道家老子思想的，那个时候的政治哲学，是主张政简刑清，完全是老子思想，尽量地简化，不主张繁琐，这是有名的所谓“文景之治”。到了汉文帝的孙子——汉武帝的时候，才主张用儒家，兼用法家的思想，所以在中国的文化历史上，严格地看“文景之治”这一段，比较空白，但也比较朴素。汉文帝当时反对定礼，所持的理由是，儒家的礼太繁了，我们读《礼记》就知道，他的说法不无道理，所以墨子也早已反对，还有很多学者和墨子一样都反对繁文缛节，孔子、孟子的思想，对于过分的礼也是不太赞成。照《礼记》的规矩，真是繁琐得很。我们现在这样站，这样坐都不对的，讲话、走路、站、坐、穿衣，生活上一点一滴，都要小心谨慎，所以说是繁礼，麻烦得很，讨厌得很，专门讲外表，笑都不能哈哈大笑，不能露齿，那多痛苦！汉文帝认为这并不是礼的真正精神，不必定那么多条文，大家只要以身作则来教化，就可以了，所以下令不谈这个问题。

郭嘉论袁绍与曹操

另外一个故事，是用曹操的例子。郭嘉是曹操初期最好的参谋长，头脑并不亚于诸葛亮，可惜年轻就死了。当时曹操想打垮袁绍很困难，袁绍当时是世家公子，部队也多，等于军政大权都掌握在袁绍手里。曹操力量薄弱，简直不能和袁绍比。可是当曹操和郭嘉讨论当时的战略时，郭嘉对曹操说，不必担心袁绍。袁绍一定会失败的，因为袁绍是公子少爷，世家公子出身，处处讲规矩，到处要摆个架子。而你曹操，不讲究这些，体任自然，出来就出来了，该怎么做就怎么做，这就会成功。而袁绍处处来个礼仪规矩，文化包袱太重了，摆不掉，一定失败。你的体任自然的直截了当作风，大家都愿意合作,是成功的有利条件。

因为处处要人守礼,要人讲节义,这是令人痛苦的事情,要人压制自己,每一个人讲修养;要求每个人都是圣贤,有学问,有道德,守住这种贞节是很困难的。即使每个人都讲礼,都守规矩,这样习惯了以后,万事就都没得进步了。换句话说,文化学术悠久了,没有精进,也不行。

乐乐的流弊

乐者,所以和情志,亦所以生淫放。——反乐也。《乐书》曰:郑卫之音,乱代之音,桑间濮上之者,亡国之音也。故严安曰:夫佳丽珍怪,固顺于耳目,故养失而泰,乐失而淫,礼失而彩,教失而伪,伪彩淫泰,非所以范人之道。

乐在古代的含义,并不限于音乐,以现代的名词而言,乐包括了文化与艺术,乃至如歌、舞、音乐等等。这里说乐本来是好的东西,可以调剂人的性情,是社会文化不可缺少的,但是它的毛病,会使人堕落。我们看历史,一个国家富强了,文化鼎盛,艺术发达到最高点的时候,也就是这个国家、民族、社会最堕落的时候,所以乐有反的一面。《乐书》就说,春秋战国时候,郑国和卫国的音乐,就是乱世的音乐,《诗经》里也收集了一点桑间濮上男女偷情的诗歌。我们现在的部分歌词,以古代对音乐的观点看来,是充满了桑间濮上之音,这是靡靡之音,所以极需要把它净化。因此引用严安的批评说:“佳丽珍怪”,如现代的各种选美,就是佳丽,珍怪就是希奇古怪的东西拿出来公开、展览、比赛。社会太安定了,没有事做,就搞这些事情,好听、好看、热闹。人类社会真的绝对安定,真到了各个生活满足,那么整个社会就完了。“养失而泰”,养就包括民生,民生太舒泰了,社会就堕落下去。“乐失而淫”,淫就是过度了。“礼失而彩”,文化精神丧失了,表面好听好看的东西却特别多。文化不是只靠歌舞戏剧就可以宣传得好的。如戏剧里演出来好人有好报,恶人有恶报,该是正确的,可是一些孩子看了,专去学戏里坏的动作那一部分,这后果可严重。“教失而伪”,提倡教育是好的,教育的偏差,结果知识越丰富的人,作假越厉害。养乐礼教都对,但每一事都有反的一面,“伪彩淫泰,非所以范人之道”。要求社会上每个人都一定走上一个轨道,是做不到的,所以讲领导哲学,为政之难,目的在矫正,如矫正得过度了一点,结果发生的偏差就很厉害了。

名器的流弊

名者,所以正尊卑,亦所以生矜篡。——反名也。议曰:古者名位不同,礼亦异数,故圣人明礼制以序尊卑,异车服以彰有德。然汉高见秦皇威仪之盛,乃叹曰:大丈夫当如此。此所以生矜篡。老经曰:夫礼者,忠信之薄而乱之首。信矣哉。

名,是很好的,给人家名誉,这是好事,如现在的表扬好人好事,绝对没有错,但是也会使人生矜篡的念头,就是傲慢、篡夺的念头,这就是由名位而生相反的一面。中国的古礼,名称地位不同,待遇也不同,古代的官制很严格,阶级不同,穿的颜色也不同,它的最初目的在表扬有德,这是好的。可是像秦始皇的车服,显示得那么威风,而汉高祖和项羽,当时看了秦始皇的那种威仪以后,汉高祖心里面就起了“大丈夫当如是乎!”的念头,项羽更直截了当起了

“取而代之”的念头,名位就有这样反的一面,正如老子的话:“夫礼者,忠信之薄而乱之首。”人的本质差了,就提倡礼,但是有了礼,制度规范是很好,可也是倡乱的开始。从汉高祖、项羽看了秦始皇的威仪所起的念头这件事,老子的这句话是可信的了。

重法制的流弊

法者,所以齐众异,亦所以乖名分。——反法也。议曰:《道德经》云:法令滋彰,盗贼多有。贾谊云:法之所用易见,而礼之所为至难知也。又云:法出而奸生,令下而诈起,此乖分也。

这是讲法治的道理,每个人处处规矩,每人都有他的守则或范围,本来很好,可是毛病也出在这里,正如《道德经》上老子说的:“法令滋彰,盗贼多有。”一个社会法令越多,犯法的人越多,法令规定越繁,空隙漏洞毛病愈大,历史上秦始皇的法令那么严密,还是有人起来革命。汉高祖一打进咸阳,把秦始皇的法令全部废了,约法三章,只有三项法令:杀人者死,伤人及盗抵罪。很简单的三条,老百姓就服了他,所以贾谊也说,法令越严密,犯法的人也越多起来,有的人要做坏事之前,先去找法令的漏洞做根据,做出来的坏事就变成合法的,法律不能制裁他。法规定了,有时反而容易作假,真正会犯法的人,都是懂法的,法令对这种人毫无办法,这就是乖分。

刑赏的流弊

刑者，所以威不服，亦所以生凌暴。——反刑也。

刑与法不同，刑是杀人，或拘留人，是处罚人，给人精神上、肉体上一种痛苦的处罚。这是以刑树威、遏阻那些不守法的人。但是执行的人，会滥用刑法来欺负别人，有时好人也会受到刑法惩罚的痛苦，这便是刑的反作用。

赏者，所以劝忠能，亦所以生鄙争。——反赏也。

有功奖励，本来是好事，但奖励也会产生卑鄙的竞争。得奖的人，与没有得奖的人，常常会争功、争赏，而争得很鄙俗，所以行赏也有好有坏。

学识的流弊

文子曰：圣人其作书也，以领理百事，愚者以不忘，智者以记事，及其衰也，为奸伪，以解有罪而杀不辜。——反书也。文子曰：察于刀笔之迹者，即不知理乱之本。习于行阵之事者，即不知庙胜之权。庄子曰：儒以诗礼发冢。大儒胪传曰：东方作矣！事之何若？小儒曰：未解裙襦，口中有珠。诗固有之曰：青青之麦，生于陵陂，生不布施，死何含珠为，接其鬓，压其颁（音许秽反），儒以金椎控其颐，徐别其颊，无伤口中珠。由此言之，诗礼乃盗资也。

文子说,上古时的人,造了文字,有了知识。为什么作了书,要教人懂得文字?文字教育的目的,是使人有知识、懂事。使笨的人思想能够开发,不要忘记过去的错误,聪明的人知识学问高了以后,能够懂事。可是相反的,等到知识越广博,作奸犯科,作假的本事也越大,懂了文字,有了知识以后,犯法的也许就是这些人,而且有理论,讲得出道理来,有罪的人他可以说成没有罪,好人可就受害了。最著名的,如清代小说中的四大恶讼师,以一个字之差,就可以变更一个人有罪或无罪,由此可见一个当公务员的,手里玩笔杆的,有时候真厉害,真可怕,尽管现代是新式公文,还是要小心,不能随便用字,有时候一个字的关系都非常大。老一辈的人常说"一字入公门,九牛拖不出。"可见其严重,这就是文字效用相反的效果。

文子更进一步说,有些人做幕僚出身,专门在文字上挑剔的,笔比刀还厉害。在公文上是完全办对了,也符合法令,可是这件公文出门以后,会造成社会的紊乱,会使人造反。所以会办公文的人,不一定懂得政治,等于学军事会打仗的人,不知道国家的整个政策和战略一样,所以"察于刀笔之迹者,即不知理乱之本;习于行阵之事者,即不知庙胜之权。"这两句话是名言,要特别注意的。

盗窃死人以自豪

下面是举的一个很有趣的例子,又举出庄子来了,庄子是很会挖苦人的,这个故事记载在《庄子》的杂篇里面,这个故事很妙,他说读书人没有一个好人,都是在挖开死人的坟墓,偷死人的东西据为己有,包括我们自己在内,都是把死人坟墓里的东西挖来,当成自己的,在这里吹。这个故事说,老师带了学生,去挖前辈一个读书人的坟墓,挖了一整夜了,老师站在旁边问道:天都快要亮了,你挖得怎样,拿到了东西没有?学生说:已经挖开了,看见了死人,不过不好意思脱他身上的衣服,可是他的嘴里含着一颗宝珠,这颗宝珠一定要挖出来才行(我们今天所讲的,都是古人吐出的口水,我们将这些残余的唾沫拿来,加一点化学作用,就变成自己的学识在这里吹,这就叫做学问,也就是庄子所说死人口里的宝珠)。老师一听见学生说死人嘴里有珠,就说这有道理,古人说的,绿油油的麦子,要生长在旷野的山坡上,人生也要在活着的时候,显现出现实的美丽来,可是坟墓里的这个家伙,生前那么悭吝,向他请教他都不说,死了嘴里却还含了一颗宝珠,快把他的珠子拿来!可是,小子得小心地偷,你先把他的头发抓住,压开他下巴的两边,然后用铁钉撑开他的嘴。慢慢张开他的牙关,他的尸骸骨头弄坏了没有关系,可是他嘴里那颗宝珠,千万要小心拿来,不要毁损。

这是庄子在骂人。试看各种文章,里面"孔子曰"就把孔子嘴里的珠掏出来了,"柏拉图说"就把柏拉图嘴里的珠掏出来了,都是偷死人嘴里的宝珠。读书人都是这样教学生,这样说起来,知识毫无用处,越有知识的人,越会做小偷。还有,自己有一肚子好学问,著一本书,流传千古,还不是又被后代的人偷去。没有学问还没有人来偷,如果嘴里含一颗宝珠,死了以后,棺材还被人挖出来。暴君就专搞这一套。

这故事把天下读书人都骂尽了,但是也使我们懂了一个人生的道理——一切的努力,都是为别人作准备。

福利社会的事

其作囿也,以奉宗庙之具,简士卒,戒不虞。及其衰也,驰骋弋猎,以夺人时。——反囿也。齐宣王见文王囿大,人以为小,问于孟子。孟子曰:周文王为囿,方七十里,刍荛者往焉,雉兔者往焉,与人同之,民以为小,不亦宜乎?臣闻郊关之内,有囿方四十里,杀其麋鹿者,如杀人之罪,民以为大,不亦宜乎?楚灵为章华之台,伍举谏曰:夫先王之为台榭也,榭不过讲军实,台不过望氛祥,其所不夺穑地,其为不匮财用,其事不烦官业,其日不妨事务。夫为台榭,将以教人利也,不闻其以匮乏也。

中国古代的囿,是帝王宫廷所造的大花园。造囿的第一个宗旨,奉宗庙社稷,把祖宗的牌位摆在里面,作为国家的象征。另外一个宗旨,是"简士卒"训练部队,以戒备国家的不时之虞,防止随时随地意想不到的变乱事故。这本来是好的。可是国家到了鼎盛的时候,这种戒备的心理松弛了,失去了警觉性,练兵的操场,变成了运动场,最后还被敌人占领去了。这就是造囿的反效果,所以天下事都有正的一面和反的一面。

孟子讲故事

在历史上也有囿的故事,齐宣王看见以前文王的囿大,可是一般人还以为太小了,就问孟子这是什么道理?这一段读过《孟子》的都知道。中国上古周朝的时代,虽然是皇帝的专制政体,他修的囿,是与民同乐的公园,到春秋战国以后,就没有公园了,变成皇帝私人玩赏的地方。我们中国现在的公园兴起,老实说是近百年来受了西方文化的影响,而历史上我国在周代以前的文化,本来就有公园,所以孟子告诉齐宣王,造公园与民同乐、同利益,大家自然会认为方圆七十里的公园还太小了。他同时对齐宣王说,听说你修的囿，方圆只有四十里，里面养了许多动物，小羊、小鹿之类，如果老百姓打猎杀了小鹿，你就要把打猎的人抓来，如同惩罚杀人犯一样抵罪。所以老百姓会讨厌，因为你只是私人的享受，何必修那么大的花园。

楚灵王的故事

另一个历史故事，楚国的灵王修章华台，伍子胥的祖父伍举反对，他对楚灵王提出意见说，照中国文化的道理，我们的大建设，修建大广场，是讲军事，为训练部队用，建筑高台是研究天文用的。可是尽管国家需要这样大的建设，还是有四个条件，就是第一不能占用老百姓用来种田的土地；第二这项建筑的经费，不伤害到国家的财政；第三对于工程，雇用老百姓来做，并不妨碍到公私的事情；第四在时间上，绝不在农忙的期间动工。所以一个国家伟大的建设，是教人有利于社会，这样国家进行的伟大建设，不但不会招惹民怨，甚至都将成为百姓感戴颂扬的对象了，就不会发生国家财政上有所匮乏的问题了。

我们现代是以民主政治为基础，尤其近几十年来的政治观念，当然到了最进步的时候，而在古帝王时代，就有这许多毛病，这都是讨论古代政府在建设方面的反效果给予我们历史教训的经验。

尚贤的流弊

其上贤也,以平教化,正狱讼,贤者在位,能者在职,泽施于下,万人怀德。至于衰也,朋党比周,各推其与,废公趋私,外内相举,奸人在位,贤者隐处。——反贤也。太公谓文王曰:君好听世俗之所举者,或以非贤为贤,或以非智为智,君以世俗之所举者为贤智,以世俗之所毁者为不肖,则多党者进,少党者退,是以群邪比周而蔽贤,是以世乱愈甚。文王曰:举贤奈何?太公曰:将相分职,而君以官举人,案名察实,选才考能,则得贤之道。古语曰:重朋党则蔽主,争名利则害友,务欲速则失德也。

在诸子百家中,墨子主张贤人的政治,"尚贤"、"尚同"是他主要的思想。历史上的政治哲学思想,都是圣贤的政治哲学。现在这里的反贤,并不是反对圣贤政治,而是说太过分了,太偏重了,就会出问题。正如孔子说的"矫枉过正",矫枉到超过了正的分寸,又是偏了,尚贤也是一样,原文"上贤"的"上"与"尚"通,就是重视的意思。在尚贤政治好的一面,是平教化。社会的教育文化到最高的水准,社会安定,没有犯罪的人,所以"贤者在位,能者在职",这是中国政治的大原则,最终的结果,就是"泽施于下,万人怀德"八个字,使全民得到这种政治所产生的福利。而在另一面,光讲贤人在职,贤能与不贤能的人,好人或不好的人,很难分别,如果走偏了,好人与坏人往往也会结成一党。比如历史上很有名的党祸,在汉、宋两代都很严重,宋代乃至有一度立了党人碑,连司马光、欧阳修,这一班历史上公认为正人君子的,都列名在党人碑上,几乎要杀头坐牢的!而我们现代从历史上来看宋代的党祸,双方都不是坏人，这两派都是好人。另外一派的领袖王安石，历史上说他如何如何坏，其实也说不出他什么坏的事实，只是说他的政策不对，当时实行得不对，但是我们政治上的许多东西，如保甲邻里制度，就是他当时的这一套制度，他的收税原则也没有错。王安石本人，既不贪污，又不枉法，自己穿件衣服都是破的，虱子都在领口上爬，爬到衣领上去，被宋神宗看见，都笑了。三餐吃饭，都只吃面前的一盘，一则是因为近视，看不见对面的菜，更重要的是从来不求美食，对于物质的生活，没有什么过分的需求。可是在宋代他形成了那么大的朋党，只是政治意见不相投，而成为很严重的问题。朋党则比周，同一政治意见的人，会互相包庇，每人都推荐自己信任的朋友，拉自己的关系，结果就废公趋私，变成一个大私的集团，内外挟制，而被坏人利用这个团体，把好人当招牌，安安稳稳坐在上面，替坏人做了傀儡。这就成了贤人政治的反面。

姜太公论派系问题

接下来引用姜太公对文王的建议，作为这个道理的伸论。姜太公告诉周文王，如果完全听信社会上一般人的推举，社会上都说某甲好，就认为某甲好。但社会的这种舆论，不一定有标准，因为群众有时候是盲从的（古代是如此，现在用在民主政治，更要注意）。有时候非贤为贤，并不是真正贤人，因为社会关系多，制造他变成一个贤人的样子，乃至于并不是大智大才的人，也会被社会制造成智者的样子。如果根据社会上这种舆论，领导人便公认这样就是了不起的人，以为就是贤人，就有问题。相反地，对于世俗一般人认为不对的，也跟着大家认为这人就是不对的话，那么拥有多数群众的就能进身，群众少的就会被斥退。于是一班坏人可利用这种机会,彼此结合,遮蔽了贤者之路。因此世乱愈来愈甚了。这也就是说,无论古今中外,人相处在一起,自然就会结党,派系就出来,所以姜太公提出这个意见。

文王问他:我专用贤人,这就好了吧?姜太公答复文王:做领导人的要公平,人与人之间,两三个人在一起,派系就出来了,所以不能怪他有派系。人的社会就是如此,主要在于领导人的公平,将与相,文的武的,制度职务处理得好,在职务上,为政治的需要而找人才。"以官举人"这句话不要轻易放过。看懂了人事,再回过头来看历史,几十年前出来做事的,哪有现在的困难?那时有什么考试?只要找到关系,写一封介绍信,没有缺额,也因人而设官。而政治上轨道的时代,则以官举人,真需要人办事,职务确定了,才找适当的人才,绝不因人情的关系,而另外设一个官。要规规矩矩,不可以乱来。我们看周代八百年初期的政治,确是"案名察实",脚踏实地,用人绝不讲人情,选他的才干,考察能力,所以这里的"贤"是实用的人才,稍有不同于四书中,孔孟所讲的贤人,这里的贤包括才、能、品格在内。这样才是获得有才能、好品格人才的方法。最后引用三句古话:"重朋党则蔽主,争名利则害友,务欲速则失德。"这三句话是中国文化的精神,小自个人的修养,大至政治的修养,都要特别注意。一个时代,如果派系倾轧,只以小圈子利益为主,互相朋党,则蒙蔽了领导人,重视了权利、地位的名义和利益,有时就会伤天害理,害了好朋友。万事不可求速效,办一件事若要马上得到效果,为了赶成绩,就伤害到别人,伤害到职务,乃至扩大伤害到国家社会,就出了大毛病。

不能善用所长的五反

《韩诗外传》曰:夫士有五反,有势尊贵不以爱人行义理,而反以暴傲。——反贵也。古语曰:富能富人者,欲贫不可得;贵能贵人者,欲贱不可得;达能达人者,欲穷不可得。梅福曰:存人所以自立也,壅人所以自塞也。

家富厚,不以振穷救不足,而反以侈靡无度。——反富也。

资勇悍,不以卫上攻城,而反以侵凌私斗。——反勇也。凡将帅轻去就者,不可使镇边,使仁德守之则安矣。

心智慧,不以端计教,而反以事奸饰非。——反智慧也。说苑曰:君子之权谋正,小人之权谋邪。

貌美好,不以统朝莅人,而反以蛊女从欲。——反貌也。此五者,所谓士失其美质。

这里是讲士的五反,古代的所谓士,以现在来勉强解释,包括了一切知识分子,不过一说知识分子,很容易误为限于读书人,其实不然,无论文的武的都称为士。

这里提到古书的《韩诗外传》里一段文章:一个人有五反,贵、富、勇、智、貌等五种相反的一面。

有些人,有了势力,地位高了,譬如一个人穷小子出身,到了尊贵的时候,本来应爱护别人,爱护朋友,但是他反而不爱护别人,也不爱护朋友,而且做事不照义理,反而骄傲起来,脾气也暴躁起来,这是反贵——第一反,就是说人没有把握永远不变的,看别人,看历史,看社会,乃至看自己,都没有把握不变。现在自己可怜兮兮的,还很自我欣赏,说不定到达了某一个位置,观念就整个变了。

所以要在富贵功名,或贫穷下贱,饥寒困苦都永远不变,保持一贯精神的做法,是很难做到的。但有势尊贵以后,反转来不爱人,不行义理,反而变得暴傲,这就是贵的反面。

这里又引用中国古人的老话,"富能富人者,欲贫不可得"等三句,乍看之下,好像不可能,但从经验中体会,事实就是如此。有钱的人,在他富有的时候,还能够帮助别人也富有,这样广结善缘,得道多助,自己想穷一点都做不到。一般人想,钱越多越好,有谁会希望自己穷的,这就要看个人的人生经验了。人到了有钱、有地位时,若想下来一点,却做不到。有些人运气好,追随到一个了不起的人,一步步富贵上去,想下来做一个老百姓却不可得,能够帮忙别人发达,提拔别人的人,自己想退休不干,也办不到。所以梅福(汉朝人,后来成了神仙,宁波四明山,就是他归隐成仙的地方)说:帮忙人家,结果还是帮忙了自己,阻别人路的人,最后还是把自己的路塞了。

这一段话,仔细去思想,多处去体会就发现意义很深,把前面的古语和梅福的话,对照起来,就可以了解。这些话,并不像其他的书标榜因果的道理,而只是说人的心地要忠厚。

……

第二个是富的反面。本来,一个人有了钱财,应该帮助人家,帮助亲戚朋友,乃至整个社会的贫人。可是,有的富厚之家,不但没有帮助别人,做社会福利、公益事业,反而因家庭的富厚,侈奢无度,这是富的不好,因此有时富贵反而害了人。

……

第三是武勇的反面。有的人,勇敢彪悍,可以做军人,保卫国家,而结果走错了路,如现代青年,当太保流氓,好勇斗狠去欺负人,成为私斗,这是勇的反面。勇是了不起,但有勇的人,走偏了路,就变成大太保,乃至当强盗土匪。所以领导的人,对于勇的人才处理,国家社会该怎样培养他,要很恰当。"将帅轻去就者,不可使镇边。”如果一个将帅有勇，而行事不够慎重的话，就有“轻去就”的倾向。因为有勇，所以决策时不免掺杂个人的主观好恶，而忽略了整体大局的考量。这样的将帅是不适合镇守边疆的，应该用有仁德持重的镇守边疆，才可常保边界的平安。我们再去读历史，常常看到某一将领在前方，做得非常好，突然会把他调回来，当然，也有的调错了，乃至因而亡国的。如明朝末年，熊廷弼镇守东北，把满洲人挡住了，最后皇帝被奸臣蒙蔽利用，把熊廷弼调回来，乃至论死。假如说皇帝混蛋，本来他在宫廷里长大，对外面事不全懂，实在就无话可说了。但这些职业皇帝也满聪明的，他从左右大臣那里听来的理论，比我们书本上得来的多，公文比我们看得多，他明知道不必要，可是硬把前方干得好好的将领调回来，也自有他的道理，因为犯了他内心上的妒忌。换什么人？“使仁德守之则安矣！”换一个大度雍容、有仁德、识大体的人坐守边疆，不要打起来就好了。读了这一段，再一想欧美各国的作风，都有他的道理。在我们看来，他们的这种做法全错了，但不要忘了，我们是站在我们的立场去批评，就我们目前的观点而言。而在他们的立场，只希望他这一代不乱，安于现实就好了。

由这里知道，书本上的道理到底对或不对，很难评断，同一个道理，同一个原则，用对了就有益，用错了就有害，所以知识这个东西，也是靠不住的，在乎个人的运用。

……

第四是智惠（“惠”通“慧”）的反面。聪明才智的人，心思灵敏，很有智慧，用之于正，对社会有贡献，而相反的就是奸，做作，这是智慧的反面，所以在《说苑》这部书上说，“君子之权谋正，小人之权谋邪”。权谋就是手段，手段本身并不是坏的名词，圣贤讲道德，道德也不过是一个手段，仁义也是一个手段，这并不是坏的，正人用手段，手段就正，在乎动机，存心正手段就正，存心邪门的人，即使用仁义道德好的手段也是邪。

……

第五是美貌的反面,用人先看相貌好不好,态度好不好。古今都是如此,距离我们比较近的清朝几百年历史,尤其晚清,有一个人一脸麻子,考取了进士,最后廷试,要跟皇帝见一面的时候,本来是状元,结果因为是麻子,而换了别人。风度好,相貌好,也是件好事,并不是坏事,去做外交官或政治上需要讲究仪表的人物,本来很妥当,如果利用自己的美貌去搞男女关系,去纵欲,这就是貌的反面。

总括说这五个条件,一个人够称得上士,具备了某一个条件,但是不能善用其所长,反而把优越的条件变成所短而弄成反面的,还是很多,这就失去了士的原本素质了。

姜太公论三明

太公曰:明罚则人畏慑,人畏慑则变故出。——反明罚也。明察则人扰,人扰则人徙,人徙则不安其处,易以成变。——反明察也。太公曰:明赏则不足,不足则怨长,明王理人,不知所好,而知所恶;不知所归,而知所去,使人各安其所生,而天下静矣。晋刘颂曰:凡监司欲举大而略小,何则?夫细过微阙,谬忘之失,此人情所必有,固不许在不犯之地,而悉纠以法,则朝野无立人,此所谓以治而乱也。

这是引用姜太公的话,就明罚、明察、明赏等三明的反面而谈治乱。

明罚,是说刑罚,管理得太严,动不动就罚。罚得严厉,大家都怕,但不要以为怕就可以吓住人,老子就提过这个原则:“民不畏死,奈何以死惧之。”人到了某一个时候,并不怕死的,所以过分使人怕,反而容易出毛病,容易发生变乱。

明察,凡事都对人看得很清楚,调查得很清楚。这就使人感觉到被扰乱、受干涉,为了避免干涉,于是逃避迁走了,不安其处,也容易形成社会的变乱,所以明察也有反的一面效果,因此中国的政治,过去总讲厚道,要宽容一点。

明赏,动不动就奖励,这样好不好?奖励过头了也不好,人的欲望不会满足的,愈来愈不满足,一不满足就会发生怨恨了,最后便变成仇敌了。

所以真正懂得道理的,对于干部的统率管理,能够做到没有好恶,过太平日子,达到平安两个字的境界,才是真正的太平。

换句话说,反经告诉我们,任何一个办法,正反两端,有如天平一样:只要有一端高一点,另一端就低一点,不能平衡,问题就出来了。

最后引用晋朝名臣刘颂的话作这五个反面的结论。刘颂说:政府中负有监督责任的人,为什么只注意大的地方,而对于一些小的地方不去注意,因为每个人小的过错,偶然的缺点,或者忘记事情,这是人的常情,在所难免的,这不能算是犯了法,不应该将这类事情,列在不可违反的范围,而纠正处罚他,否则的话,政府机构和社会上,就不会有一个称得上标准的人了。这样苛刻的要求,就算不上是清明的政治,因为要求得太过分,反而造成了乱源。在一个单位中,领导的人,自己做到清廉,自己没有嗜好,是可以的,但要求部下,每个人都和自己一样,这就不行了,这就是“以治而乱”了。

专权与嫉妒

晏子曰:臣专其君,谓之不忠;子专其父,谓之不孝;妻专其夫,谓之嫉妒。——反忠孝也。《吕氏春秋》曰:夫阴阳之和,不长一类,甘露时雨,不私一物,万人之主,不阿一人。申子曰:一妇擅夫,众妇皆乱;一臣专君,群臣皆蔽。故妒妻不难破家也,而乱臣不难破国也,是以明君使其臣,并进辐辏,莫得专君焉。

忠臣孝子,这是最了不起的人格标准,但也不能过分,过分就是毛病。所以齐国的名相晏婴,这位了不起的人物曾经说过,一个好的干部,固然对主管要忠心,可是忠心太过就变成专权了。就是说一切都要经过这一个干部,容易形成这个干部的专权,那就太过分了,两三个兄弟,都要当孝子,其中一个要特别孝,那么下面的弟弟都被比下去了,这也是不孝;古代多妻制的时候,有几个太太,其中一个独擅专房,不能容纳别人,这就是妒忌。因此忠、孝等,过分了也不好,也有反效果。所以吕不韦著的《吕氏春秋》(吕不韦这位秦始皇的父亲,原来是做生意的,后来把人家的国家都换给自己儿子,这是生意做得最大的了。他著了一本书《吕氏春秋》,实际上不是他自己作的,是他的智囊团们,把中国文化中杂家的学问收集起来编著的。书成以后公布,有谁能更改其中的一个字而改得更好的,就赏千金,公布了几个月,也没有人去改一个字,这固然是吕不韦的地位太高了,大家不敢去改,而事实上这部书是有内容的,我主张大家要读。它也是中国杂家之学的大成,杂家可不一定是坏的,正的反的,好的坏的,包罗万象,叫作杂学)书中说宇宙万物滋生靠阴阳,它生长了高丽参可以补人,也生长了毒草可以害人,并不偏向只生长一类。天下雨,需要水的地方下,不需要水的地方也下,公道得很,这就是天地无私。人要效法天地。所以当领袖的人,万民之主,不能为了一个人而偏私,申子(战国时韩国人,名不害,学本于黄老而主刑名,著书二篇,号申子,为法家之祖)也说,一个女人独占了丈夫,在多妻制的时代,其他的太太,一定发生捣乱的行为。家庭如此,国家也如此,一个臣子“专君”了,其他所有的大臣、干部都被遮盖了,所以专宠的太太,很容易破家,而专君之臣容易破国。所以一个高明的领导人，对于部下，不能只偏爱一人，偏听一个人的意见，也不专权任用一个人，凡事大家一起来，像古代车轮的支杆，一起都动，于是就不会有专君的现象了。

文武兼资论

韩子曰：儒者以文乱法，侠者以武犯禁。——反文武也。曾公曰：恃武者灭，恃文者亡，夫差偃王是也。吴子曰：昔承桑氏之君，修德废武，以灭其国；有扈之君，恃众好勇，以丧社稷；明主鉴兹，必内修文德，外治武训。故临敌而不进，无逮于恭。僵尸而哀之，无及于仁矣。《钤经》曰：文中多武，可以辅主；武中多文，可以匡君。文武兼备，可任军事；文武兼阙，不可征伐。

这里引用韩非子的话，我们知道韩非子是法家，他以法家的立场，以法家的观点，认为儒家、道家以及其他各家，对社会人群，都没有贡献，一定要法治的社会才对，所以他有这两句名言，"儒以文乱法，侠以武犯禁。"知识分子，读书人(儒在这里不是专指儒家)学问又好，又会写文章，文章写多了，思想也多了，能言善道，很会辩论，于是以文学知识，扰乱了法令。讲侠义的人，动辄老子拳头大，用武勇把不平的事压平了，所以重武侠的人，专门破坏了法令，因之法家看起来，文武两方面都不对，都是不守法，这也是反文反武的一面之辞。

这里引用几个人的话。曹操说：一个国家，专门依靠武力的，最后弄到自己亡国灭种。看到现代史上，二次大战，当年的德国、日本，都是"恃武者灭"。专门好文的，最后也是亡国，不注重军事国防，如吴王夫差，鲁国的偃王，都是只提倡文化，不注重国防的，而最后败亡,这是“恃文者亡”。吴起的兵法上所以说,上古时候承桑氏(即穷桑氏)这个国家的皇帝,治理国政,专门讲道德,废弃了武功,结果是亡国,又如夏朝的有扈,则专门讲究武功,好勇,结果也是亡国,因此文武两事不能偏废,高明的领导人,看到了这个道理,就一定以“内修文德,外治武训”八个字作政治的最高原则。军事国防是不能缺少的,文化是国内的政治中心,对外要注重国防,随时准备作战,敌人不敢打进来,自己端恭而作,非常清明,供奉殉国的忠烈;激励人民有尚武的精神,也不损害于仁德。

《钤经》(即《素书》,又名《玉钤经》)上说,文武兼备。不但国家如此,个人也是一样,中外历史上,真正的大将,都是文武兼备,光有武功而不懂文的,只是战将,不是大将。文武兼阙的,也就是文武都不够的,不可征伐,不能做大将。

人与牛的故事

子路拯溺而受牛谢。孔子曰:鲁国必好救人于患也。子贡赎人而不受金于府。(鲁国之法,赎人于他国者,受金于府也。)孔子曰:鲁国不复赎人矣。子路受而劝德,子贡让而止善。由此观之,廉有所在而不可公行。——反廉也。匡衡云:孔子曰:能以礼让为国乎?何有?朝廷者,天下之桢干也,公卿大夫相与修礼恭让,则人不争;好仁乐施,则下不暴;上义高节,则人兴行;宽柔惠和,则众相爱。此四者,明王之所以不严而化成也。何者?朝有变色之言,则下有争斗之患;上有自专之士,则下有不让之人;上有克胜之佐,则下有伤害之心;上有好利之臣,则下有盗窃之人,此其本也。

这与廉洁或贪污有关,廉与不廉,这中间很难分辨,这里就举中国文化的历史故事:孔子的学生子路,有一次救了一个落水的人生命,这个落水的人,是一个独子,他家里非常感谢,谢了他一头牛。子路非常高兴地接受了这头牛,大概杀来燉牛肉给老师吃。(一笑)。而孔子对于这件事奖励子路,说子路做得对,这个风气提倡得好,将来鲁国的人,都愿意救人了,救了人有牛肉吃,这样很好嘛!子贡比子路有钱,当然,子贡的个性也不同,依鲁国的法令,当时的奴隶制度,赎人回去,奴主应该收赎金的,可是子贡不收赎金,孔子责备子贡做得不对。这两件事,子路收了别人的红包,孔子说他收得对,提倡好的风气是劝德,而子贡这样做应该也没有错,他谦让嘛,自己有钱,不收人家的钱。可是这样一来,就使别人不敢随便赎人了,所以有时候做好事很难。由这个道理看起来,人应该廉洁,不苟取,一点都不要,这是对的,当然,不可以提倡贪污,不过有些时候,像子贡的不受金于府,也不可以公然做出来,不然就会收到廉而过洁的反效果。

匡衡论政风

汉朝的匡衡(匡衡上疏是历史上有名的故事,汉武帝是非常英明的皇帝,而匡衡这个年轻的读书人,当时提了好几个报告,指出汉武帝这样不对,那样不对,这要更改,那要更改,汉武帝非常重视)就说:孔子说过以礼让治国很难得。孔子所以这样说,是因为中央政府,是天下的中心,对下面的风气,有很重大的影响作用,如果在中央政府中的重要干部,彼此之间都很礼貌,很有风度,影响到下面的社会,就不会彼此纷争;上面的人好仁乐施,下面的人就不会粗暴犯上;上面的人提倡节义,有高度的节操,下面的社会风气,则会跟着好转过来;上面宽厚柔和,下面彼此就有爱心。这四点,就是英明的领导人用不着以威严来下命令,而以自己的行为,使政治风气好转,下面就自然会受到感化。什么理由呢?因为在中央政府中的大臣们,如果意见不同,讲话时吵得脸红,于是影响到下面,就发展为打架了。上面的人如果喜欢独断独行,影响到下面的人一点都不谦让。上面如果有克胜争功的风气,下面的人就会产生伤害别人的心理,上面的人好利,到了下面就变成偷了。这是说上位者的作风,就是政治风气的根本。

更上一层楼的道理

慎子曰:忠未足以救乱代,而适足以重非,何以识其然耶?曰:父有良子而舜放瞽瞍,桀有忠臣而过盈天下,然则孝子不生慈父之家(六亲不和有孝慈),而忠臣不生圣君之下(国家昏乱有忠臣)。故明主之使其臣也,忠不得过职,而职不得过官。——反忠也。京房论议,与石显有隙,及京房被黜为魏郡太守,忧惧上书曰:臣弟子姚平谓臣曰:房可谓小忠,未可谓大忠,何者?昔秦时,赵高用事,有正先者,非刺高而死,高威自此成,秦之乱,正先趣之。今臣得出守郡,唯陛下毋使臣当正先之死,为姚平所笑,由此而观之,夫正先之所谓忠,乃促秦祸,忠何益哉?

慎到是战国时一位道家的人物,这里是他论忠的一段话,忠孝过分了就是毛病。他说:任何一个时代,并不希望出一两个特别的忠臣。标榜忠臣固然是对的,但我曾说过,少讲文天祥这班忠臣,听了令人泄气。文天祥并没有错,应该标榜,但是要大家都做文天祥,对吗?文天祥那个时代是没有结果的啊!我们为什么不提倡汉朝、唐朝、宋朝、明朝开国时候的那些大臣呢?我们只是欣赏忠臣,可不想忠臣的那个时代背景如何?那个背景是很惨痛的。所以慎子说:忠臣并不能救乱世,这个道理在哪里?如尧、舜、禹三代,是了不起的圣人,而舜的父母都很坏,可不能认定这一对老头子、老太婆绝不会生好儿子,他们生了一个圣贤的儿子——舜。尧是圣人,但他的儿子很坏。桀是夏朝最坏的皇帝,他下面有不少忠臣,而他在历史上的过错却是那么大,所以孝子不生慈父之家,家庭好了,父慈子孝,哪里会特别显出孝行来呢?老子说的“六亲不和有孝慈”,家庭有了变故的,才显示出孩子的孝行来,我们可不希望家庭有问题。再看国家,岳飞是了不起的忠臣,可是我们并不希望有岳飞那样忠臣的结果。岳飞如果生在好的时代,处在好的领导人,好的同事之间,不过是一个贤贞的大臣而已,老子说“国家昏乱有忠臣”,我们只希望有岳飞这样一个坚贞的大臣,可不希望国家昏乱。

一个单位有好干部,也是因为有坏干部比较,才显示出来的。因此,一个英明的领导人懂了这个道理,他领导部下,要求部下,忠是要忠,可是要在职务范围以内尽忠,不要超过职务范围以外。讲到这里,就得引述历史的例子来作证明了:大家都知道岳飞是忠臣,岳飞的冤枉那还了得,其实秦桧也未尝没有冤枉,虽然岳飞是秦桧害死的,而事实上秦桧也是奉命承旨才这么做的。因为宋高宗已经对岳飞不满,岳飞犯的错误就是忠过职了,第一他的口号,“直捣黄龙,迎回二圣。”试想高宗对这口号是什么味道?直捣黄龙可以,但是要把二圣接回来,高宗这个皇帝还干不干呢?岳飞直捣黄龙就好了,迎不迎二圣,是赵家的家务事,就不必去提了。第二个错误,岳飞在前方当统帅,硬要干涉皇帝的家务事,劝高宗赶快立定太子。岳飞这些建议真是忠,完全是好意,可是超过了他的职权,使高宗受不了。所以忠不得过职,而有所建议也不要超过职权的范围以外,不要干涉到别的事。这是过忠的反面。

京房的故事

接下来再举出历史的故事来引证这道理。我们研究历史,可不是大学里历史系的方向。这里是套了三段。第一是汉朝京房这个人。第二是引用赵高的故事。第三是京房假托学生的话。京房他也是汉朝一个了不起的人。后世研究《易经》的专家,还没有能超过他的。他是易学象数的大师,他博通《易经》,但最后是被害而死的。京房学《易经》的老师是焦赣(延寿),是汉易的大师,也是有前知之能的,京房跟他学《易经》的时候,焦赣就断定了京房这位学生喜欢谈论先知,将来会不得好死的,所谓"先知者不祥"。有些人不想求先知,算命、看相、卜筮这些都是先知,能先知的人都不太好。

石显也是汉朝有名的大臣,他和京房两人在中央政府,政见不同,互相有嫌隙。后来京房垮了,下放出来到外面——魏郡作官,离开中央政府,而石显还在中央。这一下京房害怕了(由这句话,就可知京房的《易经》还没有学通,如果学通了《易经》,对于功名富贵,对于人生患难,还会那么忧愁,那么学《易经》还有什么用?这个修养就不够了,表示他的《易经》还是没有真正的学通),就上书给皇帝说,我的学生姚平对我说,我只是对你小忠,还说不上是大忠。他说,这是什么道理呢?以前秦始皇的时候,赵高用事,有一个名正先的人,反对赵高,而被赵高杀了,从此赵高在政治上的威信建立起来了,而秦二世到后来的乱,也可以说是由正先所促成的。这个话讲得多深刻,换言之,秦二世的时候,赵高想要造成自己的政治势力,被正先看出来了,想在赵高在政治上的力量没有形成的时候,揭发他的阴谋,可是赵高杀了正先,反而促使赵高建立了政治上的权威,而形成了政治的派系。所以秦之乱,实际上等于正先所促成的,而现在我京房,奉你的命令出来做地方官,希望你不要听左右的人乱讲,把我当正先一样杀掉了,那样,我的学生还会笑我(京房这些话说得多窝囊,读历史读到这些地方,不免掩卷一叹,人为什么把做官看得那么重要)。这一段的结语说,由京房所引正先的这个故事看起来,正先揭发了赵高的阴谋,这是对秦始皇的忠了,可是这忠的结果,是自己被杀了,而促成了赵高建立起政治上的党羽和权力。那么愚忠有什么益处,相反的结果更坏。反经就是告诉我们,做任何一件事情,要注意到反面的结果,作人也好,做事也好,尤其是政治上,事先就需要注意到反面的流弊。

庄子的著作权被盗

庄子曰:将为胠箧探囊发匮之盗,为之守备,则必摄缄縢,固扃鐍。此代俗之所谓智也。然而巨盗至则负匮揭箧,担囊而趋。唯恐缄鐍扃縢之不固也,然则向之所谓智者,有不为盗积者乎?——反智也,孙子曰:小敌之坚,大敌之擒也。

上面这段书,是庄子的话,或是鬼谷子的话,很难确定,但早已见于《庄子》外篇。这一章一般人是避免讲的,但是人人都知道。历史上懂得权谋的人,没有不知道的,反派的人知道,正派的人也知道,谁都不肯明说,也不大肯讲授。

《庄子》分“内篇”、“外篇”、“杂篇”。“内篇”是讲道,讲修道的。中国的道家很妙,军事学谋略学等,都出在道家。虽然内篇是讲道,连带也说到外用,中国文化所谓“内圣外王”之学,外王就是讲外用,其实这个名词不是儒家的,而是出自《庄子》的观念。我认为中国一般大儒家表面上是讲孔孟之学,实际上骨子里都是道家的思想。外面披了一件孔孟的外衣,但是绝不承认。一般人之不大肯讲授《庄子》,和不愿意讲授《长短经》一样,学的人如果观念弄错了,就可能学得很坏。本身是教人走正路,可是揭开了反的一面给人知道,如现代李宗吾的"厚黑学",目的是教人不要厚脸皮,不要黑良心,殊不知看了"厚黑学"的人,却学会了厚黑,变成了厚黑的人,那就很糟了。《庄子》这部书也是这样。

这里引用《庄子》的话,但据别本《长短经》资料,是鬼谷子的话。我们先要对这本《长短经》,有一个基本观念,了解它不是注重考据,而偏重于所引用文句的理论内容。也许他确有所见,是鬼谷子的话,也说不定,但在这里我们不想多去考证。其次《庄子》"内篇"、"外篇"、"杂篇"中,只有"内篇"真正靠得住是庄子自己的著作,"外篇"就不一定是他的著作,"杂篇"就更靠不住了。但是一般人真正用得着的是"杂篇"。古代的成功人物,多半都熟读它。在"外篇"、"杂篇"中有许多不是庄子所著。可能是别人写的,至于是不是鬼谷子的,则是一个问题,只有在《长短经》里指出是鬼谷子说的,这段话是中国文化里很有名的一段文章。现在译文已经很多了,他的内容是:

做强盗、小偷、扒手的人,是弄坏人家的皮箱,撬开人家的柜子,或从人家的口袋里偷东西。于是一般人,为了预防这些人来偷窃,有了财物,都妥当地存放好,放在保险箱、衣橱这些地方,还要在外面用绳子捆扎起来,打上死结,或者加上锁,锁得牢牢的,这是大家都想得到,都会这么做的。可是遇到了大强盗的时候,整个皮箱、保险柜都搬走,这时强盗还唯恐箱子、柜子锁得不牢,越锁得牢,对强盗越方便,越有利,免得零零碎碎,太麻烦。那么刚才所说的一般人锁牢捆好的防盗智慧,不是为自己保护是为强盗保护了,这就是聪明智慧的反作用。同样的道理,像有一位我教过五六年的外国学生,现在巴黎大学教书的法国女孩子,最近从法国来看我，问起还教不教外国学生，我笑着告诉她已经关门了，因为怕有一天，我们中国学生，必须去巴黎大学，把中国文化学回来。我们在这里辛辛苦苦整理自己的文化，一旦碰到外国的强盗，连箱子都被他搬去了，就是这个道理。而事实上已经有一些朋友的孩子，到外国去学中国历史、中国文学了。这是就文化方面而言，其他方面很多是这种情形的，譬如政权也是这样。庄子的文章就是这样，他说了正面的，可是马上可以看出反面的东西来。"其所谓圣者，有不为大盗守者乎？"圣人的保存文化，也是为大盗而储蓄的，因此智慧聪明的反面，也非常可怕。所以《孙子兵法》上也说，作战时，敌人的装备越好，对我们越有利，因为一旦把敌人打垮了，装备也拿过来了，那么敌人就变成是替我们装备，所以"小敌之坚，大敌之擒也"。

那么何以知道自己的保护、储蓄，只是为大盗而保护、储蓄呢？历史上有一件事可以证明。

田成子窃齐的故事

其所谓圣者，有不为大盗守者乎？何以知其然耶？昔者齐国，邻邑相望，鸡狗之音相闻，罔罟之所布，耒耨之所刺，方二千余里，阖四境之内，所以立宗庙社稷，治邑屋州闾乡里者，曷尝不法圣人哉？然而田成子一朝弑齐君而盗其国，所盗者岂独其国耶？并与圣智之法而盗之，故田成有乎盗贼之名，而身处尧舜之安，小国不敢非，大国不敢诛，十二代而有齐国，则是不独窃齐国，并与其圣智之法，以守其盗贼之身乎？——反圣法也。昔叔向问齐晏子曰，齐其如何？晏子曰：此季世，吾勿知齐其为陈氏矣！公弃其人而归于陈氏。齐旧四量：豆、区、釜、钟。四升为豆，各自其四，以登于釜，釜十则钟。陈氏三量,皆登一焉,钟乃大矣。以家量贷,而以公收之。山木如市,弗加于山,鱼盐蜃蛤,弗加于海,人三其力,二于公而衣食其一,公聚朽蠹而三老冻馁,国之诸市,屦贱踊贵,人多疾病,而或燠休之,其爱之如父母,归之如流水,欲无获人,将焉避之。

齐是姜太公的后代,最初姜太公帮助周武王,打下了天下,平定中国,周武王分封诸侯,姜太公被封在齐国,现在山东的东部,在那个时候,齐国土地贫瘠,是没有人要的地方,周朝对姜太公的酬劳,只是如此而已。这时姜太公已将近百岁了,只好去就国,但走在半路上不想去了,碰到旅邸的主人,可能是道家的隐士,年龄也很大了,看见姜太公一脸颓废灰心的样子,于是劝姜太公赶快去接事,并且要好好地做,不能有埋怨的心理。就凭了这一句话,姜太公听了心里当然懂,倒霉就倒霉,只有绝对服从,这才去就国。姜太公到了这样穷的地方怎么办呢?于是发明了把海水煮成盐,并且开矿,进行现代所说开发资源的工作,古代盐铁是经济上最主要的物资,齐国靠海,出产渔盐之利,因此后来到了春秋战国时期,齐国成为最富的国家。

现在这里写到春秋末期齐国的富强繁荣,渔业农业发达,地方又大,建立国家的一切政治规章制度,都是依照他们先世的圣人——太公望的做法,一点都不错。可是不料出了一个大强盗——田成子,齐国后来就亡在田成子手里,田成子叛变,杀了齐国的皇帝而自称齐王,偷来了齐国这个国家,而田成子所偷的,又岂但是齐国,并且把齐国几百年来好的政治规章制度,都偷过来用上了。所以历史上虽然骂田成子是窃国的强盗,但是田成子却安安稳稳地做了齐王、齐国的大老板。当他有权势在手上的时候,国际上一样地恭维他,一样地承认他了,到底他还传了十二代。由这个例子看,田成子不但偷到了齐国,连齐国历史政治的经验都偷到了。

晏子论权

齐国将到末期了,叔向问齐国的名宰相晏子,齐国的前途如何?晏子说,这已经是没落的时代。这里古文称季世,因古文以孟、仲、季来代表大中小或先后次序,而最小或最后的又称叔;古文上的叔世,也就是末世的意思。季世即没落的时代。这里晏子是说,齐国已经到了没落的时代了,走下坡路了,他不能不说齐国要归陈家了。这时陈家是齐国的大夫,特权阶级,后来叛变。晏子说,现在齐国的政府对人民不关心,民心都归顺了陈家。以度量衡这件事来说,齐国的量数,原来分为豆、区、釜、钟四级,以四升为一豆,依次逢四进位,到釜的时候,则以十釜为一钟。而陈家居然创出自己的量制来,从豆到釜不用进四而都加一,成为逢五进位,所以钟的量在观念上更大了。他以家制贷放出去,以公家的量制收进来,说是用大斗贷出、小斗收回的方法,使民心归服。山货木材,海产鱼盐,从产地到市场不另加税,以利人民。而在齐侯统治下,一般人出三分力量,两分归公,只有一分留作私有。结果公家的东西多得都朽蛀了,但是负责公务的三老,却穷到饭都吃不上,整个国家弄到穷的愈穷,富的愈富。外加齐国刑罚太滥,多有断脚之刑,断脚的人太多,形成"屦贱踊贵",普通人穿的鞋子反而不如断脚者专用的"踊"价格贵。对一般人的痛苦,陈家却能安慰救助,所以大家都喜欢陈家,所有的人心,都被陈家骗去了,齐国的祸乱,恐怕难以避免。

这里看到经济的关系,社会的关系,与政治关系的重要。齐国虽有晏子这样有才具、有道德的宰相,但当民心归向陈家形成后,也是没有办法,正如《庄子·胠箧》一章中说的,齐国被陈家这一个扒手给扒掉了,而陈家的扒窃方法,是由经济方法向收服民心下手的。

圣盗同源

跖之徒问于跖曰:盗亦有道乎?跖曰:何适其无有道耶?夫妄意室中之藏,圣也。入先,勇也。出后,义也。知可否,智也。分均,仁也。五者不备而能成大盗者,天下未之有也。

盗跖,是代表强盗土匪坏人的代名词,在古书上常常看到这个名词,并不是专指某人的专有名词,而是广泛的指强盗土匪那一流坏人。我们平常说"盗亦有道"。这句话的由来就出在《庄子》这一段。

强盗问他的头目,当强盗也有道吗?强盗头说,当强盗当然有道。天下事情,哪里有没有道的?当强盗要有当强盗的学问,而且学问也很大,首先在妄意——估计某一处有多少财产,要估计得很正确,这就是最高明——圣也。抢劫、偷窃的时候,别人在后面,自己先进去,这是大有勇气——勇也。等到抢劫偷盗成功以后,别人先撤退,而自己最后走,有危险自己担当,这是做强盗头子要具备的本事——义也。判断某处可不可以去抢,什么时候去抢比较有把握,这是大智慧——智也。抢得以后,如《水浒传》上写的:大块分金,大块吃肉,平均分配——仁也。所以做强盗,也要具备有仁义礼智信的标准,哪有那么简单的!像过去大陆上的帮会的黑暗面,就是这样。从另一角度看,那种作风,比一般社会还爽朗得多,说话算话,一句够朋友的话,就行了。所以要仁义礼智信具备,才能做强盗头子,具备了这些条件而做不到强盗头子的或者有,但是没有不具备这五个条件而能做强盗头子的，绝对没有这个道理。

这里是引《庄子》的一段话，如果看全篇，是很热闹、很妙的，其中的一段是说到孔子的身上，内容是鲁国的美男子，坐怀不乱的圣人柳下惠，有一个弟弟是强盗头子，孔子便数说柳下惠为什么不感化这个弟弟。柳下惠对孔子说，你老先生别提了，我对他没办法，你也对他没办法。孔子不信，去到柳下惠这位强盗弟弟那里，不料这个强盗弟弟，先是摆起威风对孔子骂了一顿，接下来又说了一大堆道理，最后对孔子说，趁我现在心情还好，不想杀你，你走吧！孔子一声不响走了，因为这强盗头子讲的道理都很对，所以这里引的一段，也是柳下惠的弟弟对孔子说的，而实际上是庄子在讽刺世风的寓言。李宗吾写《厚黑学》的目的也是这样的，所以也可以说庄子是厚黑学的祖师爷。相反地来看，即使做一个强盗头子，都要有仁义礼智信的修养，那么想要创番事业，做一个领导人，乃至一个工商界的领袖，也应该如此。倘使一个人非常自私，利益都归自己，损失都算别人的，则不会成功。

后汉末，董卓入朝，将篡位，乃引用名士。范晔论曰：董卓以虓阚为情，遭崩剥之势，故得蹈藉彝伦，毁裂畿服。夫以刳肝斮趾之性，则群生不足以厌其快，然犹折意缙绅，迟疑凌夺，尚有盗窃之道焉。

这里又引用另一个历史故事来作说明了：

在后汉末朝，三国开始的时候，董卓在当时是西凉边疆的一名土匪兼军阀，毫无纪律，但对于权变诡谋，他都懂，当想要把汉献帝的位置拿下来的时候，就知道先礼敬人。当时社会上知名的学者，如蔡邕就是他敬重的人，所以著《后汉书》的范晔，为董卓下结论说，董卓那种野蛮的豺狼之性，又遇到汉朝的政权垮台剥落崩塌的时代，给了他机会，得以蹈藉彝伦，破坏纲常制度，毁坏分裂了中央政府的政权，像董卓这种残酷得能够吃人，刳人肝斮人趾的人，就是杀尽了天下的人,也还不够称心。但是就连这样坏的人,对于名气大的文人学者,却还懂得故意表演谦虚的一套。就在民国初年,如东北早期的军阀卢俊昇,从关外到了北洋政府的时候,把带来的大批人参、皮货,从门房、副房一直到上面的大员,每人一份礼,会议的时候,什么都不懂,轮到他讲话的时候,他只一拱手说:"我叫卢俊昇,初次到北京,样样不知道,全靠诸老兄!"可是这个马贩出身的军阀,就这样成功了。董卓的"折意缙绅"也就是这个手段,因此他对于汉朝的政权还想慢慢来凌夺,一点一滴,渐渐抓过手来,把它吞掉。所以不要看董卓是这样粗鲁、好杀人的家伙,他还懂得盗窃之道,怎样去偷别人东西的方法。

例如蔡邕是当时的名士,学问非常好,董卓特别把他捧起来,因此后来董卓失败了,被群众杀死,因人胖脂肪多,被人在肚脐点灯的时候,谁都不敢去收尸。蔡邕是个文人,还是去哭吊,他认为董卓尽管坏,而对自己很好,还是朋友,仍然去吊丧,结果蔡邕也因此被杀了,他的女儿文姬流落到匈奴去,后来才由曹操接她回来。

由是观之,善人不得圣人之道不立,盗跖不得圣人之道不行,天下之善人少,而不善人多,则圣人之利天下也少,而害天下也多矣——反仁义也。

由董卓这种人,对于名士学者,都知道笼络运用看来,可知"道"——仁义礼智信这个原则,好人想要成功,需要以它做为依据,坏事想要成功,也不可以违反这个原则。可是天下到底好人少,坏人多,就拿社会学、人类学的观点来看,也是事实,人性坏的多,所以耶稣、释迦牟尼、老子、孔子,才要拚命劝人做好,可也有很多人利用宗教靠宗教吃饭的,就是天下善人少,不善人多的道理。知识学问,本来是想教人走上好的路,可是坏的人多了,如一些大土匪,何尝没有知识学问?坏人知识多了,为害天下的本事也就更大了。作者的这几句结论,说得很中肯、很深刻,也很悲痛。文化学问，真是一把刀，刀的本身不一定是坏东西，刀不一定是杀人的，还可以救人，医生动手术用的又何尝不是刀，而且还非用不可，刀的本身不是问题，问题在于执刀的人，刀是如此，文化、道德、学问也是如此，这是说仁义的反面。

议曰：昔仲由为郈宰，季氏以五月起长沟，当此之时，子路以其私秩粟为浆饭，以饷沟者，孔子闻之，使子贡往覆其饭，击毁其器。子路曰：夫子嫉由之为仁义乎？孔子曰：夫礼！天子爱天下，诸侯爱境内，大夫爱官职，士爱其家，过其所爱，是曰侵官。

再继续讨论这个问题，举出历史事实，说明怎样做法才是正确的：

有一次子路去做郈这个地方的首长，当时鲁国的政权掌握在季家的手里，限五个月以内，开通一条运河。古代人口少，经济没落，季家这个措施，对老百姓来说，太过苛扰了。而子路的行政区内正管到这件事，为了要鼓励大家做工，公家的经费又不够，就自己掏腰包，把自己的薪水贴上，乃至从家里弄粮食来，供给大家吃。孔子听到了这个消息，马上派子贡去，把子路做好给工人吃的饭倒掉，把铁锅打毁。子路的脾气，碰到这情形，火可真大了，跑回来跟老师吵架，对孔子说，你天天教我们做好人好事，教我们行仁义，现在我这样做，你又嫉妒了，又反对我了，还教子贡来捣乱。孔子就说，子路！你不要糊涂，中国的文化、古礼，当了皇帝的人，因为天下都是自己的，便忘记了自己而爱天下，当了诸侯，就爱自己国家以内的人民，当了大夫就只管自己职务以内的事，普通一般人，爱自己的家人，超过了范围，虽然是行仁义，也是侵害了别人的权力，所以你做错了。

从历史上看，一个精明皇帝下面的大臣是很难做的，假如一个大臣，做得很好，做到上下一致爱戴他，拥护他，皇帝只要问他一句话："意欲何为？"这大臣就受不了。就如包拯这样的忠臣，宋仁宗这样高明的皇帝,有一次包拯建议他册立太子,宋仁宗很不高兴地反问一句:"你看我哪一个儿子最好?"意思是你姓包的希望我早死,可以把我儿子中和你有交情的一个捧上来,你包某人可以官做大一点揽权不成?包拯懂了他问这句话中的这些含义,所以立刻跪下来脱了帽子对皇帝说,我做臣子的已经六十几岁了,也没有儿子,这个册立太子的建议,不是为了我自己,完全是为了朝廷。宋仁宗这才笑了。当年孔子就是这个道理,看见子路做出超过范围的事情来,为子路着急,赶紧教子贡去把他煮好的饭都倒掉。

另一个历史故事:

汉武时,河间献王来朝,造次必于仁义。武帝色然难之,谓曰:汤以七十里,文王以百里,王其勉之。王知其意,归即纵酒。

汉武帝的时候,封在河间的献王,自然也是刘邦的子孙,来朝见汉武帝,穿的衣服很规矩,每一个进退动作,都很得体,很有礼貌,处处都合乎行仁由义的规矩,就自然而然地表现出庄重威严的样子来。汉武帝见了他以后,态度脸色都变得很难看,心里有所疑虑妒忌的味道,于是对河间献王说,汤武当年起来革命,不过是七十里大的地方开始的,文王开始时候的辖区也不过一百里方圆,而你现在管的地方,比他们的幅员还更广大,你好好地干吧。汉武帝这几句话,太严重了,意思是说,你努力吧,像你这样做法,有一天造起反来,一定可以推翻我了,至少将来我死了,也可以打垮我的儿子,由你来当这个皇帝了。我们从这类历史上看来,人类也很可怜,父兄叔侄之间,往往为了权力利害的相争而相杀。以哲学的观点去看人性,人实在是毫无价值的,骨肉之间感情非常好的,往往出在贫穷的家庭。一到有富贵权力的冲突,兄弟、姊妹、父子之间都发生问题,古今中外都是如此。这在一个哲学家看来,人实在太可怕了,真是六亲不认,比禽兽还不如,没有道理,这就叫做人,人这种动物又有什么意思?由此可见汉武帝的"王其勉之"这句话心理的反映。

河间献王听了汉武帝这句话，懂得他话里的意思，回去以后，就故意吊儿郎当，一天到晚喝酒，听歌跳舞，表示没有野心，以行动告诉汉武帝，你可以放心了。

由是言之，夫仁义兼济，必有分乃可。故尸子曰：君臣父子，上下长幼，贵贱亲疏，皆得其分曰理。爱得分曰仁，施得分曰义，虑得分曰智，动得分曰适，言得分曰信，皆得分而后为成人。由是言之，跖徒之仁义非其分矣。

由子路和河间献王这种历史故事来说，要实施仁义爱人，普遍的帮忙别人，爱部下爱团体，也还要知道自己的本分，超出了本分不行。孔子把子路的饭倒了，就是子路的行为超出了本分。孔子这样做，也是对子路无比的慈爱，是爱护学生如自己的儿子一样，因为子路这样一做，他会大得人心，但必然会引起的嫉妒，就非把子路害了不可，这就是教子路不要超过了本分，做人做事就如此之难。所以尸子(尸佼)里就提到，做人的道理，要守本分，就是我们的老话，现在大多数年轻人是不会深入去体会的。什么是本分？做领袖的，做父亲的，做干部的，做儿子的，上下长幼、贵贱亲疏之间，都要守本分，恰到好处。譬如贫穷了，穿衣服就穿得朴素，就是穷人的样子，不可摆阔；有钱的人也不必装穷，所以仁爱要得分，施舍要得分，仗义疏财也要得分，智慧的行为也要得分，讲话也要得分，信也要得分，总而言之，做人做事，要晓得自己的本分，要晓得适可而止，这才算成熟了，否则就是幼稚。由这个道理看起来，虽然上面所说的强盗也讲仁义道德，所谓“盗亦有道”，可是在做人的基础原则上，他是错误的。

这是中国文化，为西方所没有的，到今天为止，不论欧洲或美国，还没有这个文化，专讲做人做事要守本分的“哲学”，能够达到如此深刻的，这些地方就是中国文化的可贵之处。

由是言之,夫仁义礼乐,名法刑赏,忠孝贤智之道,文武明察之端,无隐于人,而常存于代,非自昭于尧汤之时,非故逃于桀纣之朝,用得其道则天下理,用失其道而天下乱。

这里作全篇的结论了。他说,由上面反复所说的各点来说,孔孟思想所标榜的仁义礼乐,法家所提倡的名法刑赏,忠孝贤智的行为,文的武的以及侦察谋略等事,每家的思想,每一种法制,都是天地间的真理,永远存在那里,并没有避开人去隐藏起来。尽管时代变了,而真理还是代代都存在的,不能说时代变了,仁义的真理就不存在,就不是真理了。所以并不是说在三代以前,尧舜的时候,仁义道德就自己主动地出来了,也不是说夏桀、商纣的时候,仁义道德就没落了,离开了人类社会。问题还是在领导时代的人物们的运用。我们要注意的,这里只讲用不讲体,每一个学问,每一个思想,每一个政策,每一个办法,运用之妙在于人。如我们桌子上这个茶杯,可以泡茶,固然很好,因喜欢茶而喜欢了茶杯,但同样的杯里也可以盛毒药用来杀人,这茶杯本身没有好坏,在于如何使用这个杯子,是给人喝茶或给人服毒,用得对的就天下太平,用得不对,就天下大乱。懂了这个道理,就知道一切学问,一切思想,在于用得恰当不恰当,同样的思想,同样的学问,用的时间空间不恰当,就变成有害处。

孙卿曰:羿之法非亡也,而羿不世出。禹之法犹存也,而夏不代王。故法不能独立,得其人则存,失其人则亡矣。

这里引孙卿的话作最后结论,古代羿的法制、思想、政策并没有错,而这些不错的办法还存在的时候,羿在中年就早死了。禹王治水以后称夏朝,他的文化法制都还存在,但后代也没有了,而制度、办法都还是原来的。问题就在这里,任何法律、思想、体制、政策、主义、法则、本身不能单独存在,靠人去运用,人用得好就存在,用得不好就亡掉。

最后引用《庄子》的一段寓言作论证。

《庄子》曰:宋人有善为不龟手之药者,代以洴澼絖为事。客闻之,请买其方百金,客得之,以说吴王。越人有难,吴王使之将。冬,与越人水战,大败越人,裂地而封。能不龟手一也,或以封,或不免于洴澼絖,则其所用之异。故知制度者,代非无也,在用之而已。

这是在《庄子》里很精采的,很有名的典故,古代的大政治家或大阴谋家都懂这段故事。《庄子》说:宋国有一家人,有一个祖传秘方,能在冬天里涂在身上,不生冻疮,手上皮肤不会裂开来,所以这家人,凭了这个秘方,世世代代漂布,都不会伤手,因而漂的布又好又快又多。有一个人经过这里,听说这家人有这个秘方,要求以一百金——也许相当于现在一百万美金的价值,购买这个秘方。后来果然以这个大数目,把秘方买来了,然后到南方去游说吴王,吴越地在海边,打仗要练海军作水战,他游说吴王成功,做了吴国的海军司令,替吴国练兵。到了冬天,和越国打仗,吴国的海军涂了他的药,不怕冷,不生冻疮,大败越国,因之立了大功,裂地而封。他就是利用这个百金买来的方子,能够功成名就以至于封王。庄子说,就是这样一个不生冻疮的方子,有的人能够利用它不生冻疮,不裂皮肤这一点而封侯拜将,名留万古。而这一家人却只能用这同一个方子,世世代代替人家漂布。同样一个东西,就看人的聪明智慧,怎样去运用,而得到天壤之别的结果。因此一个人,倒霉了不要怨天尤人,要靠自己的智慧去想办法翻身;所以任何思想,任何制度,不一定可靠,主要在于人的聪明智慧,在于能否善于运用。

苏秦的历史时代

上次讨论了张良,现在自《战国策》上,摘录有关苏秦的一段问题来研究。苏秦与张仪,是中国史上的两个名人,过去称他们为说士或说客,所谓游说之士,意思是说他专门玩嘴巴的。我们今天提出这一篇来研究,是非常有意义的。像现在美国的基辛格(美国国务卿,以"穿梭外交"游说国际间),我们中国人就称他为游说之士,是苏秦、张仪之流。一个书生用他的嘴巴,凭他的脑筋,摆布整个世界的局势,在我们过去的历史上,最知名的就有苏秦、张仪两同学,这是我们都知道的故事。现在我们回转来再研究苏秦、张仪的传记资料,对我们这个时代有很深的启发,许多道理,都可以在这里看出来。

这里就牵涉到历史哲学问题。讲历史哲学,有两个重要观点,一个观点认为人类历史是重演的;一个观点认为人类历史是进化的,不会反复重演的。但这两个观点是可以融会贯通的。历史的现象,事物的变化,并不一定重演。譬如我们现在穿的西装,同古代衣服的式样就不同了;但是大原则,人要穿衣服,则是一样的。我们知道了历史的原则是一样的,所以看到苏秦这一篇,就可以找出很多很多的重点来。

我们如果是作学术的研究,当然,只靠这一篇是不够的。《战国策》是汉代刘向编的,根据历史的资料,集中起来,编辑成书,名为《战国策》。古代所指的"策士"就是专讲谋略学的人。譬如现在我们因为某一事件,向上面提出一个建议,这建议就是"策"。专门以这种计策起家的,就叫"策士"。另外,像宋代因时势的需要,改变了考试制度,应考的文章中,必须增加写一篇策论。这就是看应考人对政治和时事的见解,对国家大事的认识。到清朝末年,提倡废除“八股”的时候,一度又主张考试策论。我们知道宋代苏东坡考中科名的那篇著名的文章,《刑赏忠厚之至论》,讨论司法上判罪的问题,也即是与政治有关的司法问题。现在我们要看的这篇文章摘自《战国策》,就是属于策论这一类的——也可说明《战国策》一书的完成,是刘向当时把战国时代的许多谋略问题,集中起来,编为一书。

从前读书人对于这本书,有两种主张:一种是限制年轻人,不许读这本书。古代的观念,认为读了这本书,容易学坏。所以要先读四书、五经,等读好了以后再读,由正经而懂得如何权变。但是另一个观点,每逢时代乱的时候,便有许多人主张应该多读《战国策》,因为时代乱的时候,需要有头脑的人才,所以读了《战国策》,对事物的观点会不同。但是,研究谋略这一类东西,仅仅是读《战国策》还是不够的,譬如研究苏秦,就得再读司马迁所著《史记》中苏秦等人的传记。但那样还是不够,最好再能了解战国时候,苏秦当时所有的历史情势。

现在,我们仅就《战国策》中“苏秦始将连横”这一篇来研究。所谓“合纵”等于组织一个联合国。当时秦国是一个新兴起来,有强大力量的国家,苏秦就把弱小的国家,联合起来抗秦,用历史的观点来看,苏秦的“合纵”计,也就是这个组织的建议,是很不错的,应该的。但是有一点,我们看了全篇以后,首先要认识一个人的动机,因为苏秦当时的用心,并不是为了天下国家,而是为了个人出风头,这是首先我们必须了解的。

第二点,根据历史的记载研究,苏秦当时是一个读书的年轻人,后世人称他是鬼谷子的学生。关于鬼谷子,又是一个可以用来作专题研究的题材了。历史上究竟有没有鬼谷子这个人,另外待考,如在河南有“鬼谷”这样一个地方,不过古代又称“归谷”,意思是归隐在这个山谷。据说这是道家的人物,有如张良所遇到的黄石公一样,是不是确实有这个人,不知道。就是真有这样一个人,无疑的,学问一定非常好,据说苏秦便是他的学生。今天讲谋略学,所谓拨乱反正的这一套学问,乃至于用在坏的这一方面,捣乱造反的学问,都是出于他——鬼谷子。苏秦当时出来,拿鬼谷子的这套学问,游说诸侯晋见每个国家的领袖,希望取得功名富贵,实行他自己的思想。

第三点要注意的,游说在当时是一种普遍的风气,那个时候还没有建立考试制度,知识分子都靠游说出来做事的。譬如孟子,一天到晚见这个诸侯,见那个诸侯,也是游说。各个诸侯虽然尊重他的学问,可是却不用他。同样的,后来苏秦第一次出来游说,也是完全失败了,没有人听他的。我们看他游说的内容对不对?完全讲的是正道,但是正道当中有歪道。以现代的观念来说,苏秦是偏重在军国主义的思想,主张富国强兵,他举出历史上的实例,只有战争才有办法,才能够强盛,才能够安定。可是秦国并没有接受,这又是什么原因?这就是我们读书要注意的地方。当时的秦国,是秦始皇的祖父辈,天天想统一,想消灭其他大国,可是苏秦主张用兵,又为什么不听从他的意见?这同我们今天的情形一样,为什么基辛格提倡以和谈代替战争,大家都明知道是毒药而还是吃下去?为什么不肯言战?我们读历史,就要懂得这些。懂得历史就懂得现在,懂得现代也就懂得古代。历史并不一定重演,但原则是一样。

第四点,再讲到苏秦个人,第一个游说失败,弄到回家的路费都没有,穿双破跻鞋,拿只破箱子,回到家里来,嫂嫂不给他饭吃,家里的人都看不起他,那种难受,是到了万分。因此苏秦重新发愤读书。所谓悬梁刺股,把头发用绳子捆起来,挂在梁上,身旁放一把锥子,等到夜晚读书打瞌睡时,头一低,头发一扯,醒了。再不行就自己用锥子刺自己的肉,如此鞭策自己用功。据说读的是《太公兵法》,把太公兵法读通了,于是再度出来游说诸侯。这次不再跑到秦国去主张打仗,反而跑到弱小的国家,等于今日世局中,受人侵略、受人宰割的国家，由燕国、赵国开始，组织联合阵线抗秦，不主张打仗，主要目的在使秦国不敢出兵。他把天下大事、人的心理、政治的心理，战争的心理，都摸透了，果然成功了。这一下身佩六国相印，同时当起六个国家的行政院长，印都挂在身上走，随时拿来盖就行了。当时这位联合国的秘书长，还不比现在的联合国秘书长，他是有实权的，只要他说一句话就行了，国与国局势就受这样一个书生的摆布，安定了二十多年，这又是一个什么道理？为什么他后来主张合纵，大家会团结？这是矛盾的团结，利害关系的团结，不是道义的团结。为什么会这样，也是值得我们研究的，这和现代的情形又是一样。

第五点，到了他个人成功以后，就看出这一班人是只讲手段的，只求如何达到目的。所以中国文化中讲正统文化的，素来对于这些人不大重视，因为他们只以个人为出发点，而孔孟思想是不以个人为出发点。苏秦成功以后，自己知道这套手法只是玩弄玩弄而已，各国君王的头脑不一定都是豆腐渣做的，不会一直听他的摆布，只不过是所拿出来的办法，正投合了时代的需要，都只是手段。他也知道这个手段不会长久，他的另外一招就很厉害了。当有一个强大的敌人存在，大家需要团结起来与它抗衡，这时是做得到。但对秦国封锁了以后，秦国的军国主义不能扩张了，结果苏秦的戏就不能唱了。没有了敌人，怎么还能够玩？

于是他利用机会培养和他学问差不多的好同学张仪，他这培养方法就很高明了。他怎样培养张仪的？他和张仪的感情原来好得很，而且两人约定在先，谁先有办法，谁就帮忙另一人站起来。这时苏秦佩了六国的相印，张仪还穷得很，去找苏秦，心想求取一个秘书、科长的位置，还会有什么问题？苏秦正在办公室接见各国大使，忙碌得很，知道张仪来了，教他在外面小工友的小房子里等候，自己威风得很。到了吃饭的时候，也留张仪吃饭，可是随便打发他在一个角落里吃，自己却和各国贵宾周旋。故意使张仪看见，使张仪难受,用种种方法刺激他,最后告诉张仪目前没有机会,嘱到旅馆等候,也不送点钱去,使他受尽冷落凄凉之苦,然后教一个人对张仪说:你是找苏秦的?同学有什么用?他已经功成名就,不理你了,你的学问也很好,又何必求他呢?用种种方法挑拨,使张仪恨死了苏秦,决心非打倒苏秦不可。到秦国去,你苏秦搞合纵,我就弄一个专门破合纵的计划。实际上,苏秦正需要像张仪这样的人到秦国去,但是他为什么不告诉张仪合作唱对台戏?因为他知道张仪如果不受这样大的刺激,就发不起狠来,如果说明了,反而搞不好,必须要培养出他如此怨恨的气愤,硬是要立志做破坏的计划,两人才有戏唱。所以后来张仪连横的计划成功了,苏秦派去挑拨张仪到秦国去,始终"卧底"的人,这时才把真相说出来。实际上张仪到秦国的路费还是苏秦奉送的,一切都是苏秦安排的。所以张仪说,我还是没有跳出这位老同学的手心。并且决定苏秦还在的一天,秦国就一天不出兵,等苏秦死了再打。战国末期,就被这样两个书生摆来摆去,摆布了相当长一个时期。现在我们用人才,除了有才具,有学问,有思想,还非要有道德做基础不可,没有真正的道德做基础,则好头脑是很可怕的。这是第五个重点。

第六个重点,附带谈到有名的故事,当苏秦第一度游说失败,穷了回家的时候,嫂嫂都不给他吃饭,冷饭都不剩一点,父母兄弟都看不起他。到后来身佩六国相印,要到楚国去的时候,经过自己家乡,他的嫂嫂以及全家人都跪下来迎接,那种恭维真是不得了的,这时苏秦问他的嫂嫂:"何前倨而后卑也?"这个话也只有苏秦才说得出口。老实说,在中国讲究道德修养的人,不会讲这样的话,他却会爽直痛快当面问他嫂嫂。人性本来也就是这样,可说他问得很直爽,还不算顶坏的,还没有故意整她。而嫂嫂答复的话也很简单明了,她说:"以季子之位尊而多金也。"这是人情之常。古今中外,人类社会,就是这么一回事。那个时代,哪个时代不讲现实?从这里又可认识人情世故。

第七点,苏秦是怎样死的?善有善报,恶有恶报,他不得好死,最后到了齐国的时候,有人行刺,把他杀死了。他所以到齐国去,是因为在燕国出了私生活方面的绯色故事,和燕王的皇太后发生了关系,被燕王知道了,苏秦知道靠不住了,很危险。于是说动燕王,要到齐国去才对燕国有利,燕王明知道是怎么一回事,但也只有这个办法送他走最妥当,就让他去了。结果,齐国的大臣找人行刺他,苏秦身负重伤,没有立即死去。而齐王赏识他,大为震怒,下令全国抓凶手,可是抓不到。苏秦在临死以前,告诉齐王,只要宣布一下苏秦是个坏蛋,是为燕国来做间谍的,被杀死以后,齐国可以安定,这样宣布就可抓到凶手。苏秦说完这些话就死了。齐王果然照苏秦的话宣布,而行刺的凶手出来了,于是齐王把凶手抓来杀了。苏秦临死了,还会动脑筋,借人家的手替自己报仇,这就是搞谋略的人头脑的厉害。

这是随便举出来的七个重点,事实上我们要看的第一篇当中,并不止这七点,还有很多重点,仔细去研究起来,对于古代战争地理的观念、社会发展的观念、经济问题的观念、军事问题的观念等等,都足以发人深省。这就是读书不要被书骗去了,仅了解文字,就不是真读书,我们读书是要吸收历史所告诉我们的经验,由这经验了解很多很多的事,尤其对于今日我们国家所处的这个世界局面,会有更深入的了解。所以我上几次都建议大家,多读《战国策》、《国语》,不要以为这些是老东西没有用,实际上这些书非常有用。

远见抵不住现实的短视

下面就原文文字,作一下重点解说:

苏秦始将连横,说秦惠王曰:“大王之国,西有巴蜀、汉中之利,北有胡貉、代马之用,南有巫山、黔中之限,东有崤、函之固,田肥美,民殷富,战车万乘,奋击百万,沃野千里,蓄积饶多,地势形便,此所谓天府,天下之雄国也。以大王之贤,士民之众,车骑之用,兵法之教,可以并诸侯,吞天下,称帝而治。愿大王少留意,臣请奏其效!”

苏秦说秦惠王,一开始,就指出秦国西、北、南、东四边的疆界,边防的形势。不要以为这是古代的地理,大家还是要注意。虽然交通情形古今不同,但地理形势是不会变的。他继续又说到地理与经济的关系,一直到“天下之雄国也”。这是说明当时秦国的首都,在现代的陕西西安一带。我们要注意,那时的陕西又不比现代,经济的条件、地理的条件、政治的条件,都非常重要。最奇怪的是,我们研究中国战史,历史上的大战争,几乎每次都是从秦晋这边向东南打下来的,所谓建瓴而下,中国的地势就是这样,如同屋顶上倒水,一直倾下来,几乎任何一次大的战争都是如此,如果从这一方面去研究,牵涉到的战史就太多了。比较特殊一点的,只有元朝稍稍有所不同,蒙古也是由西北高原,但不一直东下,先进康藏的边境,囊括巴蜀、汉中,另由康、藏,席卷云南,而经岭南、两广,北上会师湖南、湖北。同时再另由北方出兵,两边向中原一抱,钳形的夹持,就把中原抱去了。只有这一次用的战略,与历代的战略不同。这是一大重点。

自“以大王之贤”到“愿大王少留意”这一段,要注意的是,战国时的秦国,想并吞各国,统一天下,并不是秦始皇开始的,秦始皇的祖先早就有这个企图,尤其是苏秦对秦惠王说的这段话,就是要他统一天下,并且把秦国的地理条件、经济条件、人才、军备等等优越的地方都说出来了。

苏秦受到反教育

我们现在注意秦惠王答复苏秦：

秦王曰："寡人闻之，毛羽不丰满者，不可以高飞；文章不成者，不可以诛罚；道德不厚者，不可以使民；政教不顺者，不可以烦大臣。今先生俨然不远千里而庭教之，愿以异日！"

他没有接受苏秦的意见。但不接受有他的几点理由：一、如同鸟一样，羽毛还没有长丰满，是不可以学飞的。个人作人如此，国家大事也如此，没有准备好，飞不起来的。二、"文章不成者，不可以诛罚。"这个"文章"不是现代在报纸、刊物上写的文章，这里的意思是政治文明，包括社会的安定，政治的清明，在古人说是"大文章"。用现代话说，是政治文化的基础还没有稳固，不能随便诛伐别人，征伐别人。三、"道德不厚者，不可以使民。"秦惠王所讲的这个"道德"，并不是四书五经上所讲的道德。在古代，道德是一个政治名称，意思是声望、威望。国家在一般人民，还不能信服的时候，就无法指挥人。四、"政教不顺者，不可以烦大臣。"内政还没有做到很平顺、很安定时，就不可以因出兵而劳烦大臣，劳烦国家的重要干部。

秦惠王举出了这四点。以现代的观念看，他是说，据我所知，准备不够，不能轻举妄动。自己在国际政治上的声望不够，无法去征伐别个国家。国内的威望不够，就不能支使老百姓。内政上还没有达到最高的修明境界，也不能加重大臣们的职责。所以秦惠王对苏秦很客气地说，承蒙你看得起我，那么远跑来看我，而"庭教之"(苏秦不是秦国人，他是当时中央政府所在地的东周洛阳人，因此说“庭教之”——到我这里来指导我,假如有朋友来家里看自己,我们写信也可写“蒙枉顾而庭教之”)。接着说:“愿以异日”,以后再讲,轻轻四个字,把苏秦赶跑了。

药不对症的言论

可是苏秦并不死心,还是提出他的见解来,这是他最初的思想,然这时的苏秦还不成熟,可是已经很会说话。

苏秦曰:“臣固疑大王之不能用也。昔者神农伐补遂,黄帝伐涿鹿而禽蚩尤,尧伐驩兜,舜伐三苗,禹伐共工,汤伐有夏,文王伐崇,武王伐纣,齐桓任战而伯天下,由此观之,恶有不战者乎?”

他一开始就说“臣固疑大王之不能用也。”——我早想到你不会采用我的意思。他被拒了,还赖在那里,接着他就举出历史上许多的故事来。为了充实自己理论的内容,他引用了许多上古史,而这些历史,都证明天下是打来的。由黄帝开始,一次战争胜利,就成功了,乃至最后由王道谈到霸道,例引“齐桓公任战而伯天下”,靠战争称霸,领导了天下。然后说,有历史的证据在这里,没有一个国家不是靠战争而统一天下的,这就是苏秦的主张,以现代的另一角度来看,这就是黩武精神、侵略主义或好战思想,没有实力的强权就不会成功的。苏秦继续又说:

“古者使车毂击驰,言语相结,天下为一,约从连横,兵革不藏,文士并饬,诸侯乱惑,万端俱起,不可胜理,科条既备,民多伪态,书策稠浊,百姓不足,上下相愁,民无所聊,明言章理,兵甲愈起,辩言伟服,战攻不息,繁称文辞,天下不治,舌弊耳聋,不见成功,行义约信,天下不亲;于是乃废文任武,厚养死士,缀甲厉兵,效胜与战场。”

这一段文字，四个字一句，后来就演变成中国一种文体——骈体文——四六句，几千年来一直都用这种文体，简单明了，而包括的内容又很多。每句里都有很多的东西。试从这段中随便抽出一句来看，例如“舌弊耳聋，不见成功”这八个字，就是今天美国基辛格这一套的政策，嘴里叫和平，你基辛格叫死了都没得用。所以我们多看自己的历史，现代的这些事情在过去的历史都有过了，道理很清楚，所以苏秦说，到了后来“废文任武”，光靠文化的政治，在国际间做不到，没有办法，只好靠战争来解决问题，于是“厚养死士”，培养敢死的人。

接着这几句话要注意。

“夫徒处而致利，安坐而广地，虽古五帝、三王、五伯、明主贤君，常欲坐而致之，其势不能，故以战续之；宽则两军相攻，迫则杖戟相撞，然后可建大功。是故兵胜于外，义强于内，威立于上，民服于下。”

他说只是讲理论没得用，非战争不可，为什么？任何人都想坐在家里利益就来了，不打仗而领土越来越扩充，乃至古代的三皇、五帝、五伯以及所有的明主贤君，都希望能够做到这样，不经打仗，只要内政修明，就有人来投降。但这只是理想，用道德的政治来感化人，是不可能的事情，最后不得已，都是用战争。

下面是苏秦所提的重点。这个重点对不对呢？说句老实话，任何一个时代，任何一个国家，任何一个历史，都是如此，只是表面上不讲出兵而已。任何一个和平，没有一个坚强的武力在后面支持，都站不住的。所以讲军事哲学思想，苏秦的话就是：和平只有在强有力的情形下才能谈的，否则谈不到。这就是他的“宽则两军相攻”到“民服于下”一段话中的“兵胜于外，义强于内”八个字。一个国家，对外有强有力的武力支持，对内再讲求内政的修明，这时你讲道德，人家就都听你的了；如果对外的兵力不强，再讲道德也没有用。

“今欲并天下,凌万乘,诎敌国,制海内,子元元,臣诸侯,非兵不可。今之嗣主,忽于至道,皆惛于教,乱于治,迷于言,惑于语,沈于辩,溺于辞,以此论之,王固不能行也。”

最后,苏秦在这里刺激秦惠王,等于在骂他。苏秦说,根据这些历史的经验,任何国家,想统一天下都非兵不可。苏秦当然不好意思直接骂秦惠王,他说现在一般国家的嗣主们,都不懂这些大道理,都在那里惛、乱、迷、惑,沉溺在言语辩论上,空谈理论,所以推论起来,我看你秦惠王也是做不到的。意思说是说秦惠王也和他们一样的草包。

苏秦开始出来,游说秦惠王十次,骂也好,捧也好,终归此路不通。结果都失败了,老实说,这个时候苏秦的主张对不对?没有一点是错的,但是高明不高明?很笨!因为秦惠王答复他的话已经讲到底了。意思是说,你这些道理我秦惠王全知道,但时机还没有成熟,还不到时候就不能打。所以苏秦这时到底还是一个书生。从这里我们又想到汉文帝时候的贾谊,他的一篇文章《过秦论》,大家应该都念过的,内容是讲汉初中国的地理环境,与政治、军事都有关系。他为什么写这篇文章,那时正是汉文帝时代政治最安定的时候,贾谊是一个二十多岁的年轻人,学问很好,很有眼光,他已经看到天下将要乱了,汉文帝拟的几个政策有问题。他的看法并没有错,很对的,所以他向汉文帝提出这个建议,汉文帝也很服他。但后来贾谊还是不得志,死于湖南的长沙,所以后人又称他为贾长沙。历代的文人知识分子不得意,都用贾谊来比拟,尤其李商隐咏他的诗:“宣室求贤访逐臣,贾生才调更无伦。可怜夜半虚前席,不问苍生问鬼神。”是贾谊提出建议以后,文帝夜半起来忽然想到贾谊,就召见他,还特别在前面摆好一个位置等他来,表示看重他。可是当两人面对面谈话时,汉文帝却只问他人死后究竟有没有灵魂的问题,所以后来历代的文人都为贾谊叫屈,这首诗最后两句就是对汉文帝不满的,对一个这样大的才人,"可怜夜半虚前席,不问苍生问鬼神。"半夜里把他找来,这样尊重他,却不问天下国家大事,反而讨论宗教哲学的问题了。多可怜!其实这首诗也是书呆子的话,汉文帝不跟他谈鬼神又能谈什么?贾谊的这些意见汉文帝早就知道了。汉文帝的心里是认为你这个年轻的书生,意见完全对,可是时机还没有到!贾谊的智慧到底不行,眼光还不够。所以李商隐替他抱冤屈,还是书生之见。我的看法,汉文帝对他不问鬼神又能问什么?汉文帝不能对他说时机还没有成熟啊!

人情千古重多金

上面所提出来当时的时代趋势,有许多大原则,是和今日的国际局势差不多,甚至可以说完全相同。只是社会的形态、政治的形态,以及其结构不同而已。现在说到苏秦本人。

说秦王书十上而说不行,黑貂之裘弊,黄金百斤尽,资用乏绝,去秦而归,羸縢履蹻,负书担囊,形容枯槁,面目黧黑,状有愧色。归至家,妻不下纴,嫂不为炊,父母不与言。苏秦喟叹曰:"妻不以我为夫,嫂不以我为叔,父母不以我为子,是皆秦之罪也!"乃夜发书,陈箧数十,得太公《阴符》之谋,伏而诵之,简练以为揣摩。读书欲睡,引锥自刺其股,血流至足。曰:"安有说人主,不能出其金玉锦绣,取卿相之尊者乎?"

在"书十上而说不行",路子走不通的时候,就很可怜了,原来特制的最名贵黑貂皮的衣服穿破了,钱也用光了,行李袋子破了,鞋子也买不起,只好穿草鞋,自己挑了担子,脸色难看得很,又黑又瘦,营养不良所致,只好回家了。回到家里的时候,太太看见他这副样子,不理他,正在织布做工,也不放下来,照样做她的工,嫂嫂不给他做饭,父母也不和他讲话。这里就看到了人情。由这里我们也看到千古以来一般人情,苏秦遭遇到这种情形,只有感叹自己错了。

于是这一下发愤读书,漏夜把所有的书拿出来。"陈箧数十",他的藏书还是很多的,不比现代,古代还有那么多书,可见平常很用功。那时的书是很难得到的,"箧"就是书箱,古代的书装在竹制的箱子里,就叫书箧。他在很多的书里,找到"太公阴符之谋",就是古代的《阴符经》,是不是现代的这本《阴符经》,或另有原本,就很难说,据说他读的是阴符兵法。他"伏而诵之,简练以为揣摩"。这两句话是重点,这个"伏"并不是说他跪下来读,是呆在家里不出去,正如上海话"孵豆芽"的意思,就是躲在家里,连人都不敢见,专门研究学问。"简练"二字,"简"就是选,选书中的重点,"练"是熟练,再把选出来的重点搞熟。"揣摩"就是思想、研究等等的综合,揣是用手比算,摩是摸摸看。思想上的揣摩就是研究人家的心理,研究当时各国间的形势,研究每一国领导人心理上需要的是什么。他在这段用功的期间,连睡都没有好好睡,打瞌睡的时候,用锥子刺痛自己,刺到血都流出来,一直由大腿流到脚上。他这样足足用了一年的功,自己有了信心以后,于是他说:"安有说人主不能出其金玉锦绣,取卿相之尊者乎?"这两句话是很重要的一个重点,我们要特别注意,他有了信心了,并没有为国家、天下、人类、社会着想,只求他个人的成功。他说只要找到一个老板,一定可以把这老板口袋里的宝贝、黄金、美钞都装到自己的口袋里来,不但可以拿到钱,还有当宰相的绝对把握。他自认为一定可以做当政的人,成为政治上的权要,所以他又出门了。

期年,揣摩成,曰:"此真可以说当世之君矣。"于是,乃摩燕乌集阙,见说赵王于华屋之下,抵掌而谈。赵王大悦,封为武安君,受相印;革车百乘,锦绣千纯,白璧百双,黄金万镒,以随其后,约从散横，以抑强秦，故苏秦相于赵而关不通。当此之时，天下之大，万民之众，王侯之威，谋臣之权，皆欲决苏秦之策。不费斗粮，未烦一兵，未战一士，未绝一弦，未折一矢，诸侯相亲，贤于兄弟。

雏燕初飞

这次苏秦不再到秦国去了，而先到北方，这些都是弱小的国家。他先到燕国，说动了燕国的诸侯，认为他的办法好，给了他资本，要他去组织“联合国”。他就来到赵国了，在赵王建筑得非常漂亮的大办公室里，和赵王拉着手讲悄悄话，讲的一些什么内容，须看《战国策》的《赵策》，不过读中国古书要了解，他所讲的虽然记载下来给后人学习，也不一定是光明正大的好主意，都是讲利害关系，属于当时的阴谋，所以悄悄的。赵王听了以后，大为高兴，马上封他为武安君，等于现在的上将军、特任官。这个时候，他一下子阔起来了。受了相印，后面带着从人，等于一个特别办公室的机构，“联合国”的秘书长还没有当上，派头先有了。他出去时，后面跟着的车子有一百辆。至于锦绣千纯，并不是穿的衣服，在那个时代，布匹和钱币同样是钱，都当作货币用。他后面带了很多钱，还有白璧百双和黄金万镒，都跟在他的后面。这时他有了政治资本，才开始组织“联合国”，提倡抗秦。

下面“苏秦相于赵”到“贤于兄弟”一段：就是说苏秦这时做到赵国的首相而兼办外交，就马上与秦国断绝了外交关系，和那么强的秦国，不但外交上断绝关系，经济上工商业都不通往来了。这是他与赵王“抵掌而谈”时，不晓得出了些什么主意，后世的人无法知道。后来他的“联合国”一组成，苏秦威风之大，大到除了秦国之外，六国诸侯所辖那么大的天下，那么多的群众，每个国家的诸侯，以及“参谋长”、“秘书长”什么文官武将等谋臣勇士,全部都听命于他一个人,靠他一句话作决定。那种权势,威风之大,不可想象,如拿今天的基辛格来比,基辛格还不及他万分之一呢!而且这个时候,国际上没有办法停止战争,可是苏秦做到了连一根箭都没有用过,而国际上诸侯之间,就能互相合作,贤于兄弟,大家互相团结,这是苏秦的成功。

夫贤人在而天下服,一人用而天下从。故曰:“式于政,不式于勇;式于廊庙之内,不式于四境之外。”当秦之隆,黄金万镒为用,转毂连骑,炫熿于道,山东之国,从风而服,使赵大重。

于是写这篇文章的人结论说,由这一段历史,就看出人才的重要,有才干的贤者得其位,天下就服了。只要这一人施展所长,天下的人不问思想、观念各方面,都跟他走,所以古话说:“式于政,不式于勇;式于廊庙之内,不式于四境之外。”这个“式”就是标准,也就是中心。一个中心在于政治——包括内政、外交、经济、军事、社会、教育等广义的政治。光靠武力没有用,要好的政治策略,“式于廊庙之内”——廊庙过去指君主上朝的朝廷,比之现代,是中央最高决策的所在。只要有好的政策、好的人才,就能转危为安,就像苏秦威风的时候,六国的经济都由他支配,各国之间的关系如此密切,不但外交上如此,还有工商上的往来,在秦晋山脉以东的各个国家的诸侯,听到消息就跟着来归服了,使赵国在当时国际上,立即变成最有声望,最有地位的盟主国。

反复波澜的人世

下面讲到苏秦个人,这也是大家要研究的,关于个人的人生与国家社会的关系。

且夫苏秦特穷巷掘门、桑户卷枢之士耳，伏轼樽衔，横历天下，廷说诸侯之王，杜左右之口，天下莫之能伉。将说楚王，路过洛阳，父母闻之，清宫除道，张乐设宴，郊迎三十里；妻侧目而视，倾耳而听；嫂蛇行匍伏，四拜自跪而谢。苏秦曰："嫂何前倨而后卑也？"嫂曰："以季子之位尊而多金。"苏秦曰："嗟乎！贫穷则父母不子，富贵则亲戚畏惧，人生世人，势位富贵，盖可忽乎哉！"

《战国策》

这里说苏秦这个人，不过是贫民窟里出身的，家里穷得很，小门小户，好比贫民窟里违章建筑穷家的子弟而已，结果坐那么豪华的车子，威风凛凛，各国间随意走动，同每个国家的元首见面，在各个朝廷中，高谈阔论，使各国元首身边最受器重、最得宠的人，在他面前都闭着嘴不敢乱讲话，只有听命的分，天下人没有办法和他对抗。他就是靠头脑，靠嘴巴干出来的。这里就要注意了，推开军事哲学来说，任何历史，任何时代，战争的背后还是思想；权力的背后也是思想，政治的背后仍然是思想，不过许多思想家，虽然影响了整个时代，乃至影响后世千秋万载，在他本人当时是很可怜的。比如孔子、孟子以及古今中外很多人都是如此，这些人都是走正路的大思想家。而苏秦、张仪这类搞思想的人，就讲现实，他们对国家、民族、人类、社会这些大经大节都不考虑，完全个人英雄主义，自我主义，做到"天下莫之能伉"就是他们的目的。

后来苏秦要到南方一个新兴的国家楚国去，经过他的故乡洛阳，家里人这时对他的待遇，和他第一次游说秦王失败回来，连父母都不理他的情形，成了一个强烈的对比。这时父母听到他来了，赶紧雇人来粉刷房子，路都打扫干净，准备了音乐、宴席，而且到三十里以外去郊迎。太太不敢正眼看他，只有低下头，侧过脸，偷偷地瞄他一眼，苏秦讲的话，还要凑过耳朵仔细听，就怕听错了。嫂嫂更严重了,跪在地上爬过去,自己先跪下来道歉。岂止苏秦?汉高祖也是如此,当亭长的时候,又喝酒,又乱来。回家时嫂嫂也不给他做饭,要他吃冷饭去。这就是人生。

所以有的人读了这些书,觉得自己要奋斗,要争气,这是一种看法。如果讲修养的,如孔、孟的道德观念,就觉得苏秦的嫂嫂、太太这一类型的人太多太多,只是很值得怜悯,但一点也不会动气,而觉得人原来是如此可怜的一种动物,于是去感化这种人,教他们以后不要这样想,不要这样做,这就是道德的思想。相反的,就是不道德的思想,也是苏秦他们这一条路,不过苏秦还算好,他并没有报复,只是幽默一下,讽刺他嫂嫂一句而已。历史上报复的人很多,如宋朝第一位宰相赵普,胸襟就非常狭隘,度量不够大,他当了宰相,对以前对不起他的人都要报复,还是宋太祖劝他说:"风尘中能识天子、宰相,则人皆可物色矣。"所以宋太祖还是了不起。赵普也还算好的,历史上有很多报复得很惨的例子。所以说苏秦算是好的,不过问他嫂嫂,上次我回来,你高高在上,现在你又跪下来干什么?如果以儒家的道理来说,苏秦就不讲这句话,儒家的做法,是不和这样的人计较。像苏秦这样做法,也是为儒家所不齿的。如历史上三国时有名的管宁与华歆的故事,他们原来是很要好的同学,有一次两人同在一起挖地,管宁挖到一块黄金,看都不看一眼,华歆拿起来看看,想了一下,还是把黄金丢掉了,从此管宁就看不起华歆,断定他将来一定有问题,而不相往来。后来华歆当了曹丕的大臣,也等于是一人之下万人之上,那么大的权贵,而管宁就盖了一个楼房,搬到楼上去住,因为他不愿意立脚在华歆所管的土地上,而一辈子不下楼。这就是儒家的另一种作法。假使苏秦讲这句话时,有一个管宁在旁边听了,就马上走开,不理他了,不必说六国宰相,即使当万国宰相,他也不会理的。可是苏秦的嫂嫂答道:你现在地位高了,又有钱,当然不比从前了。那么苏秦听了,不免有所感慨:人在这个世界上,势力、地位、金钱、富贵,这些都不能马虎的啊！不过，要知道一个人，在某一时期，财富名位权势，一点也没有了。真看通这点，才知道如何是人。

这是不能效法的，我曾再三说过，这是属于谋略之学，所以中国古代读书人，对这种书的看法是“不足为训”四个字的评语，不能拿来效法的，不过要懂得。如孔子、孟子何尝不懂这些，当然懂得，但是讲道德，则如孔子赞赏颜回的，宁可抱道穷死，绝对不走偏路；再如子贡，像苏秦这一套本领他都有，而且他也做了，游说过列国，也成功，可是子贡走的是正路，在列国上摆布了那么大的局面，而自己什么都不要，只是为了救自己的父母之邦，才不得不如此一用而已。

这里我们对历史的了解，关于个人的也好，关于国家的大事也好，应该多方面比较，才能有深刻的见识，和正大的抉择。

人才与时代历史

我们现在姑且以人作中心来讲，上次讲了苏秦，这次说到张仪。

为什么要说这两个人？要了解自己国家历史文化的演变，尤其是在一个世界变乱的动荡时代，对于权谋之术，不能不有所了解。过去大家都念过这一类的书，也许因为各人生活的经验不同，而体认的程度也有深浅不同。这几十年来，大家都有许多经历，以这许多不同的经历，来看历史上的事迹，再看世界的大势，观点就不同，因此读历史的观点也不同了。

我们都知道苏秦、张仪是战国时期的人。不过以他们个人做中心，而研究整个历史，特别要注意的是：中国文化，由周朝开始行礼乐道德的政治制度，礼乐道德的政治哲学思想，到了春秋以后，非变不可。这并不一定是由于某一个人或几个人的败坏而演变,而是时势所趋,非变不可。就像我们常说的一句最幽默的,也是最有意义的话:“无可奈何,只好如此。”有些人对于环境和事务是这样,时代的趋势也是这样。任何一个时代潮流,趋势来了的时候,就“无可奈何,只好如此。”由春秋到战国,就是这样一个情形,这是第一点我们要了解的。

其次,周朝礼乐道德的政治制度与政治思想,是所谓王道政治。到了春秋时代,就成了霸道政治,所谓“霸道”一辞,并不是现代“不讲理就是霸道”的意思,当时的霸道并不是不讲理,仍旧非常讲理。以现代观念而言,列国之间的领导权,以武国或财力而称尊的,称之为霸或伯。不走礼乐道德政治的路线,走的是利害关系的路线。当然在利害关系当中,仍然还有他的道德标准,这就是霸道政治的时代。到了战国时代,也称霸道,但已经是霸道的末流了。这时的霸道,到达了并吞,也就是侵略的阶段。这个时候,一个国家所需要的是强。到了这个阶段,天下所需要的,就不是分封诸侯的封建制度,而需要统一天下为一个国家,过去宗法社会的封建是要改变了。当时各国之间,可能统一天下的,最有优势的是秦国,另外还有南方一个新兴的楚国,但楚国始终无法与秦国抗衡。至于太行山以东,黄河南北的这些国家,太老大了,内政也太衰败了,始终处于听人宰割的状态。

牵涉到商鞅

研究历史,战国时的齐国、楚国,乃至韩、魏,并不是不可为,但又为什么弄到如此,只能听秦国的摆布?归结下来,不外是人才的问题。

好了，到此我们可以得到一个结论，不但是中国的历史文化，即使世界的历史文化也是如此：决定仍是在人才。就是现代的历史，我们看《第二次世界大战秘史》这部纪录片以后，也深深感到人才是决定性的关键。任何思想，任何精良的制度，都要靠人才的创造和人才的推行。当时秦国所以能够在一百年内兴盛起来，就决定在几个人身上。苏秦、张仪以前，秦国在政治基础上，有一次很好的改革，就是用了法家商鞅的决策，提倡法治，即所谓商鞅变法。商鞅这一次在政治上所做的改变，不止是影响了秦国后代的秦始皇，甚至影响了后世三千年来的中国，这又是一个大问题。

商鞅当时改变政治的“法治”主张，第一项是针对周代的公产制度（有人说周代这个制度，就是社会主义，也就是共产主义，这种做法，是硬作比方，似是而非的）。商鞅在秦国的变法，首先是经济思想改变，主张财产私有。由商鞅变法，建立了私有财产制度以后，秦国一下子就富强起来了。但商鞅开始变法的时候，遭遇打击很大，关键就在四个字：“民曰不便”，这一点大家千万注意，这就讲到群众心理、政治心理与社会心理。大家更要了解，人类的社会非常奇怪，习惯很难改，当商鞅改变政治制度，在经济上变成私有财产，社会的形态，变成相似于我们现在用的邻里保甲的管理，社会组织非常严密，可是这个划时代的改变，开始的时候，“民曰不便”，老百姓统统反对，理由是不习惯。可是商鞅毕竟把秦国富强起来了。他自己失败了，是因为他个人的学问修养、道德确有问题，以致后来被五马分尸。这等到有机会研究到他的时候再说。可是他的变法真正成功了，中国后世的政治路线，一直没有脱离他的范围。

由商鞅一直到西汉末年，这中间经过四百年左右，到了王莽，他想恢复郡县制度，把私有财产制度恢复到周朝的公有财产。王莽的失败，又是在“民曰不便”。王莽下来，再经过七八百年，到了宋朝王安石变法，尽管我们后世如何捧他，在他当时，并没有成功。

王安石本人无可批评,道德、学问样样都好,他的政治思想精神,后世永远流传下来,而当时失败,也是因为"民曰不便"。我们读历史,这四个字很容易一下读过去了,所以我们看书碰到这种地方,要把书本摆下来,宁静地多想想,加以研究。这"不便"两个字,往往毁了一个时代,毁了一个国家,也毁了个人。以一件小事来比喻,这是旧的事实,新的名词,所谓"代沟",就是年轻一代新的思想来了,"老人曰不便"。就是不习惯,实在"便"不了。这往往是牵涉政治、社会型态很大的。一个伟大的政治家,对于这种心理完全懂,于是就产生了"突变"与"渐变"的选择问题。渐变是温和的,突变是急进的。对于一个社会环境,或者团体,用哪一个方式来改变比较方便而容易接受,慢慢改变他的"不便"而为"便"的,就要靠自己的智慧。这也是讲苏秦、张仪这两个人的事迹,所应注意到的。

外才与内用

说到张仪、苏秦两个人,游说的目标,开始都是对秦国。秦国在秦始皇以前,历史政治的基础之所以打好,都借重于外来的人才。商鞅,卫国人,外来的;百里奚,虞国人,外来的;张仪这些外来的人物,还是后期的。为什么这些人,不能为自己的国家所用,反而都去替秦国效力呢?这中间的问题也很大,这里暂不分析,大家自己去研究它的原因吧!还有一个观念要很注意的,读古书固然要吸收历史的经验,但是不要被古人牵着鼻子走,尤其今天求学问,对今天的时事要格外留意,千万要把握住今古无分别的原则。当年的秦国,可以把它比作现在的美国,也可以比作苏联。但是不要忘记,秦国的坏处可比敌人,但秦国的好处也可以比作我们自己,这是没有固定的,我们怎样去运用这个法则,是在于人的智慧。

张仪之所以在秦国一说就通了，原因是秦国在当时所需要的，并不是什么文化思想。谁有办法使秦国强大，永远的强大，而且盖世的强大，就请谁。这是在当时的必然趋势，并不是说秦始皇的祖先们，毫无道德礼乐政治的思想，而是时代的趋势，需要如此。

张仪的故事

再看张仪的个人，要看《史记》张仪列传，司马迁在《史记》中记载张仪、苏秦这些人，是把战国时的资料，将时间、年代、地点，编起来写成传记。而在每个人的传记后面，都有评语，所以司马迁的《史记》，也等于是历史哲学，等于是一个评论。

研究苏秦时我们说过，张仪是苏秦培养出来的，不过在这以前还有一段：张仪是魏国人，小的时候和苏秦是同学，《史记》上写他们跟鬼谷子"学术"。要注意这"学术"两个字，他们并不是真搞什么学问，学的是如何拿到功名，很讲现实的一套东西，就是权变之术。在读书的时候，苏秦自己认为不及张仪，《史记》上只记了这样一笔，没有说为什么不及张仪。后来看了张仪传，找出一个答案，张仪的出身，比苏秦好一点，所以有点太保脾气，比较豪放，是要得开的人。苏秦后来得志以后，张仪并没有得志，环境比较好一点的人，进取心就差一点，所以读历史读多了，对于一个人的成功，会感到很奇怪的，有许多人的成功，连他自己本来都没有这样的想法，但却硬是有机会逼得他走上成功的路线。正如隋炀帝吹的牛："我本无心求富贵，谁知富贵逼人来。"这就看出一个人如果没有环境的刺激，反而容易堕落。以张仪、苏秦两人比较，张仪就是如此，等苏秦得志了，张仪还在悠哉游哉。在一个当楚国宰相的好朋友家里，作第一等宾客，手面也很大，随便花钱，蛮不在乎，一般人看他吊儿郎当,好像品行不很高。有一天这位宰相家里掉了白璧,宰相家里的人怀疑是张仪拿的,把张仪捆起来打个半死。回到家里。太太就说他,这冤屈都是读书读来的,如果不读书,就没有这种事。张仪当然受伤很重,他看见太太这样难过,就问自己的舌头有没有坏,太太告诉他舌头当然在,张仪就安慰太太不要紧,只要舌头还在,就没有关系,我们曾经看了《张良传》中说的:"以三寸舌为王者师"。这句话也等于说:只有吹牛不犯法。但据我们的经验,只有吹牛的成本最大,其次吹牛的对象更难找,因为能听吹牛的人,比吹牛的人还要高,诸葛亮会吹,刘备会听;张良会吹,汉高祖会听。没有对象,再吹也没有用。"三寸舌为王者师",所以张仪说只要舌头在就不怕。等到伤好了,听朋友的劝,才去找苏秦。

刺激的教育

这时苏秦已经了不起,可是苏秦自己心里有数,知道所玩的一套不是真的道德,也不是真的政治,为了个人的功名富贵而把齐、秦等国玩弄成这个样子。这个我们要注意,今日的基辛格内心是不是也有这样的动机,值得研究。不过有两种看法,基辛格以前的确有著作,曾经有一个留美的同学,回来跟我说,基辛格这一套当然会失败,可是他著作中的理论可能不会失败。另外也有人说,基辛格大概准备把美国搞垮,因为他是犹太人。这都是推测的话,不去管它。话说回来,苏秦知道自己的西洋镜要拆穿的,如果被拆穿就不得了,必须要制造出一个敌人来,他当时的敌人是秦国,不需要另外创造,可是又有谁能去秦国说动,来和自己的计划对抗?他心里想到只有张仪,而刚好这时张仪来了,于是我们上次讲过的,苏秦就想办法刺激他。由此我们看到,一个环境好的青年,有本事,可是懒,不肯动,非要刺激他到没有办法的时候,他才去干。

山梁雌雉 时哉!时哉!

再说张仪到了秦国以后,所说的一套,就是《战国策》里这篇张仪说秦王。

我们看这一篇文章,除了了解这些历史经验以外,其中记录的许多观点、思想,对于我们现在的时代、国家、世界,乃至于个人,有很多值得参考的地方,须要注意。其次张仪去看的秦王,也就是苏秦所去看的秦惠王。苏秦去看他,两个人谈不拢,再读书以后,就不再去看他,想个办法,使太行山以东的国家,联合起来抗秦,把秦国孤立起来,没有办法左右当时的列国局势。现在张仪来看秦惠王,列国的情势变了,和苏秦来的时候不同,这时惠王正需要这样一个人的时候。刚好张仪到了。

张仪说秦王曰:"臣闻之:弗知而言为不智;知而不言为不忠。为人臣不忠当死;言不审亦当死。虽然,臣愿悉言所闻,大王裁其罪!"

这一段,有一点我们要注意,即使不研究法家的韩非子,至少要看《史记》上韩非子的传记。韩非子再三提到一个重点——"说难",人与人之间说话最难,尤其借言语沟通政治上的思想,就更为困难。这一段里,也就反映了这一个重点,在文字的表面上没有什么了不起,实际上是一个重点。第二点从这一段里,我们看到要学习说话的艺术,像张仪这开头的三句话。首先提出实际上不知道而乱讲的,这是不聪明。第二是知道了不讲的,就是不忠,对你不忠的人应当死。第三是知道了,又讲了,但讲得不详细、不清楚,也该死。实际上他的意思是,我要详详细细说给你听,你不要不耐烦,一会儿看表,一会儿又说要开会,但是他不便也不能这样直说,所以说反面话,如讲得不详细不清楚当死。最后还加上一句,我虽然据我所知道的,利害得失全部说给你听,但是如果错了,甘愿领罪。他这么一说,如真说错了,秦王也不好意思责怪他了。他短短几句话,什么都讲到了。这就是说话的艺术。而后言归正传。

"臣闻:天下阴燕阳魏,连荆固齐,收余韩成从,将西南以与秦为难,臣窃笑之。世有三亡,而天下得之,其此之谓乎!臣闻之曰:'以乱攻治者亡,以邪攻正者亡,以逆攻顺者亡。'今天下之府库不盈,囷仓空虚,悉其士民,张军数千百万,白刃在前,斧质在后,而皆去走,不能死。罪其百姓不能死也,其上不能杀也。言赏则不与,言罚则不行。赏罚不行,故民不死也。"

首先把列国局势分析下来,所谓"天下阴燕阳魏"到"将西南以与秦为难"。这一段的列国局势,都是苏秦的玩意儿,可是他绝不攻击苏秦,因为这时他已经知道是苏秦培养了他,这个时代,就在苏秦、张仪这两个同学的手里玩。

张仪说,他们这种合纵的形势,"臣窃笑之",我觉得好笑,你秦王放心,没有什么可怕。"世有三亡",世界上有三个大原则,谁违反了这三原则之一的,就非亡不可,在个人非失败不可。"而天下得之,其此之谓乎!"现在他们这个联合国的组织——合纵的国家,已经犯了这三样必定败亡的原则。"臣闻之曰:以乱攻治者亡,以邪攻正者亡,以逆攻顺者亡。"就是这三个条件。"以乱攻治者亡"是内在的,内政第一要清明。"以乱攻治者亡"是同样的道理,内部先求修明,张仪当时是指燕、魏、荆、齐、韩、赵这一边,每个国家的内政当时都在乱,真正修明的政治还是在秦国,所以后来秦始皇能统一天下,并不是偶然的。有上代替他打好了政治基础,由商鞅变法以后,内政一路建设起来的。

“以邪攻正,以逆攻顺”的道理都是一样。

他再分析天下的局势,从“今天下之府库不盈”到“其上不能杀也”这一节,原则上同今天东南亚的趋势有点相像了。第一,他们这些国家,经济不能独立,后勤补给缺乏,经济没有弄好,把所有的有用人力,都放到前方去了,统统备战。所谓“白刃在前,斧质在后。”这八个字,我们不要只作文学上的欣赏,仔细研究起来,这就是描述古代兵士在战场上,前进则有敌兵之白刃以相向,若畏惧而退阵,则后头又有“斧质”相加的死刑要承受,处境可说是进退两难。可是这些国家的军队,遇到真正发生了战争,会回头就跑,绝没有人冒死打仗。为什么呢?“罪其百姓不能死也,其上不能杀也。”这要注意的。任何一个时代,任何国家,人民所以不会打仗,所以不肯尽忠,不肯牺牲,是有他的原因的,主要由于领导的错误。

政治上最重要的就是“赏罚”两个字,赏罚两个字也很难的,历史上很多人在这两个字上犯错误。甚至当家长的对孩子们的赏罚都要注意,都很难做得好。所以奖惩之间很难很难。张仪说,现在他们各国里面,“言赏则不与,言罚则不行,赏罚不行,故民不死也。”就是要赏,可是不给,说的没有用;对于处罚,也没有彻底去执行。既然赏罚不能行,大家觉得马马虎虎,没有责任感,所以就不肯牺牲打仗了。

他回过来说秦国:

“今秦出号令而行赏罚,不攻无攻,相事也。出其父母怀衽之中,生未尝见寇也。闻战顿足徒裼,犯白刃,蹈煨炭,断死于前者比是也。”

政治修明:命令贯彻,赏罚分明(这是商鞅变法以后,秦国政治完全走上法治制度的好处),许多秦国的年轻子弟,因为国家富强、环境舒适,从离开父母的怀抱起,就没有见过敌人,一到了战场精神就来了,一顿足会脱了衣服,光着膀子,看见刀子,都不怕,就是烧红的火炭都敢踩上去,死了就死了,愿意牺牲的人多的是。

秦国的老百姓为什么会做到这样?他说:

“夫断死与断生也不同,而民为之者,是贵奋也。”

断死与断生,在人的心理是绝对不同,“断”就是断然,就是决心。断死是决心牺牲,断生是决心求生投降,这两种决心是绝对不同,而秦国的青年所以会断死于前,是养成了一种战争责任感,不怕死的精神,能够奋发,非牺牲不可,有个人的牺牲才有国家的强盛。因此秦国的士兵:

“一可以胜十,十可以胜百,百可以胜千,千可以胜万,万可以胜天下矣。”

张仪再说下去:

“今秦地形,断长续短,方数千里,名师数百万,秦之号令赏罚,地形利害,天下莫如也。以此与天下,天下不足兼而有也。是知秦战未尝不胜,攻未尝不取,所当未尝不破也。开地数千里,此甚大功也。”

从一开始说到这里,一路下来都是高帽子,好听的,而又都是真实的。高帽子也不能乱送,秦王是一个当领袖的人,笨也不会笨到哪里去,所有的资料,他都清楚。换句话说,也就是张仪把秦国当时所处的列国情势、政治环境、地理环境、军事环境、一切准备,都分析清楚。最后,他说出一个秦国当前所应该采取的措施。实际上也就是张仪自己心理所希望造成的局势。他说:

“然而甲兵顿,士民病,蓄积索,田畴荒,囷仓虚,四邻诸侯不服,伯王之名不成,此无异故,谋臣皆不尽其忠也。”

在这里我们就看到张仪处理思想的方法,古代所谓“以说动人主”,就是《张仪列传》上说的,他问太太舌头坏了没有?他用嘴巴分析利害关系，非要打动对方的心不可。使他听了这个话，非动情不可，认为有道理，非上这个当不可。历史上常有一句话“揣摩人主之意”，当然“人主”是指帝王而言，以个人来说，做一个小单位的主管，也是一样，下面总要慢慢摸你的意思，把你的个性等等都了解，这当然有正反两方面的作用。

现在张仪把秦国的好处先讲了，可是再看下去，我们看到苏秦合纵——来一个“联合国”以后，秦国是已经没有办法，很吃亏了。他说“甲兵顿”，国防的战线拉得那么长，国防经费那么大，无法打仗，停在那里，好比今天美国的情形。“士民病”，大家心理上都很困顿。经济上“蓄积索”，慢慢空虚了，等于现代的美国，在越南，打不了胜利的仗，钱都打光了。“田畴荒”，国内的农业、工业、生产都荒废了。“囷仓虚”，国库都空虚了，结果弄到四邻的诸侯不服，外面的同盟国家并不服你的气，你想称霸于天下是不可能的。我们读了这段书，看出就是苏秦这样一个书生，在七八年之间，把秦国弄成这个窘态。同时我们也可以了解现代，美国人到今天为止，就是这个情况。当时张仪告诉秦王，秦国所以到这个地步，就是左右的文臣武将，没有真正尽心贡献意见所致。

引用历史的经验

他话说到这里，就引用过去历史的经验，告诉秦王：

“臣敢言往昔：昔者齐南破荆，中破宋，西服秦，北破燕，中使韩、魏之君，地广而兵强，战胜攻取，诏令天下，济清河浊，足以为限；长城、距坊，足以为塞。齐五战之国也，一战不胜而无齐。故由此观之，夫战者，万乘之存亡也。”

张仪在这个时候,要挑起战争。他希望秦国出战,但没有直接教秦王非打不可,他只拿历史的经验来说,提到齐国。研究这一段历史要注意的,秦是在西边,齐国是介于现在山西与山东之间,他说历史上齐国称霸的时候,那么了不起,四面攻破了各国,一个命令下来,列国都听他的。南有济水黄河,北有长城作防线,像这样一个平原国家,各方面受敌,只要一次大败仗,齐国就完了。他那个国家的命运注定非打胜仗不可,由此可以看到战争的重要。这段话张仪是挑动秦国非打不可。

"且臣闻之曰:削株掘根,无与祸邻,祸乃不存。"

这是普通作人的道理,国事也同个人的事一样,农业社会人人都知道的比喻,砍去一棵树要挖根才彻底,但不要碰到旁边的树,如把旁边的树根也挖掉,就成问题,这个祸就闯大了。这是中国农业社会的老话,也是作人的道理,凡事挖根要彻底,不要留下祸根,但是对于与此事无关的部分,不要轻率地去伤害,伤害了就闯祸。

张仪接着就指出秦国当时的近代历史:

"秦与荆人战,大破荆,袭郢,取洞庭、五都、江南,荆王亡奔走,东伏于陈。当是之时,随荆以兵,则荆可举,举荆则其民足贪也,地足利也,东以强齐、燕,中陵三晋,然则是一举而伯王之名可成也,四邻诸侯可朝也。而谋臣不为,引军而退,与荆人和。今荆人收亡国,聚散民,立社主,置宗庙,令帅天下西面以与秦为难,此固已无伯王之道一也。"

这一段是批评秦国的不对,军事策略上的错误,他说你们一度和荆国作战,破了荆国,拿下了郢——现在武汉以北一带,取下了洞庭、五都,江南,一直到达现在安徽这一带了,荆王也逃亡躲到陈国不敢出来了。当这个时候,如果秦国一路追击下去,则整个荆国可以拿下来,拿到了荆国,则秦民可贪,地可利。进而影响东面的齐国、燕国都可以控制了。中间可以驾凌赵、魏、韩等三晋地,你秦国就可以一战下来称霸世界。结果你秦国的决策不这样做,反而引军而退,打有限度的胜仗,跟荆人谈和了。结果,荆人又慢慢恢复了,强起来了,又变成了你秦国的敌人,所以第一个错误就犯下去,不能做联合国的盟主——成伯。

研究这一段书,我们就感到,历史虽然已为陈迹,却足以发人深省。我们读这一段历史,再看看国际的现势,美国对北朝鲜、对北越的战争,在军事策略上是不是也同样。

他讲秦国的第二个错误:

"天下有比志而军华下,大王以诈破之,兵至梁郭,围梁数旬,则梁可拔。拔梁则魏可举,举魏则荆赵之志绝,荆赵之志绝则赵危;赵危而荆孤;东以强齐燕,中陵三晋,然则是一举而伯王之名可成也;四邻诸侯可朝也。而谋臣不为,引军而退,与魏氏和。令魏氏收亡国,聚散民,立社主,置宗庙,此固已无伯王之道二矣。"

我们拿这一段历史的经验,看看今天的越南(时为一九七五年四月),又投降了。张仪说,你秦国有一次在北方的战争,已经打得很好,你已经打到了梁国,把梁的城郭包围起来,已经可以把它拿下来了,拿了梁,魏国就站不住了,得到了魏国,荆、赵就不会有斗志。赵危,荆孤,一直下来,也可以称霸天下。(这要注意,没有说统一,不像后来秦始皇要消灭人,这里是只想称霸。)结果你秦国的谋臣又是不准打完全胜利的战争,撤兵回来,和魏国讲和,魏国又壮大起来。

第三点,张仪谈到秦国的内政:

"前者穰侯之治秦也,用一国之兵,而欲以成两国之功。是故兵终身暴灵于外,士民潞病于内,伯王之名不成,此固已无伯王之道三矣。"

张仪说穰侯(秦国的权臣)当政的时候,内政上兵力用得太过分,想用一国的兵力完成两国的事,于是服兵役的人,终身奔波于外,国内的工商业衰落了,农村破产,这是第三点的错误。

接着指出秦国的谋臣太差劲,如美国的参、众两院,基辛格、费正清这些人,都是美国现代的策士。

"赵氏,中央之国也,杂民之所居也。其民轻而难用,号令不治,赏罚不信,地形不便,上非能尽其民力,彼固亡国之形也,而不忧民氓,悉其士民,军于长平之下,以争韩之上党,大王以诈破之,拔武安。当是时,赵氏上下不相亲也,贵贱不相信,然则是邯郸不守,拔邯郸,完河间,引军而去,西攻修武,逾羊肠,降代、上党,代三十六县,上党十七县,不用一领甲,不苦一民,皆秦之有也。代,上党不战而已为秦矣,东阳河外不战而已反为齐矣,中呼池以北战而已为燕矣。然则是举赵则韩必亡,韩亡,则荆、魏不能独立,荆、魏不能独立,则是一举而坏韩,蠹魏,挟荆,以东弱齐燕,决白马之口以流魏氏,一举而三晋亡,从者败。大王拱手以须,天下遍随而伏,伯王之名可成也,而谋臣不为,引军而退,与赵氏为和。以大王之明,秦兵之强,伯王之业,地尊不可得。乃取欺于亡国,是谋臣之拙也。且夫赵当亡不亡,秦当伯不伯,天下固量秦之谋臣一也。"

赵氏是现代河北山西一带靠北面地方,在当时是中央之国,杂民之所居,这问题很大,讲到历史要特别提出来研究的。

杂民所居的地方,政治上很成问题,如历史上自汉朝以后,有一个魏晋南北朝,这时都是外来的民族。因为汉朝自高祖以来,三四百年间,对西北的外来民族,始终没有办法,因此形成了以后南北朝两三百年间汉族与外来民族的纷争。到了唐代的时候,唐太宗那样了不起的人,对于边疆问题没有办法解决,汉唐两代,对外来民族,唯一的办法,就是靠通婚来羁縻,都是靠"和番"政策。所以唐末直到后来五代时候,就是杂民之所居,发生了变乱。

那么是不是杂民所居不可以?不是不可以,血统的交流不是不可以。问题在于有很重要的一点,古人始终不知道的,在孔子的思想里有这一点,不过表达得不很具体,就是“文化的同化”这点古人不知道。假使唐代就知道了文化是政治战的一个最大的力量,那中华民族今天的国势,还不止是这样而已,很可能西面已经到了欧洲。其次要注意的,近代东西方文化思想沟通以后,大家都知道了这一点,所以各国之间,在侵略别国以前,先作文化的侵略,最后消灭一个国家,也是靠文化。像第二次世界大战时,日本人知道了这一点,所以他每占领了一个地方,一定要当地人说日本话。他不像元朝的蒙古人,也不像汉代、唐代的外来民族,进了中国跟着说中国话。乃至把历史文化都改变。文化虽是看不见的东西,但是力量很大。现在我们知道战争中包括心理战,也非常重要,文化战还是口号,没有具体的东西拿出来,尤其现在我们在提倡文化复兴,我个人的观点,我们的文化是在衰落。像我们手边拿来研究的东西,就是真正中国文化之一,而且是非常有用的,但是却只有少数人去看它。

这是由“杂民之所居”一句所引出来的感想,提出来值得大家研究和注意的。

张仪在当时讲到“杂民之所居”的地方,“其民轻而难用”,这句话又引起我一个感想,希望大家要读一部书——《读史方舆纪要》,里面对每一省、每个地方的民风习性讲得很清楚。山川形势、风俗产物,都很详尽,现在也没有脱离这个范围,很值得注意。在政治作战、心理作战、文化作战上,非常值得参考。

张仪这里讲的所谓“轻而难用”,就是豪迈,容易冲动,一句话不合就打起来了。在这种地方,就要了解他们这种民风习性,这并不是他们的缺点,如果摸清了他们这种个性,政治上就好办了,像杂民所居的这种地方,有时候专谈法治很难办的,他们往往讲义气,话说对路了,人作对了,他就听你的,如果全跟他谈法,不一定好办。

他再分析赵国的地形也不便利,是亡国的地形,可是赵国在这么不利的情形之下,仍旧出兵打仗(例如后来秦国大将白起与赵国长平之役,坑赵卒四十万的故事)。张仪所讲这一段都是讲当时秦国的政策,批评秦国当时的这班谋臣没有尽心负责任。他继续说:

"乃复悉卒,以攻邯郸,不能拔也,弃甲兵怒,战慄而却,天下固量秦力二矣。军乃引退,并于李下,大王又并军而致与战,非能厚胜之也。又交罢却,天下固量秦力三矣。内者量吾谋臣,外者极吾兵力,由是观之,臣以天下之从,岂其难矣!内者吾甲兵顿,士兵病,蓄积索,田畴荒,囷仓虚;外者天下比志甚固,愿大王有以虑之也。"

一口气批评下来,结论说到外面的人,看你内在的谋臣,外在的兵力,到底有多大力量,都看得清清楚楚,现在你国内是这样的情势,而各国又联合起来,你秦王应该多多考虑了。

然后张仪提出建议,先以武王伐纣的历史经验来作比方。说动秦惠王,最后的结论,竟以自己的头颅来坚定秦惠王的信心,可见他的会说话,也可见他用心之深和求信之急了。

"且臣闻之,战战栗栗,日慎一日,苟慎其道,天下可有也。何以知其然也?昔者纣为天子,帅天下将甲百万,左饮于淇谷,右饮于洹水,淇水竭而洹水不流,以与周武为难,武王将素甲三千,领战一日,破纣之国,禽其身,据其地而有其民,天下莫不伤。智伯帅三国之众,以攻赵襄王于晋阳,决水灌之,三年城且拔矣。襄主错龟数策占兆,以视利害,何国可降?而使张孟谈,于是潜行而出,反智伯之约,得两国之众,以攻智伯之国,禽其身,以成襄子之功。今秦地断长续短,方数千里,名师数百万,秦国号令赏罚,地形利害,天下莫如也。以此与天下,天下可兼而有也。臣昧死,望见大王,言所以举破天下之从,举赵、亡韩,臣荆、魏,亲齐、燕,以求伯王之名,朝四邻诸侯之道,大王试听其说,一举而天下之从不破,赵不举,韩不亡,荆、魏不臣,齐、燕不亲,伯王之名不成,四邻诸侯不朝,大王斩臣以徇于国，以主为谋不忠者。”

现在把苏秦、张仪这两篇东西作一个结论。我们重复提出要特别认识清楚的一个重点：苏秦、张仪当时的动机，是以自己个人的功名富贵为出发点，而把整个的列国局面，历史的时代，在他们两位同学的手里摆布了约二三十年。他们并没有一个中心思想，或政治上的主义。同时也可以说，当时一般领导人，并不接受任何中心思想或主义，对于道德仁义的中心思想都不管了，只认识利害关系。这一点对我们现在来说，是一个历史的经验，要特别注意。中国几千年历史，一个乱象，到了像战国的末期，像南北朝的末期，像五代的末期，仁义道德没有办法发挥作用，没人接受，这是什么原因？当然有它的道理，譬如《孟子》，大家都读过的。孟子不过比苏秦，张仪早一点点而已，为什么孟子到处讲仁义，到处吃瘪？为什么苏秦、张仪会那么吃香？这样比较下，就产生两个观点，在个人方面，我们就看到了孔子、孟子的伟大，他们对于苏秦、张仪的这一套不是不懂，他们全懂，可是始终不愿意引导人家走上这条路，始终要求人家讲基本的德性，并不在乎自己个人当时的荣耀，这是孔、孟个人的了不起。第二点，我们看出了，当时的时代为什么需要苏秦、张仪的这一套，这就讲到我们本身。我们现在两副重担挑在身上，一面要维持自己传统文化的德业，政治的道德，人伦的道德，承先启后，这是一副担子。另一方面是要如何配合这个时代的迫切需要，而这个需要是讲利害的，但在利害之中，要灌输进去我们固有的道德文化思想，这就是我们今日的处境，是一个非常困难的处境，也许在一两百年以后的历史上，会写我们非常了不起的好处，因为我们今日所挑的担子，比古人挑的还要重，还要困难。所以我们读了苏秦、张仪两人的传记资料，了解了他们当时的历史，拿来比较今天，就知道今天有如何的困难。因此大家有时间，不妨多读《史记》、《战国策》这一类书，不要以为这是古书，已经过了时。如果不变成书呆子，在碰到事情的时候，发挥起来，非常有用处，透过了古书,更有助于现代情况的了解和进展。

长短纵横

上面讲到苏秦、张仪的纵横术,我国古代,看不起它。在中国古代称用“术”的人是术士,并没有被列入正式学者之流。现代却什么都是术了。

纵横术,也名钩距之术,又名长短术。这种“术”的原则和精神,是我们今日所处的这样国际局势之中,所需要了解的。我们今日的外交,一切工作,都必须有这样的精神和才具,抓得住别人的弱点,然后达到自己的目的,这是一个很高深的本事,可以说比做生意还难。昨夜看了一本书,里面记载一段清朝的掌故说,山西有一户很会做生意的人家,有次有一个顾客在讨价还价,争执得很厉害,老板被逼得都生气了,便说:“天下哪有一本万利的生意?要想一本万利,就回去读书吧!”这人一听这个话的确有道理,就立刻回去培养儿子读书,后来果然他子孙好几代都是很有才具的大臣,由这个故事的幽默感,也可以联想到纵横术是相当难的。

今天,我们用的资料是《长短经》,这本书大家也许很少注意到它,作者是唐朝人,名赵蕤,一生没有出来做官,是一位隐士。有名的诗人李白,就是他的学生。如果研究李白,我们中国人都讲李白、杜甫是名诗人,实际上李白一生的抱负是讲“王霸之学”,可惜他生的时代不对,太早了一点。唐明皇的时代,天下是太平,到天下乱时,他已经死了,无所用处。赵蕤著的是《长短经》,就是纵横术。这一本书在古代,尤其在清朝几百年间,虽然不是明禁,因为是古书,没有理由禁止,可是事实上是暗禁的书,它所引叙的历史经验,都是到唐代为止。后来到了宋朝,《素书》就出来了,以前也有，但宋朝流传下来的《素书》是否即是汉时的原版，无从证明。到了明末清初，另一本书《智囊补》出来了，作者冯梦龙是一位名士，把历史的经验都拿出来了。我们如把《左传》、《国语》、《战国策》、《人物志》、《长短经》、《智囊补》，以及曾国藩的《冰鉴》等等，编成一套，都是属于纵横术的范围以内。长短之学和太极拳的原理一样，以四两拨千斤的本事，“举重若轻”，很重的东西拿不动，要想办法，掌握力的巧妙，用一个指头拨动一千斤的东西。

人臣之道

这里是自《长短经》中摘录出来的一篇：《臣行第十》，就是如何做一个很好的大臣，换句话说如何做一个很好的干部。《长短经》里也有“君道”的论述，我们暂时保留。像最近很多人喜欢读《贞观政要》，里面记载唐太宗当年治国的历史经验，它的重点属于君道，是给皇帝的教科书，要他知道如何作一明君，所以望之不似人君的我们，还是先由臣道开始，把臣道学好：

这个臣行，所培养的干部，可以说是最高的干部，拨乱反正的干部。他先把臣道分类来讲，正臣六类，邪臣六类，相互作对比。

六种正臣的典范

夫人臣萌芽未动，形兆未现，昭然独见存亡之机，得失之要，豫禁乎未然之前，使主超然立乎显荣之处。如此者，圣臣也。

他分类出来的第一种是圣臣的典型,如《素书》里的讲的伊尹、姜尚、张良这些人,都可算是圣臣。这里圣臣在上古属于三公之流,坐而论道之事。他们的位置最高,等于现代国家最高的顾问。没有固定的办公室,也没有固定管哪个部门,所谓“坐而论道”,并不是坐在那里玩嘴巴吹牛,他们的行为就是本节所讲的“萌芽未动”这几句话。天下一切大事,像植物一样,在还没有发芽的时候,态势还没有形成的时候,那就已经很明显的洞烛机先,知道可不可以做。做下去以后,存亡、得失的机要,都预先看得到,把握得住。在事情未发生之前就预先防止,使他的“老板”——领导人,永远站在光荣的这一面,能够做到这样的,堪称第一流的干部,叫做圣臣。在历史上这种第一流的干部,都是王者之师。

……

虚心尽意,日进善道,勉主以礼义,谕主以长策,将顺其美,匡救其恶。如此者,大臣也。

其次是自己很谦虚,每天帮助领导人做好事,贡献他宝贵的意见,这种古代称为“骨鲠之臣”,骨头硬的大臣,自己马上被免职没有官做没关系,但主要的在使领导人走上好的这一面,领导人不对的,就是说不对,历代都有这种大臣。宋太祖之初有一位大臣去看皇帝,当时皇帝穿了睡衣在宫里,他就背过身子,站在门上不进去,皇帝看见他站在门外,教侍卫去问他为什么不进去,他说皇上没有穿礼服,一句话把皇帝整得脸都红了,赶快去换了代表国家体制的礼服出来接见他。虽然这只是一件小事,但这种骨鲠之臣则绝不马虎,因为皇帝代表了一个国家。在清朝的实录里就讲到,康熙自七岁登基,六十年的皇帝当下来,一天到晚忙得不得了,即使他一个人在房里的时候,也从来没有把头上戴的礼帽摘下来,自己就如此严格管理自己。所以一个真正好的领导人,对待自己非常严格,这是很痛苦的事,自己如果克服不了自己,而想征服天下,是不可能的。这里讲到的大臣,对领导人要“勉主以礼义”,要劝勉老板守礼行义。“谕主以长策”,告诉老板要眼光看得远,作长久的打算,使他好的地方更好,坏的地方改掉,这个样子,叫做大臣。

……

夙兴夜寐,进贤不懈,数称往古之行事,以历主意。如此者,忠臣也。

其次,是为国家办事,睡都睡得很少,起早睡晚,同时要“进贤不懈”,这情形历史上很多,就是推荐人才。这件事在中国古代很重要,一个大臣如果不推荐人才,是不可以的。这一点就可以看到中国文化的政治道德,前辈大臣是用各种方法来培养后辈,予以推荐,而且有好人才就推荐,不可松懈停顿。“数称往古之行事,以历主意。”过去的大臣,都是深通历史,如司马光,著有《资治通鉴》,但他也是大政治家。他有一度被贬回家,后来皇帝有许多事情,要找他去谈,他接到命令进京,到了京城——洛阳的城外,洛阳的老百姓听说司马相公蒙皇帝召见进京,大家高兴得跑到郊外去排队欢迎他。司马光看见这情形,问明白了原因,立刻往回走,不进京了。这就是太得众望了也不好,这就是司马光做人小心的地方。同时,也就是中国文化与西方文化不同的地方,当荣耀来的时候,高兴不要过头了,过头了就不好,花开得最好的时候,要见好便收,再欣赏下去,就萎落了。这里是说做大臣要深通历史,因为在历史上有很多的经验,可以引用来帮助领导人。

在清初,皇帝的内廷,有一个祖宗的规定,皇帝每天早晨起来,一定要先读先朝的实录,他们祖先处理政事的经历。可见历史的经验,有如此重要,不管读得多熟,每天要读一下,以吸收经验,启发灵感。随时以自己历史的经验来辅助皇帝的才是忠臣。

或问袁子曰:故少府杨阜,岂非忠臣哉?对曰:可谓直士,忠则吾不知。何者?夫为人臣,见主失道,指其非则播扬其恶,可谓直士,未为忠也。故司空陈群则不然,其谈话终日,未尝言人主之非,书数十上而外不知,君子谓陈群于是乎长者,此为忠矣。

这里是以附注的形式,对"忠臣"作进一步的阐述。他说,有人问袁子说故少府杨阜不是忠臣吗?而他答复说,像杨阜这样的人,只能称直士,他行直道而已,算不得忠臣。杨阜是三国时的魏人,因打马超时有功,封为关内侯,魏明帝的时候又升了官,这人有一个抱负,历史上写他"以天下为己任",也就是说,"天下兴亡,匹夫有责"的意思。因此历史上写他"敢抗疏"三个字。"疏"就是给皇帝的报告,"奏议"是建议,"奏疏"是与皇帝讨论问题,"抗疏"就是反对皇帝的意见。杨阜是常常提抗疏,上面收到他这些意见,看是看了,但往往不大理,他看自己的意见不被采纳,就提出辞官,但没被批准,上面还是认为他很好。历史上有一则故事,有一天他看到魏明帝,穿了一件便服,而且吊儿郎当,就很礼貌地告诉魏明帝,穿这样的衣服不合礼仪,弄得皇帝默然,无话可说,回去换衣服。还有魏明帝死了一个最疼爱的女儿,发丧的时候,魏明帝下命令表示自己要送丧,这一下,杨阜火了,他抗疏说先王和太后死了,你都没有去送丧,现在女儿死了要送丧,这不合礼。当然杨阜的话是对的,魏明帝到底是人主,并没有理他的反对意见。在历史上这类故事很多。

《长短经》中,在这里借用他,对忠臣的意义,做一个阐述。他说像杨阜这样的人,可称为是一个直士,很直爽,有骨气,但还不够算作忠臣。什么理由?做为一个大臣,发现领导人错了,当面给他下不去。虽然指出他的不对是应该的,但方法有问题,结果是自己在出风头而已。犹如和朋友在一起,在朋友犯错时,要在没有第三者在场时,私下告诉他,不能当别人的面前说出来,给他下不去。而魏朝的另外一个大臣,司空陈群这个人,是非常有名的,学问、道德样样都好。所以研究三国时的历史,魏曹操父子之能够成为一个正统的政权而维持了那么久,不是没有理由的。从另一个角度看,很有他的道理。在曹操父子的部下里头,有很多了不起的人。像陈群就是有名的大臣,他就有忠臣的风度,他和高级的人员在一起的时候,从来不讲上面领导人的错误,只是直接"抗疏",送报告上去,指出哪点有错误,哪点必须改。但是他上了几十个奏疏,有的是建议,有的是批评,而他的朋友同僚都不知道他上了疏,自己绝对没有自我表扬。所以后世的人,都尊陈群是一位长者——年高,有道德,有学问,有修养,厚道的人,这才是真正的忠臣。像杨阜只是行道的直士。其实,不但对领导人应该这样,就是对朋友,也应该这样。

……

明察成败,早防而救之,塞其间,绝其源,转祸以为福,君终已无忧。如此者,智臣也。

智臣在现代的说法,是有高深的远见,成败祸福,事先看得到,老早防着它的后果而采取适当措施。一个政策下来,只看成功的一面,一旦失败怎么办?要早防而救之,塞其间,间就是空隙。处理任何一事都必须顾虑周全,即使有百分之百成功的把握,总难免其中有一个失败的因素,就要"早防而救之",先把漏洞堵塞掉,把失败的因素消灭了,把祸变成福,使上面领导的人,没有烦恼、痛苦、愁闷。这就叫做智臣。

……

依文奉法,任官职事,不受赠遗,食饮节俭。如此者,贞臣也。

再其次,就是负责任,守纪律,奉公守法,上面交给任务,负责做到,尽自己的力量,不贪污,乃至送礼来都不受,生活清苦简单,这种人是贞臣,廉洁之至,负责任的好公务员。

……

国家昏乱,所为不谀,敢犯主之严颜,面言主之过失。如此者,直臣也。

国家在昏乱的时候,对上面不拍马屁,不当面恭维,而且当上面威严得很,生气极了,谁都不敢讲话的时候,他还是敢去碰,当面指出上面错了的事,这样就是直臣。

“是谓六正”。他首先提出来,圣臣、大臣、忠臣、智臣、贞臣、直臣这六种干部,叫做六正。

恕臣之道

桓范《世要论》,桓范是南北朝时代的人,他的著作中有一篇文章题为《世要论》,属于纵横术中的一部分,也是人臣的学问,所以讲中国文化,我觉得尤其在这个拨乱反正的时代,统一中国的今天,这一部分很重要。这个时代,不是完全讲四书五经,坐以论道的时候。当然我们需要以道德为中心,但是要知道做法,而这些做法多得很,可惜现在外面一般人都不研究。在这里,就引据了《世要论》的话,应认清楚干部。《世要论》说:

臣有辞拙而意工,言逆而事顺,可不恕之以直乎?

有些干部不会讲话,讲出来不好听,可是当主管的要注意,他嘴巴笨讲不出来,而他的主意可好得很,不要对那个嘴巴笨的干部火大而不去听,这就错了,就有些人一肚子好主意,可是嘴笨讲不好,而且他讲出来的话,好像比毒药都难吞下去,让人听了难受得很,开口就是:“不行! 不行!”可是他的意见,对事情非常有利,这就要领导人有高度的修养,对这种干部要了解清楚。要有体谅人的修养,了解他虽然不会讲话,心是好的,也是直的。

……

臣有朴骙而辞讷，外疏而内敏，可不恕之以质乎？

天生人物，各个气质不同，秉赋不一样，有种人朴实得好像永远是乡巴佬的样子，有一点近乎十三点的样子，但不是十三点，大约只是十二点半。想想他真可爱，很朴实，但有时作人又多了那么半点憨态，但不是坏事，讲话时嘟嘟嚷嚷讲不清楚。这样的人，看他的外表没有什么了不起，而脑子里聪敏得很。当主管的人，对于这种人，就要了解他本质淳朴、聪敏的一面。

……

臣有犯难以为上，离谤以为国，可不恕之以忠乎？

这两句话所指的，在历史上的故事也很多，就是冒险犯难，临危授命，可以拨乱反正的人才。如现代史上，在二次世界大战初，希特勒横征欧非，把世界扰乱得那么严重的时候，英国人最初对邱吉尔不敢任用，因为邱吉尔是有名的"流氓"作风，闹事专家，但是最后抵抗希特勒，还是靠邱吉尔，实际上邱吉尔就是"犯难以为上"的人。有些人天生的个性，喜欢冒险犯难。越困难就越有兴趣去干，教他做平平实实，规规矩矩的公务员、办没有什么大困难的事，他懒得干。"离谤以为国"，为了国家，可以忍受一切的毁谤，大家都攻击他，他也不管。历史上唐、宋、元、明、清历代开国的时候，都有这样的人物。像有许多人，被派到前方去艰苦中作战，后方还有人向上面密报，说他的坏话。有些精明的皇帝，接到这种报告，连看都不看，原封不动的，加一个密封，寄到前方去给他自己看，也就表示对他信任，恕之以忠。

……

臣有守正以逆众意，执法而违私欲，可不恕之以公乎？

许多人非常公正廉明，但有时候公正廉明却受到群众强烈的反击。像当年在成都开马路的时候，就发生这种事，当时群众认为破坏了风水,大家反对,地方的势力很大,所谓五老七贤,出来讲话,硬是不准开。某将军没有办法,请五老七贤来吃饭,这边在杯酒联欢吃饭的时候,那边已经派兵把他们的房子一角拆掉了,等五老七贤回家,已经是既成事实。随便大家怎么骂法,而事情还是做了。等到后来马路修成了,连瞎子都说,有了马路走路都不用拐棍了。天下事情,有时要改变是很难的。有时必须守正以逆众意,违反大众的意思坚持正确的政策。要有这个担当。这就要谅解他这样是为了长远的公利,也有的时候,在执法上违反了自己的私欲,宁可自己忍痛牺牲,这都是难能可贵的。

……

臣有不屈己以求合,不祸世以取名,可不恕之以直乎?

有些人的个性倔强,要想教他委屈他自己的道德准则,违反他的思想意志,而去迎合某一件事,他死也不干。还有一种"不祸世以取名"这也是很难的,几十年来现实的人生经验,很少看到这种人。如果做一件事,马上可以出名,个人可以成功,可是,结果将会为后世留下祸根,那么他宁可不要成这个名,而不做这种事。要了解这种人是直道而行的操守。

……

臣有从仄陋而进显言,由卑贱而陈国事,可不恕之以难乎?

有些人地位很低,可是他有见地,古今中外,这样被埋没的人很多。往往这类人提建议时,中间阶层的人说他越级报告,非把他开革了不可。实际上有的人路子很窄,地位也不高,也没有名声,但能进贤言,有很好的意见提供给领导人,虽然他的地位很低,是一个很普通的人,而所提的意见,都是忠心为国。对于这种人,作领导人的要注意,这是难能可贵的。

……

臣有孤特而执节，介立而见毁，可不恕之以劲乎？

这个“劲”就是“节”，古代往往两个字连起来，“劲节”成为一个名词。每以竹子来象征，因为竹子是虚心的，笔挺的，有些人个性孤僻，不喜欢与同事、朋友多往来，有特殊个性与才能。大约有特别长处的人，都有特别的个性，看来很孤僻，这种人也有他的操守，不随便苟同，超然而独立，可是这种人，容易遭到毁谤，当主管的就要了解这种人是有特别节操的。

此七恕者，皆所以进善也。

上面曾经说了有六种正派一面的干部，这里就说到，当主管作领导人的，要对部下了解、体谅的七个恕道。换言之，作主管的如果不具备这七种恕道，就不能得到这六正的干部。这点我们要注意了。人们常说历史上的人才多，现在的人才少，并不尽然。正如曾国藩以及历代许多名臣都说，每个时代到处都有人才，第一在自己能不能赏识，第二在自己能不能培养。即使是人才，也还要加以培养。没有好的环境和有利的条件，才干发挥不出来，人才也没有用。所以六正与七恕，是君臣两面共修之道。

反派臣道的型态

下面是另外一路的几种臣道：

安官贪禄，不务公事，与事沉浮，左右观望。如此者，具臣也。

这里的具臣，和《论语》中所讲的具臣又两样了。这里说，有些人规规矩矩，安于那个官位，只要不出毛病，反正拿薪水，对于公事都办，但并不特别努力，随着时代的潮流，沉就跟着沉，浮就跟着浮,对现实把握很牢,随世俗走,这样也可以,那样也可以,现代的名词,“水晶汤圆”就是这种人,又透亮,又滚圆。这种人只是凑凑数的,聊备一员而已。

……

主所言皆曰善,主所为皆曰可,隐而求主之所好而进之,以快主之耳目,偷合苟容,与主为乐,不顾后害,如此者,谀臣也。

拍马庇这一类的,历史上这种人也很多,近代史中最著名的,有清朝的和珅,乾隆皇帝的嬖臣,就是这样。对上面光是:“好的!是的!”这还不算,肚子里还在打主意,隐隐地,暗暗摸清主管的毛病,爱好在哪里,然后投其所好,这种投其所好的人,也有他们的一套,一般人很难做到的。譬如说,一位主管,什么都没兴趣,就是好读书,于是谀臣这一型的人,也会装着好读书。所以上面仁义道德,下面满堂都仁义道德。《战国策》里就有这样的故事。齐桓公最讨厌紫色的衣服,他问管仲该怎么办,管仲说这很简单,你明天开始,见到穿紫衣服的走到面前,你就说臭得很,教他走远一点,这就行了。齐桓公照样做了,一个月以后,全国都没有穿紫衣服的人。所以我们读书要注意,一般人常引用曾国藩的话,社会风气的转变,在一二人的身上。但要知道这一二人不是你我。社会风气就是如此。因此上面好什么,下面跟着就是什么,这是非常大的力量。这一类的人,只是讨好领导人而已,偷偷摸摸,不走正道,专门巴结主管,往往因此害了这位主管,他也不管。这就叫作谀臣。

……

中实险诐,外貌小谨,巧言令色,又心疾贤,所欲进则明其美,隐其恶;所欲退则彰其过,匿其美,使主赏罚不当,号令不行,如此者,奸臣也。

这一段说到奸臣了,很明显地说奸臣内心里非常阴险,外表上看起来则小心谨慎,规矩得很。从历史上看到,成功地作一个奸臣还很不容易。如历史上说秦桧杀了岳飞，哪里是秦桧杀的，宋高宗本来就讨厌岳飞，秦桧只是迎合宋高宗的意思，代高宗承罪而已。大家都知道岳飞的口号："直捣黄龙，迎回二圣。"这是岳飞不懂宋高宗的心理，以为直捣黄龙就可以了。迎回二圣以后，宋高宗怎么办？二圣一个是他父亲，一个是他哥哥，二圣回来，宋高宗还当不当皇帝？第二点，岳飞当时才三十多岁，年纪太轻，偏要涉及内政。当时宋高宗还没有立太子，而岳飞天天催高宗立太子，这在高宗的想法，认为你岳飞希望我快死吗？而且这是我赵家的家务事，你在外面好好打你的仗就行了。可是岳飞偏要回来管这件事，固然岳飞是不了起的人物，书也不能说读得不好，但是人生经验到底不够，他的老师硬是没有教好他，这是"批其龙鳞"的事，不可以做的。秦桧就知道宋高宗这个心理，更主要的是两个政策思想不同，一个主战，一个主和，作风上不同，而岳飞遇害了。所以一个人要贯彻一个思想，很不容易。奸臣就是心存阴险，看起来很小心，很会说好听的话，态度上讨人喜欢，而最严重的是忌贤，好人他都妒忌，他要提拔的人，专门在领导人面前说他的好处，隐瞒他的缺点。对于真正的人才，他就在领导人面前，不表示意见，冷冷的态度。点点滴滴造成坏印象，就够了。结果使上面的赏罚不当，该赏的不赏，甚至反而罚了，该罚的没有罚，反而赏了，于是命令下去不能贯彻。这一类的，就是奸臣。

……

智足以饰非，辩足以行说，内离骨肉之亲，外妒乱于朝廷，如此者，谗臣也。

谗臣和奸臣很相近，嘴巴坏得很，这种人很多，他的知识渊博，学问好，错了的事，他总有办法，或者以言词理论，或以行为动作，把错处掩饰过去，很会说话，硬能把人说服。而且他的才智论辩，可以把人家兄弟、父子之间，家属的感情离间，同事相处，也挑拨离间,破坏感情,这是谗臣。

……

专权擅势,以轻为重,私门成党,以富其家,擅矫主命,以自显贵,如此者,贼臣也。

像王莽一流,历史上一些篡位的臣子,最后都到了这个程度,这种人就玩弄权了,用他的势力,可以颠倒黑白,以轻为重,自己结成党派,专门搞自己的事,乃至下假的命令,以达到自己的显贵,这种人就叫贼臣。

……

谄主以佞邪,堕主于不义,朋党比周,以蔽主明,使白黑无别,是非无闻,使主恶布于境内,闻于四邻,如此者,亡国之臣也。

第六种是亡国之臣,他帮助老板走上坏路,把错误都归到老板一个人的身上,实际上是部属大家的错误。这一点,由历史、人生的经验看,是非很难讲,公务员没有把事情做好,而老百姓都骂领导人。做领导人的确很可怜,下面常常陷主于不义。任何时代都是如此,工商时代也如此,这是一般人类的心理,很自然的,没有办法,这类人是亡国之臣。

"是谓六邪"这种具臣、谀臣、奸臣、谗臣、贼臣、亡国之臣等是六种邪臣,不是正道的干部。

防邪之道

下面再引证桓范的《世要论》。

臣有立小忠以售大不忠,效小信以成大不信,可不虞之以诈乎?

用人之难,人心之险诈,有些人小事忠得很,但他是借此达到另外一个大不忠的目的。有些人小信一定好,而他是要完成他的大不信。所以要顾虑到,是不是真正的险诈。不过话又说回来,从历史与人生的经验上看,有许多人他有本事,也是做小事一定尽忠,绝不是诈,并没有存心骗人,也不是为了什么大的反叛目的,这样做了多少年,可是一把他放到大的职位上去就完了,他就不忠了。于是别人说此人施诈。但在我的看法不同,这是主管对于人才的看法没有深切的了解。这种人在小位置上忠心,到了大位置上并不是不忠心,而是受环境的包围,于是变坏了。这不是他诈不诈的问题,而是他这材料不够坐那个大位置,等于很好的小吃馆子,如果要他办酒席大菜就完了。还有就是年龄的关系,这就是孔子的话,人老了"戒之在得",年老了样样想抓,这个"得"字就出了毛病。这不能说他在年轻时的作风就是假的,因为年轻人不在乎,觉得自己还有前途,来日方长,有的是机会,所以就不至于贪得,年纪大了的人,觉得在世的日子短了,先弄一点到手吧,这一来就完了。这就是心理的问题。讲修养,就是要把这种心理变化过来,能有这个气质的变化,这才是真本事、真修养,这也并不容易。所以关于这一点,我对于古人的这个观点,还是不同意,因为它讲的是道理,没有研究人的心理。人的心理,是跟着空间、时间在变更的。一个人真能修养到自己的心理、思想,不受环境的影响,不因空间、时间的变动而跟着变动,才称得上是第一等人。但是世界上的人都做了第一等人,那第二等人谁去做呢?(一笑。)

……

臣有貌厉而内荏,色取仁而行违,可不虑之以虚乎?

这是说有些干部在外表上看,脾气很大,冲劲也很大,可是内在没有真胆识,有些人在态度上看起来非常仁义,而真正的行为,却与仁义相违背,就是说有的人在平日看起来,是颇仁义的,但是真到了义利之间的关键头上,要作一决定时,他就变得不对了。所以当主管的人,对干部的看法、考核,要顾虑到是不是表里如一,脚踏实地。

……

臣有害同侪以专朝,塞下情以壅上,可不虑之以嫉乎?

这个情形很多的,人类嫉妒的心理是天生的,一般人所谓的吃醋,好像男女之间相爱,女性的妒忌心特别容易表现,所以一般都说女性醋劲最大,其实男性吃醋比女性更厉害,而且不限于男女之间,男性往往发展到人事方面,诸如名利之争、权势之争等等。譬如有些人名气大了,就会有人吃醋,有的人文章写得好了,就会有人吃醋了,字写得好了也吃醋。乃至于衣服穿得好了,别人也会吃醋,甚至两人根本不认识,也吃醋。这是什么道理?这是高度的哲学和心理学,嫉妒是人与生俱有的劣根性。

不论上面领导的人,或者做人家干部的人,对于这些都要知道的。人的心理,是这个毛病,有些人欢喜打击同事,自己专权,于是挡住了下面的情形,同时使下面也不了解上面的意思。这都是出于妒忌心理,才发生了这些情形。所以当一个领导人的,听到干部当中甲说乙的话,乙说甲的话,都不能偏听,而要尽量客观的,要注意他们之间,是不是有妒忌的心理。

……

臣有进邪说以乱是,因似然以伤贤,可不虑之以谗乎?

挑拨、说坏话、害人的话就是谗言。这是古今中外一例的,譬如一个文人,尤其是学哲学、学逻辑的人,经常容易犯这个错误。逻辑学好了以后,非常会辩理,怎么样都说得对,死的可以说成活的,在理论上,逻辑上绝对通,但事实上不一定对。所以有些干部,能言善道,很有文才,很有思想,专门发表邪说。这段文字上看“邪说”两字，定在这里，明明白白，看起来很清楚，如果我们做了主管的时候，干部进邪说，不一定写文章，对于某件事情，他轻轻一句话，就听进去了，中了他的邪说，乱了真理，他用一种好像是对的道理，而伤害了好人。所以当领导人的，就要顾虑到，是不是有谗言的作用。

……

臣有因赏以偿恩，因罚以作威，可不虑之以奸乎？

有些专权的人，他对他的部下有赏赐，并不是公正的赏，而是自己与受赏的人有关系，故意卖恩情给他。譬如小的单位主管，有考核权的，对于自己喜欢的人，就多给他分数，对于所讨厌的人，尽管他有本事、有功绩，还是设法扣他的分数。“因罚以作威”，以示权威。赏罚基于私心，这一类，就是奸佞之人，不公正。

……

臣有外显相荐，内阴相除，谋事托公而实挟私，可不虑之以欺乎？

这种事情就很严重了，我们从历史上的政治中，常常可以看到，有些干部明明内心想要害某人，而表面上说某人的好话，但暗暗地把某人搞垮。谋事则冠冕堂皇，托之于公事上，实际上则挟了有私意，手段非常高明，这就是欺，古代所谓欺君罔上。我们看历史，这种悲惨的故事实在不胜枚举。

……

臣有事左右以求进，托重臣以自结，可不虑之以伪乎？

有些人，是靠领导人旁边最亲信的人，专走这个门路，服事他们，搞得很好，由他们影响领导人，达到自己的目的。或者是找在领导人面前分量最重，言听计从的人，托他们的力量，结交他们，以巩固自己的权力与地位，这都是伪。

不过这种事,有时也很难定论,要看各人的运用。以近代史看,曾国藩、胡林翼就是走的这个路子,这是历史上的两段秘密,当然正史上没有记载,而这种野史的记载,是真是假,暂且不去管它。

据说,清咸丰皇帝,所以知道曾国藩的大名,在太平天国一起来的时候,就教曾国藩在湖南练湘军,是因为咸丰早就对他有了印象。最初曾国藩在京里做官的时候,是在礼部做一个小京官,大约等于现在部里的司长级,还是附员一类闲差。他知道一个汉人,在满洲人的政权里做官,非走门路不可,于是他结交了一位亲王,两人感情很好,后来这位亲王向咸丰保荐曾国藩,说他"胆大心细,才堪大用"。咸丰看到是这位亲王——咸丰的伯伯或叔叔的保荐,就答应了召见。后来果然咸丰在便殿召见曾国藩,他进去以后,便殿里空空的,什么都没有,只是在上首位置,有一把皇帝坐的椅子,下面是一个锦墩,太监带他进去以后,教他在便殿等候,他向皇帝的位置,行了三跪九叩首大礼以后,就规规矩矩坐在锦墩上等候,等了一个多时辰,皇帝始终没有出来,最后一位太监出来通知他,皇帝今天有事,改天再召见,曾国藩只好对着空椅子三跪九叩首以后回去了。回去以后,这位保荐他的亲王马上问他情形。曾国藩报告了经过,亲王问他在便殿里有没有看见什么东西?曾国藩仔细回想,除了皇帝的座位和锦墩以外,的确没有另外看见什么东西。这位亲王听后说:"糟了!"赶紧跑进宫里,找到便宫当值的太监,送上红包。结果打听出来皇帝座位后面的墙上,挂了一张很小的字条,上面写的是"朱子治家格言"。亲王就回来告诉了曾国藩,而且告诉曾国藩,他向皇帝保荐的话是"胆大心细"四个字,胆大是不易测验的,除非教他去打仗,而心细则可测验的。果然过了几天,咸丰又召见曾国藩问起这张朱子治家格言的事,这时曾国藩当然答得不会含糊了。因而得到咸丰的赞许,把曾国藩的名字记下来,而曾国藩也由此因缘,成了清代的中兴名臣,这是野史上的记载。

第二件事,是胡林翼的故事。当时湖北的巡抚文官,是一个满洲人。清代的制度,因为始终有种族的观念,巡抚(相当现在的省主席)如果是满人,而军门(相当现代的保安司令)则是汉人。反正在省的一文一武两大首长,一定是一个汉人,一个满人。在调兵的时候,巡抚和军门提督,两人都要签名,光是一个人签名,则调不动兵,如此以为互相牵制。所以当时打太平天国,也很麻烦的。当时湖北的文官是一个糊涂虫。有一天文官的第五姨太太作寿,胡林翼听说是抚台的夫人作寿,胡林翼身为军门提督,分嘱部下,不得不去,他本人虽然也可以不到,不过胡林翼还是去了。在巡抚衙门前,刚一下轿的时候,看到一个人身穿朝服,从里面出来,一脸怒容,上轿走了。胡林翼打听是怎么回事,人家报告,这位官员很有骨气,因为听见巡抚夫人生日,前来作寿,到了以后,知道只不过是五姨太的生日(当时多妻制,一人可以取几个太太,但元配以外的姨太太,是没有地位,被人看不起的),所以没有进去拜寿,上轿就走了。大家称赞这位官员了不起,到底是读书人,有品格,有骨气!可是胡林翼把"马蹄袖"一抹,投了一张名卡,还是进去拜寿了。以胡林翼当时的声望名气,他亲自前往拜寿,文官和他这位最得宠的最小姨太太,都高兴得很。文官吩咐这个姨太太,第二天就去回拜胡林翼的老太太,拜胡林翼的母亲为干妈。从此以后,胡林翼打太平天国,就可随便调兵。像胡林翼这种人,绝对是正派的人,但是为什么这样做?这就是权术,没有办法不如此做,要想事业成功,有时候也不能呆板地拘小节,问题在动机如何?他的动机绝不为私。如果不用这个方法,敌人打到门口了,还调不动兵,怎么去打仗?所以在这种小事上马虎一点,反正母亲收了一个干女儿,总不吃亏。所以上面这句话:"臣有事左右以求进,托重臣以自结,可不虑之以伪乎?"这句话,也不是呆板的,要看实际的情形,如何运用,动机何在而定。

……

臣有和同以取说,苟合以求进,可不虑之以祸乎?

有干部"和同",什么是"和同"?这两个字,本来出自老子的"和光同尘",意思是说,一个修道的人,不要特别把自己标榜得了不起,要和普通人一样,你修道者的光明也和普通人一样。"尘"就是世俗人,社会一般人,尘世之间,大家都吃饭,而你一个人非要买包子吃,这又何必呢?将就吃一点就好了嘛。这本来是"和光同尘"的意思,可是道家这一思想,后来被引用,就变成"太极拳"——圆滑的观念了,人说白的是黑的,我也马马虎虎说是黑的,跟着乱滚,也被称作"和同"了。"取说"的"说",通"悦"。"和同以取说",指的是臣下为了讨好上司,便放弃作人的原则,作乡愿去了。这里是说,有些干部圆滑得很,"太极拳"马马虎虎应付一下,只要配合主管的要求,什么都来,只要对他自己前途有利的就干,这种心理发展下去将来就是一个祸害。到了利害关头,一点气节都没有,什么事都可以做得出来。

……

臣有悦主意以求亲,悦主言以取容,可不虑之以佞乎?

有的干部只做上面老板喜欢的事,专说老板喜欢听的话,以求得他欢心,取得他的亲信。这种就是佞臣。

上面是《长短经》作者,对桓范《世要论》的引述。一个领导人,在防恶上,应该注意考虑到的九种原则、九个顾虑,也是人物的分类,该注意到的。

读书千万不要被书所困,一切的运用全在自己。像这一类的书读多了以后,等于医学的常识丰富了以后,连一杯水都不敢喝,深怕有传染病,法律学多了以后,连一步路都不敢走,动辄怕犯法。而对于"九虑"这些东西看多了,连朋友都不敢交了。其实只要我们把握了大原则,相信少数人,不伤任何人,爱护所有人,凡事但求心安就好了。

忠奸之辨

下面是举很多实例了。

这是一篇大文章,但是古人写文章的分类,不像现在的观念,现在写文章的层次,往往是宗旨、要点、原则、引伸,古人则大异其趣。

子贡曰:陈灵公君臣宣淫于朝,泄冶谏而杀之,是与比干同也,可谓仁乎?子曰:比干于纣,亲则叔父,官则少师,忠款之心,在于存宗庙而已,故以必死争之,冀身死之后,而纣悔寤;其本情在乎仁也。泄冶位为下大夫,无骨肉之亲,怀宠不去,以区区之一身,欲正一国之淫昏,死而无益,可谓怀矣!诗云:民之多僻,无自立僻,其泄冶之谓乎?

这里是子贡和孔子问答的一段话(这段话在四书五经里是看不到的,要在其他的书里去找,所以真要研究孔子思想是相当困难的,我们不要以为看了四书五经,就懂了孔子的思想,有一本清人编的《孔子集语》,将孔子所讲的话,如《庄子》等等引用孔子的话和有关的很多事,都收集在这里,所以现在也可以走取巧的路线,看这本书,勉强可以把孔子一生,多了解一点,免得到处找资料)。

这段书我们暂且搁在这里。要先了解一件事情:我们知道,春秋战国在陈灵公的时候,有一个女人,后世称她为"一代妖姬",名夏姬,是当时的名女人,好几个国家,都亡在她身上。据说她好几十岁了都还不显得老,许多诸侯都被她迷惑住了。她在陈国时,陈灵公和几个高级干部,就和夏姬宣淫于朝,于是陈国的另一位大臣泄冶,就向他们提出谏议,责备他们不应该这样做。陈灵公自己理亏,对泄冶没有办法,就买通一个刺客,把泄冶刺死了。

这段书,就提到了这段历史,有一天子贡问孔子说:泄冶的这个行为,同纣王时代的比干一样,泄冶这个人,是不是可以说合于仁道?孔子说,这两个人并不相同。因为比干之于纣王,在宗法社会,讲私的方面,他们是皇亲,比干是纣王的叔父,讲公的方面,比干的地位是少师,等于皇帝的顾问。在宗法社会的政治制度下,他是为了殷商的宗庙社稷,所以他准备牺牲自己,所谓"尸谏",希望自己死了以后,使纣王悔悟,所以比干当时的心情,是真正的仁。在泄冶就不同了,他只是陈灵公的部属,地位不过是个下大夫,勉强比喻等于现代简任初级的官位,并没有私人血统上亲密的关系,而陈国这样一种政权,在孔子看来,是一个君子就应该挂冠而去,可是泄冶没有这样做,还在怀宠。以他这样的地位,用区区一个身体,想要影响上面的昏乱,这是白死,也算不上忠,只是"怀"而已,他的胸怀里,爱国家的心情,还是有的,至于说到仁道,却并不相干,所以孔子引用诗经上两句话:"民之多僻,无自立僻。"一般人当走到偏僻的狭路上去的时候,是没有办法把他立刻挽回的,泄冶就是不懂这个道理,方法不对,白丢了一条命。

这是引证一段历史的经验,说明部下与长官之间争执时处理的方法。

或曰:叔孙通阿二世意,可乎?司马迁曰:夫量主而进,前哲所韪,叔孙生希世度务,制礼进退,与时变化,卒为汉家儒宗,古之君子,直而不挺,曲而不挠,大直若诎,道同委蛇,盖谓是也。

这是另一个历史故事。汉高祖平定天下以后,最初是没有制度的,每天上朝开会,文官武将和他吵,乱七八糟,简直没有办法,而叔孙通本来是秦始皇时代的一个儒生,他为了要保持文化道统,也曾跟过楚霸王,意见行不通,后来跟随汉高祖。而汉高祖也是拿读书人的帽子当便壶用的,见读书人就骂,所以叔孙通最初连饭都吃不上,什么气都受。有学生问起什么时候才能达到保持文化道统的目的,叔孙通说不必心急,现在是用武力打天下的时候,用不着我们读书人。

等到汉高祖平定了天下,他去见汉高祖,建议制定礼法,汉高祖曾经斥他说:“乃公天下马上得之”——意谓:“格老子,我的天下是骑在马上打来的,你读书人算什么?去你的!”这时叔孙通就顶他了:“陛下天下可以马上得之,但是不可以马上治之。”就是说:“天下你是打来了,但是将来治理天下,不能永远打下去呀!”汉高祖这种人,在历史上是真正了不起的领袖,个性固然强,可是别人有理由,他一定会听。所以听了这话认为有道理,问该怎么办?叔孙通于是说我替你拟订计划,建立制度。汉高祖立刻答应,教他去办。几个月以后,把所订的制度礼仪“朝班”都演习好了,再请汉高祖出来坐朝,汉高祖一上朝,那种仪式,那种威风,真和当年打仗乱七八糟的不同。俨然是大汉皇帝的气派。这时他这一舒服,才知道读书人有这么大的用处。

这里是引证,当汉高祖还没有起来,秦始皇焚书坑儒时,叔孙通有办法自保:在秦始皇死了,二世接位以后,召集知识分子开会,向大家说,据说外面在造反,有没有这回事?那些知识分子听了以后,都说真话,说外面有许多人在造反,并劝二世改过,惟有叔孙通说,外面没有造反,只不过是些小偷而已,是乱传话说造反的,二世听了叔孙通的话,认为很对,非常高兴。可是叔孙通讲过这个话,自己就溜走了,他知道秦朝这个政权没有希望了。所以这里提到叔孙通“阿二世”(阿就是阿谀,拍马屁,阿曲,歪曲事实,将就对方的意思。所以古代一个知识分子,在写文章时,都不随便下笔,社会大家认为对,自己认为错了,就不应该随便跟大家的意见写,如果跟着大家人云亦云,就是“曲学阿世”,违反真理。拍社会、拍时代的马屁是不应该的,这是中国读书人的精神),是一个知识分子应该的吗?《长短经》的作者,于是引证司马迁对这件事的批评,也就是他在史记上留给我们后人,对历史的看法。

刚才说过了叔孙通对历史的关键之举,如"朝班"的制度,自汉代由他建立以来,虽然历代各有不同的沿革,但一直到清朝末年,实行了几千年。我们再从文化史的观点来看,叔孙通是了不起的人物,自汉代以来,这几千年当中,实际上的政治体制思想,一直受他的影响。所以司马迁反对一般人对叔孙通小节方面的批评,他是从大处着眼下笔,他说叔孙通"量主而进",从这句"量主而进",我们就看到,王充说《史记》是一部"谤书",毁谤汉朝的大著作,换句话说是毁谤历史的大著作,但在当时不大看得出来。如用的字句,司马迁是斟酌又斟酌,像"量主而进"这四个字,用得非常好。就是后世说的"良禽择木而栖,良臣择主而事"。好的鸟如凤凰,绝不随便落在一般树上,一定落在梧桐树上,否则宁愿停留在半空盘旋,绝不下来。一个人则择主而事,古代君臣、主仆的关系分得很清楚。"量主而进"就是测量测量老板,跟随他有没有意义,前途有没有希望。"前哲所韪"前辈的哲人——代表贤人、圣人、有道德学问的人,都认为这样是对,是应该的原则。这两句话八个字,已经把一般人对叔孙通的评论推翻了。

司马迁再为这个"生"字作申论说:叔孙生希世庶务——叔孙生的"生"字是"先生"的意思——就是说叔孙通在秦始皇这个时代,为了要继承文化,不致中断而留传下去,希望有个好的社会,执行正统的文化,等到好的时代来了,好做一番事业,制定文化精神的体制。进退之间,他看得很清楚,在秦始皇这个时代,他没有办法,只好跟着时代变,并没有完全依照古礼,所以他非常懂得适应时代的环境,以应变达到最后的目的,结果目的都达到了,他跟随汉高祖,最初在汉高祖忙于军事的时候,等于当个附员,闲的差事,拿一点薪水,维持最低限度的生活。到后来,他开创了汉朝的文物制度,成为汉代的儒宗。

司马迁更进一步引申,古代所谓君子之人,"直而不挺",像一棵树一样，世界上的树都弯下去，只有这棵树是直的，但这棵树也很危险，容易被人砍掉，所以虽然直的，但有时软一点而并不弯曲。自己站住。站住以后，在这种时代也是很难处的，不愿意跟大家一起浮沉，就显得特别，特别了就会吃亏，还要配合大家，但配合大家，和大家一样又不行。在“致曲则全”的原则下，必须保持着一贯的中心思想。所以真正直道而行的人，就“大直若诎”，看起来好像不会讲话。“道同委蛇”，作人的法则，好像太极拳一样，跟着混，而结果达成他的目的，这就是叔孙通的作法，结果他不但开创了汉朝四百年的制度，更影响了中国几千年的制度。

这是说臣道的宗旨，一个人在时代的变化中间，为社会、为国家、为民族文化、为个人，要站住已如是之难，站住以后要达到一个为公的目的就更难了。

……

议曰：太公云，吏不志谏，非吾吏也。朱云廷诘张禹曰，尸禄保位，无能往来，可斩也。

这里又提出一个问题来讨论。朱云和张禹两人，都是汉成帝的老师，当时正是王莽家族用权的时候，民间怨恨到极点，各处的报告，反应到朝廷的意见，都被张禹把它压下去，不提出来。所以朱云就当着皇帝的面，诘问张禹，说张禹对下面这么多意见，不提出来报告皇帝，像死人一样占住一个位置，只想保住自己的官位，什么事都没做，使上下的意见都不沟通，应该杀了他。这是引述的一段历史故事。

班固曰：依世则废道，违俗则危殆，此古人所以难受爵位。由此言之，存与死，其义云何？

班固是依照司马迁著《史记》的路子而著《汉书》的，他讨论历史，提出这个意见，认为作人处世很难，跟着社会时代走，就违背了传统的道，违背了自己文化的精神，可是硬不跟着时代走，违背一般世俗的观念,本身就危险,至少这一辈子没有饭吃,会把自己饿死,这是事实。像电视节目,我们认为不好的,可是广告收入好,我们认为好的,可没有广告了,电视公司就要喝西北风,也就是这个道理。所以中国的古人,想要请他出来做官,他不要,为什么不要?为什么清高?他既然出来,就要对国家社会有所贡献,估计一下如果贡献不了,又何必出来?所以就不轻易接受爵位了。这是古人,若是现代的人可不管这许多了,有人给一个顾问名义,也就挂上,尽管不拿钱,还可出名哩!时代不同了!古人传统文化的观念,如果担任了名义,而无法有贡献,就宁可不接受。那么由这个道理看起来,推论下去,一旦面临生和死之间的抉择,有时候连这条命也要交出去了,就是说生与死之间的哲学的意义,该怎样讲法?

对曰:范晔称夫专为义则伤生,专为生则骞义。若义重于生,舍生可也;生重于义,全生可也。

作者于是引用刘宋一位学者范晔说的话,他说一个人一天到晚,专门讲文化道德义理之学,那么连饭都吃不饱,谋生的办法都没有。但是如果专讲求生,就会亏损义理。我们看看现在的人,为生活、为前途,什么事情都可以干,只要钱赚得多,都可以来。古人往往以义作为行事的准则,如果认为死了比活着更有价值,就可以一死!但有时候,做忠臣并不一定非死不可,中国的老话"留得青山在,不怕没柴烧",硬要留住这个青山。譬如被敌人包围了,在生死之间,事实上生重于死,忍辱苟生,将来能够做一番比死更重大,更有价值的事情,那么不一定要死,全生可也。相反地,就非求死以全节不可了。

这个问题还没有讨论完,又提出一段历史故事:

或曰:然则窦武、陈蕃,与宦者同朝廷争衡,终为所诛,为非乎?

汉代最有名的祸乱是宦官,明朝的祸乱也是宦官。我们中国历史上的祸乱,差不多都离不开外戚、宦官、藩镇三大原因。在汉朝就亡在外戚、宦官两个因素上。王莽就是外戚。唐朝亡于藩镇(权臣),明朝亡于宦官,魏忠贤这些人都是宦官。只有清朝对于这三个祸乱因素都防范得很严谨。宦官干涉了政治非杀不可,多说一句话都要被杀。清朝的实录,雍正遵祖宗的规制,他有一个最喜欢的戏子,有一天这个戏子问雍正皇帝,扬州的巡抚是哪一位。雍正一听发了火:“你怎么问这个问题!”就把这个戏子推出去杀了!看起来雍正的手段毒辣,事实上问题很大。一个平常玩玩的戏子,居然问起地方的首长是谁,可见有人在暗中拜托了什么事情。这还得了,固然处理得很严厉,但是看了历史上这些关于宦官为害的可怕事情,非这样办不可。

事实上何必要当皇帝才如此,许多人都会有这类经验,就是当上一个小主管,这类问题都来了。太太娘家的人,来说说话托个人情,你说怎么办?不答应,太太天天和你吵,难道为此和太太离婚吗?这是内戚之累。或者跟了你很久的人,有事总要替他安顿安顿。这情形也和“宦官”差不多。另外藩镇,好比下面的科长、股长,做得久了,公事又熟,出些问题,真没办法。个人尚且如此,何况大的国家?

后汉时代窦武与陈蕃,两个有名的人,以及明朝的有些大臣,硬是不买账,结果还是死在这班宦官手里,那么照前面的理由看起来,窦武、陈蕃这些人做得不对了吗?

范晔曰:桓灵之世,若陈蕃之徒,咸能树立风声,抗论惛俗,驱驰岨峗之中,而与腐夫争衡,终取灭亡者,彼非不能洁情志,违埃雾也。悯夫世士,以离俗为高,而人伦莫相恤也。以遁世为非义,故屡退而不去。以仁心为己任,虽道远而弥厉,及遭值际会,协策窦武,可谓万代一时也,功虽不终,然其信义足以携持世心也。

这段还是引叙范晔的话,来答复前面的问题。读过诸葛亮的《出师表》,就会知道汉桓帝、汉灵帝这两个皇帝了。《出师表》上提到刘备最难过、最痛恨的,就是他这两位老祖宗。这两位汉代皇帝,和宋代的徽宗、钦宗父子一样。宋徽宗做一个艺术家蛮好的,他的绘图、书法都很好,可是命苦,当了皇帝就非变成俘虏不可。

范晔所说这个历史的故事,举出窦武和陈蕃这两位后汉的名臣。当时发生了党祸,他们两人想挽回时代的风气,但是陈蕃却因窦武的党祸案子而牺牲了。这里范晔的论点是说,在桓灵这个时代,像陈蕃这种人,学问好,有见解,有人品,知识分子个个仰慕他,他个人所标榜的,已经树立了风气、声望,成为一个标杆。对当时昏头昏脑过日子的世俗抗议,他的那种思想、影响力,在最危险的社会风气中、政治风浪中,像跑马一样,和那些明知道不对而又不敢说话的懦夫争衡,结果把生命赔进去了。以他的聪明学问,并不是不能做到洁身自好,明哲保身,而是他不愿意这样做。因为他想要提倡伦理道德,人类的社会就要有是非善恶,他悲悯当时世界上的人,一些知识分子,看到时代不对了,尽管反感极了,而只是离开世俗,明哲保身,逃避现实,没有悲天悯人之意,人伦之道就完了。所以他反对这些退隐的人,认为退隐不是人生的道理,于是他有机会可以退开,他还不走,而以"天下兴亡,匹夫有责"的精神,以仁心为己任,明知道这条路是很遥远的,还是非常奋发、坚定,所以一碰到政治上有改变的机会,就帮忙窦武,而把命赔上了。这样的死,是非常值得的,以历史的眼光来看,把时间拉长,把空间放大。他这生命的价值,在于精神的生命不死,万代都要受人景仰,虽然他没有成功,但是他的精神、正义足以作为这个世界的中心。

议曰:此所谓义重于生,舍生可也。

这里的结论是,当觉得死了比活着更有价值,这个时候惟有牺牲自己。这是理论,这种理论想要真正变成自己的思想和观念,则并不简单。能在必要的时候付诸实施,更是难之又难。

上面的这些历史故事,都是说"臣行"的,所谓臣行,也就是人臣的自处与处事之道。一个人做事对自己的立场要认识清楚。

下面继续提出臧洪死张超之难的故事,讨论他是不是可称为义?臧洪死张超之难故事的原文,在这段文章的后面,用括号引述出来了。我们必须先了解这个历史故事的实际经过情形,然后再说它的道理。在这里大家一定会奇怪古人写文章为什么这么别扭,把论理的文字,写在前面,而把所讨论的历史故事,写在后面。这是因为古人认为这些历史故事,每一个读书人都知道了,假使先叙述故事,再论道理,在古代认为这是丢人的事,甚至认为作者看不起人,好像表示别人对历史都不懂,只有他懂似的。因为中国古代读书人,大多都对历史典故很熟。现在可不同了,一般写论文,都是东抄西抄一大堆,写出来的意见,不是作者的,而是抄来的。这是古今之不同。其次,古人有时引述的历史故事,在文章中等于现在文体的注解,所以放在正文的后面,这是我们对于古今文体需要了解的地方。我们是现代人,就走现代的路线,从后面读起,先把这段历史故事了解,等一下再回过来看它对这个故事的评论。

昔广陵太守张超委政臧洪,后袁绍亦与结友,及曹操围张超于雍丘,洪闻超被围,乃徒跣号泣,勒兵救超,兼从绍请兵,绍不听。超城陷,遂族诛超,洪由是怨绍,与之绝,绍兴兵围之,城陷诛死。

这是三国时的事。广陵是现在的江苏扬州一带。张超是当地的太守,他把地方的政事交给了臧洪,后来袁绍也和他做朋友。有一次曹操在雍丘(现今河南杞县)这个地方,把张超包围起来。臧洪听到这个消息,因为张超是他的朋友,又是长官,所以就光着脚,哭着到处替张超求救兵,一面自己也出兵。同时因为袁绍是朋友,也向袁绍求救兵,可是袁绍没有理他。结果张超被曹操消灭了,全族都被杀了。臧洪就为这一件事情恨透了袁绍,而和他绝交了。朋友变成了冤家,于是袁绍又兴兵围攻臧洪,破城以后,臧洪也被杀掉了。

议曰:臧洪当纵横之时,行平居之义,非立功之士也。

后来一般人讨论这件事,就认为臧洪自己莫名其妙,头脑不清楚,当三国那个时代,正是所谓纵横时代,等于战国时候一样,是没有道义的社会,谈不到要为哪一个尽道义,立身于社会中,对当时的环境看不清楚,在纵横的时代,而去讲道德、讲仁义,乱世中去讲太平时候的高论,当然搞不好,这就是所谓:“居今之时,行古之道,殆矣!”在现在的时代,要想实行三代以上的礼乐之道,是走不通的。因此也可以看到孔子的思想,并不呆板,他教我们要赶上时代。“当纵横之时,行平居之义,非立功之士。”就是对臧洪的结论,这样做,如果想立功、立业,救时代、救社会,是办不到的。

现在再回过来看《长短经》的作者,对臧洪这件历史故事的评论,他首先提出问题:

或曰:臧洪死张超之难,可谓义乎?

假定有人问臧洪这样为张超而死,够不够得上是义气?于是他引用范晔的话:

范晔曰:雍丘之围,臧洪之感愤,壮矣!相其徒跣且号,束甲请举,诚足怜也。夫豪雄之所趣舍,其与守义之心异乎?若乃缔谋连衡,怀诈算以相尚者,盖惟势利所在而已。况偏城既危,曹袁方睦,洪徒指外敌之衡,以纾倒悬之会,忿悁之师,兵家所忌,可谓怀哭秦之节,存荆则未闻。

范晔是说,曹操围攻雍丘,消灭张超,当时臧洪为了朋友,到处请兵,可以说是一种壮烈的情操。而他赤了足,奔走号哭的行为真值得同情。因为英雄豪杰,在某种环境之下,对于是非善恶的取舍,与普通一般人的讲究仁义,在心理上是两样的(读古书到这里,要想一下,为什么豪雄之所趣舍,其与守义之心异乎),我们可以引用西方宗教革命家马丁路德的名言:“不择手段,完成最高道德。”

为了达到最高的主义，最高的理想，有时候内心尽管痛苦，也不得不作些小的牺牲。在平时作人也如此，假定现在朋友、同事之间，家庭有了困难，即使下雨下雪，没船没车，走路也得赶去帮忙。但到了一个非常的时候，自己有大的任务在身，那恐怕就不能顾全这个朋友之间道义的小节了。所以孔子说："言必信，行必果。硁硁然，小人哉！"这个话就很妙了。孔、孟之道，总是教人忠信，讲话一定兑现，做事一定要有结果，而孔子却又说，这样事事固执守信的，只是小人。这么说来，是不是言不必行，讲的话，过去了就算了吗？并不是这个意思。读书最怕如此断章取义，必须要看整篇，才知道孔子这几句话的意思。也就是说，大丈夫成大功，立大业，处大事，有个远大的目标必须要完成的时候，有时就不能拘这些小节，小节只是个人应做的事。如为国家民族做更大的事，个人小节上顾不到，乃至挨别人的骂，也只好如此。

另外一个观念：

若乃缔谋连衡，怀诈算以相尚者，盖惟势利所在而已。

在三国的时候，袁绍、曹操、张超这一班人，和任何乱世时代，据兵割地称雄的人，都是一样，有时双方和平订约了，有时候双方又打起来，也和我们现代的国际局势一样，这是个非常时期。每逢一个非常时期，不要以为国际之间有道义信用，实际上都是在作战，利害相同就结合，利害不相同就分手了。每个人都是在打自己的算盘，只要形势上有需要，利害上有关系就做，这是当然的情形。在这样一个时代中，如果这一点看不清楚，而去与人讲道义，就只有把命赔进去了。更何况，像三国时候，那种地方军阀互相割据的战争局面下，雍丘是一个非常危险、孤零零的偏僻地方，臧洪只知道自己的朋友张超被曹操毁了，以为袁绍也是朋友，去请袁绍帮忙，却不知道曹操与袁绍之间，因为利害的关系，已经结合了。这就是说臧洪的头脑不够，对时势分析不清楚，如何去做好这工作？

他想借袁绍的兵,把曹操打垮,这是很危险的。像吴三桂借满清的兵打李自成,结果就成了满人的天下。再以中国的军事哲学——《孙子兵法》的思想来讲,不冷静地先求"谋攻"的关键,只是感情用事,以个人忿恨的私见,影响到作战的决策,头脑就昏了,心理上情绪的悲哀、怨恨,是军事学上的大忌讳。这不只是限于军事,在工作上有时碰到紧急困难的时候,个人的情绪忿悁之中,特别要注意,必须把这种情绪先除去,然后才能够冷静,才能把事情分析得清楚,"谋定而后动"而像臧洪这样"徒跣且号,束甲请兵",和以前战国时候,吴楚之战,楚被吴打垮了,楚名臣申包胥到秦国去请救兵,在秦庭哭上七天七夜的情形是一样的。这样对个人节操而言是对的,但对事情而言,这是没有用的。不能解决问题。这里历史的经验告诉我们,个人做人的情操是一回事,处理事情的观点、看法、智慧的决定,又是另一回事。如申包胥哭秦庭的故事,在他个人,是成了千秋万世之名,但为楚国着想,借了外力秦兵去打吴国,前门驱狼,后门进虎,也不是好办法,还没有听说过这样能复国图存的。

……

或曰:季布壮士,而反摧刚为柔,髡钳逃匿,为是乎?

大家都知道一诺千金,是季布有名的历史故事,这位先生是了不起的。他年轻时是一位非常有号召力的游侠之士,后来跟随项羽,作战非常勇敢。有一次把刘邦打垮了,追击刘邦,差一点就可以砍到刘邦的马尾。后来刘邦得了天下,最恨的也是季布,所以悬重赏缉捕季布,同时下令,藏匿了他的要诛全族。在这样严缉之下,季布就到山东一位大侠朱家那里卖身做佣人。朱家一看见季布,就看出来了,把他收留下来。到晚上再把季布找来,做个别谈话,要他说老实话。季布说,你既然知道了,就随你办,向刘邦报告,就可以得重赏乃至封侯。朱家当时就安慰他,绝对不会这样做。同时告诉季布,这样逃匿不是办法,总有一天会被发现的。朱家本来就和刘邦这些人很熟,他和季布商量同意,将季布扮成车夫,朱家带他去见刘邦。到了长安以后,这一班帮助汉高祖打天下的老朋友都宴请朱家,问他到长安有什么事,当然,都知道他不想做官,也不会要钱。朱家就要他们转告刘邦,季布这个人,年轻有为,是个将才,是个可以大用的豪杰之士。当年和项羽打仗的时候,季布追杀刘邦,是各为其主。项羽完了,就不必再视季布为仇敌,现在通令全国抓他,这样逼迫,他被逼紧了,不是向南边逃到南越,就是往北边逃往匈奴(因为那时刘邦所统一的天下,只限于中原一带,至于长江以南的两广、云贵一带,南越王赵佗,和汉高祖同时起来的,虽已称臣,并未心服;北方的匈奴,也随时要侵犯中国的),这样平白地送给敌人一名勇将,给自己增加一个最大的祸患,这又何苦?朱家说,现在就为这事而来。这班大臣们向刘邦报告以后,汉高祖听说是朱家来说的,就取消了通缉令,并且给季布官做。所以后来季布又成了汉朝的大将,而且非常忠于汉室。可是如果没有朱家这一次出来说话,还是不行。而朱家说妥了这件事,仍然回山东过他的游侠生涯去了,不要功名富贵。所以侠义道的精神,在中国的历史上始终是存在的。这里是说,季布失败以后,毫无办法,英雄的豪气都没有了,变成窝囊得很,把头发剃光,什么苦工都做,不该去躲藏的地方也去躲藏,偷偷摸摸过日子,这样对吗?以中国文化精神来说,一个真正的英雄壮士,失败了就自杀算了。在那个时候说来,季布既是壮士,失败后却窝囊的过逃亡日子,这是对的吗?

对于上面这种一般看法的问题,下面引用司马迁的话作答案:

司马迁曰:以项羽之气,而季布以勇显于楚,身屡典军,搴旗者数矣,可谓壮士。然至被刑戮,为人奴而不死,何其下也?彼必自负其材,故受辱而不羞,欲有所用其未足也,故终为汉名将。贤者诚重其死,夫婢妾贱人,感慨而自杀者,非勇也,其计尽,无复之耳。

司马迁说,当项羽与刘邦争天下的时候,以项羽的那种力拔山兮的气概,而季布却仍然在楚国能以武勇,显名于天下,每次战役中,带领部队作先锋,身先士卒,一马当先,多少次冲入敌阵,夺下对方的军旗,斩了对方的将领,可说是一个真正的壮士。可是等到后来项羽失败了,汉高祖下命令要抓他来杀掉的时候,却又甘心到朱家那里当奴隶,而不自杀。从这点看起来,季布又多么下贱,一点壮志都没有。其实,季布这样做法,并不是自甘堕落,他是有自己的抱负,自认有了不起的才华,只是倒霉了,当初找错老板,心有不甘。所以当项羽失败了,愿意受辱,并不以为羞耻,因为还是要等待机会,发展自己的长处,所谓"留得青山在,不怕没柴烧"。所以他最后还是成为汉代的名将。由他的经历做法,就看出了他的思想、抱负,他觉得为项羽这种人死,太不合算。一个有学问、有道德、有见解、有气派、有才具的贤者,固然把死看得很严重,但是所谓"死有重于泰山,有轻于鸿毛"。并不像一般小人物一样,为了一点小事情,就气得上吊,这种人的心理,觉得没有办法再翻身了,走绝路了,心胸狭窄,所以才愿意去自杀,而怀抱大志的人,虽然不怕死,但还是要看死的价值如何,绝不轻易抛生的。

议曰:太史公曰:魏豹、彭越,虽故贱,然已席卷千里,南面称孤,喋血乘胜,日有闻矣。怀叛逆之意,及败,不死而虏,囚身被刑戮,何哉?

这段历史是刘邦、项羽,作楚汉之争的时候,魏豹和彭越这两个人,有部队,能作战、是名将,有举足轻重的威势,他在楚汉之间,靠向谁,谁就获胜。萧何、张良、陈平,这几个文人,却用反间计,掌握了这些摆来摆去的人。但是魏豹他们,都是太保、流氓、土匪出身的,有如民国初年各地的军阀,有的是贩马的、卖布的出身,可是他已经能席卷千里,南面称王。力量稳固以后,带了兵,喋血乘胜,天天都是他得意的时候。这种土匪、流氓出身,投机起家的分子,始终怀叛逆之意，始终不安分，这些人是唯恐天下不乱的，在乱世他们才有机可乘，才有办法，社会不乱，他们就没有办法。等到失败了，这种人不会自杀而宁愿被俘虏，身遭刑戮而死，这又是什么道理?

中材以上，且羞其行，况王者乎? 彼无异故，智略绝人，独患无身耳，得摄尺寸之柄，其云蒸龙变，欲有所会其度，以故幽囚而不辞云。此则纵横之士，务立功者也。

像这样的行径，就是中等以上的人，都会觉得羞耻，而更高的王者之才，更不会这样。如项羽失败了，就以无面见江东父老而自杀了。但这些人失败以后，不死而虏，落到身被刑戮的结果，没有别的缘故，他们自视有智慧才略，所以愿意被虏，希望将来还能够上台，抓到兵权或政权，实施他的理想，云蒸龙变(根据《易经》的道理，"云从龙，风从虎"当老虎来的时候，会先有一阵风过来，龙降的时候，一定先起云雾。所谓云蒸龙变，就是形容一个特殊人物出现时，如龙出现一样，整个社会都会受影响而转变)，所以他们不愿轻易牺牲，宁愿俘虏。而希望得到机会，能发展自己的抱负、理想，这就是贾谊所说的:"烈士殉名，夸者死权"的心理，只想自己如何建功立业为目标，而至于自己个人，受什么委屈都可以，绝对不轻易牺牲。这也就是乱世多纵横捭阖之士的功利主义。

又"蔺公赞"曰:"知死必勇，非死者难也，处死者难，方蔺相如引璧睨柱，及叱秦王左右，势不过诛，然士或怯懦不敢发，相如一厉其气，威信敌国，退而让廉颇，名重太山，其处智勇，可谓兼之矣!"此则忠贞之臣，诚知死所者也。

这里再引用司马迁对蔺相如的赞。"赞"是旧式文章的一种体裁，所谓"赞"、"颂"等等都是在一篇传记后面的一个评论。司马迁在《蔺相如列传》之后，评论的几句话说，蔺相如知道自己非死不可。如今日做敌后工作的人，最后可能就是死亡，明知道做这工作是死,而决心去做,这须要大勇。但是死本身并不是一件困难的事,而是对死的处理,对于这一下应该死或不应该死的决定,这一处理,不但要有大勇,还要有大智。所以在死以前,应该做怎么样的决定,这才是最难的事。现在蔺相如在秦庭和秦昭王当面争论抗衡的时候,不把和氏璧交给秦昭王,手上捧着和氏璧,眼睛看着柱子,准备自己碰上去,把自己的生命和那块玉一起碰毁,回过头来骂秦昭王和他的左右。而蔺相如并没有武功,那一种情势的最后结果,不过是被杀头而已,所谓除死无大事。可是,人在这种情形下,能做出这种决定来是最难的。一般人在这个情形下,一定是懦弱胆小,拿不出这种勇气的。其实有时候,在某种情况下,胆子小,拿不出勇气来,最后还是死,死了还挨骂。而蔺相如这时,却大发其脾气,反而把秦昭王震慑住了。后来蔺相如回到赵国,因这件事的功劳,官做得和廉颇一样大,廉颇心里不服气,处处和他过不去,等于大元帅和首相不睦,但是蔺相如不管廉颇怎样侮辱,他都躲开。有人问蔺相如为什么这样怕廉颇。蔺相如告诉他们,一个国家如果文臣武将之间有了意见,国家就危险了。现在秦国不敢来打,就因为有我和廉颇两个人在,如少了一人,国家就完了。后来这个话传到廉颇耳里,他心里很难过,知道自己都在蔺相如的包容之中,因此自己背根荆条去向蔺相如跪下来请罪,而变成了好朋友。由此看蔺相如的智慧、修养,真是智勇双全。而《长短经》的作者,则引用司马迁的这段赞词,从另一个观点批评说,像蔺相如这种人,就是忠贞之士,对于应该在什么时候、什么地方、什么事情上不怕死,对什么事情应该不轻言牺牲,他都有正确的自处之道,这需要大智慧、大勇气,并不是盲目的冲动。

管子曰:"不耻身在缧绁之中,而耻天下之不理;不耻不死公子纠,而耻威之不申于诸侯。"此则自负其才,以济世为度者也。此皆士之行已,死与不死之明效也。

这里是引用管仲的一段自白来作评论。大家都知道管仲是齐桓公的名相,可是最初管仲是齐桓公的敌人,情形和季布与刘邦的关系是一样的。管仲本来是帮助齐桓公的劲敌也是兄弟公子纠的,管仲曾经用箭射齐桓公,而且射中了。只是很凑巧,刚好射在腰带的环节上,齐桓公命大没有死。后来齐桓公成功了,公子纠手下的人,都被杀光了。找到管仲的时候,管仲把手在背后一反剪,让齐桓公的手下绑起来,自己不愿自杀,而被送到齐桓公面前。因为他心里清楚,有一个好朋友鲍叔牙,在齐桓公面前做事,一定会保他。齐桓公一看到他,果然非常生气要杀他。鲍叔牙就对齐桓公说,你既然要成霸主,要治平天下,在历史上留名,就不能杀他。鲍叔牙这一保证,齐桓公就重用了他(当然也要齐桓公这种人,才会这样做),后来果然做了一代名臣。可是有人批评管仲,管仲就说:人们认为我被打败了,关在牢里,变为囚犯是可耻的,我却不认为这是可耻的。我认为可耻的是,一个知识分子活了一辈子不能治平天下,对国家社会没有贡献。人们认为公子纠死了,我就应该跟他死,不跟他死就是可耻。但我并不认为这是可耻的,而我认为我有大才,可以使一个国家称霸天下,所以在我认为可耻的,是有此大才而不能使威信布于天下,这才是真正的可耻。

《长短经》的作者于是作结论说,像管仲这一类的思想,绝不把生死之间的问题看得太严重,因为他自负有才能,目标以对社会,对国家,对天下,济世功业为范围。所以上面所提的泄冶以迄于管仲的这些历史经验,都是说明知识分子,对自己一生的行为,在死与不死之间,有很明白的经验与比较。

……

或曰:宗悫之贱也,见轻庾业,及其贵也,请业长史,何如?

这是说另外一个历史故事:在《滕王阁序》里,提到过宗悫这个人,"有怀投笔,慕宗悫之长风"所说的宗悫就是这个人,他是刘宋时代人(历史上的“宋代”分辨起来很讨厌。宋有北宋、南宋。这个宋是唐代以后的宋朝,宋高宗南渡以后称南宋,南渡以前称北宋,是赵匡胤打下的天下,由赵家做皇帝。而刘宋则是南北朝时期,南朝的第一个朝代,因为这个刘宋的第一个皇帝,也是和汉高祖一样由平民老百姓起来的刘裕。所以后世读历史,为了便于分别朝代,就对这晋以后南北朝的宋朝,称作刘宋。而对唐以后的宋,有时则称之为赵宋)。宗悫就是刘宋时代的人,在《长短经》里只说他是宋代人,但因为作者是唐代的人,绝不可能说到后来赵宋时代的人,所以读书的时候,万一发生类似的疑问,就要把历史的年代弄清楚。这里说当宗悫还没得志的时候,他的同乡庾业,有财、有权、有势,阔气得很,宴请客人的时候,总是几十道菜,酒席摆得有一丈见方那么多,而招待宗悫,则给他吃有稗子的杂粮煮的饭,而宗悫还是照样吃饭。后来宗悫为豫州太守,相当于方面诸侯,军权、政权、司法权、生杀之权集于一身,而他请庾业做秘书长了,绝没有因为当年庾业对自己那样看不起而记仇,这就是宗悫的度量。

最近看到一篇清人的笔记上记载,有个人原来去参加武举考试的,因为他的文章也作得好,所以同时又转而参加文举,但是这和当时的制度不合,因此主持文举考试的这位著名的学官,大发脾气。因为这时已经是清朝中叶以后,重文轻武,对武人看不起,这也是清代衰落的原因之一。在当时文人进考场的时候,那些武官是到试场为考生背书包的。所以这些学官对这个转考文举的武秀才看不起,教人把他拉下去打三十板屁股。可是他挨了打以后,还是要求改考文举。这位学官盛气之下,当时就出了一个题目,限他即刻下笔。这位秀才提起笔就作好了。这位学官终归是好的,还是准了他考文举。后来这个人官做得很大,升到巡抚兼军门提督,等于省主席兼督军又兼战区司令官,他还是带了随从去拜访当年打他屁股的这位学台,而这位学台心里难过极了,一直向他道歉。他却感谢这顿打激励了他,并请这位学台当秘书长。从这些地方我们就看到,小器的人,往往没有什么事业前途。所以说,器度很重要。而且人与人相处,器度大则人生过得很快活,何况中国的老话:“人生何处不相逢?”这段书就是讨论宗悫对庾业的事情,该是怎么个说法,下面引用裴子野的话:

裴子野曰:夫贫而无戚,贱而无闷,恬乎天素,弘此大猷,曾、原之德也。降志辱身,俛眉折脊,忍屈庸曹之下,贵骋群雄之上,韩、黥之志也。卑身之事则同,居卑之情已异。若宗元幹无怍于草具,有韩、黥之度矣,终弃旧恶,长者哉!

他说一个人在穷困中,心里不忧不愁;在低贱的时候,没有地位,到处被人看不起,内心也不烦恼,不苦闷,这是知识分子的基本修养,淡泊于天命和平常,穷就穷,无所谓,而胸怀更伟大的理想,另具有长远的眼光。只有像曾子、原宪这两位孔子的学生,才有这样的器度、修养和德性。再其次有一种人,“降志辱身”,倒霉的时候,把自己的思想意志降低,倒霉的时候就做倒霉的事,乃至身体被人侮辱都可以,头都不招,眉毛都挂下来,眼睛都不看人,佝着背,到处向人家磕头作揖,在一批庸庸碌碌的人下面,忍受委屈。一旦得意的时候,则像在一些英雄的头上跑马似的,这就是韩信、黥布一流的人物。他们都是汉高祖面前两位大将。黥布封为九江王,他在秦始皇时代做流氓,犯过法,脸上刺了黑字,所以名黥布,后来贵为九江王。韩信则在倒霉的时候,腰上带了一把剑,遇到流氓,流氓骂他饭都没有吃,没有资格佩剑,迫他从胯下爬过去。后来韩信当了三齐王,那个流氓到处躲,韩信还把他请来作官,并且说当年如果不是这一次侮辱,还懒得出去奋斗呢!最后汉高祖把他抓来的时候,本来不想杀他,还和他说笑话。他批评某些人的能力只可以带多少兵,汉高祖问他自己能带多少兵,他说多多益善。汉高祖说:你牛吹得太大了,那么我可以带多少兵?韩信说,陛下不能带兵,可是能将将。韩信当时是把所有的同事都看不起。他对这些同事,也都是身为大元帅的批评别人的那两句名言:"公等碌碌,因人成事。"其实反省过来,包括我们自己在内,都是如此——"公等碌碌,因人成事。"这句话也形容出韩信在得意的时候,有如天马行空,在一般英雄头上驰骋。

由此看来,有的人不怨天不尤人,愿意过平淡的生活,这是高度的道德修养,只有曾子、原宪这一类的人才做得到。但是有一类英雄也做得到,不得志的时候委屈,乃至一辈子委屈,也做得到,可是到得志的时候,就驰骋群雄之上,这就和曾子、原宪不一样。而这两种人,"卑身之事则同",当不得志的时候,生活形态搞得很卑贱,被人看不起的那个情形,是相同的。可是处在卑贱时,这两种人的思想情操,则绝对不同。一种是英雄情操,得志就干,不得志只好委屈;另一种是道德情操的思想,却认为人生本来是要平淡,并不是要富贵,所以"居卑之情已异"。

可是像宗悫(号元幹),是兼有这两种修养的长处,当年庾业看不起他的时候,盛大的酒席招待朋友,却招呼他在旁边吃一碗杂粮饭,他并不觉得羞耻,吃饱了就好。因为他有理想,准备将来得志了大做一番,所以有韩信、黥布那样的器度。而当他得志以后,还请庾业来做部下,把过去受辱的事都放开,真是一个长者之风。这个长者具有崇高的道德、厚道的心地,真是了不起。这是说与臣道有关的个人修养问题。

……

世称郦寄卖交,以其给吕禄也,于理何如?

这段历史故事,是汉高祖死了以后,吕后想夺政权,把自己娘家的人弄上台,而将汉高祖的老部下都撵掉了,是汉代历史上很著名的一段危险时期。郦寄是汉高祖的一位秘书兼参谋郦食其的儿子。后来周勃他们推翻了吕家的政权,恢复了汉高祖子孙的权位,这中间是一段很热闹的外戚与内廷之争。在这一段斗争中,周勃他们,教郦寄故意和吕禄做好朋友。这时吕禄是执金吾,等于现代的首都卫戍司令。需先把吕禄弄开,否则这天晚上推翻吕家政权的行动就难于顺利进行。所以这天就安排了由郦寄邀吕禄到郊外去玩。于是由周勃他们在首都把吕氏的政权推翻,接汉高祖的中子代王来即位为孝文皇帝。可是后世的人批评郦寄把吕禄骗出去郊外玩这件事情,在他个人的道义上说来,是出卖了朋友。那么这个道理,究竟对不对,又该怎么个说法呢?

班固曰:夫卖交者,谓见利忘义也。若寄,父为功臣而执劫,虽摧吕禄,以安社稷,义存君亲可也。

班固是《汉书》的作者,他认为郦寄卖友的批评不对。所谓出卖朋友的交情,是为了个人的富贵利益,而忘了朋友的义气,才是卖友。郦寄的父亲帮助汉高祖打下了天下,而吕家把这个政权用阴谋手段拿去,这才是不对的。他能在这劫难之中,把吕禄骗出去,予以摧毁,他是为了国家,为了天下,这不是出卖朋友,只是在政治上,为了对国家有所贡献,使用的一个方法而已。

魏太祖征徐州,使程昱留守甄城,张邈叛,太祖迎吕布,布执范令靳允母,太祖遣昱说靳允,无以母故,使固守范,允注涕曰:不敢有二也。

或曰:靳允违亲守城,可谓忠乎?徐众曰:靳允于曹公,未成君臣,母,至亲也,于义应去。

这里引用另一个历史故事。靳允是三国时人,当时曹操带兵去打徐州,命令一个大将程昱留守后方的重镇甄城,正在这样用兵的时候,曹操手下的另一员将领张邈又反叛了他,于是曹操这时只好亲自迎战吕布。这时在战争的地理形势上,如果吕布将范城拿下来,就可以消灭曹操,所以吕布设法把守范城的首长靳允的母亲捉来,想要胁迫靳允为了救母亲而归顺自己。所以曹操也赶紧命令留守在甄城的程昱去游说靳允,不必考虑母亲的安危,要他固守范城这个地方。结果靳允被说动了,表示一定守城,决无二心。这里就引这个故事,问起靳允这样做法,算不算是忠。

徐众说:靳允于曹公,未成君臣,母,至亲也,于义应去。

作者引用徐众对这件事的评论作为答案。徐众是说,当程昱去游说的时候,靳允和曹操之间,还没有君臣的关系,而母亲是世界上最亲密的直系尊亲,在情理上,靳允是应该为了母亲的安危而去,不应该听曹操的话不顾母亲而守城。

同时这里进一步引用历史上类似的故事,以说明这个道理。

昔王陵母为项羽所拘,母以高祖必得天下,因自杀以固陵志,明心无所系,然后可得事人,尽其死节。

这是汉高祖与项羽争天下的时候,汉高祖有一个大将王陵,项羽为了要他归顺过来,于是把王陵的母亲抓来,威胁王陵。而王陵的母亲,已看出项羽会失败,刘邦会成功,自己被软禁后,知道王陵有孝心,一定不放心,会为母亲而意志不坚定。因此自杀,留了一封遗书,教人偷偷送给王陵,嘱他还是好好帮助汉高祖,坚定王陵的意志,使他一心为事业努力,心里再没有牵挂,可以全心全意去帮忙刘邦。

另一段故事:

卫公子开方仕齐,十年不归,管仲以其不怀其亲,安能爱君,不可以为相。

卫国的一位名叫开方的贵族,在齐国做官,十年都没有请假回到卫国去。而管仲把他开除了,理由是说开方在齐国做了十年的官,从来没有请假回去看看父母,像这样连自己父母都不爱的人,怎么会爱自己的老板!怎么可以为相!把他开除了。

所以这里就上面的几个故事,为靳允违亲的事,作了结论说:

是以求忠臣于孝子之门,允宜先救至亲。

能够对父母有感情，才能对朋友有感情，也才能对社会、对国家有感情，人的世界到底是感情的结合，所以靳允是不对的，应该先去救母亲的。

接下来，又举了一个例子，就靳允违母守城这件事，作了另一个角度的结论：

徐庶母为曹公所得，刘备乃遣庶归，欲天下者，恕人子之情，公又宜遣允也。

这个故事大家都晓得，曹操想用徐庶，把他的母亲抓起来，以胁迫徐庶，使徐庶进退两难。刘备一知道这情形，就对徐庶说，我固然非常需要你帮忙，可是我不能做违背情理的事，如留你下来，曹操会杀你的母亲，使你一生都受良心的责备，你还是去吧！所以另一角度的结论就说，一个领导人，应该深体人情，那么曹操应让靳允去救他的母亲才对。此所以曹操是曹操，刘备是刘备，他们两个的领导器度，绝对不同。

……

魏文帝问王朗等曰：昔子产治郑，人不能欺；子贱治单父，人不忍欺；西门豹治邺，人不敢欺；三子之才，与君德孰优？

这段是说魏文帝曹丕，问他的大臣王朗他们：根据历史的记载，春秋战国的时候，郑国的大臣子产，能够不受部下和老百姓的欺骗；孔子的学生子贱治单父的时候，受他道德的感化，一般人不忍心骗他；而西门豹治邺都的时候，一般人不敢骗他。不能骗、不忍骗、不敢骗，三个不同的反应，在今天（曹丕当时）看来你认为哪一种好？

对曰：君任德则臣感义而不忍欺，君任察则臣畏觉而不能欺，君任刑则臣畏罪而不敢欺，任德感义，与夫导德齐礼，有耻且格，等趋者也；任察畏罪，与夫导政齐刑免而无耻，同归者也，优劣之悬，在于权衡,非徒钧铢之觉也。

这是王朗的答复,首先解释不忍欺的道理,就是孔子的学生,子贱治单父的事情,王朗说,上面的领导人,本身有德,一切依德而行,能够真爱人、真敬事,一般部下和老百姓,都感激他的恩义,不忍心骗他。其次听到领导人任察,所谓“察察为明”,什么事情都看得很清楚,如近代历史上,清朝的雍正皇帝,刚开始上台的时候,一个大臣晚上在家里和自己的姨太太们打牌,第二天上朝的时候,雍正就问他昨天夜里在干什么?这位大臣回答昨夜没事,在家里打牌。雍正听了以后,认为这大臣说话很老实,因此很高兴地笑了,并且送了他一个小纸包,吩咐他回去再打开来看。这位大臣回到家里打开雍正所送的纸包一看,正是昨夜打完牌,收牌时所少掉而到处找不到的那一张牌。可不知道怎么到了皇帝的口袋里。这说明雍正早已知道他昨夜是在打牌。他如果当时撒谎,说昨夜在处理公事,拟计划,写报告,那就糟了。这在雍正,就是察察为明。偶然用一下则可,但是不能长用,长用总不大好。这样以“察察为明”的作为,便是使人不能欺的作风。所以做领导人的,明明知道下面的人说了一句谎话,也许他是无心的,硬要把他揭穿,也没有道理,有时候装傻就算了。再其次说到不敢欺,上面的法令太多,一犯了过错,重则杀头,轻则记过,完全靠刑罚、法规来管理的话,那么一般部下,怕犯法,就不敢欺骗了。这样在行政上反而是反效果。下面的人都照法规办理,不用头脑,明知道法规没有道理,也绝对不变通处理,只求自保,那就更糟了。

……

这篇是讲臣道,专门讲干部对上面尽忠的道理,但是尽忠不能只作单方面的要求,如果上面领导得不对,下面也不可能忠心的,所以王朗在这里引申,要上位者有真正的道德,下面自然感激恩义,这和《论语·为政》孔子所说的:“道之以政,齐之以刑,民免而无耻;道之以德,齐之以礼,有耻且格。”两句话的意思一样。王朗在这里就是袭用孔子的这两句话，予以阐述。任德感义的，同"道之以德，齐之以礼，有耻且格"一样，可以达到最高的政治目的。假使靠察察为明，使下面的人怕做错了成为风气，就与孔子所说"道之以政，齐之以刑，民免而无耻"的结果相同。就是说不要认为拿政治的体制来领导人，拿法令来管理人，是很好的政治。法令越多，矛盾越多，一般人就在法令的空隙中逃避了责任，而且自认为很高明，在内心上无所惭愧。他最后说，这两种情形之下，好坏的悬殊很大，主要的还是在于领导人自己的权衡，像天平一样，不能一头低一头高，要持平。但一个领导人、大干部，决定大事的时候，不能斤斤计较小的地方。

……

或曰：季文子，公孙弘，此二人皆折节俭素，而毁誉不同，何也？

这是历史上两个人的评论。季文子是春秋时名臣，道德非常高。公孙弘是汉朝有名的宰相，此人来自乡间，平民出身，很有道德，名闻天下，一直做汉武帝的宰相。虽然做了几十年宰相，家里吃的菜，还是乡巴佬吃的菜根、豆腐、粗茶淡饭，穿的衣服旧兮兮的，非常朴素。我们看《史记》公孙弘的传记，一长篇写下来都是好的，实在令人佩服，不好的写在别人的传记里了。这是司马迁写传记的笔法。公孙弘这个人实际上是在汉武帝面前作假，等于民国以来的军阀冯玉祥一样，和士兵一起吃饭的时候啃窝窝头，回去燕窝鸡汤炖得好好的，外面穿破棉大衣，里面却穿的是最好的貂皮背心，公孙弘就是如此。季文子和公孙弘都折节——所谓"折节"，在古书上常看到，如"折节"读书。曾国藩有几个部下，器宇很大，但学问不够，受了曾国藩的影响，再回去读书。结果变成文武全才，这情形就叫做折节读书。换句话说，就像一棵树长得很高，自己弯下来，就是对人谦虚，虽然身为长官，对部下却很客气，很谦虚，所谓礼贤下士，也是折节的意思。这段书说，季文子、公孙弘这两个人,到了一人之下,万人之上的尊荣,都不摆架子,自己也能俭朴、本素,可是当时以及历史上,对这两个人的毁誉,却完全不同。司马迁对公孙弘是亲眼看到的,写历史的人,手里拿了一支笔,绝不会姑息的,对就是对,不对就是不对。可是中国的历史,大多都是隔一代写的,当代多是记录下来的笔记。由此观之,问题很大,隔了一代,就有许多事情不够真实。但是评论历史人物,却的确需要隔一代。在当代要批评人物,也得留点情面,这就有感情的成分存在,隔一代的评论就不同了,没有情感和利害关系,才能冷静客观。这里的两个人,在当时的为人处世型态和做法是一样的,当代的人很难评论,而后来历史的评论,完全不同。这是什么道理?

范晔称:夫人利仁者,或借仁以从利!体义者,不期体以合义。

范晔是《后汉书》的作者,南北朝刘宋时的名臣。他说范晔曾说过,人并不是各个都仁,有些人拿"仁"来做幌子,在政治上假借仁为手段,以达到个人的私利;另外有些人处处讲义,做事情讲究应不应该,合不合理,可是并不一定是为了一个义的目标而做的。

季文子妾不衣帛,鲁人以为美谈;公孙弘身服布被,汲黯讥其多诈,事实未殊而毁誉别者。何也?将体之与利之异乎?故前志云,仁者安仁,智者利仁,畏罪者强仁。校其仁者,功无以殊,核其为仁,不得不异。安仁者,性善者也;利仁者,力行者也;强仁者,不得已者也;三仁相比,则安者优矣。

这仍是范晔的话,他说季文子身为宰相,他的太太们身上没有穿过好的衣服,鲁国人谈起来,都认为这是自己国家的光荣。可是汉武帝时候的公孙弘,当了宰相,一辈子穿布衣服(等于现在的人,始终穿一套卡其布中山装,这样不好吗,说他作假,作一辈子可也不容易)。而和他同朝的监察御史汲黯(这个人汉武帝都怕他,监察御史的职权大得很,皇帝不对,有时他也当面顶起来。古专制时代的皇帝也不好当的。汲黯讲话不大清楚,有点大舌头,好几次为了国家大事,和汉武帝争吵,他站在那里,结结巴巴讲不出话来,把汉武帝都逗笑了,依他的意见,教他不要急),这个骨鲠之臣,硬作风的人,就当面指责公孙弘是作假。季文子和公孙弘的实际行为都是一样的,可是在历史上,季文子绝对是好的,公孙弘则后世认为他在作假,是什么理由? 这就要自己去体会。

用仁义做手段来兴利,或为了天下的利益,或为自己的利益,一是为公,一是为私,差别就在这里。换句话说,历史是很公平的。如果真的做了一件事,在历史上站得住,留给后世的人景仰,是的就是,非的就非。所以前人书上的记载(指孔子的话)说:"仁者安仁,智者利仁。"有些部下,怕触犯上面规定的法令,怕不合规定,勉强做到仁的境界,这样做就不是自然的,不是本身的思想道德与政治道德的修养。所以比较起来,这几种为仁的表现虽然一样,但是仔细考核起来,他内在思想上,心理的动机是有差别的。有些人天生的就仁慈。如以历史上的帝王来说,宋太祖赵匡胤就天生的仁慈。

一部二十四史,几乎没有一个开国皇帝不杀功臣的,只有赵匡胤杯酒释兵权,成为历史的美谈。等于是坦白地说明了,他手下这些将领,在起义当时,都是他的同事,当时他只是宪兵司令兼警备司令这一类的官,陈桥兵变,黄袍加身,同事们把他捧起来,当了皇帝。后来他想也是很难办。我们看了一部二十四史,做领袖的确很难,我们常说朱元璋刻薄,杀的功臣最惨,如果人生经验体会得多了,到了那种情况,也真没有办法。朱元璋本来很好的,当了皇帝还念旧,把当年种田的朋友找来,给他们官做,可是他们在朝廷里乱讲空话,把当年小时候打架踢屁股的事都说出来,说一次还不要紧,常常说,连其他的大臣都受不了,只有宰了。不要说当皇帝,很多人上了台以后,一些老朋友、老同学,来了一起做事,也一样以老同学关系,在公开场合说空话。所以赵匡胤当了皇帝以后,一些同时打天下的人,恃宠而骄了,使赵匡胤没有办法,只好请大家来吃饭。酒喝多了,饭吃饱了,他对大家说,皇帝这个位置不好坐呀!大家说,这有什么不好坐,大家拥护你到底。赵匡胤说,你们当时把黄袍替我穿上就逼我做皇帝,假使有一天,别人也把黄袍替你穿上,又该怎么办?这一下大家明白了,站起来问他该怎样才好,一定听他的。于是赵匡胤说,大家要什么给什么,回家享福好不好?大臣们只好照办。这就叫做杯酒释兵权,所以没有杀过功臣。这是研究赵匡胤的这一面,他确实很仁慈。

另一面来说,因为很仁慈,宋朝的天下,自开国以来,始终只有半壁江山。黄河以北燕云十六州,一直没有纳入版图。因为他是军人出身,知道作战的痛苦,也知道战争对老百姓的残害,他不想打仗,只想过安定的日子,拿钱向辽金把这些地方买回来。这是历史另一面的研究。

现在讲到人的天性问题:安于仁的人,天性就良善;而以仁为利,而心向往之的人就不同了,只是硬要做到仁的境界,不是天生的厚道。而另外有些人,比主动利仁还差一级的,是外表行为勉强做到仁的标准,因环境所逼,不得已才这样做的。所以在安仁、利仁、强仁这三种性格的人,比较起来,安于仁道的人当然最好。

……

议曰:夫圣人德全,器无不备。中庸已降,才则好偏。故曰:柴也愚,参也鲁,师也辟,由也喭。由此观之,全德者鲜矣!全德既鲜,则资矫情而力善矣!然世恶矫伪,而人贤任真,使其真贪愚而亦任之,可为贤乎?对曰:吁!何为其然?夫肖貌天地,负阴抱阳,虽清浊贤愚,其性则异,而趋走嗜欲,所规则同。故靡颜腻理,人所悦也;乘坚驱良,人所爱也;苦心贞节,人所难也;徇公灭私,人所苦也。不以礼教节之,则荡而不制,安肯攻苦食淡,贞洁公方,临财廉而取与义乎?故礼曰:欲不可纵,志不可满。古语云:廉士非不爱财,取之以道。诗云:“如切如磋,如琢如磨”,皆矫伪之谓也,若肆其愚态,随其鄙情,名曰任真而贤之,此先王之罪人也。故吾以为矫伪者，礼义之端；任真者，贪鄙之主。夫强仁者，庸可诬乎？

这一段是本文作者的评论，开头一段讲到人才的道理，可以说是领导人如何去发掘人才，也可以说做干部的对自己的认识。他是以中国文化中“圣人”这个名称，来标榜学问道德的最高成就，他说：圣人是天生的道德全备（这里的道德，并不是我们现代所讲的道德观念，这是一个名称，包括了内心的思想、心术、度量、才能等等）。器识，才具，学问，见解，没有不完全的。等而下之，不是圣人这一阶层，中等的人，每个人都有他的才能，各有长处，不过所好不同，各有偏向，某人长于某一点，某人欠缺某一点。所以孔子对他的学生批评：“柴也愚，参也鲁，师也辟，由也喭”，四人各有所偏。由这个道理看来，一个人“才”“德”“学”能全备的，就比较少了。既然全德的人是少数，要想达到圣善，只好靠后天的努力，由外表行为做起，慢慢影响内在（如教学生对人要有礼貌，学生说不习惯，就教他们先由表面做起——做作，久了就变真了）。但是世界上一般人又讨厌作假，喜欢坦率。不过一个贪愚的人，也坦率，贪的坦率，要就要，笨就笨，这样的人难道就让他坦白地贪愚下去吗？就可以信任他，把责任交给他，认为他是好的吗？道理并不是这样的。“肖貌天地，负阴抱阳。”中国的哲学，人是禀赋阴阳的资质，为天地所生。外国人说上帝依照他自己的样子造人，中国人不讲上帝，而说人是像（肖就是像）天地一样，本身具备有阴阳之性，虽然生下来，清、浊、贤、愚，后天的个性各有不同，可是追求嗜欲，要吃好的，穿好的，富贵享受，这种倾向，都是相同的。所以人都要把自己装扮起来，好像女人总要抹抹口红，男人总要刮刮胡子，因为大家都认为这样好看。坐高级的车子，骑上好的马，以现代来说，坐最新颖的汽车，是大家都喜欢的；相反的，守得清贫，喜欢穷，非常洁身自爱，这是难以做到的。当然有这种人，但那是少数，不能普遍要求每一个人。至于那种处处为公，绝对不自私的典范，理论上是不错的，但事实上是不可能的，领导人要注意，如此要求，鞭策自己可以,要求别人的尺码就要放宽一点。

所以一个人要做到历史上所标榜忠臣孝子的标准,必须以学问道德,慢慢修养而来,人性生来并非如此良善。因为自己思想学识认识够了,由礼义的教育下来,能对自己的欲望有所节制,才做得到。假使不在后天上用礼义教育节制,任由人性自然的发展,就像流水一样飘荡、放浪,欲望永远无穷。如此欲望无穷,又怎么能够吃苦过日子,安于淡泊,做到绝对贞洁,一切为公,一切方正,尤其在钱财方面,临财不苟取,完全合于义礼呢?所以《礼记》上说:"欲不可纵,志不可满。"(这八个字把政治、教育、社会,乃至个人的修养都讲完了)教育并不是否认欲望,而在于如何设法不放纵自己的欲望,"志"是情感与思想的综合,人的情绪不可以自满,人得意到极点,就很危险。历史上可以看到,一个人功业到了顶点以后,往往会大失败。所以一个人总要留一点有余不尽之意。试看曾国藩,后来慈禧太后对他那么信任,几乎有副皇帝的味道,而曾国藩却害怕了,所以把自己的房子,命名为"求缺斋",一切太圆满了不好,要保留缺陷。古人说的廉士清官,绝对不要钱吗?恐怕不是,一般人公认的清官包公,假使说他连薪水袋都不拿,那才是怪事哩!如果上面有合理合法的奖金给他,他还是应当拿的,所以廉士不是不爱钱,而是取之有道,对于不义之财绝对不取,已经是了不起了。

《诗经》里说的:"如切如磋,如琢如磨。"(《论语》引用这两句话是从好的一面讲,这里是从相反的一面讲)人还是得像雕刻一样,用后天的努力,勉强自己,雕凿自己,慢慢改变过来(我们作学问,该有这一层领悟,也就是任何一句话,都有正反两面,乃至多角度的看法。《诗经》这两句话,在《论语》里,孔子和子贡讨论到诗,是就道德的修养而言,而这里说,一个人要改变自己的个性,由作假而变成真的,也同样用到这两句话。这就是我们写文章,以及做人做事要体会的。尤其是一个领导人,更必须有这一层认识。同样一句话,各个人的看法都会不同,所以对于别人的要求,也不能完全一致。由此可见,文字语言,不能完全表达人类的思想。如果能够完全表达,人与人之间,就没有误会了。所以说话很困难,除了口里发声以外,还要加上眼睛、手势、表情等等。才能使人懂得,有时候动错了,别人还是会误会的。在哲学观点说,这就是人类的悲哀)。

现代全世界的青年,包括中国的青年,都反对后天的约束。他们觉得一切太假了,认为人欲怎样就该怎样,所以前些年的嬉痞,就是这样,要求任真(现代所谓的放任自然)。人为什么要那么多的礼貌?那么多的思想范围?这问题是从古至今都存在的。这里就说,放肆天生愚蠢、丑陋不稳定的情绪,让它自然发展,毫不加以理性的约束,认为这样才不矫情,才算任真。那么想要杀人抢人,就杀人抢人,也是任真自然嘛!情绪上想到要抢就抢,这是自然啰!也没有错啰!但真这样就糟了,先王就成为文化罪人了(这个先王,在古文中常有,并不是专指那一个人,而是泛称,代表传统文化)。最后作者自己的结论认为,矫情的人是作假(如小学里教孩子,一进学校要说:"老师早!"这就是矫情,小孩子生出来,绝不会说妈妈早,你好!而是后天教育替他加上"老师早!老师好!"的观念)。但人类之有制度礼貌,就靠这点矫情开始的,在教育上另用一个好听的名词就是塑造。慢慢地,作假就是真,并不是假,而是矫正过来,改变过来,成为礼义的开始。而任真的结果,就成贪鄙之主。所以勉强学仁道的,怎么可以随便批评呢?《长短经》的作者,认为强仁是对的。

……

这里就想到一件历史故事,晋朝有名的大臣陶侃,是平民出身,有名的陶侃运甓的故事就是他。原来他做过都督,长江以南的政权都操纵在他手里。而他还是愿意习劳苦,每天在家里把一些陶土的砖块,搬进搬出,他说,人的地位高了,筋骨易于疲惫,不能不习劳苦,如安于逸乐,一旦有事,体力吃不了苦就不行。同时他很节省,把木匠做工剩下来的竹头木屑,都留下来,堆了几房间,人家以为他小器。后来发生了战争,造战船的时候,需要竹钉都没地方可买,他就把这些小竹头拿出来做钉子用,及时造好了战船。所以他告诉部下,天下任何东西都有用处,不要随便浪费。那时正需要人才,有人向他推荐一个青年,他自己就去看访。看见这个青年住在一个小房间里,满屋的书画,可是棉被好像三年没有洗,头发又乱又长,他看了一眼就走了。然后他对推荐人说,这个青年,连一个房间都没有管好,国家天下大事,我不相信他能管理好,所谓“乱头养望,自称宏达。”这是他的名言,就是说这个青年,头发也不梳,弄得乱乱的,藉此培养自己声望,而自命为“宏达任真”。结果一个小房间都治理不好,恐怕别无真才实学。

……

或曰:长平之事,白起坑赵卒四十万,可为奇将乎?

这是另外举出的一个历史经验。

这是春秋战国时候,一件有名的故事。秦国的大将白起打赵国,赵国打败了,四十万人向白起投降了。而白起在一夜之间,将这四十万人活埋了。在中国历史上,很多地方提起这件事,几千年来,一直到现代还提到。另一面在后人的笔记中记载,有人杀猪,刮毛以后,背上现出“白起”两个字,这是讲因果报应,说白起直到现在,生生世世还是在被人宰杀。不管因果报应的事有没有,这是中国的传统思想,战争杀人,是为民族,为国家,为正义不得已,所以没有罪。但如果为了私怨,尤其是对于已经投降了的人,还把他活埋,这个罪过可大了。根据历史的经验,这样是绝不可能成功的。看清史,曾国藩、李鸿章打太平天国的时候,李鸿章的淮军起来,不得已借用外国人的洋枪队。有一英人叫戈登,带兵帮忙打太平军,打到苏州的时候,有八个太平天国的将领带了好几万人向李鸿章投降,当时答应的条件,是仍旧给他们职务,后来见李鸿章的时候,有个人把他们都抓去杀了,以后这人的结果,还是很不好。而当时戈登,对这件事大加反对。后来历史上评论,一个外国人尚且有这样的正义感,不主张杀投降的人,可见一般人的看法对白起很不以为然。

这里就提出长平之役这件事情来讨论,白起这个人算是军事作战上了不起的奇将吧?

何晏曰:白起之降赵卒,诈而坑其四十万,岂徒酷之谓乎?后亦难以重得志矣!向使众人豫知降之必死,则张虚拳,犹可畏也。况于四十万披坚执锐哉?天下见降秦之将,头颅依山,归秦之众,骸积成丘,则后日之战,死当死耳,何众肯服?何城肯下乎?是为虽能裁四十万之命,而适足以强天下之战。欲以要一朝之功,而乃更坚诸侯之守。故兵进而自伐其势,军胜而还丧其计,何者?设使赵众复合,马服更生,则后日之战,必非前日之对也。况今皆使天下为后日乎?其所以终不敢复加兵于邯郸者,非但忧平原之补缝,患诸侯之救至也,徒讳之而不言耳。且长平之事,秦人十五以上,皆荷戟而向赵矣。夫以秦之强,而十五以上,死伤过半,此为破赵之功小,伤秦之败大也,又何称奇哉?

这是引用何晏的话,来评论白起算不算一位奇将。

何晏是魏时人,他说白起活埋了赵国的四十万人是一大骗局,答应投降了就没有事,结果大家投降了,又把人家活埋。这不但是性情太残暴了,以整个战略而言,实在失策,一定会失败的。假使在投降之前就预先知道投降以后,会上当而死,这四十万人就是没有武器,赤手空拳地抵抗到底,也很可怕,何况这四十万人,身上都还穿了坚硬的战甲,手上还拿有锐利的武器,真打下去实在不易征服。不幸,大家相信,而上当受骗而已。白起当时以为做得很高明,实际上是增加了秦国统一天下的困难。他这样一来,天下人都看见了,知道凡是向秦国投降的人,都不会有好结果。投降的将领被砍下来的头颅堆得像山一样高,归秦的众人的骸骨堆起来像丘陵那么多。从这次以后,秦国如果再与人作战,大家都认清楚了,要死的时候就壮壮烈烈的死,反正向秦国投降了也是死,何不抵抗到底。再也没有人肯向秦军投降了。自此以后,秦国无论攻什么地方,都很不容易打下来。所以白起这样做法,反而延迟了秦国统一天下的时间,因为他虽然一夜之间残杀了四十万生命,相反的作用,等于告诉天下人,自己必须坚强,绝不能投降。为了希望得到一时的功劳,实际上更加坚定了各国诸侯守士的意志和决心,在战略与政略的道理上说,白起这个做法,是正在进兵的时候,自己削弱了自己的有利形势,军事的表面上胜利,而在政治上、国际上,使自己的计划走不通,这是什么理由呢?因为赵国虽然失败了,但并没有亡国,假使再起来作战,赵国的大元帅再出来一个马服君,那这下一次的战争,就不比前一次,这次秦国就会失败了。况且自白起这一手以后,列国都对秦国备战了。因此秦国统一天下的进度就慢了,所以后来始终不敢再出兵攻打赵国的邯郸,这不但是因为赵国经这次失败,由平原君起来当统帅,秦国怕了,更重要的是怕各国诸侯联合起来救赵国。秦王知道这个道理,内心非常忌讳,只是没有说出来而已。

并且以这一次长平之役,从另一个角度来看,在战役之前,秦国的兵源不够,重新发一道命令,变更法令,凡是十五岁以上的青少年都要服兵役,拿了武器,到前方和赵国打仗。这仗打下来很惨,秦国十五岁以上的人,死伤过半。可见白起这一仗打下来,并没有消灭赵国,只是骗了赵国的四十万人活埋了。而对于秦国的损害,却无法弥补。以将领而论,白起并不是一个好将领。根据一员大将的修养,要懂得政治,懂得策略,要有长远的眼光,中国历代的第一流大将都是文武兼资的。武功很高,很勇敢的只是战将,不是大将。大将都是有高度的素养。就以近代史而言,大元帅曾国藩,就是文人。

这件事就是告诉我们,大而用兵,小而个人。与敌人正面冲突的时候,都是同样的原则,要言而有信,欺骗只可获得一时的胜利,可是其恶果,则是得不偿失。

……

下面的讨论,就提到《素书》了。

议曰:黄石公称柔者能制刚,弱者能制强。柔者德也,刚者贼也。柔者人之所助,刚者怨之所居。是故纣之百克而卒无后,项羽兵强,终失天下。故随何曰:使楚胜,则诸侯自危惧而相救。夫楚之强,适足以致天下之兵耳。由是观之,若天下已定,藉一战之胜,诈之可也。若海内纷纷,雄雌未决,而失信义于天下,败亡之道也。当七国之时,诸侯尚强,而白起乃坑赵降卒,使诸侯畏之而合纵,诸侯合纵,非秦之利,为战胜而反败,何晏之论当矣。

他引用黄石公所说的原则,再加以发挥。黄石公所说的原则,也就是道家的思想:柔能克刚,弱能制强。所谓柔,就是道德的感化。过刚,就是用强硬的手段,像白起这种做法,就是贼,就是不正,过刚就是错了。有如一个人,体力不够,在街上走路跌倒,大家看见,一定上前帮助,柔者人之所助。如果是太刚强的人,那就不见得如此。太刚的人,怨恨都集中到他身上,作人就是这个道理。个性、脾气的刚柔,也是一样。历史上纣王当时百战百胜,结果还是被周武王打垮而亡了国。项羽每次战争都打胜仗,和刘邦打了七十二次战役,前面七十一次都战胜刘邦,到最后一次项羽失败了,也就完了。所以汉代的学者随何(他曾经劝黥布背楚降汉,平定天下后,汉高祖封他为护军中尉)当时曾说过,全国人的心理并不希望楚国项羽打胜仗,项羽一打胜仗,所有的诸侯,自己害怕,就彼此联盟,帮忙互救,所以楚国越强,对刘邦越有利,大家都知道刘邦是个老实人,直爽厚道,大家都愿意和刘邦联合。所以从这个道理看来,假定天下整个的局面是安定的,只有一个敌人,只要这一次战争,就可解决一切,这样用一点假,还可以(这就告诉我们,在军事上,乃至在工作上,最高的原则,还是诚信。不诚不信,最后终归失败)。如果整个的时代是不安定的,在海内纷纷,最后到底是谁成功,还没有决定的阶段,就要注意,不要眼光短浅,不要太贪现实。这个时候,想要真正的成功,还是要诚恳。假使在这个时候失信于天下,最后一定败亡。

那么回过来看长平之役,正当七雄争霸的时候,秦国想统一天下还做不到,六国诸侯的力量还是相当强盛,白起一下子坑了赵国四十万降卒,这一决定处理下来,结果使诸侯害怕了,反而组织联合战线,合纵了。诸侯一合纵,当然对秦国不利。白起在战场上身为统帅,这一个战地的处决,把降卒活埋了,他当时还自认为这是一次最光荣的大胜利,可是在整个列国局面来讲,是秦国的一次大失败,因此何晏的说法是对的。

下　　编

前 记

吾国学术,自汉武帝罢黜百家,一尊儒术,千载以还,致使百家之文,多流散佚。诸子之说,视若异端。此风至宋、明尤炽。然纵观两千余年史迹,时有否泰,势有合分。其间拨乱反正之士,盛平拱默之时,固未特以儒术鸣也。明陈恭尹《读秦纪》有言:“谤声易弭怨难除,秦法虽严亦甚疏。夜半桥边呼孺子,人间犹有未烧书。”盖指张良受太公兵法于圯下,佐高祖一统天下也。近世梁启超先生,治学有宗。亦以忧世感时,愤儒家之说,难济艰危,曾赋言以寄:“六鳌摇动海山倾,谁入沧溟斩巨鲸。括地无书思补著,倚天有剑欲长征。抗章北阙知无用,纳履南山恐不成。我欲青溪寻鬼谷,不论礼乐但论兵。”目今世局纷纷,人心糜诈。动关诡谲,道德夷凌。故谋略一词,不仅风行域外,即国内亦萍末飓风,先萌朕兆。波澜既起,防或未迟,故有不得已于言者。

史迁尝论子贡曰:“田常欲作乱于齐,惮高国鲍晏,故移其兵,欲以伐鲁。孔子闻之,谓门弟子曰:夫鲁,坟墓所处,父母之国。国危如此,二三子何为莫出?子贡请行,孔子许之。……故子贡一出,存鲁,乱齐,破吴,强晋而霸越。子贡一使,使势相破,十年之中,五国各有变。”又曾子亦有言:“用师者王,用友者霸,用徒者亡。”夫二子者,孔门高弟,儒林称贤。审曾子之言,析子贡之术,皆勾距之宗纲,长短术之时用也。故时有常变,势有顺逆,事有经权,若谓儒学皆经,是乃书生之管见,自期期以为不可。此其一。

谋略之术,与人俱来。其学无所不包,要在人、事两端。稽诸历史,亦人也,亦事也。入世之学,有出于人、事者乎?其用在因势利导,顺以推移。故又名长短术,或曰勾距术,亦称纵横术,皆阴谋也。阴者,暗也,险也,柔也。故为道之所忌,不得已而用之。“君子得之固穷,小人得之伤命。”若无深厚之道德以为基,苟用之,未有不自损者也。故苏秦陨身,陈平绝后。史迹昭昭,因果不昧,可不慎哉! 此其二。

近世教育方针,受西风影响至巨。启蒙既乏应对之宜,罔知立己修身之本。深研复无经济之学,昧于应世济人之方。无情岁月,数纸文凭。有限年华,几场考试。嗟呼! 一士难求,才岂易得。故大风思猛士,大厦求良材。此千古一调,百世同所浩叹也。或云时代之流风,岂非人谋之不臧。二十世纪末世界文化趋向,起复于东方,历史循环反复,殆无疑义。既光固有文化,岂限一尊? 欲建非常功事,何妨并臻。此其三。

老子有言:“以正理国,以奇用兵,以无事取天下。”际此太白经天,兵氛摇曳。爰检《素书》《太公兵法》(俗称三略,古之玉钤)详为阐述。或旁征博采,用明其体。或记事论人,欲证其用。总君臣师三道之菁英,概三千年来历史人事。或奇或正,亦经亦权。非为自诩知见,但祈逗诱来机。只眼既具,或可直探骊珠,会之于心。倘能以德为基,具出尘之胸襟而致力乎入世之事业,因时顺易,功德岂可限量哉!

是书讲述之时,有客闻见之而谓曰:“三略之书虽云太公、黄石所传,亦有谓宋相张商英所撰,考之皆系伪托。予以盲接引,穷极神思,得毋空劳乎?”师笑曰:“子之论似是而非。昔者,林子超先生喜藏字画,然多赝品,人莫能辨。有识者诘之,则答曰:‘书画用娱心目,广胸次,消块垒。虽赝品,其艺足以匹真,余玩之,心胸既畅,虽然赝,庸何伤哉?’余爱其言也。”客称善焉。

乙卯之夏湘潭弟子冯道元记闻于台北

素书六章

原始章第一

夫道、德、仁、义、礼,五者一体也。

老子曰:“失道而后德,失德而后仁,失仁而后义,失义而后礼。”盖世风日薄,人心由质而文。故言五者,原始于一体也。儒家主张性善,寓意谋略之用,必须以道德为根基,故首标原始章以开其端。

然时空异易,文字之别,自汉以下丕变。故今简约言之,以道体为因,以德为用为果,接物以仁,处事以义,待人以礼。此万古之常经,权略之根本。

道者,人之所蹈,使万物不知其所由。

万物之情识,乃至一切有相,皆不离道之用,然终难明其体。故原文引《易经》“百姓日用而不知”以言道之用,又申老子之说“故常无,欲以观其妙。常有,欲以观其窍。”以表道之体。

德者,人之所得,被万物各得其所欲。

《易》言“赞天地之化育”,释言“慈悲喜舍”,儒言“博施济众”,皆标揭人生之目的也。故道之用在成德。德者,得也。使人各有所得,而非占为己有,方能尽情万物,使各得所需,各得其位,此为大功德,亦谋略之大用也。

仁者,人之所亲,有慈惠恻隐之心,以遂其生成。

原文言仁者,必具恻隐之心,能施惠泽及万物,俾各得其所,以赞遂生化之功。

其内涵引孟子"恻隐之心,人皆有之。"所谓道不远人,故曰人之所亲。又以人能弘道,故用之,则能为人所亲。

义者,人之所宜,赏善罚恶,以立功立事。

承上文言积德行仁,必藉之于事。行之于事,则涉及权责。故统领居位之道,要于赏罚善恶之间,行之允当。乃能立功成事也。

礼者,人之所履,夙兴夜寐,以成人伦之序。

"不以规矩,不能成方圆。""谁能出不由户"乎?故凡人朝夕之所践履,言行之所表,皆需动乎礼,应乎道。表里如一,体用彬称。如是人伦之人文,遂乃生成。

千古人才难得,智术各有短长。赵蕤之论人也:聪明疏通者,戒于太察。寡闻少见者,戒于拥蔽。勇猛刚强者,戒于太暴。仁爱温良者,戒于无断。湛静安舒者,戒于后时。广心浩大者,戒于遗忘。

又《人物志》云:"厉直刚毅,材在矫正,失在激讦。柔顺安恕,美在宽容,失在少决。雄悍桀健,任在胆烈,失在多忌。精良畏慎,善在恭谨,失在多疑。强楷坚劲,用在桢干,失在专固。论辩理绎,能在释结,失在流宕。普博周洽,崇在裕覆,失在溷浊。清介廉洁,节在俭固,失在拘局。休动磊硌,业在攀跻,失在疏越。沈静审密,精在元微,失在迟懦。朴露径尽,质在中诚,失在不微。多智韬情,权在谋略,失在依违。"而本文以俊、豪、杰别之:

信足以一异,义足以得众,德足以怀远,才足以鉴古,明足以照下。此人之俊也。

原文言人才之所以称为俊者,必信、义、德、才、明五者兼备。

信可以统异,贤与不肖,皆能信之,犹季布之一诺也。义可以使众附,非胁之以力,动之以利也。德可以悦近人,来远者,非好行小惠之术也。才学可洞古彻今,通达无碍。其聪明足以洞明世事,达练人情,知众而能容众。五者兼具,人中之“俊”也。

行足以为仪表,智足以决嫌疑,信可以守约,廉可使分财。此人之豪也。

原文言人才之所以称为豪者,必行、智、信、廉四者兼备。

行谊堪为一时之表率。是非利害之际,智可以决之。信可以成约而无悔。重义则轻财,轻财必重义,此事理之必然也。上四者兼备,人中之“豪”也。

守职而不废,处义而不回,见嫌而不苟免,见利而不苟得。此人之杰也。

典职能敬于事,孔子所谓三年学,不至于谷也。居义而不反顾,孟子所谓舍生取义也。临难能挺身以赴,见利而不贪。即曾子之论君子:“可以托六尺之孤,可以寄百里之命,临大节而不可夺也。”上四者兼备,人中之“杰”也。

求人之志章第二

夫欲为人之本,可无一焉。

立身不可不修道德,应事不可不具权谋。故成人之根本,上章所述之豪俊,不可不备其一也。才德难全,古今如是,故论求人之志。要知鲲化而后鹏飞,道德互为因果。穷则独善其身,达则兼善天下,此士君子之所以不苟出处也。

贤人君子明于盛衰之道,通乎成败之数,审乎治乱之势,达乎去就之理。故潜居抱道,以待其时。若时至而行,则能极人臣之位。得机而动,则能成绝代之功。

原文之“贤人君子”,乃言道德有成之人。此人应世之先,需洞彻历史之演变,而推未来之趋向,乃能明乎成败机微之算数。再盱衡当前主客之形,爻变之势,于是用舍由心,行藏在手。虽如此,尚需契其时机,孟子云:“虽有智慧,不如乘势。虽有鎡基,不如待时。”故圣人不能违时,智谋不如当时,盖人不可与天争也。苟会心于此,自必泽及当代,名垂后世。

如其不遇,没身而已。是以其道足高,而名重于后代。

承上文,如时势不得其机,要能甘于寂寞。故姜尚钩闲于渭水,诸葛抱膝于隆中,此待时也。时有至有不至,运有穷通。故希夷高卧华山,王通讲学河汾,皆淡泊以俟河清也。余如巢父、许由、严光、周党,皆惜身以自洁者也。故其道愈高,其见愈远,其行愈清,是以其名则愈为后世所重。

总简本章之旨,言君子之出而应世也,须才、德、学三者具备。胸襟、气度缺一不可,析之于下:

功名成于德业,事功应乎初心。《易》云:“举而措之天下谓之事业。”此圣贤之业也。然“浮名浮利浓于酒,几人肯向死前休”?救世救民乎?利己利家乎?是故存心不可不察,德行岂可不修。且老子有言:“功成、名遂、身退,天之道。”张良欲从赤松,李斯空怀黄犬。处世但求心安,成功何必在我?具如此德行,如此识度,始可言事功,盖论人以德为本。

才德难全,古今如是。才高者可与进取,流于宕逸。德厚者可使守成,偏于懦顺。故论人以才为用。然才德既是难全,故需以学和之,毋使偏颇。非学无以广知,无才不足寄命。既须鉴古达今,见微知渐。复须千手千眼,手段通天。故才学不可不具。三者既备,进可成事立功,匡时济世。退可安身立命,超凡入圣。用舍无尤,行藏合道。孔子云:“可谓成人也矣。”

正道章第三

绝嗜禁欲,所以除累。

嗜欲者,伤身、败德、破家、覆国之本。能绝嗜寡欲则反是。所以“人到无求品自高”,此修身之根本,富强之至道也。

例一:孝文帝,汉君。孝文继高祖为帝,临位二十三年,宫室苑囿狗马服御,无所增益。尝欲作露台,以需费百金而罢。常衣绨衣,所幸慎夫人,令衣不得曳地,帏帐不得文绣。治霸陵皆以瓦器。减刑罚,出美人。是以海内殷富,兴于礼义。越代而武帝继统,乃得开疆以威四夷。

例二:刘秉忠,元人。刘秉忠性淡泊,年十七服官,寻弃去,隐武安山中为僧。后世祖召之,每以天地好生力赞于帝,所至全活不可胜计。后官至太保,参领中书省事,犹衲衣疏食,以天下为己任。

抑非损恶,所以让过。

抑非损恶,要在内讼以修德,所以无过。其外用必迁之于无形,所以远尤。

例一:曾参,战国鲁人。曾子日三省其身,抑非损恶,卒传孔子道统。

余如宋、明诸大儒,莫不内守诚敬,外弃恶非。用明明德,以光教化。

例二:张飞,蜀汉人。刘备爱马超之才,以为平西将军,封都亭侯。超见先主待之厚阔,略无上下礼,与先主言,常呼字。关羽怒,欲杀之,先主不从。张飞曰:“如是当示之以礼。”明日大会诸将,羽、飞挟刃直立,超入顾坐席,不见羽、飞座,见其立也,乃大惊。自后乃尊事先主,不复僭越。

例三:王阳明,明人。王阳明既平宁藩之乱,正德帝忽复巡游,群奸意叵测,阳明甚忧之。适二中贵至浙省。阳明张燕于镇海楼。酒半,屏人去梯,出书简一箧示之,皆此辈交通宁藩之迹也,尽数与之,二中贵感谢不已。阳明之终免于祸,多得二中贵从中维护之力。脱此时挟此以制,则仇隙深,而祸未已也。

贬酒阙色,所以无污。

酒以乱性误事,色足败德伤身。此嗜欲之最也。

例一:公子侧,春秋楚人。晋楚之战,侧为楚中军元帅,楚王知其好饮,每出军,必戒使绝饮。侧有小竖知主人好饮,乃以美酒称椒汤以进,侧喜,大醉。旋楚王召之议战,连呼不应,乃率师夜遁。行五十里,侧醒,大悔,自裁。

例二:许允,晋人。允妻阮女,交礼竟,见妇色陋,即欲出。妇止之,并问所以?谓曰:"妇有四德,卿有几德?"应曰:"新妇所乏者容耳。士有百行,君有几行?"许曰:"皆备。"妇曰:"百行以德为首,君好色不好德,何谓皆备?"允有惭色,遂相敬重。

例三:曹鼐,明人。鼐以孝闻,仁官有德政。尝夜驻驿亭,有艳女就之。公曰:"不可欺也。"乃取纸书"曹鼐不可"四字火之,终夜不辍。天明,召其母领去。

例四:唐皋,明人。皋少时,读书灯下,有女调之,屡将纸窗舔破。公补讫,因题于上云:"舔破纸窗容易补,损人阴德最难修。"

避嫌远疑,所以无误。

避嫌疑,所以竟事而远祸也。

例一:公仪休,春秋鲁人。公仪相鲁,而嗜鱼,一国争买鱼献之,公仪不受。弟诘曰:"夫子嗜鱼而不受,何也?"对曰:"夫惟嗜鱼,故不受也。夫既受之,必有下人之色,将枉于法。枉于法,则相可免,虽嗜鱼,其谁给之?无受鱼而不免于相,虽不受,能长自给也。”

例二:郭子仪,唐人。郭令公每见客,姬侍满前。及闻卢杞至,悉屏去。诸子不解,公曰:“杞貌陋,妇女见之,未必不笑。他日杞得志,我属无噍类矣!”

博学切问,所以广知。

宋太祖以宰相需用读书人,推世间事,莫不如此。尤以今日知识爆炸时代,非博学广知,无以立也。

例一:孔丘,春秋鲁人。孔子知礼好学,入太庙每事问。以能问于不能,尝言:“三人行,必有我师焉!”其好学切问,故能开儒门道统,成千秋师表,为百世圣人。

例二:司马迁,汉人。迁读古今万卷之书。南游江淮,上会稽,探禹穴,窥九嶷。浮于沅湘,北涉汶泗。讲业齐鲁。征巴蜀。略昆明。于是厥协六经异传,整齐百家杂语,以成《史记》。

高言危行,所以修身。

孔子云:“邦有道,危言危行;邦无道,危行言逊。”乱世尤忌才高德薄,慎之! 慎之。

例一:管宁,魏人。宁与华歆、邴原交善,并有令名,时号一条龙。尝与歆同席读书,有乘轩冕过门者,歆废书观之,宁乃割席分坐曰:“子非吾友也。”会黄巾之乱,宁走辽东,往见太守公孙度,语惟经典,不及世事。乃因山为庐,凿坯为室,越海避难者,皆来就之,旬月而成邑。遂讲诗书,陈俎豆,饰威仪,明礼让,非学者无由见。由是度安其贤,民化其德。

例二:王通,唐人。通于隋仁寿间,西游长安,上太平十二策,知谋不用。乃退居河汾教授,受业千数,仿《春秋》作《元经》,又为《中说》以拟《论语》。初唐薛收、李靖、房玄龄、魏徵等,皆曾北面受王佐之道,卒开初唐之盛。清颜古翁有句:“门罗相府文中子。”盖指此也。

恭俭谦让,所以自守。

俭为立身之本,谦为众德之基。仁者必世而后兴,所以恭俭谦让,积其德也。

例一:周文王,商人。文王积善累德,诸侯响之。其治周也,近悦远来。入其界,耕者让畦,俗皆让长,由是归之者四十余国。三分天下有其二,犹服事殷。后其子武王灭纣,有天下八百年。

例二:羊祜,晋人。祜督荆州拒陆抗,度不能以兵胜,乃绥怀远近,甚得江汉人心。军居轻裘缓带,身不披甲,恭俭谦让,修德以来吴人。卒时,南州号恸,吴守边将士亦为泣下。祜先举杜预以继,用其谋,吴灭。

谋深计远,所以不穷。

谋深计远,所以久安而无穷也。

例一:姜尚,周人。太公望封于齐,齐有华士者,义不臣天子,不友诸侯,人称贤。太公使人召之三,不至,命诛之。周公曰:"此人齐之高士,奈何诛之?"太公曰:"夫不臣天子,不友诸侯,犹望得臣而友之乎?不得臣而友之,是弃民也。召之三,不至,是逆民也。而旌之以为教首,使一国效之,望谁与为君乎?"

(后齐终无惰氏,不为弱国。太公之远谋也。)

例二:萧何,汉人。何佐高祖,兵下咸阳,诸将皆争走金帛财物之府分之。何独先入,收秦丞相御史律令图书藏之。后楚汉之争,沛公具知天下阨塞、户口、强弱、民所疾苦者,皆出萧何之计远也。

亲仁友直,所以扶颠。

友者,五伦之一。孔子论友,益者三,损者三,以其关系一生,不可忽也。

例一:魏无忌,战国魏人。信陵君夺兵救赵,留赵。闻处士毛公、薛公藏于市井,乃间步往访,游甚欢。后秦伐魏,魏遣使求救于公子,公子感夺符救赵事,言敢为魏使通者死,宾客莫敢劝。毛公、薛公往见,曰:“公子所以重于赵,名闻诸侯者,徒以有魏也。今秦攻魏,魏急,而公子不恤。使秦破大梁,而夷先王之宗庙,公子当何面目立天下乎?”语未竟,公子变色,告车趣驾归救魏,合五国之兵破秦。

例二:周昌,汉人。昌尝燕时入奏事,高祖方拥戚姬,昌还走。高祖逐得,骑其项问:我如何主也? 昌仰曰:“陛下即桀纣之主也。”于是上大笑,然尤惮昌。及帝欲废太子,而昌廷争之强,上问其说。昌口吃而又盛怒,曰:“臣口不能言,然臣期期知其不可,陛下虽欲废太子,臣期期不奉诏。”上欣然笑。后太子用留侯策,遂安。

近恕笃行,所以接人。

恕笃之道,所以接人息怨,孔门“仁”之外用也。

例一:光武帝,汉君。光武诛王郎,收文书,得吏人与郎交关谤毁者数千章。光武会诸将烧之,曰:“令反侧子自安。”

(曹操破袁绍后,师此故事。)

例二:文宗,唐君。文宗将有事南郊,祀前,本司进相扑人。上曰:“我方清斋,岂合观此事!”左右曰:“依旧例,已在门外祇候。”上曰:“此应是要赏物,可向外相扑了,即与赏物令去。”又偶观斗鸡,优人称赞大好鸡。上曰:“鸡既好,便赐汝。”

(不扬前人之过,不开奸佞之端。仁恕慎笃,革弊于无形。)

任材使能,所以济务。

任材能使,所以人尽其才,各安其位也。

例一:韩滉,唐人。滉节制三吴,所辟宾左,随其才器,用之悉当。有故人子投之,更无他长,尝召之与宴,毕席端坐,不与比座交言。公署以随军令,监库门。此人每早入帷,端坐至夕,吏卒无敢滥出入者。

例二:钱镠,五代人。镠为吴越王,尝游府园,见园卒陆仁章树艺有智,而志之。及淮南围苏州,使仁章通言入城,果得报而返。镠以诸孙畜之。

瘅恶斥谗,所以止乱。

谗为乱源,孔子所谓浸润之谮,肤受之愬也。

例一:孔子,周人。孔子与少正卯同时,孔子之门人三盈三虚。孔子为大司寇,戮之于两观之下。子贡进曰:"夫少正卯,鲁之闻人,夫子诛之,得无失乎?"孔子曰:"人有恶者五,而盗窃不与焉。一曰心达而险,二曰行辟而坚,三曰言伪而辨,四曰记丑而博,五曰顺非而泽。此五者犯其一,则不免于君子之诛。而少正卯兼之,此小人之桀雄也,不可以不诛。"

例二:牛弘,隋人。弘有弟好酒而酗,尝醉射杀弘驾车牛。弘还,其妻迎谓曰:"叔射杀牛!"弘直答曰:"可作脯。"

推古验今,所以不惑。

譬夫五经,载前贤之经历也。告诸往而知来者,是以不惑。

例一:张良,汉人。汉三年,项羽急围汉王于荥阳。汉王恐忧,用郦食其计,拟复六国之后以挠楚权。良闻之,推古今之同异,反复以八事譬陈,汉王乃罢前议。越三年,汉一统天下。

例二:曹操,汉人。何进谋诛宦官,何太后不听。进乃召董卓,欲以兵胁之。操闻之,乃笑曰:"阉竖之官,古今皆有,但世主不当假之权宠,使至如此。既昭其罪,当诛元恶,一狱吏足矣!何必纷纷召外将乎?欲尽诛之,事必宣露,吾见其败也。"

(卓未至,进被杀。卓至,汉大乱。)

先揆后度,所以应卒。

揆度以行,事必成。谋而后动,功必竟。

例一:郭嘉,魏人。曹操将征袁尚及三郡乌丸,诸下多惧刘表使刘备袭许昌根本。嘉曰:“公虽威震天下,胡恃其远,必不设备,轻骑一举可破也。刘表坐谈之客,自知才不足御备,重任之则恐不能制,轻任之则备不为用,虽虚国远征,公无忧矣。”操用其言,卒应全功。

例二:万二,明人。嘉定安亭万二,富甲一方。有人自京回,万问其见闻。其人曰:皇帝(明太祖)近有诗:“百僚未起朕先起,百僚已睡朕未睡;不如江南富足翁,日高丈五犹拥被。”万叹曰:“兆已萌矣!”即买巨航载妻子,泛游湖湘而去。不二年,江南大族以此籍没,万二卒获令终。

设变制权,所以解结。

设权变以解结避怨,所以善其后也。

例一:楚庄王,春秋楚君。庄王宴群臣,日暮继烛,命美人行酒,会烛灭,有引美人衣者。美人绝其缨,告王趣火察之。王曰:“奈何显妇人之节而辱士乎?”命曰:“今日之饮,不绝缨者不欢。”群臣尽绝缨而后火,极欢而散。及楚郑交兵,楚不利,一将奋力冲突,五获敌首,卒胜郑。庄王询之,则夜宴绝缨者也。

例二:秦桧,宋人。桧为相,有士人某,假其书谒扬州守,守觉其伪,乃并人书押回。桧见之,假之官资。或问其故。曰:“胆敢假桧书,必非常人也。若不以一官束之,则北走胡,南走越矣。”

括囊顺会,所以无咎。

顺其势利,当取则取。

例一:孔融,汉人。汉末,徐州牧陶谦病笃,谓别驾糜竺曰:“非刘备不能安此州也。”谦死,竺率众迎备,多方劝行,备逊辞。孔融曰:“今日之事,百姓与能,天与不取,悔不可追。”备遂领徐州。

例二：王某，宋人。王某任浙西一监，初莅任日，吏民献钱物甚丰，曰下马常例。王公见之，以为污己，便欲作状，并物申解上司。吏辈祈请再四，乃令取一柜，以钱物悉纳其中，对众封缄，置于厅治。戒曰：有一小犯，即发。由是吏民惊惧，课息俱备。比终任荣归，登舟之次，吏白厅柜。公曰："寻常既有此例，须有文牍可证。"吏赍案至，俾舁柜于舟，放流而去。

橛橛梗梗，所以立功。

橛梗如楷，其介如石，不随流俗，乃得成事立功。

例一：冯异，汉人。异好读书，通兵法。从光武，进止有表识。诸将从光武战，每并坐论功，声喧内外。异乃独屏树下。一军敬之，号之"大树将军"。

例二：吕文靖，宋人。仁宗时，大内灾，宫室略尽。比晓，朝者尽至，日晏，宫门不启，不得问上起居。两府请入对，不报。久之，上御拱宸门楼，有司赞谒，百官尽拜楼下，吕独立不动。上使人问其意。对曰："宫廷有变，群臣愿一望天颜。"上为举帘俯槛，见之乃拜。

孜孜淑淑，所以保终。

创业维艰，令终尤不易，故须勤勉惕励以保之。

例一：曹参，汉人。参曾佐高祖，后继萧何为相。举事无所变更，一遵何约束，无所事事。惠帝让参，参免冠谢曰："陛下自察圣武孰与高帝？"曰："朕安敢望高帝乎？"曰："陛下观臣能孰与萧何贤？"曰："君似不及也。"参与曰："陛下言之是也，且高帝与萧何定天下，法令既明。今陛下垂拱，参等守职，遵而勿失，不亦可乎？惠帝称善。

例二：诸葛亮，蜀汉人。亮佐刘备于颠困，孜孜淑淑，一生慎重。其治蜀也，抚百姓，示仪轨，约官职，从权制，开诚心，布公道。

尽忠益时者,虽仇必赏。犯法怠慢者,虽亲必罚。服罪输情者,虽重必释。游辞巧饰者,虽轻必戮。善无微而不赏,恶无纤而不贬。庶事精练,物理其本。循名责实,虚伪不齿。终于邦域之内,咸畏而爱之。故三国鼎峙,并以偏弱,犹能用武南北,诸葛亮之功也。

本德宗道章第四

夫志心笃行之术,长莫长于博谋。

本书言"原始"以标宗旨,继"求人之志"概论人才,"正道"以示道本为正。本章言"本德宗道",后章结之以"义"、"礼",盖长短之术,实基于道德也。

故君子动必有因,出入不苟。藉名位以为用,设权变以行仁。先高其志,慎笃其行,修道德,广识见,通古今,衡权变。如是必能长于谋,成于事也。

例一:苏秦,战国周人。秦长于谋辩,挟术以干秦惠王,不中。裘敝金尽,色槁形枯。乃赋归苦读,究太公《阴符》,倦欲眠,辄引锥自刺其股。期年揣摩有成,以说赵王,倡纵抗秦,佩六国相印,名重诸侯。六国用其谋,秦兵不敢出关者十五年。

例二:张良,汉人。良祖、父相韩五世,灭于秦。良誓报之,乃散金结客刺始皇,不果。亡命下邳,逢圯上老人受教,读书养气十年。后佐高祖,言必从,谋必果,高祖既定天下,论功曰:运筹策帏帐中,决胜千里外,子房功也。

安莫安于忍辱。

莫大之祸,起于须臾之不忍,故谚云:忍得一时之气,免得百日之殃 。

例一:勾践,春秋越君。周敬王二十六年,吴破越。勾践夫妇羁吴，服犊鼻，著樵头，斫剉养马，除粪洒扫。如是三年，谦退忍辱，乃得返越。返后，衣不重彩，食不加肉，与民同苦，经十年生聚教训，文种献七策，用其三而吴灭。

例二：韩信，汉人。信始为布衣，贫无行，常从人寄饮食。偶经市，无赖子辱之曰：若虽长大，好带刀剑，中情怯耳。信能死，刺我。不能死，出我胯下。于是信孰视之，俯出胯下蒲伏。一市皆笑以为怯。

先莫先于修德。

盖世功勋，植基于德。故《易》有言："无其实而喜其名者削，无其德而望其福者约，无功而受其禄者辱。"

例一：秦惠王，战国秦君。苏秦始以连横说之，请并六国。惠王曰："寡人闻之，毛羽不丰满者，不可以高飞。文章不成者，不可以诛罚。政教不顺者，不可以烦大臣，今先生俨然不远千里而庭教之，愿以异日。"秦自是修德图治，至始皇帝而一统天下。

例二：楚昭王，春秋楚君。周敬王十年，吴联唐蔡破楚，昭王亡奔。异年返国，告宗庙，抚百官，曰："失国者，寡人之罪。复国者，卿等之功也。"自是修德安民，练军经武。越十年，其国乃兴，其时唐已覆亡，更灭顿、胡、蔡。

例三：冯谖，战国齐人。谖贫乏不能自存，寄食孟尝君门下，尝使之收债于薛，谖至薛，使吏备牛酒，召诸民当债者，悉来合券。券偏合，起矫命以债赐诸民，因烧其券。即日驰车返报孟尝君，曰："今君有区区之薛，不拊爱其子民，因而利贾之。臣窃矫君命，以债赐诸民，悉烧其券也。"孟尝君称善而心不悦。后期年，齐王罢孟尝君相，因就国于薛。薛民感其德，扶携老幼，迎之于百里外。孟尝君始重谖，复用其谋，再相齐。数十年无纤介之祸。

乐莫乐于好善。

修百善自能邀百福,竭千虑自必致千祥。故谚有云:“为善最乐。”

例一:晏平仲,春秋齐人。平仲相齐,敝裘羸马,出使四方,田桓子以为隐君之赐而讽之。晏子曰:“自臣之贵,父族无不乘车者,母族无不足衣食者,妻族无冻馁者。齐国之士,待臣举火者三百余人。此为隐君之赐乎?彰君之赐乎?”

例二:范仲淹,宋人。范文仲尝购一宅基,堪舆家谓曰:“此当世出卿相。”公曰:“诚有之,不敢以私一家。”即捐其地建学,世所传苏州府学是也。

神莫神于至诚。

诚能通神,诚能感物。宋、明诸大儒,多终生究此一字。子思著《中庸》更以“诚”可以与天地参。

例一:诸葛亮,蜀汉人。亮佐备统两川,称帝。寻备崩殂,亮矢志中原,以引众北征,必先定南方。故率师向南,深入不毛,七擒其酋孟获而七纵之。虽云智术,亦至诚也。故历千载,南人感德。

例二:王祥,晋人。王祥性至孝,因继母故,失爱于父。及父母有疾,祥衣不解带,汤药必躬尝。母尝欲食生鱼,时天寒冰封,祥解衣剖冰,将入水求之,忽双鲤跃出。母又思黄雀炙,复有黄雀数十,飞入其幕。乡里惊疑,以为诚之所感。

明莫明于体物。

能体物,则能察其微,而后通人情,明事故也。

例一:孙亮,三国吴主。亮出西苑,方食生梅,使黄门取蜜,蜜中有鼠矢。亮询主藏吏曰:“黄门从汝求蜜耶?”曰:“向求之,实不敢与。”黄门不服,左右请付狱推之。亮曰:“此易知耳。”令破鼠矢,内燥。亮曰:“若久在蜜中,当湿透,今里燥,必黄门欲陷藏吏也。”黄门首服。

例二:李若谷,宋人。李若谷守并州,民有讼叔不认其为侄者,盖欲擅其产。累鞫不实,李乃令民返家殴其叔。叔果讼侄忤逆。因而正其罪,分其财。

苦莫苦于多愿。

人心不足,欲海难填。故释氏以有求皆苦,儒门谓无欲则刚。

例一:囊瓦,春秋楚人。囊瓦佐楚昭王,陈、蔡来朝。瓦闻蔡侯有羊脂白玉佩,银貂鼠裘,又闻唐侯有肃霜之马。瓦求之,不许。因囚二侯三年,得之。唐、蔡返,联吴破楚,杀囊瓦,物归原主。

例二:郭开,战国赵人。郭开相赵王迁,贪秦之厚赂,乃卖赵。因之谗廉颇,杀李牧,赵亡。开以藏金多而埋于地,后掘金赴秦,以金多驰缓,为盗所杀。

吉莫吉于知足。

大厦千间,夜眠七尺,珍馐百味,不过一饱。故曰:知止不殆,知足常乐。

例一:公子荆,春秋卫人。荆善居室,始有,曰:“苟合矣。”少有,曰:“苟完矣。”富有,曰“苟美矣。”孔子称之。

例二:赵简子,春秋赵人。赵简子敝车羸马,衣羊裘。其宰曰:“车新则安,马肥则疾,狐白之裘温且轻。”简子曰:“吾闻之,‘君子服善则益恭,小人服善则益倨。’吾以自励,恐有细人之心也。”

例三:孙叔敖,春秋楚人。叔敖仕楚有功,为令尹,临终嘱其子曰:“楚王若封汝官爵,不可受。汝碌碌庸才,非经济之具,不可滥厕冠裳也。若封汝以大邑,汝当固辞,辞之不得,则可以寝邱为请。此地瘠薄,非人所欲,庶几可延后世之禄耳。”

悲莫悲于精散,病莫病于无常。

人之精气,保盈则泰。淫之则散,散则病,病可死。持盈之要,首在四肢九窍,故《老子》云:“生之徒十有三,死之徒十有三。”又云:“五色令人目盲,五音令人耳聋,五味令人口爽。驰骋畋猎,令人心发狂。难得之货,令人行妨。”观于此,可以养生,可以立身。

幽莫幽于贪鄙。

贪心一起,智便幽昏,见利苟得,未有不殉于物者也。

例一:虞公,春秋虞君。虞虢二国,同姓比邻,以为唇齿,其地皆连晋界。晋献公欲伐虢,虑虞为之助。因备垂棘之璧,屈产之乘以诱虞公。虞公贪得,许晋假道,晋因之而灭虢。回师并灭虞,璧、马仍归晋。

例二:公子建,春秋楚人。楚平王以谗,欲杀其世子建,建奔郑。郑定公待之厚,以国弱不能助。时晋思伐郑,乃赂建为内应,许灭郑后立之。建应许,谋未动,事泄,定公乃斩建。

孤莫孤于自恃。

自满者败,自恃者孤。故清人句云:“水惟善下方成海,山不矜高自极天。”

例一:养由基,春秋楚人。养由基尝与潘党较射,由基技穿百步杨叶,力透重甲七层,乃恃技自喜。楚共王斥之曰:将以谋胜,汝自恃如此,异日必死于艺。后由基果死于箭。

例二:项羽,楚人。秦失其政,羽起陇亩之中,三年将五诸侯灭秦。分裂天下,而封王侯,政由羽出,号为霸王。羽拔山举鼎,气盖天下,凡七十余战,所当者破,所击者服。然自恃勇力,致辅佐崩离,五年终覆于汉。

危莫危于任疑。

无报人之心,见疑则愚。有报人之心,见疑则危。反之亦是,任则不疑,疑即不任。

例一：王翦，秦人。翦将兵六十万伐楚，始皇送之灞上，翦请良田美室甚众。始皇曰："将军行矣！何忧贫乎？"翦曰："臣及时请之，以为子孙业也。"始皇大笑。翦行至关，使使还请者五。或曰："将军乞贷，亦已甚矣！"翦曰："不然，秦王性忌而忍，今虚国委我，不如此，不足以解其疑也。"

例二：关羽，蜀汉人。刘备据两川，为汉中王，乃拜羽为前将军，假节钺。羽素轻属将縻芳、傅士仁。因使留守荆州，供军需。自率众围樊城，下襄阳。一鼓擒于禁，斩庞德，许都震动。操惧，乃遣使结孙权。权阴诱仁、芳，乃降，袭羽之后，羽卒倾覆。

败莫败于多私。

无取于民者，取民者也。无取于国者，取国者也。无取于天下，取天下者也。故老子云："夫惟不私，故能成其私。"是故以私而动必败。

例一：齐桓公，春秋齐君。齐桓公贪声色腹欲，宠易牙、竖刁、开方，而有志伯天下，故其政悉委管仲。仲死，鲍叔牙继之，自知才不及仲，谏桓公远小人。桓公乃逐刁等，而食不甘味，寝不安枕，口无谑言，面无笑容。仍复召之，刁等遂专事，齐大乱。

例二：杨玄感，隋人。隋炀帝亲征高丽，楚国公杨玄感据黎阳反。李密说之曰："天子远征辽左，去幽州，隔千里。今公权兵趋蓟，扼其喉。南有巨海，北有胡戎，前有高丽，退无归路，不过旬月，赍粮必尽，举麾一召，其众自降，不战而克，计之上也。"杨玄感不听，盖利洛阳宝货，遂围之，失利遭斩。

短莫短于苟得。

《易》曰："安不忘危，存不忘亡。"昔孔子亦以富贵无常而诫王公、勉百姓。是故苟其现实，安于目前者，未有不败亡者也。

例一：英布，汉人。汉高祖时，淮南王英布反。上召薛公问之。

对曰:“布反,不足怪也。若布东取吴,西取楚,传檄燕、赵,固守其所,则山东非汉之所有也,是为上计。若取吴、楚,并韩、魏,据廒仓,塞成皋。则胜败未可知也,是为中计。若取吴下蔡而归越,此为下计,陛下可安枕而卧矣。”高祖询布军行状,如下计。乃问曰:“何以废上而出下计?”曰:“布故郦山之徒,此皆为身不顾后,岂有虑远之志哉?”寻果败亡。

例二:刘表,汉人。汉末天下大乱,各称雄据一方,表带甲数十万,领荆州。时曹操破袁绍,举国征乌丸。刘备说表曰:“今曹操远征,许都空虚,袭之可得,天下可传檄而定也。”表曰:“吾坐镇荆襄已足。”寻操自柳城返,表悔不用备言。操既返,复引军征表,军未至,表病死,其子降,荆襄易主。

遵义章第五

以明示下者暗。

水太清无鱼,人太明无福。故明之者必也明于内,而憨于外,此领导之要也。

例一:鲍叔牙,春秋齐人。管仲病,桓公谓鲍叔牙可以继之为相,管仲以为不可。易牙往见鲍叔牙,谗之曰:“仲父之相,叔所荐也。今仲病,君往问之,乃言叔不可为政,吾甚不平。”鲍叔牙笑曰:“若吾为政,即汝等何所容身乎?”

例二:郤雍,春秋晋人。郤雍游市井,忽指一人为盗,拘审之,果盗也。荀林父问:何以知之?雍曰:“吾察其眉睫之间,见市物有贪色,见市人有愧色,闻吾之至,而有惧色,是以知之。”时晋年饥多盗,乃使雍司职捕之。大夫羊舌职闻之,曰:“察见渊鱼者不祥,智料隐匿者有殃。一人之察,不可尽群盗,郤雍死矣!”未及三日,郤雍偶行郊外,盗数十人,杀雍而去。

例三:陈平,汉人。孝文帝时,陈平为相。上问天下一岁决狱几何?钱谷出入几何?平曰:有主者。问主者谁?曰:“陛下即问决狱,责廷尉。问钱谷,责治粟内史。”

有过不知者蔽。

有过不知之谓蔽,知而不改之谓愎。

例一:刘备,蜀汉主。刘备据川称帝,急关羽之遇害,乃兴兵伐吴。吴遣诸葛谨为使求和,曰:“陛下以关羽之亲何如先帝?荆州大小孰与海内?俱应仇疾,难当先后?”备不省,败归。

例二:关羽,蜀汉人。备进汉中王,羽镇荆州。时孙权拟联刘拒曹,乃遣使求羽女为媳。羽怒斥之曰:“虎女安嫁犬子乎?”诸葛亮闻之曰:“荆州危矣!”

迷而不反者惑。

迷于欲者,欲伐其性。迷于物者,物伐其志。迷于己者,增其过,败其事。

例一:阖闾,春秋吴君。阖闾以孙武、伍员为将,既破楚,孙武进曰:兵以义动,方为有名,以楚王无道,故我破之。今宜召太子建之子芈胜,立之为君,使主宗庙,以更昭王之位。楚必相安而怀吴德,世世贡献不绝。王虽赦楚,犹得楚也。阖闾贪灭楚之利,不听。楚申包胥泣秦庭,乞师破吴。

例二:重耳,春秋晋人。周襄王八年,晋乱,公子重耳奔齐。齐王妻之以齐姜,美而贤,重耳迷之,朝夕欢宴,七年安逸,无复远志。诸从者急,赖齐姜贤,共谋之。姜醉之以酒,连衾席以出重耳,百里始觉。后返晋兴国,称伯诸侯,是为晋文公。

以言取怨者祸。

行在言先,权我祸人。言而未行,权人祸我。况复空言耳。

例一:彭羕,蜀汉人。彭羕为人所谤,刘璋钳之为徒隶。会刘备入蜀,羕得从,先生礼遇之。羕起徒步,一朝处州人之上,形色嚣然,备乃左迁羕为江阳太守。羕不悦,往诣马超诱之曰:"卿为其外,我为其内,天下不足定也。"超具表羕辞,乃收羕付有司,论斩。

例二:杨仪,蜀汉人。仪从诸葛亮,多有劳绩。亮卒,以蒋琬代之,仪不平,语费祎曰:往者丞相亡没之际,吾若举军以就魏氏,处世宁当落度如此邪!令人追悔不可及。祎密表其言,废仪为民。仪复上书,辞指激切,遂下郡收仪,仪自杀。

令与心乖者废。

令与心乖违,其事必废而不果。

例一:武灵王,战国赵君。赵武灵王胡服骑射,国势大振。先立长子章为太子,后废之,复立次子何。武灵王以诸将不可专任,乃传位于次子何(惠王),自将兵,称曰主父。主父廷见章拜惠帝,不忍,复欲分其国,使二子分治,遂致乱。主父遭兵围困沙丘宫,饿死。

例二:袁绍,汉人。绍发兵迎曹操,田丰说绍曰:曹公善用兵,变化无方,众虽少,不可轻也,不如以久持之。将军据山河之固,拥四州之众,外结英雄,内修农战。然后简精锐,出奇兵,乘虚迭出,以扰河南。救右则击左,救左则击右,使敌疲于奔命,不及二年,可坐克也。今释庙胜之策,而决成败于一战,若不如志,悔无及也。绍不从,以为沮众,系之狱。绍军既败,或谓田丰曰:君必见重。丰曰:若军有利,吾必全。今军败,吾必死矣。绍还,谓左右曰:"吾不用田丰言,果为所笑。"遂杀之。

后令谬前者毁。

出尔反尔,其令不行。

例一:楚平王,春秋楚君。楚平王令太子建出镇城父,以奋扬为城父司马,谕曰:“事太子如事寡人也。”后又密谕奋扬杀太子,扬先使使私报太子逃。反告平王曰:“太子逃矣。”平王怒曰:“言出余口,入于尔耳,谁告建耶?”扬曰:“臣实告之,君王有命:事建如事寡人。”

例二:曹操,汉人。操以刘备有英雄之誉,能得众心,故留之许都,阳示宠敬,阴以羁縻。后遣备出徐州,拒袁术。董昭谏曰:“备勇而志大,关羽、张飞为之羽翼,恐备之心未可得论也。”操曰:“吾已许之矣。”于是备得脱,后终成鼎足。

怒而无威者犯。

内养不足,则怒而无威。内善既充,不怒而威。

例一:刘法,宋人。童贯属将刘法,与夏战于统安城,大败,法弃军潜遁。距战地七十里,四顾无人,乃下马卸甲,暂图休息。少顷,数人负担前来,法向之索食,不允。法瞋目大怒曰:“不识刘经略乎?”一人进曰:“将军便是刘经略,小人有食奉献。”乃向担中取刀,杀法并取首而去。

例二:赵尔丰,清人。清末,赵尔丰督四川。适清廷有令,收铁路为国有,川民不服。赵怒斥请愿代表,并欲严办,遂招致民变,全川响应,武昌起义成功,赵被杀。

好直辱人者殃。

辱人必召怨,怨则殃。

例一:齐顷公,春秋齐君。齐顷公嗣立,晋、鲁、卫、曹各遣使聘。晋使郤克眇一目,鲁使季孙行父秃发,卫使孙良夫跛足,曹使首驼背。散朝,例款私宴。顷公乃预先眇、秃、跛、驼各一人以为御,使宫眷居崇楼窥之,无不大笑。四使反宾馆,无不气愤,乃共谋伐齐,齐乱自此始。

例二:秦昭襄王,战国秦君。秦昭襄王与赵惠文王会于渑池,置酒为欢。饮至半酣,秦王曰:“寡人窃闻赵王善于音乐,寡人有宝瑟在此,请赵王奏之。”赵王面赤,然不敢辞。秦侍者进瑟,赵王为奏《湘灵》一曲,秦王称善,顾左右召御史,使载其事曰:“某年月日,秦王与赵王会于渑池,令赵王鼓瑟。”赵蔺相如进曰:“赵闻秦王善于秦声,臣谨奉盆缶,请秦王击之,以相娱乐。”秦王怒,色变不应。相如即取盛酒瓦器,跪请于秦王之前,秦王不肯击。相如曰:“大王恃秦之强乎,今五步之内,相如得以颈血溅大王矣!”左右斥相如无礼,欲前执之。相如张目叱之,须发皆张,秦王心惮相如,勉强击缶一声。相如召赵御史书简曰:某年月日,赵王与秦王会于渑池,令秦王击缶。秦王欲兵劫之。谍报赵设备甚严,乃更进献酬,假意尽欢而罢。

戮辱所任者危。

任而不专,或任而不信,未有不败覆危亡也。

例一:赵迁,战国赵君。秦将王翳侵赵,赵王迁任李牧为将拒之。牧将大军屯灰泉山,翳素惮牧军威,不敢犯,赵亦倚之为长城。秦乃用反间,赵王不察,令赵葱代李牧,并斩之。赵遂败亡。

例二:朱由俭,明帝。袁崇焕,万历进士,负胆略,喜谈兵。清军入宁远,边防赖崇焕得全,后扼于魏忠贤,乞归。崇祯初,起兵部尚书,镇宁远,清兵不敢犯。寻被诬下狱,磔于市,天下冤之。自是边事无人,明亡。

慢其所敬者凶。

昔所敬者,而今慢之,乃其意已怠,其志已堕。

例一:刘戊,汉人。刘交王楚,尝用名士穆生、白生、申公为中大夫,敬礼不衰。穆生不嗜酒,交与饮时,特为置醴,藉示敬意。交殁,次子郢客嗣封,优敬三人,一如往昔。郢客殁,子戊袭爵,初尚勉绳祖武,继渐耽酒色,召穆生,不为设醴。穆生退席长叹曰:“醴酒不设,王意已怠。君子见机而作,不俟终日。”乃与白生、申公同谢病而去。未几,吴楚等七国叛,周亚夫平之。

例二:袁绍,汉人。北海郑玄,汉学泰斗,天下人望。绍慕其名,延征之而不加礼,赵融闻之曰:“贤人者,君子之望也。不礼贤,是失君子之望也。夫有为之君,不敢失万民之欢心,况于君子乎?失君子之望,难乎有为矣!”后绍果败亡。

貌合心离者孤。

貌合而心异,其势必孤,其力必散,其事必败。故俗语云:“三人同心,其利断金。”

例一:袁绍,汉人。汉末,董卓废帝专权。初平元年,后将军袁术、冀州牧韩馥、豫州刺史孔伷、兖州刺史刘岱、河内太守王匡、勃海太守袁绍、陈留太守张邈、东郡太守桥瑁、山阳太守袁遗、济北相鲍信、奋武将军曹操等,拥袁绍为盟主,共起兵勤王讨卓。继以诸军持疑不进,貌合而心离,刘岱桥瑁,交恶相攻,诸将无功,其事遂败。

例二:袁绍,汉人。汉末,袁绍统青、幽、并、冀四州,兵甲数十万。颜良、文丑、张郃等属,俱一时名将。郭图、审配、逢纪、田丰、许攸、沮授等为谋士,雄视天下。尤以田丰等具精谋远略,故孙盛有言:观田丰、沮授之谋,虽良、平何以过之。惜绍不能用,貌合而心离。图谮授,绍疑而黜之。纪谮丰,绍囚而杀之。自是文武离心,谋臣崩散,官渡一败,不能复振。

亲谗远忠者亡。

亲谗则远忠,远谗则近忠,此事理之必然也。故王冲云:“人主好辩,佞人辞利。人主好文,佞人词艳。上有好者,下必甚焉。”观乎此,知所以远谗斥佞也。

例一:卫鞅,战国卫人。鞅仕于秦,变法图强,秦孝公嘉其功,封列侯,号商君。鞅志满,自以功过于五羖大夫,家臣齐媚而贺之。赵良独谏曰:“千人诺诺,不如一士谔谔。五羖大夫之相穆公也,三置晋君,并国二十。及其自奉,暑不张盖,劳不坐乘。死之日,百姓如丧考妣。今君相秦八载,法令虽行,刑戮太惨。民见威不见利,知利不知义。且太子与君有隙,何不荐贤自代以求全。”鞅斥退赵良,后五月,太子即位,是为惠文公,捕鞅,五牛而分之。

例二:刘禅,蜀汉后主。后主即位五年,诸葛亮率师北征,上表云:“亲贤臣,远小人,此先汉所以兴隆也。亲小人,远贤臣,此后汉所以倾颓也。”亮殁,姜维继其志,才不及亮。后主宠谗远忠,维危惧,不入成都。晋伐蜀,后主降。

近色远贤者昏。

圣贤事业,非英雄所能为之。故色贤之分际,要知所取舍。是以齐桓晋文,犹为霸主。汉武唐宗,不失明君。清龚定盦云:“少年已自薄汤武,不薄秦皇与汉皇;设想英雄垂暮日,温柔不住住何乡。”其意虽不足取,已道尽千古英雄人物也。

例一:鲁定公,春秋鲁君。定公任孔子,国大治。齐恐,用黎钼之计,献女乐于定公。定公喜而纳之,三日不朝,郊祭不礼。孔子行,鲁复不振。

例二:卫灵公,春秋卫君。孔子离鲁适卫,灵公敬之而不能用。一日,灵公载其夫人南子同车而出,使孔子为陪臣。过市,市人歌曰:“同车者色耶!从车者德耶!”孔子叹曰:“君之好德不如好色。”乃去卫适宋,卫乱。

女谒公门者乱。

《玉铃篇》“门”作“行”,凡女干政,必乱。

例一:杨玉环,唐人。杨玉环为唐玄宗贵妃,其姊妹俱得上宠,封虢国夫人、韩国夫人、秦国夫人。兄杨国忠为相,一门显赫,宫廷出入无禁。后安禄山反,玄宗奔蜀,唐室大乱。

例二:王氏,宋人。宋徽、钦二帝被掳,高宗即位,致力中兴。宰相秦桧下岳飞狱,拟黜其兵权。其妻王氏进曰:“擒虎容易放虎难。”桧乃以“莫须有”杀之,韩世忠亦隐于西湖,宋遂偏安,终至覆国。

私人以官者浮。

原秦始皇时,值蝗灾,乃诏百姓纳粟千石,拜爵一级。汉文帝增纳粟赎罪条款。至明景帝时,复增纳监之例。此风至清中叶尤甚。故官位者,国之名器,不可假人。私人以官者,其事必浮,其政必堕。

例一:司马炎,晋帝。晋武帝南郊祭天,顾左右曰:朕可比汉朝何帝?校尉刘毅应声曰:可比桓灵。帝曰:朕虽不德,何至以桓灵相比?毅曰:桓灵卖官,钱入官库;陛下卖官,钱入私门。以此较之,陛下尚不及桓灵!

例二:严嵩,明人。明世宗时,严嵩专事,非私不用。杨继盛劾嵩曰“……郎中徐学诗,给事中厉汝进,俱以劾嵩削籍,内外之臣,中伤者何可胜计,是专黜陟之大权。文武选拟,但论金钱之多寡,是失天下之人心……。”明室自兹内政日乱,外侮乃生。

凌下取胜者侵。

孟子曰:“君之视臣如手足,则臣视君如腹心。君之视臣如犬马,则臣视君如国人。君之视臣如土芥,则臣视君如寇仇。”故上下之道,上守之以礼,则下尽之以忠。

例一:惠文王,战国赵君。宦者令缪贤得和氏璧,作宝椟藏之。惠文王闻之,乃求之于贤,贤不即献。赵王怒,因出猎之便,突入贤家,搜其室,得宝椟,收之而去。

例二:昭襄王,战国秦君。秦王闻赵王得和氏璧,思欲一见。

丞相魏冉曰:"王欲见璧,何不以酉阳十五城易之?"秦王讶曰:"十五城,寡人所惜,奈何易一璧哉?"冉曰:"赵之畏秦久矣,大王以城易璧,赵不敢不以璧来,来则留之。是易城者名也,得璧者实也,王何患失城乎?"秦王喜,即致书赵王求璧。

名不胜实者耗。

名者,人爵也。名不胜质,得之不祥。

例一:赵括,战国赵人。赵奢为赵名将,其子赵括,喜谈兵,而名不胜质。奢临终,戒其妻曰:"括若为将,必败赵兵。"会秦侵赵,赵王用括将兵拒之,赵母谏不听。长平一役,赵括败亡,赵降卒四十万,尽为秦坑杀。自是赵之精壮尽亡,国乃不振。

例二:马谡,蜀汉人。谡好论军计,诸葛亮深加器异。先主临薨谓亮曰:"马谡言过其实,不可大用,君其察之。"亮以为不然,以谡为参军。建兴六年,亮出祁山,拔谡为先锋。谡引兵街亭,部署不当,为魏将张郃所破,士卒离散。亮进无所据,乃退军汉中,谡论斩。

略己而责人者不治。

孔子云:子帅以正,孰敢不正。故领导之术,在其身正。朋友之道,在克己以宽人。

例一:季康子,春秋鲁人。季康子执政,君臣竞尚奢华,耽于逸乐。国人尚之,故多盗。季康子患之,乃问于孔子。孔子对曰:"苟子之不欲,虽赏之不窃。"

例二:夷吾,春秋晋君。晋乱,公子夷吾许秦五城以为援,乃得为君,是为晋惠公。惠公既立,背约不与秦城,会连年旱饥,仓廪空虚,民间绝食,秦复输粟济之。越明年,秦国年荒,谋救于惠公,惠公不应,更议伐秦。秦穆公大怒曰:"君欲国,寡人纳之。君欲粟,寡人给之。今君欲战,寡人敢拒命乎?"乃大破晋师,俘惠公。

自厚而薄人者弃之。

自奉厚而薄人,人必弃之。

例一:懿公,春秋卫君。周惠王九年,卫懿公嗣立,不恤国政。尤好养鹤,俸比大夫,乃厚敛于民,以充鹤粮,民有饥冻,不知抚恤,值狄人来侵,人民弃之,曰:"何不使鹤拒敌?"遂覆亡。

例二:田单,战国齐人。田单以五里之城,破亡余卒破万乘之燕,复齐七十余城。周赧王卅六年,率师攻狄,三月不能下,鲁仲子曰:"今将军有夜邑之奉,西有菑土之娱,黄金横带,而驰乎淄渑之间。有生之乐,无死之心,所以不胜者也。"明日,单自立矢石之所,乃援枹鼓之,狄乃下。

以过弃功者损群。

忘大功而录小过,领导之大忌也。

例一:卫青,汉人。李广自结发与匈奴七十余战,有功,匈奴畏之,号飞将军。广为右北平守,匈奴不敢寇边者数年。后属卫青伐匈奴,以失道故,无功。青使长吏责广之幕府对簿,广乃引刀自到。一军皆哭,百姓闻之,知与不知,无老壮皆为垂涕。

例二:朱祁镇,明帝。朱祁镇嗣立,是为英宗,宠宦官王振,兵败土木堡,为也先所掳。于谦乃迎立祁钰,是为景帝。谦奏劾宦奸,奋励士气,屡败也先,迎英宗返。景泰七年,英宗复辟,斩于谦。谦死之日,一市为之泣。

下外异者沦亡。

上下离心,内外异志,致群情阻塞,举措失宜,未有不沦亡也。

例一:潘美,宋人。潘美为将拒契丹,王侁为护军,杨业为副将。业有威名,号无敌,契丹畏之。时宋已屡败,业乃议设伏于陈家谷,美、侁为援军,自引众出击。美、侁忌功害能,俟业出师,乃引兵退代州。业转战无援,子延玉战死,业自裁,全军尽覆。至是边境大震,三州相继失守。

例二:赵构,宋帝。徽、钦二帝被掳,赵构即位临安,是称高宗。初李纲、宗泽主战,黄潜善、汪伯彦主和。后高宗用秦桧为相,力主和议。而岳飞、韩世忠等,屡破金兵,欲直捣黄龙,以迎二帝,阴为高宗所忌。桧乃矫诏害飞,黜世忠。宋乃无力北伐,苟且偏安。

既用不任者疏。

用而不任,其情必疏。

例一:刘表,汉人。刘备投刘表,表自郊迎,以上宾礼待之,益其兵,使屯新野。曹操遣将攻表,表用备拒之,大破曹兵,时荆州豪杰归备者日众,表疑其心,阴御之。会操北征乌丸,备说表袭许都,表不能用。

例二:公孙瓒,汉人。公孙瓒与袁绍战,赵云从吏兵诣瓒,瓒虽喜得赵云,然不以重任,云乃以兄丧辞归,后投刘备,多立功勋。

行赏吝色者沮。

功不欲归下,行赏而色吝,则所属离心。

例一:勾践,春秋越君。勾践用范蠡、文种等,灭吴而称霸。吴既灭,勾践筑台于会稽,会宴群臣,乐师引琴而鼓之,台上群臣大悦,惟勾践面无喜色。范蠡退而叹曰:“越王不欲归功臣下,疑忌之端已见矣!”次日,辞越王,乘扁舟出齐女门,涉三江入五湖而去。

例二:刘弗陵,汉帝。武帝时,苏武率百余人使西域,为匈奴所囚,不为威屈。历十九年,弗陵嗣立为昭帝,终得返汉,须眉尽白,都人士无不嘉叹其节。同返者九人,昭帝或赏或不赏,闻者色沮。

多许少与者怨。

许多与少,或许而不与,此皆结怨尤也。

例一：夷吾，春秋晋君。晋献公薨，诸公子争立。夷吾贿秦五城以为外援，内许里克汾阳之田百万，许郑父负葵之田七十万，书契缄之，使为助，乃得立，是为惠公。惠公既立，却秦五城之许，里克、郑父之田亦不与，至是内外嗟怨。

例二：赵匡胤，宋帝。太祖使曹彬伐江南，曰："俟克李煜，当用卿为相。"潘美闻之，乃贺彬，彬笑曰："尚有太原未下。"及彬俘煜返汴，太祖谓曰："本欲授卿使相，奈刘继元未平，容当少待。"

既迎而拒者乖。

既迎忽拒，是弃旧情而结新怨也。

例一：庞涓，战国魏人。庞涓、孙膑，同学兵法于鬼谷。庞先仕魏，得惠王宠任，付以兵权。庞既得志，乃荐孙膑于惠王。膑既至，庞复忌其能而谗之，并刖膑。膑乃佯狂脱身奔齐。后庞率师侵韩，齐王用膑，率众直袭魏都。庞回师，遇伏败亡。

例二：刘璋，汉人。汉末，璋镇益州，建安十六年，张鲁犯境，璋用法正之谋，迎刘备入川以讨张鲁。备入川，璋复疑而拒之，备乃攻璋，围成都，璋降，备并益州。

薄施厚望者不报。

汉人崔瑗《座右铭》云："施人慎勿念，受施慎勿忘。"此立身之道也，故薄施而求厚报，未有是理也。

例一：齐威王，战国齐君，齐威王八年，楚大发兵加齐。齐王使淳于髡之赵请救兵，赍金百金，车马十驷。淳于髡仰天大笑，冠缨索绝。王曰："先生少之乎?"髡曰："何敢?"王曰："笑岂有说乎?"髡曰："今者，臣从东方来，见道傍有穰田者，操一豚蹄，酒一盂，而祝曰：'瓯窭满篝，汙邪满车，五谷蕃熟，穰穰满家。'臣见其所持者狭，而所欲者奢，故笑之。"于是齐威王乃益赍黄金千镒、白璧十双、车马百驷。髡辞而行至赵，赵王与之精兵十万，革车千乘。楚闻之，夜引兵而去。

例二:豫让,战国晋人。周贞定王十六年,韩、赵、魏三家灭智氏分晋。智氏臣豫让,漆身吞炭,变其声容,为智伯报仇。三次刺赵无卹不中,无卹命斩之,让呼天而号,泪与血下。左右曰:“子畏死耶?”让曰:“某非畏死,痛某死之后,别无报仇之人耳!”无卹乃问曰:“子先事范氏,智伯灭范,子忍耻偷生,反事智伯,不为范氏报仇。今智伯之死,子独报之甚切,何也?”让曰:“某事范氏,以众人相待,吾亦以众人报之。及事智伯,以国士相待,吾当以国士报之,岂可一例而观耶?”

贵而忘贱者不久。

贵而忘贱,安而忘危。此皆骄淫佚崩,不可久享也。

例一:刘贺,汉人。汉昭帝崩,无子,乃立武帝孙昌邑王贺为帝。贺初奉诏,手舞足蹈,欢喜失态。既为帝,居丧不哀,荒淫游佚,夫帝王之礼凡千一百廿七事。故即位仅廿七日,霍光等奏太后废之。

例二:洪秀全,清人。咸丰年间,外侮日逼,民不聊生,洪秀全纠众于广西,下武昌,于咸丰三年四月,攻克南京,建太平天国,自号天王,是时洪拥众百万,中外震动。乃不思进取,上下贪图逸乐,荒淫无道,致失民心。杨秀清、韦昌辉等,复争权自残。于是钱江遁隐,石达开远奔,遂为曾国藩等破灭。

念旧恶而弃新功者凶。

汉高祖不以怨而封雍齿,史称其大度。唐太宗不以仇而相魏征,故为明主。欲成非常之事功,必具非常之器度也。

例一:燕惠王,战国燕人。燕昭王即位,日夜以报齐雪耻为事,乃尊贤礼士,四方豪杰归之。周赧王卅一年,昭王用乐毅为将,六月之内,下齐七十余城,惟莒与即墨未下。乐毅乃解围退军九里,欲使感恩悦附。燕太子乐资谮毅于昭王,昭王笞之二十。昭王薨,乐资嗣立为惠王,恶被笞之恨,使骑劫代乐毅,毅恐见诛,弃家奔赵。齐田单破燕,杀骑劫,尽复齐城。

例二:辛兴宗,宋人。宋宣和二年,睦州方腊作乱,陷六州五十二县,势甚振。会张叔夜招降梁山宋江,使属熙河前军统领辛兴宗,辛予千人,令江攻杭州。杭州贼将方七佛,有众六万,宋江用计攻破,擒七佛,旧属百余人亦伤亡过半。中军统制表江等之功,辛兴宗曰:"宋江等原系大盗,虽破城有功,不过抵赎前罪。"统制王禀不敢争。宋江等即日告退,遁隐终身。

用人不正者殆。

用人不正。其事必危,故孔子有言:为政在人。

例一:赵佶、宋帝。宋徽宗任蔡京为相,童贯为太傅。蔡、童乃议图辽,遣武义大夫马政使金,与约夹攻,安尧臣等谏之不从。后辽覆金兴,侵宋甚辽,徽、钦被掳,北宋亡。

例二:载湉,清帝。载湉嗣立,是为光绪,思变法图强。以受制于西太后,不遂其志,乃任袁世凯,欲以兵胁太后。袁世凯告变,光绪被囚,六君子弃市。后国民革命起,清廷复用袁,袁坐观把持,以遂私利。于是清亡,民国亦乱者二十年。

强用人者不畜。

用人适志,强之者不可久。

例一:曹操,汉人。操攻刘备于徐州,备求援袁绍不果,败逃。备将关羽守下邳,以备眷属居城中,不得突围,乃降汉。操素仰羽风义人才,以恩百计羁羽,羽不为所动。袁绍攻操,进兵白马,羽从操往拒,破绍有功,乃走归刘备。

例二:曹操,汉人。操破袁绍,擒其监军沮授。授本操旧识,爱其才智,乃自释其缚。授大呼曰:"吾不降也,愿早赐死。"操厚待之,使留帐下。授复盗马,欲亡归袁氏,操斩之。

(虽云强用人者不畜,亦可见曹操之爱才若渴。故三国人才之盛,以魏为最。)

为人择官者乱。

历代之乱,曰宦官,曰外戚,曰藩镇,曰外患。虽云四,其实一,皆任官不当也。故国之设官,所以理事也,官不称职,其政必乱。

例一:刘彻,汉帝。武帝宠李夫人,用其弟李广利为将,征大宛。广利本非将才,徒以外戚故。劳师十余万,费时四年,大宛降。李归,众不足二万,俘献良马数十匹,武帝喜,封广利为海西侯。

例二:清入关历三朝全盛,骄淫佚逸,八旗已不足恃,满官多不学昏庸。咸丰以来,迭遭外侮,光绪间,二满员上书言事;某御史奏请起用檀道济为将。(檀乃刘宋时人,已死千余年。)某京堂奏称日本东北,有缅甸、交趾,日畏之如虎,请遣使结约,夹攻日本。

(清之官吏如此,即无武昌起义,清亦不可久也。)

失其所强者弱。

夫强弱无定型,形势相用也。

例一:孙膑,战国齐人。齐威王与田忌驰射赌胜,忌马力不及,屡北失金。孙膑谓忌曰:"齐之良马,聚于王厩,而君欲与次第角胜,难矣!诚以君之下驷,当彼上驷。而取君上驷,与彼中驷角,取君之中驷,与彼下驷角,君虽一败,必有二胜。"忌从之,如其言。

例二:韩信,汉人。汉高祖遣韩信略赵,信背水为阵,杀陈余,破赵军二十万。初,诸将以背水结阵,乃兵法之大忌,皆惊疑,乃问曰:兵法有言,"右背山林,前左山泽"。今将军背水胜敌,何也?信曰:"诸君虽读兵书,未得奥旨。岂不闻兵法有言:陷之死地而后生,置之亡地而后存。"

决策于不仁者险。

不仁者,不可以长处约,不可以爱人。其行事也,图险以侥幸。

例一:张温,汉人。汉中平三年,中郎将董卓讨贼无功,朝遣司空张温行车骑将军,董卓受其节制。温以诏书召卓,卓傲不为礼,应对失顺。参军孙坚请斩之,曰:"卓轻上无礼,一罪也。章、遂跋扈经年,卓不往讨,沮军疑众,二罪也。卓受行无功,应召稽留,轩昂自高,三罪也。"温不从。

(温若斩卓,曹、袁不得起,汉事尚不可知也。)

例二:王振,明人。明英宗宠宦官王振,振乃揽兵权。其出兵麓川,劳师数十万,转饷半天下,费时十年,得不偿失。东南暂安,复请英宗亲征也先。兵部尚书邝禁、侍郎于谦、尚书王直等谏不从。兵出土木堡,败溃,英宗为也先所掳。

阴计外泄者败。

阴计者,皆出其不意。其计既泄,则明暗易形,强弱易势,未有不败者也。

例一:秦穆公,春秋秦君。穆公使孟明袭郑,军至延津,为郑贾弦高所悉。高伪为郑使,持牛酒迎秦军,曰:"寡君闻将军将行师于敝邑,不腆之赋,敬使下臣高远犒从者。"孟明乃驻军不前,诸将不解,明曰:"吾千里远涉,出郑人之不意,必可得志,今计已泄,其为备也久矣。攻之则城固难克,围之则兵少难继。"乃袭滑而返。

例二:李建成,唐人。唐高祖李渊定天下,长子建成为太子,世民为秦王,元吉为齐王。太子以秦王功盖天下,不自安,乃结元吉谋秦王。事泄,世民即日伏兵玄武门,于早朝时杀建成、元吉,即位为唐太宗。

厚敛薄施者凋。

厚敛则民穷,民穷则国凋,故曰"穷天下者,天下仇之;危天下者,天下灾之。"

秦之世,筑长城,建阿房。穷天下之财力,自弃于民。陈、吴一呼,刘、项继起,三载而秦亡。故杜牧论曰:“亡秦者秦也。”明、清末季,任用非人,官吏皆敛聚奢淫,民穷而财尽。于是寇自内生,侮由外至。此皆厚敛凋民,所以失天下也。

战士贫游士富者衰。

孔子云:“以不教民战,是谓弃之。”故立国未有不备战者也。战在练兵,练兵在筹饷,粮饷足,兵乃乐为之用。咸丰之初,贼盛兵衰,粮饷不继也,反之,此曾、李之所以收太平之全功也。

战国二百年,诸侯攻战相伐。游士揣人主之心,弃仁绝义,动之以利害,故有朝为布衣,暮为卿相,而攻战之士,终年暴露。故秦用张仪连横之谋并天下,此乃六国之民,厌弃争战,而诸侯之心,苟其暂安也。

货赂公行者昧。

货赂公行,则屑小谄进,其政必失也。

例一:田因齐,战国齐君。周安王廿三年,因齐嗣立为齐威王,用驺忌为相。时朝臣多称阿(地名)大夫之贤,而贬即墨大夫,忌乃述之威王,威王询左右,亦如是对。威王阴使人往察二邑治状,并召二守入朝,大集群臣,欲行赏罚,群臣皆以阿大夫必有重赏,而即墨大夫危矣!威王先召即墨大夫曰:“自子之官即墨,毁言日至。吾使人察之,田野开辟,人民富饶,官无留事。子专意治邑,不肯媚吾左右,故遭毁耳!子诚贤令也。”乃厚赏之。复召阿大夫曰:“自子守阿,誉言日至。吾使人视阿,田荒民冻,但贿吾左右,结交廷臣,以求美誉。守之不肖,无过于汝。”乃烹之于鼎,复召左右亲信十余人,皆毁即墨大夫者,亦次第烹之。于是货赂之路绝,而齐大治。

例二:刘志,汉帝。汉桓帝在位,嬖妇寺,宠外戚。朝政日非,货赂公行,宦者侯览献缣五千匹,得封关内侯。白马令李云上书……"帝者谛也"。今官位错乱,小人谄进,财货公行,政化日损,尺一(诏书)拜用,不经御省。是帝欲不谛乎?桓帝昏昧不悟,杀李云。

闻善忽略、记过不忘者暴。

齐桓相管仲,魏武用张绣,皆重才释过,此所以霸也。田丰谏袁绍不从,绍囚之,既败,斩田丰。刘敬谏高祖不从,高祖囚之,既困于白登,返,释敬谢过而厚赏之。观古之所以成,所以败,岂曰无端耶!

例一:王允,汉人。汉献帝时,董卓不臣,王允结吕布等杀卓。时蔡邕在王允坐,闻之惊叹,允叱之曰:"董卓国之大贼,几亡汉室。君为王臣,所宜同疾,而怀其私遇,反相伤痛,岂不共为逆哉。"即收付廷尉。邕谢罪,愿黥首刖足继成汉史,士大夫多矜救之,不可得。太尉马日磾谓允曰:"伯喈旷世逸才,多识汉事,当绩成后史,为一代大典。而所坐甚微,诛之,无乃失人望乎?"允终诛邕。日磾退曰:"王公其无后乎?"

例二:李广,汉人。广饮田间夜归,霸陵尉呵止之。广从骑曰:"故李将军。"尉曰:"今将军尚不得夜行,何乃故也?"止广宿亭下。居无何,匈奴寇边,武帝召广为右北平守,广请尉与俱,至军而斩之。

所任不可信,所信不可任者浊。

孔子云:"可与共学,未可与适道。可与适道,未可与立。可与立,未可与权。"夫才德难全,故可任(才)者未必可信(德),可信者未必可任。如陆秀夫、张世杰等,忠义流芳,然非治军之才,是亦不可讳也。故宋襄称伯,贻笑于人。曹操征贤,唯才是视,是两者皆偏,要在任之得所,御之有方也。孔子曰:"孟公绰,为赵魏老则优,不可以为滕薛大夫。”

例一:苏秦,战国周人。人恶苏秦于燕王,言其反复无信也。秦谓燕王曰:“使臣信如尾生,廉如伯夷,孝如曾参,以事足下,不可乎?”燕王曰:“可。”秦曰:“有此,臣亦不事足下矣!孝如曾参,义不离其亲。廉如伯夷,污武王而不臣,辞孤竹之君。信如尾生,何肯扬燕齐之威于秦,而取大功乎?如此者,又何能为足下所用哉?”

例二:旻宁,清帝。清宣宗道光帝,在位三十年,颇思振奋求治。然浊于满、汉之见,林则徐、邓廷桢、杨芳等能员,或疑或黜。所信琦善、奕山、奕经等,皆庸昏愚昧,不足任事。故终无成。

牧人以德者集,绳人以刑者散。

文王以德,百里而兴。武王伐纣,诸侯从之者八百。秦有天下,陈涉一呼而崩解。孔子云:“道之以政,齐之以刑,民免而无耻。道之以德,齐之以礼,有耻且格。”

例一:田荣,汉人。齐王田荣,素无恩德于民,为项羽攻破,率残众走平原,刑索于民,民纠众杀之。荣弟田横,能得民心,时项羽立田假为齐王,众乃逐假拥横。俟高祖统天下,横率众五百,匿居海岛。高祖召之,横势不能拒,又耻居下位,距洛阳卅里,自刭,以首付使回报。高祖复遣使驰海岛,召其众至洛阳。众至,闻横死,乃临其墓哭,继以身殉,五百众无一生还。

例二:张纲,汉人。汉顺帝汉安元年,遣光禄大夫张纲等八人巡行州郡,以察贤奸,二千石以下,准便宜行事。纲出都里许,慨然叹曰:“豺狼当道,安问狐狸?”即日毁车返都,劾内戚大将军梁翼十五大罪。翼憾之,值广陵贼张婴,杀守聚众数万,乃举纲为广陵太守。陵单车赴任,直趋婴垒,晓谕大义,婴降,散其众。纲治广陵,道之以德,民皆安服。期年,纲病故,一城缞绖哭泣。

小功不赏,则大功不立;小怨不赦,则大怨必生。

秦赦孟明而襄公惧，楚杀子玉而文公喜。观乎此，知赏罚之道也。

例一：曹操，汉人。操征张绣于南阳，绣降。操私绣婶，绣恨攻操，操伤，几不能免，长子昂、侄安民均遇害。袁、曹之争，贾诩谏绣降操，曰："夫有霸王之志者，固将释私怨，以明道于四海。"绣从之，操待之宽厚，后多立战功，封侯。

例二：李世民，唐帝。贞观十九年，唐太宗亲征高丽。安市之战，太宗见一白袍将，当先突阵，锐厉无前，乃召询之，即小校薛仁贵。太宗即予奖励，面授游击将军，并赐金帛骏马。仁贵感奋，多立大功，高宗时，回纥寇边，仁贵往平之。

赏不服人，罚不甘心者叛。赏及无功，罚及无罪者酷。

刑赏不中，则政令不行。政令不行，乱乃滋生。

例一：楚平王，春秋楚君。楚平王信无极之谗，杀功臣伍奢及其长子伍尚。奢次子伍员以父兄无罪见诛，誓欲报之，乃奔吴。十九年后，伍员率兵破楚，时平王已殁，出其尸而鞭之。

例二：朱厚照，明帝。明武宗性好嬉游，宠任宵小。钱宁、江彬等，身无寸功，但事谄佞，导帝微游，皆封高位。朝廷大臣，武宗任情侮辱，或罚廷跪，或加廷杖，杖毙者十余人，复谪王守仁于贵州。至是言路断绝，国事日非，河北盗起，安化王寘鐇，宁王宸濠，先后皆叛。

听谗而美，闻谏而仇者亡。

夫人主（领导者）之通病有三，曰好谀、好货、好色。尤以好谀，明主不免。故重禄不谏，畏罪不言，此亡国之风也。

例一：纣王，商君。纣王酒色荒淫，箕子谏而被囚，比干谏而见杀，忠良尽退，佞谀满朝。武王起兵，诸侯响应，纣王自焚而死，商亡。

例二:刘欣,汉帝。汉哀帝刘欣,昏淫荒乱。尚书仆射郑崇,正直敢言,进见必著革履,橐橐有声,故哀帝闻声而知郑至,心甚厌之。尚书令赵昌,专务谄媚,乃谮郑交通宗族,必有阴谋。哀帝召郑责曰:“君门如市,奈何欲禁遏主上?”郑曰:“臣门如市,臣心如水。”哀帝恨郑答言不逊,囚之,郑死狱中。

能有其有者安,贪人之有者残。

哀公问于有若曰:“年饥,用不足,如之何?”有若对曰:“盍彻乎?”曰:“二,吾犹不足,如之何其彻也?”对曰:“百姓足,君孰与不足;百姓不足,君孰与足!”故恩盖天下,然后能保天下。安天下者,天下恃之。

例一:刘恒,汉帝。汉文帝刘恒,一生俭约,治陵寝用瓦具。历代兵乱,汉陵多遭挖掘,独文帝陵得安。

例二:孟昶,五代蜀人。宋太祖使曹彬伐蜀,蜀主孟昶降,太祖羁之汴京。昶殁,宅内供帐等,悉收大内,卫卒见其溺器,用七宝装成,精致异常,亦收陈宫中。太祖见之,曰:“溺器以七宝装成,试问以何器贮食?奢靡至此,不亡何待?”乃碎之。

例三:慈禧后,清人。清末,中法之役,马江败绩,闽海舰队丧亡殆尽。清廷以海氛日恶,决议大兴海军,乃筹集巨资。光绪十二年,慈禧后拉那氏,耽于游乐,乃拨是项经费三千万金,修缮颐和园。未及二年,甲午中日之战,清海军不堪一击。乃割地赔款,国势日弱,终至覆亡。

安礼章第六

福在积善,祸在积恶。

司马迁之论礼:“洋洋乎美德乎,宰制万物,役使群众,岂人力也哉!”故天以礼则四时分,地以礼则万物序,人以礼则五伦别。此《素书》六章,所以殿之以礼也。

《易》云:“积善之家,必有余庆。积不善之家,必有余殃。”又谚云:“刻薄成家,理无久享。”孔子亦云:“君子之泽,三世而斩。”此皆言善恶之积,应之于事也。故文王以屡世之德,有天下八百年。秦、元之得天下,兴之也霸,溃之也速。宋得之于小儿,失之于小儿。清以孤寡入主,复以孤寡逊位。此善恶祸福之大者也。盖天地之道,日中必移,月满必亏,泽满则溢。人之道,泰则骄,逸则奢,骄奢既起,恶则随之,此所以召祸也。福则反是,所以积善得长享也。故善福祸恶,本章之纲宗,应世之先诀也。

怨在不舍小过,患在不预定谋。饥在贱农,寒在惰织。

情不顺则怨,事无谋则变。故舍小过所以顺人情,彻上下。决计预谋以理事,变未生而弥之,势未成以导之,此所以无为而治天下也。贱农则民饥,惰织则民寒,理有必然,事有必至者也。故衣与食,民之命脉也。通人情,明世故,理事之根本也。

安在得人,危在失士。富在迎来,贫在弃时。

孔子论政,曰举贤才,又曰既富矣,则教之。管仲以衣食足而伯齐,商鞅以富国而强秦。周用姜尚,汉任张良,此得人也。项羽黜范增,刘宋斩檀道济,此失士也。故得人则政通,政通则人和,所以来远者,富国家。国富而治,既治则教,礼乐行矣。此理国之大经也。

上无常操,下多疑心。轻上生罪,侮人无亲。近臣不重,远臣轻之。自疑不信人,自信不疑人。枉士无直友,曲上无直下。危国无贤人,乱政无善人。

本节论君道之大略,言统领之精要也。

《左传》云:“国将亡,必多制。”夫政如是,人亦如是,故居上者无常守,则居下者无所从,此致疑生乱之源也。上下之道,以礼则忠,以众则慢,此豫让论众人国士也。先主三顾茅庐,诸葛鞠躬尽瘁。太宗深得此道,天下英雄尽入彀中,此礼贤之得人也。以武帝之刚,不正衣冠,不近汲黯,此所以不敢侮下,不敢轻士也。

夫御下之道,曰恩曰礼,曰信曰任。齐桓任管仲,景公任晏婴,皆信之任之,尊之礼之,故其国治也。

夫枉士无直友,曲上无直下,物以类聚也。故上好谀则谄佞进,上好武则贲育来,犬马则韩卢屈乘具,美色则胭脂金粉陈。故曰危国无贤人,乱政无善人,非无善贤也,佞幸陷之,人主杀之,善贤不安于位也。昔张良、陈平、韩信,均曾事项羽,而终奔沛公。孔子云:"危邦不入,乱邦不居。"

爱人深者求贤急,乐得贤者养人厚。

殷有三仁,周有八士,汉得三杰而称帝,蜀因诸葛而三分,本节再引斯旨,成事以人也。故古之欲申大义于天下者,皆以求才为尚,故周公躬吐握,刘备顾茅庐,燕王聚黄金之台,光武下求贤之诏。得贤则治,昔子产治郑,遗颂甘棠。西门治邺,民怀其德。故古之明主,不爱尺璧寸珠,而以贤才为国之宝也。

国将霸者士皆归,邦将亡者贤先避。

昔齐桓用管仲,宁戚干进。秦穆公欲霸诸侯,繇余来于戎,百里奚来于宛,蹇叔、公孙枝来自宋。商之衰也,微子去。汉将乱也,管宁避,故孔子有言:"贤者辟世,其次辟地,其次辟色,其次辟言。"此亦所以自全于乱世也。

地薄者大物不产,水浅者大鱼不游,树秃者大禽不栖,林疏者大兽不居。

本节引申前文,喻领导者之才德不具,器度不宏,则士不为用也。故地气薄者,不产甘美之物。一隅浅水,大鱼难安。无枝之树，鸣禽不依。稀疏之林，难藏大兽。盖其养不厚，不足以自存也。是以马援归汉，商鞅去卫，皆类此也。

山峭者崩，泽满者溢。

本节言自然之理，山峭则崩，基易势也。泽满者溢，形器小也，戒骄逸自满也。盖人之性，处艰困之中，莫不惕励恐慎。既得志也，则放逸纵情。故今古豪雄，善始者繁，克终者寡。霸吴者夫差，亡吴者亦夫差也。文种之智，强弱越而并强吴，不能全身，苏秦之谋，使六国而小霸秦，死于非命。此无他，峭则崩，满则溢也。故《易》以谦为尚。老子有言："功成、名遂、身退，天之道。"

弃玉抱石者盲。羊质虎皮者饰。衣不举领者倒。走不视地者颠。

本节前论人才，后言理事。怀王之黜屈平而任靳尚，高宗之罢李纲而相秦桧，此皆有眼如盲，弃美玉而抱顽石者也。文质不称，终归覆灭，此魏武之论英雄也。故袁本初勤汉，终成画饼。徐敬业兴唐，总是无功。陈、骆之文笔虽佳，其奈袁、徐之武略不济耶！此羊质虎皮者也。

下言理事之原则，衣举领则整，走视地则安。故孔子任鲁，斩闻人而谄辩之风止。穰苴将齐，戮庄贾而军威振。管仲相齐，开盐田以求富。商鞅用秦，立市木而昭信。高祖入关，宽其法而民心安。诸葛治蜀，严其刑而衰弱起。此皆于千头万绪之中，举一而全赅者也。冯谖为孟尝营三窟，武侯欲北进而先向南。所以计出万全，前呼则后应，左顾则右盼，此决事定谋之先要也。

柱弱者屋坏，辅弱者国倾。

本节总结上文，言人才于国之安危，不可忽也。昔卫灵公无道，而诸侯不敢加兵，何以故？孔子论曰："仲叔圉治宾客，祝鮀治宗庙，王孙贾治军旅，夫如是，奚其丧？"故管仲霸齐，仲死而齐乱。

伍员强吴,员死而吴亡。是皆辅者强而国安,辅者弱而国倾也。犹屋之梁柱已朽,屋岂可得以全乎?

足寒伤心,人怨伤国。

道家言人之生理状况,曰:“至人之息以踵。”盖阳气达乎四肢,则人安体泰。中气不充,则足易受寒,以人贵头面而轻手足,犹国之重君而轻民也。

是故足为人之根,人为国之本,人无足不立,国无民不成。所以孟子以民为重,君为轻也。昔魏徵之谏太宗:“怨不在天,可畏惟人,载舟覆舟,所宜深慎。”犹此理也。故秦之亡,民怨所积也。新莽之溃,民心思汉也。“得人者昌,失人者亡。”此治乱之根本也,故生天下者,天下德之。

山将崩者土先隳,国将衰者人先毙。根枯枝朽,人困国残。

本节承上文,再申“民为国本”之义。夫芽之未萌,其土欲绽。形之欲现,其兆先窥。故山之将崩也,其基必先裂隳。国之将倾也,其民必先凋疲。枝之朽也,乃因根枯。国之破也,缘于民困。故始皇之营阿房、筑长城。隋炀之广离宫、开运河。此皆尽天下之力,竭天下之财,民不堪其困。未有不倾破者也。

与覆车同轨者倾,与亡国同辙者灭。见已失者慎将失,恶其迹者预避之。

本节言历史经验,所以证古知今,通情达故,以趋吉避凶也。

昔桀纣以女亡国,幽王亦宠褒姒而灭。武穆迎二圣而见嫌于高宗,于谦立景帝而被疑于英宗。此皆同轨者倾,同辙者灭也。智者以史实为经,以成事为验。袁绍、刘表,皆以废长致乱。曹操幼子植,文才赡敏,独得操宠,欲立为嗣。询之贾诩,诩不答,再三诘之,诩曰:“适有所思,思袁本初,刘景升父子耶。”操乃大笑而罢。明太祖立碑禁宦官干权,清世祖立制防妇后预政。故见已失之例必慎之,恶与同败而预避也。

畏危者安,畏亡者存。夫人之所行,有道则吉,无道则凶。吉者百福所归,凶者百祸所攻。非其神圣,自然所钟。

本节总结上文,论祸福存亡之道也。始皇一统天下,鉴周因分封而乱,乃集权中央,意图永保。不意高祖起布衣,提三尺剑而灭之。西汉以秦孤立而亡,乃非刘不王,而七国乱之,外戚篡之。东汉因之而抑后党,而宦官倾之。宋之鉴唐亡于藩镇,杯酒释兵权,而辽金寇之。以唐太宗之明,犹遗武后之失。明太祖之慎,终不免燕王之亦。祸福同源,吉凶相依。惟居高思危,处逸思劳,满思溢,盈思亏,常自惕励,所以转祸为福,常安而久存也。

故行合乎道,履安乎礼,此百福之所眷顾,吉祥长相随也。反之则百祸所攻,百凶相应。此中无主宰,非神非圣,乃自然之理数因果,是故成败在谋,安危在德,祸福无门,惟人自召。

务善策者无恶事,无远虑者有近忧。

本节承上文,论立身处事之大端,回应祸福存亡之理也。

孔子曰:苟志于仁矣,无恶也。故古之明君贤臣,惟善为务。文王之泽,汉文之俭,光武之度,唐宗之仁,陶侃之勤,诸葛之慎,师德之谦,文山之忠,或举而不伐,或任不避嫌。此皆惟善为亲,乃立身之根本也。

战国七雄争霸,以齐楚之势,非不及秦也,而六国终为所并。汉之末,拥众据城者数十,二袁之众,倍于曹操,而悉为操所平。此苟安一时,无复远虑者也。故谋深计远,乃应事之常经也。

同志相得,同仁相忧,同智相谋,同恶相党,同爱相求,同美相妒,同贵相害,同利相忌,同类相依,同义相亲,同难相济,同道相成,同艺相窥,同巧相胜。此乃数之所得,不可与理违。

本节泛论人群利害分合之势,总君臣之道,不可不知也。

颜渊之师孔子,同游于道也;张良之投沛公,共志倾秦也。其交以道。故曰同志则相得也。

武王师姜尚,刘备礼诸葛,君臣抱忧天下之心,其交以义合。故曰同仁相忧也。

智术相敌,势必为谋,如曹操之谋刘备,李斯之谋韩非。故曰同智则相谋。

汉末之十常侍,结党聚敛;万俟卨附秦桧,此皆遂私心而结党。故曰同恶相党。

秦武王有力,任鄙、孟贲依之;始皇好仙,卢生、徐市干进。故曰同爱则相求也。

杨贵妃以色而妒江采苹,赵高争宠而忌李斯。故曰同美则相妒也。

董卓伏诛;李、郭交恶;太平军据南京,韦、杨相谋。此皆势相轧,而不能容。故曰同贵则相害也。

钟会之图邓艾,廉颇之辱相如,皆因其利而忌其功。故曰同利则相忌。

钟子期死,伯牙碎琴;陈胜一呼,刘项响应。此皆所谓同声相应,同气则相感也。

秦之强,六国合而拒之;魏之盛,吴蜀连而抗之;智氏之霸,韩赵魏比而分之。此中徒以利害分合。故曰同类则相依,同义则相亲,同难则互济也。

公孙杵、程婴之全赵氏;三杰之辅汉。其才不一,其用不同,然相辅相成。故曰同道相成也。

后羿善射,逢蒙尽其技而弑之;自古文人相轻,武夫相薄。故曰同艺则相窥也。

晋武帝时,上下竞尚奢侈。王恺用饴沃釜,石崇以蜡代薪。王以椒涂屋,崇则以赤石脂相代。夫百工行业,莫不以巧争新。故曰同巧则相胜也。

此乃数之所得,不可与理违。

以上所揭,非人力为之,乃理数之所因,形势之所趋也。故聪明睿智者,顺则因其理,随其形。逆则导其势,变其数,运乎一心,斯用无穷矣。

释己而教人者逆,正己而化人者顺。逆者难从,顺者易行。难从则乱,易行则理。

本节总结全文,与原始章第一论道德相呼应,以谋略之用,始终不离道德也。

故凡居上位者,宜严己而宽人,正己以化人。身正则不令而行,身不正虽令不从,以德怀人则顺,以力取人则逆。顺其势则行,逆其理则冲;行则理,冲则乱。故孔子云:“为政以德,譬如北辰;居其所,而众星拱之。”此为政领之大要也。

如此理身理家理国可也。

盖天地之道,曰易曰简。易者易知,简者易从。夫修齐治平,术则千端,其理则一。惟人情性,至难测也;或惑于智虑,或陋于识见,或困于物欲,或泥于身执,或迷于虚名,或贪于权禄。是以塞其聪明,蔽其心智,随境流转,委诸天命,其愚也甚矣!此六章所述,修齐治平之道,靡不悉备。藏则随处逍遥,用则可运天下于掌也。

太公兵法

上 卷

夫主将之法,务揽英雄之心。赏禄有功,通志于众。故与众同好,靡不成。与众同恶,靡不倾。

本文三卷,虽颜曰《太公兵法》,实王者师之学,非泥于兵法一途也。上卷论政(治国之原则),论军(兵法,将才),皆统领之大要,权经之用变也。

“为政在人”。故本文先标宗旨,得人之要,首在得其心;如何得其心?则因人而异也。刘备之得诸葛,动之以义也。曹操之得庞德,养之以恩也。齐桓得管仲,示之以礼也。魏文侯得吴起,利之以禄也。高祖之用韩信,饵之以爵也。故“以饵取鱼,鱼可杀,以禄取人,人可竭”。下续论取天下之机,牧民之理,领众之要。昔纣竭天下之财,武王散之。秦刑天下之民,高祖宽之。武王、高祖以此取天下,与民同好也。汉、隋之末,天饥民穷,复厚敛之。此与众同恶,所以倾覆也。古之明君名将,用此理国而国治,以此治军而军振。昔田穰苴、赵奢、起、牧、广、飞之将,靡不与士卒同甘苦,是以万众一心,战而不殆。故与众同好,义也。义之所在,天下赴之。

治国安家,得人也。亡国破家,失人也。含气之类,咸愿得其志。

本节承结上文,言人才之于国也,得之则安,失之则倾。昔魏用吴起,秦不敢窥西河。赵用李牧,匈奴不敢犯边。吴斩子胥而国亡,越走范蠡而国弱。历史之径途,在乎二三之人才也。"君子乐得其志,小人乐得其事。"君子藉事以伸志,故孔子云:"我待沽者也",是用之在人也,故昔之贤主,莫不以求才为尚。

军谶曰:"柔能制刚,弱能制强。柔者德也,刚者贼也。弱者,人之所助。强者,人之所攻。"

本节引古谶纬军志之言,谓柔可克刚,此论理事之法也。老氏云:"人之生也柔弱,其死也坚强。万物草木之生也柔脆,其死也枯槁。故坚强者,死之徒。柔弱者,生之徒。是以兵强则不胜,木强则折。强大处下,柔弱处上。"又云:"天下莫柔弱于水,而攻坚强者莫之能胜,以其无以易之。"上论柔弱刚强之理尽矣,故刚为贼,人之所共弃。柔者德也,人之所附也。

柔有所设,刚有所施,弱有所用,强有所加,兼此四者,而制其宜。端末未见,人莫能知,天地神明,与物推移。变动无常,因敌转化,不为事先,动而辄随。故能图治无疆,扶成天威,康正八极,密定九夷。如此谋者,为帝王师。

本节承上文,论柔、弱、刚、强之用,能兼此四者,相互为用,则奇正相生,变化无穷矣。其变无穷,则朕兆可隐,神而明之,因致而变化也。昔张良烧栈道,用柔也。韩信出陈仓,用刚也。赵奢破秦,吴起破齐,皆示之以弱,项羽破秦,韩信攻赵,皆形强而下之。善用之于兵也。刘邦降黥布,先以傲下其势,再以恩结其心,此用之于将也。故善用之者,取天下可得,理国则治,用兵则克,定四方,抚边夷,无不应心。此乃王者之秘学,得之者,可为帝王师矣。

故曰:"莫不贪强,鲜能守微,若能守微,乃保其生。圣人存之以应事机。舒之弥四海,卷之不盈杯。居之不以室,守之不以城郭,藏之胸臆而敌国服。"

本节承上文,再伸柔、弱、刚、强之用。老氏云:“弱之胜强,柔之胜刚,天下莫不知,莫能行。”盖人之性,莫不以贪强好刚为事,鲜知守弱用柔之微妙也。若知柔弱之妙,则可养身,可以全生,可以保国。是故惟圣者能知此微妙,应机而立事,故《庄子》有言:“是其尘垢粃糠,将犹陶铸尧舜者也。”其为用也,至矣!舒之则四海莫为大,退藏于密莫能小。视之无形,听之无声,搏之不可得,而其用变无穷也。

军谶曰:“能柔能刚,其国弥光。能弱能强,其国弥彰。纯柔纯弱,其国必削。纯刚纯强,其国必亡。”

本节引军志之言,必刚柔互济,不可专执也。昔文王三分天下有其二,犹服事殷,此用柔也。至牧野鹰扬,孟津观武,此用强也。项羽用兵垓下,夫差争霸黄池,此纯刚而亡。晋和五胡,宋偏江左,此纯弱而削也。复次,庾信《哀江南赋》有言:“……于是朝野欢娱,池台钟鼓,里为冠盖,门成邹鲁。连茂苑于海陵。跨横塘于江埔,东则鞭石成桥,南则铸铜为柱,橘则园植万林,竹则家封千户。吴歈越吟,荆艳楚舞……天子方删《诗》《书》、定礼乐,际重云之讲,开士林之学。……”此亦萧梁所以纯柔而覆也。

夫为国之道,恃贤与民,信贤如腹心,使民如四肢,则策无遗所。适如肢体相随,骨节相救。天道自然,其巧无间。

以上论以权应变,本节言以经理常。夫国以民为本,故推恩足以保民,此理国之大经也。而保民在任贤,任用之要在信。史尝论崇祯,以君非亡国之君,臣实亡国之臣。此任不得贤,恩所以不下于众也。贞观之治,太宗任臣如腹心,故上下如指,政通人和。此乃天道自然之理,用兵之道,亦如是也。故能万众一心,攻坚不溃,遇强而不乱。

军国之要:“察众心,施百务。危者安之,惧者欢之,叛者还之,冤者原之，诉者察之，卑者贵之，强者抑之，敌者残之，贪者丰之，欲者使之，畏者隐之，谋者近之，诡者覆之，毁者复之，反者废之，横者挫之，满者损之，归者招之。获固守之，获扼塞之，获难屯之，获城割之，获地裂之，获财散之。敌动伺之，敌近备之，敌强下之，敌佚去之，敌陵待之，敌暴绥之，敌悖义之，敌睦携之。顺举挫之，因势破之，放言过之，四网罗之。”

本节所言，乃理国治军之要领，亦承前文，阐刚、强、柔、弱之所变也。夫为政者，必察民心之好恶而措施，昔管仲之论四顺：“政之所行，在顺民心，政之所废，在逆民心。民恶忧劳，我佚乐之。民恶贫贱，我富贵之。民恶 危坠，我存安之。民恶灭绝，我生育之。能佚乐之，则民为之忧劳。能富贵之，则民为之贫贱。能生育之，则民为之灭绝。故刑罚不足以畏其意，杀戮不足以服其心。故刑法繁而意不恐，则令不行矣！杀戮众而心不服，则上位危矣！故从其四欲，则远者自亲。行其四恶，则近者叛之。故知予之为取者，政之宝也。”故民有危困之兆，则安而解之。将有疑惧之嫌，则任而欢之。因势叛者使还，冤者使昭，诉者得申，有功则虽卑可贵，有过则豪业必抑，必叛者摧之，此所以杜渐防微，顺人心也。昔先帝兵败白帝，不罪黄权。诸葛用兵中原，寄情仲达。太宗拔薛礼于行伍，诸葛抑魏延于同侪，皆此例也。夫尺有所短，寸有所长，善用人者，用其长才而不录小过，刘备徇法正之贪，曲马超之骄，用其才勇也。故贪欲者使得，善谋者使近，谄佞者远之，遭毁者复之。横强者挫其锋，自满者抑其气。以上皆言理国用人之要，下续论将将用兵之道：“敌欲变者使来之，既服者活之，已降者脱其罪，此攻心为上也。攻城略地，视其险要，或据或守，或屯或走。已得之财物，与士卒共之，既获之地，战将镇之。”昔高祖深用其理，而有天下。下续言临敌之时，须察其虚盈动静，因而乘势，或摧或击，或围或鼓，皆随机而用也。

得而勿有,居而勿守,拔而勿久,立而勿取。为者则己,有者则士,焉知利之所在。彼为诸侯,己为天子,使城自保,令土自处。

本节结上文,言兵贵神速,勿苟安一隅。已立之人,不可轻废。昔项羽立义帝而弑之,立韩王而羁之,致六国离心,反则史家称高祖豁达大度也。天下既定,天下者,天下人之天下也,惟有德者居之,分层制权,为上者如北辰,可垂拱而治矣!

世能祖祖鲜能下下,祖祖为亲,下下为君。下下者,务耕桑,不夺其时。薄赋敛,不匮其财。罕徭役,不使其劳,则国富而家娱。然后选士以司牧之。

本节续论治国之要,盖人性之弱点如是,皆能承上而不惜下,守旧而不达时变。故尊上为臣道之本,推下乃君道之要。理国之要在顺民安众,其重在经济,故农耕以时,差役有节,如此则国富民强,可以教化矣!孔子云:"既富矣,则教之。"管子亦云:"仓廪实则知礼节,衣食足则知荣辱。"皆类此也。

夫所谓士者,英雄也。故曰:"罗其英雄,则敌国穷。"英雄者,国之干。庶民者,国之本。得其干,收其本,则政行而无怨。

前文曾言,治国以人才为要。今再申其义。教化在士,所谓士者,即英雄也,亦人才也。故云:"征召人才,则不为敌用。是我有余而敌不足。"昔六国之才,六国不能用,而悉奔秦,得一天下,即此例也。故人才为国之中坚,庶民为国之根本。苟能人尽其才,野无遗贤。民安其位,社会不平减少,则干强本固,政令通行,国富而民强矣!

夫用兵之要,在崇礼而重禄。崇礼则智士至,禄重则义士轻死。故禄贤不爱财,赏功不逾时。则下力并,敌国削。夫用人之道尊以爵,赡以财,则士自来。接以礼,励以义,则士死之。

本节续论用人之道,在示之以礼,饵之以禄。所谓"礼贤下士”,乃我历代人君之秘术,网罗人才之不二法门。昔唐太宗使天下英雄尽入彀中,清初三朝亦仿此法,而奠三百年之基业。故赏贤不吝财,赏功不惜爵,于是远近来归,人才聚矣,复接之以礼,动之以义,结之以恩,则未有不肯为我用,此豫让之所以论众人国士也。

夫将帅者,必与士卒同滋味,而共安危,敌乃可加。故兵有全胜,敌有全因。昔者良将之用兵,有馈箪醪者,使投诸河,与士卒同流而饮。夫一箪之醪,不能味一河之水,而三军之士,思为致死者,以滋味之及己也。

军谶曰:“军井未达,将不言渴。军幕未办,将不言倦。军灶未炊,将不言饥。冬不服裘,夏不操扇,雨不张盖,是谓将礼。与之安,与之危,故其众可合而不可离,可用而不可疲,以其恩素蓄,谋素合也。”故曰:“蓄恩不倦,以一取万。”

本节续论领众统御之学,谓为将帅者,必与部下同甘苦,共安危,此乃敌我消长之基因也。昔某将领兵,有馈醇酒一瓶,该将以不能味及全军,乃倾之于河,与士卒同流饮之。夫一瓶之酒,岂可调一河之味?而士卒以主将不私一瓶之酒,皆愿委之性命。下引军志之言:将必有礼。所谓将礼者,凡行军作战,士卒未饮,己不先饮。士卒未食,己不先食。严寒酷暑,服饰与士卒同,安危与士卒共。如此领军,下感其恩,必思效死。故以一当万,百战而不殆也。

军谶曰:“将之所以为威者,号令也。战之所以全胜者,军政也。士之所以轻战者,用命也。故将无还令,赏罚必信,如天如地,乃可使人。士卒用命,乃可越境。夫统军持势者,将也。制胜败敌者,众也。故乱将不可使保军,乖众不可使伐人。攻城不可拔,图邑则不废,二者无功,则士力疲敝。以守则不固,以战则奔北,是谓老兵。兵老,则将威不行。将无威,则士卒轻刑。士卒轻刑,则军失伍。军失伍,则士卒逃亡,则敌乘利。敌乘利,则军必丧。”

本节续论将兵之道,根缘于号令、军政、用命三者。号令者,众军之指南,士卒之所以遵循,将帅之所以寄命也。昔孙武斩吴王之姬,女子闻令而鼓舞,此军令之威也。其次曰军政。军政者,随军之政令措施,补给存养也。此乃养军之根本,胜负之关键,不可不察。复次,论用命。用命者,士气也。军队之士气,在于统领者之威信与决心。故严赏罚,恤下情,三者乃备,而后可将兵。夫筹谋指挥,乃为将之事,而攻搏冲突,实操之于士卒。故非全才之将,不可当方面,未练之兵,不可使攻战。昔魏绛戮杨干而敌国惧,穰苴斩庄贾而晋师逃。故将无还令,如天如地。反之,则赏罚不明,号令不一,将威已失,士卒轻刑,约束不具,士卒逃亡。攻不能拔,围不可破,师老无功,将孤众叛。用之守则不固,战则败北,此谓之老兵。兵既老,则斗志失,令不行,军伍乱,敌乃乘焉,此败亡之兆也。

军谶曰:"良将之统军也,恕己而治人,推惠施恩,士力日新,战如风发,攻如河决。故其众可望而不可当,可下而不可胜。以身先人,故其兵为天下雄。"

本节续论为将之道。谓良将之统军,必推恩于众,恕人如己,攻战在前,逸乐在后,则士气高昂,战力日新。战则如飓风之过野,飘忽不定。攻则如江河堤决,势莫能当。其军敌不能撼也。昔吴起为将,日与军中下走,亲如家人。尝为小卒吮疮,卒母闻之而哭,问之,曰:"昔其父亦因将军之吮疮,而生必死之念,今吾子又死矣!"

军谶曰:"军以赏为表,以罚为里。赏罚明,则将威行。官人得,则士卒服。所任贤,则敌国畏。"

本节论赏罚之精神。凡团体士气,皆以赏激励,用罚劝善威众。故赏罚平明,任人称职,则威令行矣;威令既行,士卒咸服有序。如此军乃可用,敌国服也。

军谶曰:"贤者所适,其前无敌。故士可下而不可骄,将可乐而不可忧，谋可深而不可疑。士骄，则下不顺。将忧，则内外不相信。谋疑，则敌国奋，以此攻伐，则致乱。夫将者，国之命也。将能制胜，则国家安定。”

昔公叔痤荐卫鞅于魏惠王曰：“不用则杀之。”恐为敌所用也，惠王不用其言。鞅奔秦，变法称强，胁及魏土，魏王深悔之。文王见姜尚，斋戒而往。刘备之访诸葛，三顾茅庐。桓公呼管子为仲父。此皆礼贤之风范。故为君之道，在能下士，所以得人也。为将之度，在沉毅，所以镇下也。策谋之算，在深虑，所以求全也。策既定，则不疑，疑则予敌可乘之隙。故将者，国之安危所系，任之得人，则能制其胜势，不战屈人，此国家所以安定也。

军谶曰：“将能清能净，能平能整，能受谏，能听讼，能纳人，能采言。能知国俗，能图山川。能表险难，能制军权。故曰：‘仁贤之智，圣明之虑。负薪之言，廊庙之语，兴衰之事，将所宜闻。’将者能思士如渴，则策从焉。夫将拒谏，则英雄散。策不从，则谋士叛。善恶同，则功臣倦。专己，则下归咎。自伐，则下少功。信谗，则众心离。贪财，则奸不禁。内顾，则士卒淫。将有一，则众不服。有二，则军不式。有三，则下奔北。有四，则祸及国。”

本节续论将才。谓将必清廉净介，赏罚平明，加之训整，则军容肃穆，兵可用也。复次，为将者，须备纳谏之度，容人之量，明足以辨察人情世故，知足以透辟地理天文，风俗民情。如是，其用兵也，则知险扼，达人和，顺天时，衡势制变矣。故为将者，必明如圣人，仁如贤者。而后察时代之趋向，酌古今之盛衰。以下回结上文，论将之道有七：一曰求贤。贤者至，则能集思广益。反之为拒谏，予智自雄，如是则英雄散，谋士叛。二曰平赏罚。赏罚平明，士卒心服而众用命。反之则倦怠不前，军心离散。三曰容人。容人则下乐从，敢于负责，事易竟功。四曰不伐。功归于下。一军如城。五曰远谄佞。亲君子则小人自远。贤者自安。六曰廉。廉不贪财,则奸无所生,愚顽可立。七曰去色欲。古之名将,受命之日忘其家,临阵之际忘其身。反之则士卒多淫逸,奸乱生矣。以上七端,将犯其一,则众不服。犯其二,则军容不整。犯其三,则兵不可用。犯其四,则祸及国家。

军谶曰:"将谋欲密,士众欲一,攻敌欲疾。将谋密,则奸心闭。士众一,则军心结。攻敌疾,则备不及设。军有此三者,则计不夺。将谋泄,则军无势。外窥内,则祸不制。财入营,则众奸会。将有此三者,军必败。"

本节论治军用兵之道。谓谋虑必缜密深远,内外无可乘之隙。士卒必万众一心,以一当百。用兵如风,贵在神速,使敌不备也。能会此三者,则将兵用命,权衡在手,自然如意。反之,论其禁忌。谍防不严,阴计外泄,则军成被动,受制于敌。上下疑心,群情逸惑,则变生于内。将贪财,则奸婪聚,乱源伏。将犯此,军必败也。

将无虑,则谋士去。将无勇,则士卒恐。将妄动,则军不重。将迁怒,则一军惧。军谶曰:"虑也勇也,将之所重。动也怒也,将之所用。此四者,将之明诫也。"

本节论将诫有四:一曰"虑"。将无深谋远虑,则策无所用,辅佐不安。二曰"勇"。将乏勇决,则军心动摇。三曰"沉"。将无沉毅,则轻浮躁进,三鼓而竭,易为敌乘。四曰"不迁怒"。将迁怒,则下无所从,军心散矣。下更引军谶申明斯旨。所谓谋深虑远,计出万全,能持重,不轻敌,此大勇也。兵以怒动,则势如江河。满则溢,盈则泄,故为将者,宜善用其怒而不轻用之。昔李牧镇边,下请战弗许,惟日犒牛酒与士卒嬉。牧察士卒气盛情勃,乃开关一鼓破敌,可谓深明此理也。

军谶曰:"军无财,士不来。军无赏,士不往。"

军谶曰:"香饵之下,必有死鱼。重赏之下,必有勇夫。故礼者，士之所归。赏者，士之所死。招其所归，示其所死，则所求者至。故礼而后悔者，士不往。赏而后悔者，士不使。礼赏不倦，则士争死。”

上两节皆引军谶之言，其旨则一。谓得天下治天下，皆以人才为主。而得人之要，一在礼，一在赏。尤不可为礼不卒，为赏吝色。此乃历代人君之秘术，亦为本篇之重心也。

军谶曰："兴国之师，务先隆恩。攻取之国，务先养民。以寡击众者，恩也。以弱胜强者，民也。故良将之养士，不易养身。故能使三军一心，则其胜可全。"

本节论军国之道，亦即承申上文礼赏之广义。谓攻战之军，先必重其恩养，以现今术语言之，即厚其俸禄，提高其社会地位，以增强其荣誉心，而后乃可以寡击众，以少胜多。凡强弱易势，在民心之背向。故攻取之势，务先培其元气，人民殷富，其心向之，其势乃充。故良将之于下属，厚于己身，用之则上下一心，可操全胜。

军谶曰："用兵之要，必先察敌情，视其仓库，度其粮食，卜其强弱，察其天地，伺其空隙。故国无军旅之难而运粮者，虚也。民菜色者，穷也。千里馈粮，士有饥色。樵苏后爨，师不宿饱。夫运粮百里，无一年之食。二百里，无二年之食。三百里，无三年之食，是谓国虚。国虚则民贫；民贫则上下不亲。敌攻其外，民盗其内，是谓必溃。"

本节承上文，论国力之虚盈。亦即论用兵之欺敌与虚实，察敌情之微末也。举凡用兵，必先知敌情。兵势未交，察其国力，诸如粮薪、武器之生产存储，已知强弱。察其民心士气，地理山川，已知胜负。复次，补给后勤，为行军之命脉，故兵军未动，粮秣先行。昔高祖定天下，论功赏萧何第一，盖高祖争天下，萧何主后勤无亏，高祖无后顾之忧也。故国力未充，运补无方，上下不和，虽有兵，不可用也。

军谶曰:"上行虐,则下急刻。赋重敛数,刑罚无极。民相残贼,是谓亡国。"

本节承上文,亦乃察微之术,外则观敌,内自讼也。凡居上不宽,则为下者必急躁刻薄。如是则税重规烦,民多戾气,此亡国之兆也。

本节以下,皆人君(领导者)察微知人之术,犹今之考核也。

军谶曰:"内贪外廉,诈誉取名,窃公为恩,令上下昏,饰躬正颜,以获高官,是谓盗端。"

凡人内贪欲而故示廉洁,以钓名沽誉。公事乡愿以结私恩,致令公私不分,典章昏乱。而对上则粉饰高呼,此乃官中之盗。一国政风如是,则国必不久。

军谶曰:"群吏朋党,各进所亲。招举奸枉,抑挫仁贤。背公立私,同位相讪,是谓乱源。"

凡政风营私结党,同恶相济,则贤良不安,小人在位,其国必乱。

军谶曰:"强宗聚奸,无位而尊,威无不震,葛藟相连。种德立恩,夺在位权,侵侮下民,国内哗諠,臣蔽不言,是谓乱根。"

本节言国之豪族,虽不在位,然蔓如藤葛,势可薰天,或操纵经济,或干预人事,民受其欺,君受其蔽,臣不敢言。此犹言古之外戚,乃导乱之根本也。

军谶曰:"世世作奸,侵盗县官。进退求便,委曲弄文,以危其君,是谓国奸。"

本节言国之土豪,犹昔之恶讼,今之文化流氓也。此辈舞文弄墨,精通法律空隙,求一己之私欲,勾结恶吏,欺压良民,乃国之奸民也。

军谶曰:“吏多民寡,尊卑相若,强弱相虏,莫适禁御,延及君子,国受其害。”

本节言国之政治,法令繁杂,冗员过多,规章之繁,莫可适从,法令之设,绳良民而利小人,则吏无官格,民轻尊卑,众乃离心,国受其害也。

军谶曰:“善善不进,恶恶不退。贤者隐蔽,不肖在位,国受其害。”

本节言为君者,优柔寡断,善善而不能用,恶恶而不能去,因循苟且,致奸佞当位,贤才逸隐,国受其损也。

军谶曰:“枝叶强大,比周居势,卑贱陵贵,久而益大,上不忍废,国受其败。”

本节言国之本弱末强,犹言昔之封建权臣,今之经济集团也,此辈连党勾结,以势相胁,上欺其君,下剥小民,此败国之本也。

军谶曰:“佞臣在上,一军皆讼。引威自与,动违于众。无进无退,苟然取容。专任自己,举措伐功。诽谤盛德,诬述庸庸,无善无恶,皆与己同,稽留行事,命令不通,造作苛政,变古易常。君用佞人,必受其殃。”

本节言风气之流衍,当在位者一二人而已。昔楚灵王好细腰,女子有饿死者,唐太宗重诗书,唐诗乃成绝响。故上用佞幸,则讼风必盛。此辈狐假虎威,进退无节。刚愎自用,有功归己,有过诿人。政无原则,不察民情,一以己之忖度。法无典范,制无恒章,一以己之喜恶。法烦令苛,政令拖留,民受其殃,国受其祸。

军谶曰:“奸雄相称,障蔽主明。毁誉并兴,壅塞主聪,各阿所私,令主失忠。”

本节言人君之为小人包围也。凡大奸之人,必貌忠谨,伺人主之喜恶而浸谮之。结党逢迎,上下其手,各阿所私。使上失其聪明,不辨忠奸。历代君王,非大智者,鲜有不为其蒙蔽也。

故主察异言,乃睹其萌。主聘贤儒,奸雄乃迁。主任旧齿,万事乃理。主聘岩穴,士乃得实。谋及负薪,功乃可述。不失人心,德乃洋溢。

本节总结全文。凡为上者,兼听则聪,兼视则明。故察纳众言,始能广其视听,知事理之征兆,窥忠奸之分野。任用忠贤,小人自退。明事理之演变,察历史之迁移,用旧崇德,事易竟功。征野之遗逸,验民情之好恶,国乃可治,其政必有可述。天下者,天下人之天下也。政者,众人之事也。故国以民为本,政以民称便,苟如是,则不失民心,其政必淳,其德乃充。

中　卷

夫三皇无言,而化流四济,故天下无所归功。帝者体天则地,有言有令,而天下太平。君臣让功,四海化行,百姓不知其所以然,故使臣不待礼赏有功,美而无害。王者制人以道,降心服志,设矩备衰,四海会同,王职不废,虽甲兵之备,而无战斗之患。君无疑于臣,臣无疑于主,国定主安,臣以义退,亦能美而无害。霸者制士以权,结士以信,使士以赏。信衰则士疏,赏亏则士不用命。

本节乃中略之首段,言历史政治之演变,其谋略之兴,乃基之于社会形态之变迁,应时代之需要也。

上古三皇之时,社会形简,人心朴质,为上者无言,而天下自化,于道德无其名而合其实,此庄子所谓“鱼相忘于江湖,人相忘于道术”,故言天下无所归功也。降五帝之时,乃法天之象,观自然之理,察万物之情,而定礼制仪。人民去古未远,咸能劝善合道,故虽有礼赏之设，而不以礼赏为用也。三代以还，社会形繁，交往日迫，故王者以德道防之，以律法绳之，设官分职，仪礼大备。然上下无疑，进退合节，此孔子称先王之道也。春秋以来，王室失纲，诗礼之精神已失，诸侯争霸，纵横之术因势大行。虽云动之以术，然必以信赏为根本，仍不离道德之范畴。观乎此，则知三代以上，有谋略而不得其行。三代而后，则非谋略不足以制变。此乃历史社会之推移，不可不知也。

军势曰："出军行师，将在自专。进退内御，则功难成。"

本节承上文，言术略之用，在知人善任，权责相宜。故古之人主拜将，咸曰："阃以外将军制之"，亦所谓"将在外，君命有所不受也"。盖无论谋略军旅，皆在乘其机势，瞬息万变，若遥制之，不悉实情，未有不败者也。

军势曰："使智、使勇、使贪、使愚。智者乐立其功，勇者好行其志，贪者邀趋其利，愚者不顾其死。因其情而用之，此军之微权也。"

本节论知人善用，盖人乏全才，勿以寸朽而弃连抱。故无论智、勇、贪、愚，皆有所用。智者使乐其志，成其事。勇者使快其志，竟其功。贪者饵之以利而用其才。愚者动以情而用其力。此人性之心理分析，领导用人之微妙关键也。

军势曰："无使辩士谈说敌美，为其惑众，无使仁者主财，为其多施而附于下。"

本节续论知人用人。凡团体之中，应杜绝谣言，毋使惑众也。仁义之人不可使掌财，以其仗义则轻财，至公私不分也。

军势曰："禁巫祝，不得为吏士卜，问军之吉凶。"

怪、力、乱、神，乱世之征候也。故军营机构，应严禁巫卜，此谣言之根本也。

军势曰:“使义士不以财,故义者不为不仁者死,智者不为暗主谋。主不可以无德,无德则臣叛。不可以无威,无威则失权。臣不可以无德,无德则无以事君。不可以无威,无威则国弱,威多则身蹶。”

本节总论君臣自处之道。凡为上之领导阶层,须透彻人情,其用人也,或义或利,或恩或礼,在因人而异,不可拘执。统领之道,咸取决于本身之条件,德威相辅而用也。故主暴则臣虐,主愚则臣昏,此物以类聚,理固必然。故上下之道,均以修德为先,以术辅之。此《大学》所言:“故天子以至庶人,壹是皆以修身为本。”上无德,则御下不服,无威则令不申。下无德则不足以虑事,无威则不足以竟功。然臣道之自处,应如满溢峭崩之理,功高威多,必震主遭忌,故前言功成身退,天之道。

故圣主御世,观盛衰,度得失,而为之制。故诸侯二师,方伯三师,天子六师。世乱,则叛逆生;王泽竭,则盟誓相诛伐。德同势敌,无以相倾,乃揽英雄之心,与众同好恶,然后加之以权变。故非计策,无以决嫌定疑。非谲奇,无以破奸息寇。非阴计,无以成功。

本节言圣贤之君治国,必观历史之趋变,鉴历史之得失,而后制国家之典章制度。太平之世,天子六军,备势而已。乱世则以势相侵凌,人心诡诈,盟约不足以约束,礼仪不足以规范。无已,必也用之权谋,延揽人才;非计策不足以知嫌疑,非诡奇不足以息奸智,非阴谋不足以竟事功也。

圣人体天,贤人法地,智者师古;是故三略为衰世作。上略,设礼赏,别奸雄,著成败。中略,差德行,审权变。下略,陈道德,察安危,明贼贤人咎。

本节言三略之用,顺时势而已。圣者用事,顺天道自然之理,行不言之教,治而无功,成而无名,自合于道。贤者应世,推物理,顺人情,以成其德。智者则以史为鉴,观盛衰之源,察得失之兆,以杜渐防微。故本书三略,上略乃应太平世而作,中下二略乃因衰世而作也。故上略之势,以经治国。中略之势,识人才,明权变。下略之势,设道德之防,察安危之兆,明忠奸之辨,行权霸之术也。

故人主深晓上略,则能任贤擒敌。深晓中略,则能御将统众。深晓下略,则能明盛衰之原,审治国之纪。

本节承上文,言领导阶层,必须熟知三略。人君深晓上略,则能任贤制势,无为而治天下。深晓中略,则能将将统兵,出号施令以争天下。深晓下略,则知观古以鉴今,明盛衰之源,审得失之弊,此乱世立国之要也。

人臣深晓中略,则能全功保身。夫高鸟死,良弓藏。敌国灭,谋臣亡。亡者,非丧其身也,谓夺其威,废其权也。封之于朝,极人臣之位,以显其功。中州善国,以富其家。美色珍玩,以悦其心。夫人众一合而不可卒离,权威一与而不可卒移。还师罢军,存亡之阶,故弱之以位,夺之以国,是谓霸者之略。故霸者之作,其论驳也。存社稷罗英雄者,中略之势也,故势主秘焉。

本节总结全文。凡为属下者,亦不可不知三略。而中略为霸者之术,极其驳杂,其要在知人用人,通权达变,故为帝王之秘学,不肯轻泄。人臣深晓中略,外可收敌竞功,成事取位。其内用则知如何自处。盖众既合则不可卒散,权威既具则不可卒离,此基于势也。鸟死弓藏,狐绝狗烹;犹人主刻忌,为上寡恩,此亦基于势也。昔伍员、文种,深知霸略而不知自处,岂不惜哉。

下　卷

夫能扶天下之危者,则据天下之安。能除天下之忧者,则享天下之乐。能救天下之祸者,则获天下之福。故泽及于民,则贤人归之。泽及昆虫,则圣人归之。贤人所归,则其国强。圣人所归,则六合用。

本文乃衰世之霸术。察天下之安危,收人心,陈道德,用智谋也。然谋略之用,必以道德为依归,故本文曰:"能解天下之危困者,乃能安定天下。能除百姓之忧虑者,乃能肥天下之爱戴。能救天下之大祸者,而后能得天下之福报。"昔洪水为患,而禹疏之。纣王聚敛,武王散之。秦法森严,高祖宽之。以上皆例此也。然成事竟功,在人才之得失,而人才之延揽,常决定于本身之道德。故植德来贤,则国强民富。德充于内,泽被群生。则圣人用世,天下太平。

求贤以德,致圣以道。贤去则国危,圣去则国乖。微者,危之阶。乖者,亡之征。贤人之政,降人以体。圣人之政,降人以心。体降可以图始,心降可以保终。降体以礼,降心以乐。所谓乐者,谓人乐其族,谓人乐其业,谓人乐其都邑,谓人乐其政令,谓人乐其道德。如此,君人者乃作乐以节之,使不失其和。故有德之君,以乐乐人。无德之君,以乐乐身。乐人者,久而长。乐身者,不久而亡。

本节承上文,阐国之安危,在人才之去就也。而求才之要,贤者在致之以德,圣者在合之以道。贤人去位,乃国危之垂象,圣人隐遁,乃亡乱之兆征。贤人治国,齐以礼法,圣人治国,乐其心志。以礼刑之,乃权宜之计,以乐应之,可以长久。所谓乐者,非金石丝竹之音,乃在社会公,贫富均,政令明,法令平。故各安其位,人乐其家，众乐其国，此人民于国之向心力也。如是则国泰民安，为防荡逾，乃制乐律以调和之，此诗教之精神也。故音乐之作，乃在移风易俗，与众同乐也。如《霓裳羽衣》、《玉树后庭》，不久必亡，独乐何如众乐也。

释近谋远者，劳而无功。释远谋近者，佚而有终。佚政多忠臣，劳政多怨民。故曰："务广地者荒，务广德者强，能有其有者安，贪人之有者残。残灭之政，累世受患。造作过制，强成必败。"

本节言为政之原则，须从高处着眼，而从近处着手。若专从远处着手，则不切实际，劳而无功，劳则民怨，民怨则众离，乱兆萌矣。故为政以德，在平民心，顺民情。国防之道，在德不在险，国之贫富，在民不在君，故察人民之需要，固全民之经济，此长治久安之策也。昔宋王荆公变法，其法非为不善。徒以不察民情，矫枉过正，急功躁进，刑律非情，规章繁杂，此所谓强成，而终归于失败也。

舍己而教人者逆，正己而化人者顺。逆者，乱之招，顺者，治之要。

本节再申为政以德之理，言领导者必以身正人，所谓"子率以正，孰敢不正"？此亦治乱之根本也。

道、德、仁、义、礼，五者一体也。道者，人之所蹈。德者，人之所得。仁者，人之所亲。义者，人之所宜。礼者，人之所体；不可无一焉。故夙兴夜寐，礼之制也。讨贼报仇，义之决也。恻隐之心，仁之发出。得己得人，德之路也。使人均平，不失其所，道之化也。

本节言道、德、仁、义、礼五者，原始于道之一体。盖社会日繁，精神物质二者失调，人心背道乖常，故以礼义约束之。而礼义之用，在日常起心动念处，不必高推也。治国之道亦如是，均平而已，使人民各安其位，各乐其志，则民心回归淳厚，此谓以道化之。

出君下臣，名曰命。施行竹帛，名曰令。奉而行之，名曰政。

夫命失,则令不行。令不行,则政不立。政不立,则道不通。道不通,则邪臣胜。邪臣胜,则主威伤。千里迎贤,其路远。致不肖,其路近。是以明君舍近而取远,故能全力尚人,而下尽力。

本节言国之政令,出君之口谕谓之命,立之为法谓之令,下奉而行之,普及百姓,此谓之政。上不正则命失,命失则主无威,令不行。令不行则政事乱,政乱则奸邪用事。奸邪在位,则忠贤远矣。是故贤明之主,知君子不苟,贤才难求,佞幸易进之理,故皆以求才为务。任之得人,则众心服而下尽力,政乃升平。

废一善,则众善衰。赏一恶,则众恶归。善者得其佑,恶者受其诛,则国安而众善至。

本节承上文,论立法赏罚之理。国之立法设制,牵涉全民权益,故不可不慎。朝令夕改,法规模棱,失信于民,致乱之由也。赏罚不公,则善恶不分,恶进善退,此亦导乱之由也。故立法设制,宜高瞻远瞩,观古鉴今,察未来之势,毋以劳民。赏罚平明,则诛恶佑善,是以众善集而国安。

众疑无定国,众惑无治民。疑定惑还,国乃可安。

本节再引申上文,政无定制则众疑,赏罚由心则众惑,众疑则令不行,众惑则国不治,此理国之大经也。

一令逆,则百令失。一恶施,则百恶结。故善施于顺民,恶加于凶民,则令行而无怨。使怨治怨,是谓逆天,使仇治仇,其强不救。治民使平,致平以清,则民得其所而天下宁。

本节言老成谋国,不可躁进急功也。凡政令措施,一着之失,则众失相随,一苛既立,众虐随立。故治国之道,在以德化之,政在清,令在平,则民各安其位而天下自安矣。

犯上者尊,贪鄙者富,虽有圣主,不能致其治。犯上者诛,贪鄙者拘,则化行而众恶消。

本节复申平赏罚,用人才之要。犯上作乱之人居高位,贪鄙之辈用事,则主上虽圣,国不能治也。故诛奸去贪,此法治之根本。

清白之士,不可以爵禄得,节义之士不可以威刑胁。故明君求贤,必观其所以而致焉。致清白之士,修其礼。致节义之士,修其道。然后士可致而名可保。

本节言求贤之道,或以礼下之,或以义动之,因人而异,不可拘泥,要在知人而善任也。

夫圣人君子,明盛衰之源,通成败之端,审治乱之机,知去就之节。虽穷,不处亡国之位。虽贫,不食乱邦之粟。潜居抱道者,时至而动,则极人臣之位。德合于己,则建殊绝之功。故其道高,而名扬于后世。

本节言士君子立身处世之道,在修德广知,通时达变。穷而不改其节,贫而不易其志,所谓“君子忧道不忧贫”也(原始章内已详述)。

圣主之用兵,非乐之也,将以诛暴讨乱也。夫以义诛不义,若决江河而溉爝火,临不测而挤欲坠,其克必矣。所以优游恬淡而不进者,重伤人物也。夫兵者,不祥之器,天道恶之,不得已而用之,是天道也。夫人之在道。若鱼之在水,得水而生,失水而死,故君子常惧而不敢失道。

本节重点有二:一言兵战凶危,生死之地,存亡之道,不得已而用之。再者论兵法之要,在“势”而已,善用之者,若转圆石于千仞之上。昔武帝伐匈奴,空文景二朝之聚集,至天子不能钧驷,种西汉不振之因。故兵以义发,乘势而动,则易竟全功。而历来圣主,不轻言兵,恐伤国之元气,亦天道好生惜物之情也。故人君背道则国危,百姓背道则乖,君子离道则亡。

豪杰秉职,国威乃弱。杀生在豪杰,国势乃竭。豪杰低首,国乃可久。杀生在君,国乃可安。四民用虚,国乃无储。四民用足,国乃安乐。贤臣内,则邪臣外。邪臣内,则贤臣毙。内外失宜,祸乱传世。

本节总论治国之常经。昔韩非有言:"儒以文乱法,侠以武犯禁"。故姜尚斩华士,武帝迁朱郭,此防之未然也。故国之大权,应各有司职。国之经济,重在民生。国之政治在任贤。以上三者,犯其一,祸不远矣。

大臣疑生,众奸集聚。臣当君尊,上下乃昏。君当臣处,上下失序。

本节论国之体制,上下尊卑,不可失序,此礼之外用也。《礼记》有言:"夫礼者,所以定亲疏,决嫌疑,别同异,明是非也。"昔桓灵之世,呼十常侍为父,不亡何待?故君臣之道,在以礼以诚,所以推腹心而杜疑也。

伤贤者,殃及三世。蔽贤者,身受其害。嫉贤者,其名不全。进贤者,福流子孙。故君子急于进贤,而美名彰焉。

本节回应全文,霸术谋略之用,在人才也。故伤贤者,殃及后代。贤贤而不能用,则身受其害。嫉贤者,名节有亏。昔鲍叔进管仲,而身下之,千载以下,论管子之功而慕鲍子之义。故提掖后进,荐贤进才,乃我士君子之传统美德,亦为仕途之第一要务也。昔子游为武城宰,孔子见之,不询他事,曰:"女得人焉耳乎?"此《论语》之微言大义也。

利一害百,民去城郭。利一害万,国乃思散。去一利百,人乃慕泽。去一利万,政乃不乱。

本节总结全文,言治国之道,在公与平。凡政令措施,不能普及全民利益,则民心散矣;民心既散,政令不通,国必衰疲。再者,世事本无十全,故利害权宜之处,所审尤慎,即目今民主原理之真谛,亦以多数民意为依归,此古今政治不二之理也。

本文既竣,纵观史策,持德者寡;展望当前,持术者多。西风摇落,剑气频摧。乃随赋一律,附之于后,不敢言诗,用舒怀想,以竟全文。

英雄割据竞戎韬,策士筹纡惜羽毛。
已负初衷感孤愤,莫将余习赋离骚。
海天浪涌西风急,北地云寒雁阵高。
梦里湖山情未已,碧涛深处走金鳌。

阴符经

〔汉〕张良等注

上　篇

观天之道，执天之行，尽矣。故天有五贼，见之者昌。

太公曰：其一贼命，其次贼物，其次贼时，其次贼功，其次贼神。贼命以一消天下，用之以味。贼物以一急天下，用之以利。贼时以一信天下，用之以反。贼功以一恩天下，用之以怨。贼神以一验天下。用之以小大。

鬼谷子曰：天之五贼，莫若贼神。此大而彼小，以小而取大。天地莫之能神，而况于人乎！

筌曰：黄帝得贼命之机，白日飞升。殷周得贼神之验，以小灭大。管仲得贼时之信，九合诸侯。范蠡得贼物之急，而霸南越。张良得贼功之恩，而败强楚。

五贼在心，施行于天。宇宙在乎手，万化生乎身。

太公曰：圣人谓之五贼，天下谓之五德。人食五味而生，食五味而死，无有怨而弃之者也。心之所味也亦然。

鬼谷子曰：贼命可以长生不死，黄帝以少女精炁感之，时物亦然。且经冬之草覆之而不死，露之即见伤，草木植性尚犹如此，况人万物之灵，其机则少女以时。

广成子曰：以为积火焚五毒，五毒即五味，五味尽可以长生也。

筌曰：人因五味而生，五味而死。五味各有所主，顺之则相生，逆之则相胜，久之则积气薰蒸，人腐五脏，殆至灭亡。后人所以不能终其天年者，以其生生之厚矣，是以至道淡然。胎息无神，仙味之术百数，其要在抱一守中。少女之术百数，其要在还精采炁。金丹之术百数，其要在神水华池。治国之术百数，其要在清净自化。用兵之术百数，其要在奇正权谋。此五事者。卷之藏于心，隐于神，施之弥于天，给于地，宇宙瞬息可在人之手，万物荣枯可生人之身。黄帝得之，先固三宫，后治万国，鼎成而驭龙上升于天也。

天性，人也。人心，机也。立天之道，以定人也。

亮曰：以为立天定人，其在于五贼。

天发杀机，移星易宿。地发杀机，龙蛇起陆。人发杀机，天地反覆。

范曰：昔伊尹佐殷，发天杀之机，克夏之命尽而事应之，故有东征西夷怨，南征北狄怨。

太公曰：不耕，三年大旱，不凿，十年地坏。杀人过万，大风暴起。

亮曰：按，楚杀汉兵数万，大风杳冥，昼晦，有若天地反覆。

天人合发，万变定基。

良曰：从此一信而万信生，故为万变定基矣。

筌曰：大荒大乱，兵水旱蝗，是天杀机也。虞舜陶甄，夏禹拯骸，殷系夏台，周囚羑里，汉祖亭长，魏武乞丐，俱非王者之位，乘天杀之机也，起陆而帝。君子在野，小人在位，权臣擅威，百姓思乱，人杀机也。成汤放桀，周武伐纣，项籍斩嬴婴，魏废刘协，是乘人杀之机也。覆贵为贱，反贱为贵，有若天地反覆。天人之机各发，成败之理宜然，万变千化，圣人因之而定基业也。

性有巧拙，可以伏藏。

良曰：圣人见其巧拙，彼此不利者，其计在心。彼此利者，圣哲英雄道焉,况用兵之务战。

筌曰:中欲不出谓之启,外邪不入谓之闭,内启是其机也。雄知如阴,不动如山。巧拙不性,使人无间而得窥也。

九窍之邪,在乎三要,可以动静。

太公曰:三要者耳、目、口也。耳可凿而塞,目可穿而眩,口可利而讷,兴师动众,万夫莫议。其奇在三者,或可动或可静之。

筌曰:两叶掩目,不见泰山。双豆塞耳,不闻雷霆。一椒掠舌,不能立言。九窍皆邪,不足以察机变,其在三者:神、心、志也。机动未朕,神以随之;机兆将成,心以图之;机发事行,志以断之。其机动也,与阳同其波;五岳不能镇其隅,四渎不能界其维。其机静也,与阴同其德;智士不能运其荣,深闻不能窍其谋,天地不能夺其时,而况于人乎?

火生于木,祸发必克。奸生于国,时动必溃。知之修之,谓之圣人。

筌曰:火生于木,火发而木焚。奸生于国,奸成而国灭。木中藏火,火始于无形。国中藏奸,奸始于无象,非至圣不能修身炼行,使奸火之不发。夫国有无军之兵,无灾之祸矣,是以箕子逃而缚裘牧,商容囚而蹇叔哭。

中篇

天生天杀,道之理也。

良曰:机出乎心,如天之生,如天之杀,则生者自谓得其生,死者自谓得其死。

天地,万物之盗;万物,人之盗;人,万物之盗。三盗既宜,三才既安。

鬼谷子曰:三盗者,彼此不觉知,但谓之神明。此三者况车马金帛,弃之可以倾河填海,移山覆地,非命而动,然后应之。

筌曰:天地与万物生成,盗万物以衰老。万物与人之服御,盗人以骄奢。人与万物之上器,盗万物以毁败。皆自然而往。三盗各得其宜,三才递安其任。

故曰:食其时,百骸理。动其机,万化安。

鬼谷子曰:不欲令后代人君,广敛珍宝,委积金帛,若能弃之,虽倾河填海未足难也。食者所以治百骸,失其时而生百骸;动者所以安万物,失其机而伤万物。故曰:时之至,间不容瞬息,先之则太过,后之则不及。是以贤者守时,不肖者守命也。

人知其神之神,不知不神之所以神也。

筌曰:人皆有圣,人不贵圣,人之愚。既睹其圣,又察其愚,复睹其圣。故《书》曰:专用聪明,则事不成。专用晦昧,则事皆悖。一明一晦,众之所载。伊尹酒保,太公屠牛,管仲作革,百里奚卖粥,当衰乱之时,人皆谓之不神,及乎逢成汤、遭文王、遇齐桓、值秦穆,道济生灵,功格宇宙,人皆谓之至神。

日月有数,大小有定,圣功生焉,神明出焉。

鬼谷子曰:后代伏思之则明,天地不足贵,而况于人乎?

筌曰:一岁三百六十五日,日之有数;有次十二,以积闰大小余分有定;皆禀精气。自有不为圣功神明而生;圣功神明亦禀精气,自有不为日月而生。是故,成不贵乎天地,败不怨乎阴阳。

其盗机也,天下莫能见,莫能知,君子得之固躬,小人得之轻命。

诸葛亮曰:夫子、太公岂不贤于孙、吴、韩、白,所以君子小人异之,四子之勇至于杀身,固不得其主而见杀矣。

筌曰:季主凌夷,天下莫见凌夷之机,而莫能知凌夷之源。霸王开国之机,而莫能知开国之机,而莫能知开国之源。君子得其机,应天顺人,乃固其躬。小人得其机,烦兵黩武,乃轻其命。《易》曰:君子见机而作,不俟终日。又曰:知机其神乎!机者易见而难知,见近知远。

下 篇

瞽者善听,聋者善视。绝利一源,用师十倍;三反昼夜,用师万倍。

尹曰:思之精所以尽其微。

良曰:后代伏思之,耳目之利,绝其一源。

筌曰:人之耳目,皆分于心,而竟于神。心分则机不精,神竟则机不微。是以师旷薰目而聪耳,离朱漆耳而明目。任一源之利而反用师于心,举事发机,十全成也。退思三反,经昼历夜,思而后行,举事发机,万全成也。

太公曰:目动而心应之。见可则行,见否则止。

心生于物,死于物,机在于目。

筌曰:为天下机者,莫近乎心目。心能发目,目能见机。秦始皇东游会稽,项羽目见其机,心生于物,谓项良曰:“彼可取而代之”。晋师毕至于淮淝。苻坚目见其机心死于物,谓苻融曰:“彼勍敌也,胡为少耶?”则知生死之心在乎物,成败之机见于目焉。

天之无恩而大恩生,迅雷烈风,莫不蠢然。

良曰:熙熙哉。

太公曰:诚惧致福。

筌曰:天心无恩万物,有心归恩于天。老子曰:“天地不仁,以万物为刍狗,圣人不仁,以百姓为刍狗。”是以施而不求其报,生而不有其功。及至迅雷烈风,威远而惧迩,万物蠢然而怀惧,天无威而惧万物,万物有惧而归威于天。圣人行赏也,无恩于有功。行伐也,无威于有罪。故赏罚自立于上,威恩自行于下也。

至乐性余,至静性廉。

良曰:夫机在于是也。

筌曰:乐则奢余,静则贞廉。性余则神浊,性廉则神清。神者,智之泉,神清则智明。智者,心之府,智公则心平。人莫鉴于流水而鉴于澄水,以其清且平。神清意平,乃能形物之情。夫圣人者,不淫于至乐,不安于至静,能栖神静乐之间,谓之守中。如此施利不能诱,声色不能荡,辩士不能说,智者不能动,勇者不能惧,见祸于重开之外,虑患于杳冥之内,天且不违,而况于兵之诡道者哉!

天之至私,用之至公。

尹曰:治极微。

良曰:其机善,虽不令天下而行之,天下所不能知,天下所不能违。

筌曰:天道曲成万物而不遗,椿菌鹏鷃,巨细修短,各得其所,至私也。云行雨施,雷电霜霓,生杀之均,至公也。圣人则天法地:养万民,察劳苦,至私也;行正令,施法象,至公也。

孙武曰:视卒如爱子,可以俱死,视卒如婴儿,可与之赴深溪。爱而不能令,譬若骄子。是故令之以文,齐之以武。

禽之制在气。

太公曰:岂以小大而相制哉?

尹曰:气者,天之机。

筌曰:无龟食蟒,鸇隼击鹄,黄腰啖虎,飞鼠断猿,蜍蛭哜鱼,狼犿啮鹤,余甘柔金,河车服之,无穷化玉,雄黄变铁。有不灰之木,浮水之石,夫禽兽木石,得其气尚能以小制大,况英雄得其炁而不能净寰海而御宇宙也。

生者,死之根;死者,生之根。恩生于害,害生于恩。

太公曰:损己者物爱之,厚己者物薄之。

筌曰:谋生者必先死而后生,习死者必先生而后死。

鶡冠子曰:不死不生,不断不成。

孙武曰:投之死地而后生,致之亡地而后存。

吴起曰:兵战之场,立尸之地,必死则生,幸生则死。恩者害之源,害者恩之源。吴树恩于越而害生,周立害于殷而恩生,死之与生,恩之与害,相反纠缠也。

愚人以天地文理圣,我以时物文理哲。

太公曰:观鸟兽之时,察万物之变。

筌曰:景星见,黄龙下,翔凤至,醴泉出,嘉谷生,河不满溢,海不扬波。日月薄蚀,五星失行,四时相错,昼冥宵光,山崩川涸,冬雷夏霜,愚人以此天地文理为理乱之机。文思安安,光被四表,克明俊德,以亲九族,六府三事,无相夺伦,百谷用成,兆民用康。昏主邪臣,法令不一,重赋苛政,上下相蒙,懿戚贵臣,骄奢淫纵,酣酒嗜音,峻宇雕墙,百姓流亡,思乱怨上,我以此时物文理为理乱之机也。

人以愚虞圣,我以不愚虞圣,人以奇期圣,我以不奇期圣。

筌曰:圣哲之心,深妙难测。由巢之迹,人或窥之。至于应变无方,自机转而不穷之智,人岂虞之?以迹度心,乃为愚者也。

故曰:沈水入火,自取灭亡。

良曰:理人自死,理军亡兵,无死则无不死,无生则无不生,故知乎死生,国家安宁。

自然之道静，故天地万物生。

尹曰：静之至，不知所以生。

天地之道浸，故阴阳胜。

良曰：天地之道，浸微而推胜之。

阴阳相推而变化顺矣。

良曰：阴阳相推激，至于变化在于目。

是故，圣人知自然之道不可违，因而制之。

良曰：大人见之为自然，英哲见之为制，愚者见之为化。

尹曰：知自然之道，万物不能违，故利而行之。

至静之道，律历所不能契。

良曰：观鸟兽之时，察万物之变，鸟兽至静，律历所不能契，从而机之。

爰有奇器，是生万象。八卦甲子，神机鬼藏。

良曰：六癸为天藏，可以伏藏也。

阴阳相胜之术，昭昭乎，进乎象矣。

亮曰：奇器者，圣智也。天垂象，圣人则之。推甲子，画八卦，考蓍龟，稽律历。则鬼神之情，阴阳之理昭著乎象，无不尽矣。

亮曰：八卦之象，申而用之。六十甲子，转而用之。神出鬼入，万明一矣。

良曰：万生万象者心也。合藏阴阳之术，日月之数，昭昭乎在人心矣。

广成子曰：甲子合阳九之数也，卦象出师众之法，出师以律，动合鬼神，顺天应时，而用鬼神之道也。

附录一

张良传

留侯张良者,其先韩人也。大父开地,相韩昭侯、宣惠王、襄哀王。父平,相釐王、悼惠王。悼惠王二十三年,平卒。卒二十岁,秦灭韩。良年少。未宦事韩。韩破,良家僮三百人,弟死不葬,悉以家财求客刺秦王,为韩报仇,以大父、父五世相韩故。

良尝学礼淮阳,东见仓海君。得力士,为铁椎重百二十斤。秦皇帝东游,良与客狙击秦皇帝博浪沙中,误中副车。秦皇帝大怒,大索天下,求贼甚急,为张良故也。良乃更名姓,亡匿下邳。

良尝闲从容步游下邳圯上,有一老父,衣褐,至良所,直堕其履圯下,顾谓良曰:“儒子,下取履!”良愕然,欲殴之。为其老,强忍,下取履。父曰:“履我!”良业为取履,因长跪履之。父以足受,笑而去。良殊大惊,随目之。父去里所,复还,曰:“孺子可教矣。后五日平明,与我会此。”良因怪之,跪曰:“诺。”五日平明,良往。父已先在,怒曰:“与老人期,后,何也?”去,曰:“后五日早会。”五日鸡鸣,良往。父又先在,复怒曰:”后,何也?”去,曰:“后五日复早来。”五日,良夜未半往。有顷,父亦来,喜曰:“当如是。”出一编书,曰:“读此则为王者师矣。后十年兴。十三年孺子见我济北,谷城山下黄石即我矣。”遂去,无他言,不复见。旦日视其书,乃《太公兵法》也。良因异之,常习诵读之。

居下邳,为任侠。项伯尝杀人,从良匿。

后十年,陈涉等起兵,良亦聚少年百余人。景驹自立为楚假王，在留。良欲往从之，道遇沛公。沛公将数千人，略地下邳西，遂属焉。沛公拜良为厩将。良数以《太公兵法》说沛公，沛公善之，常用其策。良为他人言，皆不省。良曰："沛公殆天授。"故遂从之，不去见景驹。

及沛公之薛，见项梁。项梁立楚怀王。良乃说项梁曰："君已立楚后，而韩诸公子横阳君成贤，可立为王，益树党。"项梁使良求韩成，立以为韩王。以良为韩申徒，与韩王将千余人西略韩地，得数城，秦辄复取之，往来游兵颍川。

沛公之从洛阳南出轘辕，良引兵从沛公，下韩十余城，击破杨熊军。沛公乃令韩王成留守阳翟，与良俱南，攻下宛，西入武关。沛公欲以兵二万人击秦峣下军，良说曰："秦兵尚强，未可轻。臣闻其将屠者子，贾竖易动以利。愿沛公且留壁，使人先行，为五万人具食，益为张旗帜诸山上，为疑兵，令郦食其持重宝啗秦将。"秦将果叛，欲连和俱西袭咸阳，沛公欲听之。良曰："此独其将欲叛耳，恐士卒不从。不从必危，不如因其解击之。"沛公乃引兵击秦军，大破之。(逐)北至蓝田，再战，秦兵竟败。遂至咸阳，秦王子婴降沛公。

沛公入秦宫，宫室帷帐狗马重宝妇女以千数，意欲留居之。樊哙谏沛公出舍，沛公不听。良曰："夫秦为无道，故沛公得至此。夫为天下除残贼，宜缟素为资。今始入秦，即安其乐，此所谓'助桀为虐'且'忠言逆耳利于行，毒药苦口利于病'，愿沛公听樊哙言。"沛公乃还军灞上。

项羽至鸿门下，欲击沛公，项伯乃夜驰入沛公军，私见张良，欲与俱去。良曰："臣为韩王送沛公，今事有急，亡去不义。"乃具以语沛公。沛公大惊，曰："为将奈何？"良曰："沛公诚欲倍项羽邪？"沛公曰："鲰生教我距关无内诸侯，秦地可尽王，故听之。"良曰："沛公自度能却项羽乎？"沛公默然，良久曰："固不能也。今为奈何？"良乃固要项伯。项伯见沛公。沛公与饮为寿，结宾婚。令项伯具言沛公不敢倍项羽,所以距关者,备他盗也。及见项羽后解,语在项羽事中。

汉元年正月,沛公为汉王,王巴蜀。汉王赐良金百镒,珠二斗,良具以献项伯。汉王亦因充良厚遗项伯,使请汉中地。项王乃许之,遂得汉中地。汉王之国,良送至褒中,遣良归韩。良因说汉王曰:"王何不烧绝所过栈道,示天下无还心,以固项王意。"乃使良还。行,烧绝栈道。

良至韩,韩王成以良从汉王故,项王不遣成之国,从与俱东。良说项王曰:"汉王烧绝栈道,无还心矣。"乃以齐王田荣反,书告项王。项王以此无西忧汉心,而发兵北击齐。

项王竟不肯遣韩王,仍以为侯,又杀之彭城。良亡,间行归汉王,汉王亦已还定三秦矣。复以良为成信侯,从东击楚。至彭城,汉败而还。至下邑,汉王下马踞鞍而问曰:"吾欲捐关以东等弃之,谁可与共功者?"良进曰:"九江王黥布,楚枭将,与项王有郄;彭越与齐王田荣反梁地:此两人可急使。而汉王之将独韩信可属大事,当一面。即欲捐之,捐之此三人,则楚可破也。"汉王乃遣随何说九江王布,而使人连彭越。及魏王豹反,使韩信将兵击之,因举燕、代、齐、赵。然卒破楚者,此三人力也。

张良多病,未尝特将也。常为画策臣,时时从汉王。

汉三年,项羽急围汉王荥阳,汉王恐忧,与郦食其谋桡楚权。食其曰:"昔汤伐桀,封其后于杞。武王伐纣,封其后于宋。今秦失德弃义,侵伐诸侯社稷,灭六国之后,使无立锥之地。陛下诚能复立六国后世,毕已受印,此其君臣百姓必皆戴陛下之德,莫不乡风慕义,愿为臣妾。德义已行,陛下南乡称霸,楚必敛衽而朝。"汉王曰:"善。趣刻印,先生因行佩之矣。"

食其未行,张良从外来谒。汉王方食,曰:"子房前!客有为我计桡楚权者。"具以郦生语告,曰:"于子房何如!"良曰:"谁为陛下画此计者?陛下事去矣。"汉王曰:"何哉?"张良对曰:"臣请藉前箸为大王筹之。”曰:“昔者汤伐桀而封其后于杞者,度能制桀之死命也。今陛下能制项籍之死命乎?”曰:“未能也。”“其不可一也。武王伐纣,封其后于宋者,度能得纣之头也。今陛下能得项籍之头乎?”曰:“未能也。”“其不可二也。武王入殷,表商容之闾,释箕子之拘,封比干之墓。今陛下能封圣人之墓,表贤者之闾,式智者之门乎?”曰:“未能也。”“其不可三也。发钜桥之粟,散鹿台之钱,以赐贫穷。今陛下能散府库以赐贫穷乎?”曰:“未能也。”“其不可四矣。殷事已毕,偃革为轩,倒置干戈,覆以虎皮,以示天下不复用兵。今陛下能偃武行文,不复用兵乎?”曰:“未能也。”“其不可五矣。休马华山之阳,示以无所为。今陛下能休马无所用乎?”曰:“未能也。”“其不可六矣。放牛桃林之阴,以示不复输积。今陛下能放牛不复输积乎?”曰:“未能也。”“其不可七矣。且天下游士离其亲戚,弃坟墓,去故旧,从陛下游者,徒欲日夜望咫尺之地。今复六国,立韩、魏、燕、赵、齐、楚之后,天下游士各归事其主,从其亲戚,反其故旧坟墓,陛下与谁取天下乎?其不可八矣。且夫楚唯无强,六国立者复桡而从之,陛下焉得而臣之?诚用客之谋,陛下事去矣。”汉王辍食吐哺,骂曰:“竖儒,几败而公事!”令趣销印。

汉四年,韩信破齐而欲自立为齐王,汉王怒。张良说汉王,汉王使良授齐王信印,语在淮阴事中。

其秋,汉王追楚至阳夏南,战不利而壁固陵,诸侯期不至。良说汉王,汉王用其计,诸侯皆至。语在项籍事中。

汉六年正月,封功臣。良未尝有战斗功,高帝曰:“运筹策帷帐中,决胜千里外,子房功也。自择齐三万户。”良曰:“始臣起下邳,与上会留,此天以臣授陛下。陛下用臣计,幸而时中,臣愿封留足矣,不敢当三万户。”乃封张良为留侯,与萧何等俱封。

上已封大功臣二十余人,其余日夜争功不决,未得行封。上在洛阳南宫,从复道望见诸将往往相与坐沙中语。上曰:“此何语?”留侯曰:“陛下不知乎?此谋反耳。”上曰:“天下属安定,何故反乎?”留侯曰“陛下起布衣,以此属取天下,今陛下为天子,而所封皆萧、曹故人所亲爱,而所诛者皆生平所仇怨。今军吏计功,以天下不足遍封,此属畏陛下不能尽封,恐又见疑平生过失及诛,故即相聚谋反耳。”上乃忧曰:“为之奈何?”留侯曰:“上平生所憎,群臣所共知,谁最甚者?”上曰:“雍齿与我故,数尝窘辱我。我欲杀之,为其功多,故不忍。”留侯曰:“今急先封雍齿以示群臣,群臣见雍齿封,则人人自坚矣。”于是上乃置酒,封雍齿为什方侯,而急趣丞相、御史定功行封。群臣罢酒,皆喜曰:“雍齿尚为侯,我属无患矣。”

刘敬说高帝曰:“都关中。”上疑之。左右大臣皆山东人,多劝上都洛阳:“洛阳东有成皋,西有殽黾,倍河,向伊洛,其固亦足恃。”留侯曰:“洛阳虽有此固,其中小,不过数百里,田地薄,四面受敌,此非用武之国也。夫关中左殽函,右陇蜀,沃野千里,南有巴蜀之饶,北有胡苑之利,阻三面而守,独以一面东制诸侯。诸侯安定,河渭漕輓天下,西给京师,诸侯有变,顺流而下,足以委输。此所谓金城千里,天府之国也,刘敬说是也。”于是高帝即日驾,西都关中。

留侯从入关。留侯性多病,即道引不食谷,杜门不出岁余。

上欲废太子,立戚夫人子赵王如意。大臣多谏争,未能得坚决者也。吕后恐,不知所为。人或谓吕后曰:“留侯善画计策,上信用之。”吕后乃使建成侯吕泽劫留侯曰:“君常为上谋臣,今上欲易太子,君安得高枕而卧乎?”留侯曰:“始上数在困急之中,幸用臣筴。今天下安定,以爱欲易太子,骨肉之间,虽臣等百余人何益。”吕泽强要曰:“为我画计。”留侯曰:“此难以口舌争也。顾上有不能致者,天下有四人。四人者年老矣,皆以为上慢侮人,故逃匿山中,义不为汉臣。然上高此四人。今公诚能无爱金玉璧帛,令太子为书,卑辞安车,因使辩士固请,宜来。来,以为客,时时从入朝,令上见之,则必异而问之。问之,上知此四人贤,则一助也。”于是吕后令吕泽使人奉太子书,卑辞厚礼,迎此四人。四人至,客建成侯所。

汉十一年,黥布反,上病,欲使太子将,往击之。四人相谓曰:

“凡来者,将以存太子。太子将兵,事危矣。”乃说建成侯曰:“太子将兵,有功则位不益太子;无功还,则从此受祸矣。且太子所与俱诸将,皆尝与上定天下枭将也,今使太子将之,此无异使羊将狼也,皆不肯为尽力,其无功必矣。臣闻‘母爱者子抱’今戚夫人日夜侍御,赵王如意常抱居前,上曰‘终不使不肖子居爱子之上’明乎其代太子位必矣。君何不急请吕后承间为上泣:‘黥布,天下猛将也,善用兵,今诸将陛下故等夷,乃令太子将此属,无异使羊将狼,莫肯为用,且使布闻之,则鼓行而西耳。上虽病,强载辎车,卧而护之,诸将不敢不尽力。上虽苦,为妻子自强。’”于是吕泽立夜见吕后,吕后承间为上泣涕而言,如四人意。上曰:“吾惟竖子固不足遣,而公自行耳。”于是上自将兵而东,群臣居守,皆送至灞上。留侯病,自强起,至曲邮,见上曰:“臣宜从,病甚。楚人剽疾,愿上无与楚人争锋。”因说上曰:“令太子为将军,监关中兵。”上曰:“子房虽病,强卧而傅太子。”是时叔孙通为太傅,留侯行少傅事。

汉十二年,上从击破布军归,疾益甚,愈欲易太子。留侯谏,不听,因疾不视事。叔孙太傅称说引古今,以死争太子。上佯许之,犹欲易之。及燕,置酒,太子侍。四人从太子,年皆八十有余,须眉皓白,衣冠甚伟。上怪之,问曰:“彼何为者?”四人前对,各言名姓,曰东园公、角里先生、绮里季、夏黄公。上乃大惊,曰:“吾求公数岁,公辟逃我,今公何自从吾儿游乎?”四人皆曰:“陛下轻士善骂,臣等义不受辱,故恐而亡匿。窃闻太子为人仁孝,恭敬爱士,天下莫不延颈欲为太子死者,故臣等来耳。”上曰:“烦公幸卒调护太子。”

四人为寿已毕,起去。上目送之,召戚夫人指示四人者曰:“我欲易之,彼四人辅之,羽翼已成,难动矣。吕后真而主矣。”戚夫人泣,上曰:“为我楚舞,吾为若楚歌。”歌曰:“鸿鹄高飞,一举千里。羽翮已就,横绝四海。横绝四海,当可奈何!虽有矰缴,尚安所施!”歌数阕,戚夫人嘘唏流涕,上起去,罢酒。竟不易太子者,留侯本招此四人之力也。

留侯从上击代,出奇计马邑下,及立萧何相国,所与上从容言天下事甚众,非天下所以存亡,故不著。留侯乃称曰:"家世相韩,及韩灭,不爱万金之资,为韩报仇强秦,天下振动。今以三寸舌为帝者师,封万户,位列侯,此布衣之极,于良足矣。愿弃人间事,欲从赤松子游耳。"乃学辟谷,道引轻身。会高帝崩,吕后德留侯,乃强食之,曰:"人生一世间,如白驹过隙,何至自苦如此乎!"留侯不得已,强听而食。

后八年卒,谥为文成侯。子不疑代侯。

子房始所见下邳圯上老父与太公书者,后十三年从高帝过济北,果见谷城山下黄石,取而葆祠之。留侯死,并葬黄石。每上冢伏腊,祠黄石。

留侯不疑,孝文帝五年坐不敬,国除。

太史公曰:学者多言无鬼神,然言有物。至如留侯所见老父予书,亦可怪矣。高祖离困者数矣,而留侯常有功力焉,岂可谓非天乎?上曰:"夫运筹策帷帐之中,决胜千里外,吾不如子房。"余以为其人计魁梧奇伟,至见其图,状貌如妇人好女。盖孔子曰:"以貌取人,失之子羽。"留侯亦云。

(《史记》卷五十五《留侯世家第二十五》)

附录二

《素书》原序

〔宋〕张商英 撰

黄石公《素书》六篇。按前汉列传，黄石公圯桥所授子房《素书》，世人多以《三略》为是，盖传之者误也。晋乱有盗发子房冢，于玉枕中获此书，凡一千三百三十六言。上有秘戒，不许传于不道、不神、不圣、不贤之人。若非其人，必受天殃。得人不传，亦受其殃。呜呼！其慎重如此。黄石公得子房而传之，子房不得其传而葬之。后五百年而盗获之，自是《素书》始传于人间。然其传者，特黄石公之言耳。而公之意，其可以言尽哉，愚窃尝评之，天人之道未尝不相为用，古之圣贤皆尽心焉。尧钦若昊天，舜齐七政，禹叙九畴，傅说陈天道，文王重八卦，周公设天地四时之官，又立三公以燮理阴阳。孔子欲无言，老聃建之以常无有。《阴符经》曰："宇宙在乎手，万物生乎身。"道至于此则鬼神变化，皆不逃吾之术，而况于刑名度数之间者欤。黄石公，秦之隐君子也。其书简，其意深，虽尧舜禹文傅说周公孔老，亦无以出此矣。然则黄石公知秦之将亡，汉之将兴，故以此书授子房。而子房者岂能尽知其书哉。凡子房之所以为子房者，仅能用其一二耳。书曰："阴计外泄者败。"子房用之尝劝高帝王韩信矣。书曰："小怨不赦，大怨必生。"子房用之以功高帝侯雍齿矣。书曰："决策于不仁者险。"子房尝劝高帝罢封六国矣。书曰："设变政权所以解结。"子房用之尝致四皓而立惠帝矣。书曰:“吉莫吉于知足。”子房用之尝择留自封矣。书曰:“绝嗜禁欲所以除累。”子房用之尝弃人间事,从赤松子游矣。嗟乎!遗粕弃滓,犹足以亡秦、项而帝沛公,况纯而用之,深而造之者乎!自汉以来章句文词之学炽,而知道之士极少,如诸葛亮、王猛、房乔、裴度等辈,虽号一时贤相,至于先王大道,曾未足以知。仿佛此书所以不传于不道、不神、不圣、不贤之人也。离有离无之谓道,非有非无之谓神,有而无之之谓圣,无而有之之谓贤。非此四者,虽口诵此书,亦不能身行之矣。

附录三

太公《阴符经》述要

老古编辑部　曾令伟　撰

《战国策》载苏秦先游说诸侯不成，返里为妻嫂讥笑，于是发愤立志，誓伸所愿，连夜发陈箧数十，得太公《阴符》之谋。日夜揣摩不辍，读书欲睡，则引锥刺股，虽血流如注，不稍顾惜，谓得此《阴符》之谋，安有说人主，不能出其锦绣取卿相之位者乎！揣摩既成，乃大说诸侯以合纵之策，终悬六国相印，名显诸侯。《史记》载苏秦所得太公阴谋，乃《周书》阴谋也。《隋书·经籍志》有太公《阴符钤录》一卷，《周书·阴符》九卷，然皆散佚不见于世。《阴符经》之名大见于世，始于唐朝之李筌。《集仙传》称李筌于嵩山虎口岩石室得《阴符经》，上题有大魏真君二年七月七日，道士寇谦之藏之名山，用传同好等语。筌谓得此书时，已糜烂应手灰灭，虽略抄记成诵，然不晓义理。筌后入秦经骊山之下，逢一老母，发其微旨，乃竟得黄帝《阴符》之传，乃为之作疏云。

《阴符经》世传之本有二：其一题黄帝撰，有太公、范蠡、鬼谷子、张良、诸葛亮、李筌等六家注。然此本不知起自何代，晁公武《读书志》引黄庭坚跋语，以为后人妄托前贤之著，谓其非《周书·阴符》云。然其文义深有理致，久为世所宝重。其二为世所见者，乃李筌疏之《阴符经》也。疏中多引老庄、亢仓、三略之言，以道家为旨归，后世亦疑非筌之原本。然观其所疏脉络有致，自成一家之言,亦不可废也。宋以后儒者,多偏章句之学,重书之出处考据,反轻其内容之到底如何,宜乎数世国家之不振也。《阴符》也者,潜符密契之事也,故苏秦得之而揣摩。观其书,思其言,应乎人事,确有其理也。学者论而考据,何有于《阴符》哉!

·亦新亦旧的一代·

出版说明

本书初名《二十世纪青少年的思想与心理问题》,由台湾老古文化事业公司于1977年9月出版,1984年3月第3版时改为《新旧的一代》。它是著名学者南怀瑾先生所作的专题演讲。在演讲中,作者以自己的亲身经历和感受,对本世纪以来中国社会的变迁及其对人们心理状态的影响,作了透辟的论述,提出了许多值得审思的问题。内容叙及:清末民初的社会思潮;重大的政治事变;中西文化的冲撞;学术思想的演变;古代的文化教育制度;现代的道德价值观念;老少之间的代沟;新旧不同的读书;旧八股与新八股;私塾与家教;尊师重道;安身立命;以及青少年的个性、学识、心理、经验、行为,等等。言语委婉,知识丰富。

兹征得作者和原出版单位的同意,将《新旧的一代》台湾1990年1月第5版改排出版,易名《亦新亦旧的一代》,以资研究。

复旦大学出版社

1995年6月15日

三版献言

《新旧的一代》原名《二十世纪青少年的思想与心理问题》,一九七六年间陆续在《人文世界》杂志连载过,出书以来一直受到社会各界广大读者的共鸣和推崇,誉为当前社会问题之解剖书、青少年思想教育之诊断书、及中西文化交流之过滤书等等。由于作者南怀瑾老师经历过旧社会的种种礼教,也接触到新时代的般般改革,因此,每一件社会问题的来龙去脉,在他口中委婉道来,就仿佛一出剧本中的历史诗篇,但见诸方英雄豪杰、历史人物蜂然而起,在多重变动的大时代中,轮班上演,转眼又默然消逝,了无踪迹。上下古今多少事,尽在笑谈中,从讲演中的启示,使我们这些年轻学子,发现了问题的症结。从历史人物的典范,使我们确立自己安身立命的中心思想,找到了"中华文化的根",不再"失落",也不再"迷失"……

今天打开各种报章、杂志,所有政论家对世界动乱根源的分析,都以"经济的不平衡"、"政治的对立"为引发一切社会问题的主因,而忽略了在政治、经济等表面问题背后的思想文化与心理问题。政治是人对事的安排,主体在人;经济是人对物的处理,主体也在人。而指导人的行为是主观的思想和客观的文化背景,换句话说,有良好的教育基础及文化素养的人,才能提升到更高的政治层次和经济境界。没有精神文化做基础的物质文明，能为人类带来真正的幸福吗？

“神秘的西方，现实的东方。”这是近几年流行美国的口头禅，乍看之下似乎是颠倒了，其实说的是现在中、西文化相互冲击的现况。在印象中，产业革命以来的西方是崇拜唯物的、科学的、功利的，但到二十世纪的末期，却因科技文明的过度发展，人的精神生活反而造成空前的紧张和压迫，转而追求心灵的自由和解放，存在主义、达达主义、托普艺术、嬉皮生活乃应运而行，终因没有深厚的文化基础为其背景，只如一阵狂风吹过，便无影无踪了！现在呢？这些西方的先进们，抬头仰视东方古奥的文明，从《易经》、太极拳、瑜伽术，乃至禅宗棒喝到道家养生秘诀，愈来愈神秘，愈神秘愈吸引人，昔日为西风吹乱的黄花落叶，夹杂着飘零不尽的余果残核，并随东风缓缓倒吹，这些文化的杂碎，点点滴滴又输入了西方。

东方世界呢？在饱受西方物质文明的冲击及侵略之后，痛定思痛，早已尽弃其固有精神文化，决心全盘西化了，日本的模仿成功了，其他各国都在跟进直追，换句话说，只有科技的、实利的，才是目前东方人追求的目标，这就是所谓“现实的东方”的语意。对于这两种历史主流的反动，到底是两种极端现象的反动呢？还是中西文化确已开始在融通、调和呢？

清末迄今，中国历经百余年的苦难，中华文化的命脉已到存亡绝续的关头，昔贤有言：“中国文化存，则中国兴；中国文化绝，则中国亡。”秉此精诚,我们决定将《新旧的一代》一书扩充、再版,也希望藉此文字因缘,能够把中华文化的种子,传播到世界各地,生根,发芽,茁长。这是我们的希望,也是我们的信心。因为只有中华文化,才能真正地统一中国。也只有中华文化,才能真正带给这个世界和平和安乐!

老古文化事业公司　陈世志

一九八四年三月二十九日

前　言

有人称我们这一代为“失落的一代”、“迷失的一代”，或是“没有根的一代”。

我读大学一年级的时候，正逢南怀瑾老师讲述“二十世纪青少年的思想与心理问题”。这个问题对我们来说，实在是太重要了。当时南老师讲得很起劲，句句发人深省，而且层层剖析问题的前因后果，从目前的现实问题，追溯到几千年前的历史文化。青年同学们听得极有兴趣，每堂座无虚席，因为有太多太多的启发，解答了我们许多的疑惑。

南老师的本意，想把心理问题、生理问题、现实问题，甚之，对本世纪的政治、哲学思想问题等等，作一系列有系统的讲述。这些问题也正是我们这一代青年感到迷惘、怀疑、徬徨的症结所在。

谁知刚刚讲个序幕，正要进入高潮的时候，他忽然停住不讲了。我们屡次要求他继续讲下去，南老师答应我们稍过一阵子，继续再讲，也好作个交代。不过，南老师课务繁，杂事多，倒是事实。

我们一直期待着，一年复一年。时间过得很快，一转眼，已经毕业好几年了。可是，仍然没有机会见他旧话重提。现在，怀师又掩室闭关，与外界谢绝往来，不知道哪一天他才出关，为我们后一辈的青年继续研究这个切身的问题，想来不禁令人怅然。

二十世纪是一个动荡的时代;二十世纪的中国,更是在内忧外患中颠沛困顿,力图自强。辛亥革命,中国的专制政体被打倒了;新文化运动,中国的古老文化被破坏了。生长在这新旧文化夹缝中的青年,整个思想便陷于古今中外的矛盾混乱之中。

如今,再翻开前几年南老师的讲稿一读。虽然只是对问题中许多序幕的话,但是,它仍然具有震撼性的启发作用。这些讲稿曾在《人文世界》杂志发表过,颇受各界人士的重视,有许多读者纷纷来函要求出版单行本。所以把它合编成册,另外再附加南老师的其他几篇讲稿,命名为《新旧的一代》,出版贡献给青年朋友们,以及关心青少年的各界人士作为参考。

古国治　谨志

一九七七年六月

一、变迁的时代与不满的心理

生为二十世纪末期的中国青年，身受古今中外思潮的交流、撞激，思想的徬徨与矛盾，情绪的郁闷与烦躁，充分显示出这时代的冲突与不安，因此形成了青少年们的病态心理。代表上一代的老辈子人物，悲叹穷庐，伤感"世风日下"、"人心不古"，大有日暮途穷、不可一日的忧虑；正在茁壮中的少年，既无高瞻远瞩，更不知道如何去后顾深思，前路茫茫，一片空白，在无所适从的情态中，陷于烦闷。这是老一辈子的人应该担替的罪过？或是这一代青年们的错误呢？其实，谁也没有罪过；不能把这个责任，推诿给谁来单独承当。这是历史趋势中自然的现象，文化思想在变动的时代中必起的波澜，也是人类历史分段生命中当然的病态。

如要讲究责任谁属的问题，在两千多年前的东方，当中国春秋、战国时期，遭逢历史的巨变，我们公认的圣人——孔子，著述《春秋》大义，是把这种过错，责之于当时身在其位，力足以谋国的"贤者"，孔子这种论断的是与否，那是历史哲学上的一个问题，姑且不论。但至少要知道在《春秋》时代，教育和知识并不普及，因此所谓"贤者"的士大夫们，的确是义不容辞，难逃其咎的。而当时印度的圣人——释迦牟尼，创立佛教，敷扬佛法，却认为历史变乱的罪过，是人类与一切众生的共同"业力"所造成。当共同"业力"构成大势所趋的时期，犹如转动速度极快的火轮，当它正在旋转的时候，谁也无法插手使其停止，阻挠或堵塞，只是增加旋力发生巨变而已。孔子的道理是"因人论世"，所以《春秋》责备贤者。释迦的道理是"因世论人"，所以佛法的观点，便深深悲叹众生的"定业"难移。此外，老子的"无为"、"因应"观点，也正同此理而立论。我们如从“因世论人”的观点来说,释迦历史哲学的观念,自有其充分理由的论据。如果根据此理,大有可能会袖手旁观,喟然叹息芸芸众生,至可怜悯而已!如果从“因人论世”的观点来说,“天下兴亡,匹夫有责。”为了承先而启后,继往而开来,那么生逢历史时代剧变中的任务,对于现代青少年的思想与心理问题,必须要检讨疏通,求其开展新运。但要检查现代青年思想的病根所在,与心理病态形成的原因,又必须要从历史文化演变的过程中,追溯前因与后果,再来寻求治疗的药方。

不满现实的历史心理

在五六十年前的前辈时代,也正是我们出生成长的阶段,我们也正如现代青年一样,具有勇敢、决心、幻想、行动的情绪,同时更有不可一世的气概。但也正和现在青少年相似,怀有无比的徬徨、郁闷、烦躁,和敌视现实、否认一切的心理。这是十九世纪末期和二十世纪初期,新旧文化思想开始交替,东西方文化迈向交流融汇,激起中国文化新思潮的巨浪阶段。由裹成三寸金莲的小足,解放为大足;终身不出闺房一步的女子,争取男女平权。男子们由终日背诵“之乎者也”,提考篮、穿长袍马褂上京求名,而变为写作的呢吗啊,死啃 ABCD,割须剃发,穿上西装革履,大谈洋务与西学,夸为识时务的俊杰。总之,事无巨细,学无古今,人无老少,一切都在求变、待变、必变的巨变过程中。我们所接触的中年以上的老前辈们,他们面对此情此景,满腔忧患,无限感伤,随时随地都在摇头叹息“人心不古”、“世风日下”,而进入暮年晚景的低潮,含悲抱愤而去。但在无情岁月的推排之下,曾几何时,我们这些青少年们,不满当时的现实,和轻视否认当时老前辈们摇头叹息的情景,也渐渐地进入我们的心境,成为生活习惯的一种自然姿态。到了第二次世界大战前后,不知不觉,自己也进入中年,昔日老前辈们不满现实的叹息感言,又渐渐地出自我们之口。这种循环性的历史悲剧,犹如新旧交响的乐章,具有时代性旋律的哀怨,永远存在于历史的阴影里。这也正是说明;历史时代的途程在不断地向前推进,而人类在时代的轮转中,却永远不满现实。不论任何时代,青少年们固然如此,老年人们又何尝不如此。由于这个憬悟,我常警醒自己,不必忧伤,不必感叹,假如我过去了,太阳照样会从东方升起,历史依旧会演变下去,后一代的人们,也许比我们活得更有趣,更快乐,也可能更疯狂。

时代演变中的思想与感情

由于身历其境,而了解人们历史循环性不满现实的通病,进而探寻这种随时代年龄而发生差异的思想与心理原因,便可知道人类的感情作用,经常会左右理智慧思的极限。人的感情,不但对个人私心事物有占有把握的牢固性,同时对于具有历史性的生活形态和精神思考的习惯、文化背景、时间和空间的惯适,都有浓厚的感情作用。每当历史随时代的推进而演变的时候,由于人们旧有历史的牢固习惯,只能接受渐变的推排,极难适应突变的打击。尤其对于眼前现实的精神生活,与耳目感官日常周遭事物引发的感想,例如与社会秩序、家庭环境有关的道德规范,行为的善恶标准等观念,在历史文化变更的过程中,最容易引起青少年的心理反应和老辈子的伤感。尤其在二十世纪末期的剧变中,更为显著。站在我们这一代的立场,看到下一代的堕落和疯狂,真有不胜扼腕叹息之感。如果经过一番深思熟虑,检讨历史文化演变的得失、前因后果,便可比较客观地了解青少年们思想与心理趋向的矛盾。在这个时代中,旧的过去了,新的还未产生,随着物质文明的发展,如朽索之驭怒马,他们失去了可循的准绳,找不到控驭自己的鞍辔,盲目自恣,陷于一片迷惘的境地。不但东方的青少年如此,西方乃至全世界的青少年,都已染上这种时代性的传染病症。其实,在这个时代的阶段中,真失去了道德的标准吗?完全没有善恶的意识吗?不然。道德和善恶,它永远存在于人心之中,它是人性中自然具有的一种功能,它只有随着时间和空间的作用,转变形态。在人类的文化史上,过去的道德观念,是基于宗教的因果观念而定;教育的规范由此而教育,思想的习惯由此而思想,稳定社会秩序二三千年。现代的道德观念,由于物质文明的发达,工商业快速发展中的刺激反应,它逐渐接近以经济的价值观念而定,下意识的只有价值与无价值的辨别。过去的善恶观念,是以人性本应善良,对于心理和行为的善恶,具有宗教性的报应而定论。现代的善恶观念,由于科学促使物质文明的重要,同时曲解自由而又极度偏向个人的自私,几乎走向以需要与不需要来决定善恶的标准。这样的道德观念、善恶观念,虽然还未真正构成为现代人思想心理的定型,它的对与不对,是与否,实在是非常急切地等待着我们这一代去博学、审问、慎思、明辨。既不能凭历史文化的感情而一切陷于悲观,更不能徒凭时代的感染而盲从冲动,以至于忽略了随时偕进的理性思想。

尚未成熟的历史与文化

生当这个世纪末期的青少年们,传统的宗教、哲学、教育等道德理性的准绳,已经命如悬丝,失去了它固有的信赖的力量,我们所要的,是有特立独行和“确然而不可拔”的精神,融合古今中外的所长,建立新的文化机运,使后来的一代,走上安定的道路。

同时更需要认识人类历史文化的成果,它永远还很年轻,需要新知的灌溉而求其成熟。宇宙的生命,无论过去与未来,它永远是常新不古,所以曾子在《大学》上,强调汤之盘铭曰:“苟日新,日日新,又日新。”《易经》也常提到“随时偕进”、“与时偕极”的道理,这都是提醒人们不要满足过去，留恋过去，要展望明天，开启未来。青春的活力，它永远是推进历史文明的动能。道家素来认为“天地是一大宇宙，人身是一小天地”。为了说明人类的历史文化永远还很年轻的理由，引申道家这个观念，可以说“历史是一部大人生，人生是一部小历史”。

因为任何一个人，天赋的本能，都有不同的个性和幻想，尤其在少年和青年的阶段，幻想经常占有青春活力大部分的时间。幻想不是过错，幻想加上学识，在思想和行为上，便成为有守有为的学问素养。幻想不加力学，它可能会变成无羁的劣马，自误也会误人。累积人类的个性、幻想、学识，构成为思想、行为与经验的成果，便综合成为人类的历史与文化。然而任何一个人，由青少年阶段，富于幻想的时期开始，其间加以力学，或者不学，便早已奠定一生成败的基础。到了中年，便是实现他的幻想，而付诸实际行动的时期；无论是事功的成就，或是学术的著作，甚至于宗教家们修道与传道的生活，都不外于此例。到了晚年，大概都是留恋欣赏过去的成果，或者感叹过去的哀乐变为回忆，而随时消逝。所以孔子也说：“后生可畏，焉知来者之不如今也。四十、五十而无闻焉，斯亦不足畏也已。”如果以现代医学的观点来说，当每个人由青少年的时期，脑力开始成长，一直到了五十多岁以后，才是脑力成长到鼎盛的时期。但上天注定人类可悲的命运，正当他脑力和智慧刚好成熟，经验的累积又正是到达高峰的时候，便像苹果一样，红透熟烂，又悠然地悄悄落地，还归虚无。除了天赋特别，老当益壮而成为瑰宝的，那是普遍中的例外，为历史点缀了壮丽的场面。此外，无论是从事出世事业的千秋人物，如宗教的教主和大哲学家们，或是从事入世事功的伟人，谁也无法逃出这个自然的规律。

人生的生命既然跳不出这个规律以外，他在智慧上的成就，可以创造历史文化的期限，又如此的短暂而渺小，所以古今中外，累积几千年来的历史与文化，可以说都是青年人扮演主角的成果，中年或老年人担任编辑而写成;它永远都很年轻,并且尚未完全成熟。虽然由原始的宗教而发展为哲学,从哲学的范围而扩充到今天科学的成就。但摆在人类面前几千年的老问题,所有人生生命的奥秘、宇宙生命的奥秘等等悬案,始终还没有得到确切的解答,使人确信不疑而安心于定论。并且显而易见的,集中古今中外人类几千年的思想与学术,仍然不能使这个人类社会得到永恒的平安,享受幸福而快乐。虽然在这个时代,大家震惊于科学的成就,普遍高唱科学文明相号召,但大多数人都被科学文明冲昏了头,忘记科学的发展,只是整个文化的一部分而已。况且人们又迷失了科学的方向,只把自然科学的发展,当作文化全部的需要,忘记精神科学,于是愈来愈空虚,几乎快要成为思想白痴的时代了。尤其科学的分类虽多,到目前为止,却没有一个综合科学的创立,更不能与精神文明的哲学会师,这是一种非常盲目的危机。佛说:“菩萨畏因,凡夫畏果。”凡是现代有志有识的青少年们,应该在科学文明的时代中,创立新的历史文化。如此才是现代青年新的出路,徒然的徬徨和郁闷,于人于己,丝毫无补。但既不要为了科学的待遇而求科学,更不要忘记精神科学的急需建设;否则,这个世纪末期的一部人类历史文化,必然要走到“疯狂与镇定剂齐飞,颓丧与麻醉品并驾”的境界,那是毫无疑义,迫在眼前的社会病态。

二、西方文化的影响

现实与反现实

上文讲过人类的心理,是永远不满现实的,但生存在现实的世间,又必须要面对现实,而且想要把握现实。可是当现实摆在面前的时候,却又不满现实,想要跳出现实、摆脱现实。人,就在这种矛盾的心理状态中,反复忙碌地度过他的一生。而人类的历史和文化,也就在这种矛盾的现象中,构成了它巍巍壮观的册页。如果从另一观点来看,正因为人类有了这种心理,才促成历史文明的进步;但从历史生命的过程,和现实人生的经验来说,这种面对现实而又反现实的矛盾心理,便是造成人生悲剧和历史悲惨局面的主要原因。那么,除了这种尖锐对立的现象以外,只要安于现实,便是常理吗?而且自古至今,人类如果一向安于现实,历史和文明哪里会有进步呢?这当然是个很重要的问题,并且也是现实与反现实问题的关键所在,有待逐步分析以寻找它的答案。但把这个问题,牵扯到历史文明的进步和退化来讲,便又引出对历史哲学的认识问题,须得首先解决:历史文化到底是进步或是退化?

如果依照东方文化中有关历史哲学的观念,无论是中国的儒家或道家,以及印度的佛家思想,对于历史文化的发展,大体都认为"今不如古"、"新不如旧"、"动不如静"。所以人类的历史文明,经历愈久,退化愈甚。即如西方文化中宗教哲学的观念,也和东方一样,同有这种基本的看法。但是,根据历史的现象和人类现实生活的需要来讲,历史的文明不断地向前推进,不但日新月异,而且必然需要在进步中更求进步。那么,历史与文化到底是进步或是退化呢?这就要从两个基本不同的角度来了解它的答案了。

从东西双方古代文化的历史哲学来说,认为人类历史的发展是退化和堕落的,那是从宗教性道德观念的立场,看到精神文化的褪色,因此而使人类社会迷失方向,拼命追求物质欲望所生的过患而言。如果从人类社会发展的趋势来说,因为物质文明的日新月异,促进社会的发达,使人类在生存方面,社会的秩序,有了日新的进步,因此而有多方面的繁荣。在生活方面,人类更多更大的需要得到满足,因此而享受物质文明的便利。所以便认为历史文明是进步的。由此可知,所谓历史是进步的,是指物质文明与人类的现实生活而言。认为历史是退化的,是指人类的精神生活,距离自然的境界愈来愈远的结论。

近世西方文化的三股潮流

对于历史文明的进步或退化的观念,有了如上的了解,便知人类对于现实和反现实的问题,是从精神意境和物质文明的矛盾冲突而来,历古至今固然如此,往后也未必能够安稳。现在试举近世和现代西方文化,影响了二十世纪青少年思想和心理的趋势,便可知道这种演变的前因和后果。

近世和现代的青少年们和过去的人们一样,最喜欢憧憬已往历史的口号。在西方文化中,动辄提到欧洲的"文艺复兴";在中国则经常提出"五四运动"。其实,历史的往事过去以后,剩余的陈迹残留在人们的脑子里,便形成一个笼统的观念。除了真正的历史学家,肯用心分析历史上的前因后果以外,大多数的人,都是模糊不清,随便引用它似是而非的观念,借题发挥而已。

(一)西方欧洲的文化,经过中古长期的沉闷以后,自然就引发出反现实的历史行为,于是形成了十五六世纪之间的"文艺复兴运动”。由“文艺复兴运动”所带来的欧洲历史的新境界,从此掀起了西方固有文化思想的自由主义和民主思潮,因而促成了法国等地的政治革命,形成了近世西方文化思想中民主和自由的新观念。但由此一变再变,民主思想和崇拜英雄的心理,互相矛盾。自由主义和自私心理,夹缠不清。于是便又形成历史性反现实的行为,而产生西方历史文化的第一股逆流:如英、德、法、意等新型国家“外用强权,内唱公理”之军国主义的出现。同时又变更民主的专制为独裁,假借公理的正义为侵略。当此之时,受西方文化笼罩的欧洲各国的青年们,其思想大体上除倾向于“富国强兵”的光荣以外,纵然有不满现实的地方,也只限于反古求新,以及对少数社会和个人际遇的不满。

(二)但从十七世纪以后,工业革命和科学的创造,带来高度的物质文明,促使工业的发达和国家经济思想的勃兴;一方面显示出科学文明繁荣了新时代的社会,一方面却暴露了工商业发达以后资本主义的弊病,而呈现出贫富之间过度的悬殊,于是促使新的不满现实的西方文化思想,形成第二股反叛的潮流。如马克思、恩格斯等针对当时欧洲社会的病态,提出资本论和共产主义,扩充古希腊哲学的唯物思想,构成一系列的理论,影响了继起的二十世纪。

(三)另一路反现实的思想,便是十九世纪中叶开始,由丹麦医生契尔伽德 Kier Kegard,研究神学及哲学的结果。他认为机械文明桎梏了人性,为了要拯救世人跳出机械文明的疯狂病态之中,便倡言存在主义的思想。不幸的是,他的学说,不但救不了人类,而且也不能自救,结果未及中年,便忧郁而死。可是尚未成熟的存在主义,却同弗洛伊德 Freud 的性心理学一样,不久即风靡欧洲,又普及于全世界,影响青年们的思想和心理,外不足以救世,内不足以自救。它所产生的反作用,使有些人们把自我陶醉和自私、狭隘的心理思想,号称哲学。

这些西方文化的思想,跟着科学文明和工商业机械的发达,以及军国主义武器的扩张,真有如蒲松龄所说的"元夜西风却倒吹,流萤惹草复沾帏",很快地吹到了东方,同时又错综复杂地引起了世界第一次的大战。

人类的心理思想总是那样可怜和可笑,始终是自编、自导、自演的喜剧开场,而后却自造成悲剧闭幕。初由不满现实而反现实开始,最后再把它投向凶神恶煞的怀抱中而自悲自叹。

二十世纪开始的青年与中国

正当西方欧洲的文化思想,尚未从繁华的噩梦中,步入灯火阑珊的时候,一阵阵的西风,吹醒了有五千年保守文化的古老中国;自十九世纪的末期,清朝咸、同年间开始,十分勉强地向西方文化低头,试着学习他们的轮船、大炮、洋枪、火器等。先由机械文明的输入,进而至于宗教、哲学、人文科学、自然科学,以及西餐、大菜、咖啡、牛奶、跳舞、歌唱、奶罩、三角裤等,无一不来。把白米饭换换胃口,吃些牛奶、黑面包还不要紧,最惨的便是由人文思想而到现实的政治,不管是自由、民主、专制、独裁、无政府主义等思想,一套一套地都搬上中国的舞台,大吹,盲目地实验一番。结果弄得惨不忍睹,无法收拾。虽然有国父孙中山先生坚强地建立起三民主义的防线,却仍然堵不住这股狂飙的滚滚来势,其实有些思想是西方文化的残余产品,并非东方或中国文化的玩意儿。

五四运动以后的重重难关

但距今五六十年前的中国青年们，一方面痛心于国家民族的懦弱，而急欲救亡图强。一方面又受外来新颖的西方文化之影响，于是整个思想陷于古今中外的矛盾冲突，而呈一片混乱。因此形成心理上的群情激愤。“革命”“打倒”的呼声到处嚷嚷。认为必须学习西方历史文化的先例，来个“文艺复兴运动”才能救中国，因此，自然而然地便有中国“五四运动”的发生。有些人把“五四运动”的功罪，归之于某一人或少数人身上。这是昧于历史文化大势的看法，有待沉静研讨。但当此之时，尤其是知识分子们，在文学的领域里，大肆口诛笔伐，极力挑出旧社会的毒刺，加上私人的恩怨心理和愤世嫉俗的情绪，对于中国文化流弊所生的阴暗面和丑陋面，力加诋毁，因此大受当时青年们的赞赏和崇拜。文学所反映出的不满现实和反现实的心理，在每个时代里，往往胜过哲学、宗教、教育等的影响力量。二十世纪初期中国青少年的思想与心理，就在这种不古不今、不中不西的心理状态中，而陷入一团混茫。

但我们这一代不幸的命运，坎坷不已。正当国内的心波未平，东方的日本，又掀起侵略的浪潮，促使我们仓促抗战，百学皆废。经过八年长期抗战的结果，正在茁壮中的青少年们，身受国破家亡的打击，除了愤怒与沉哀的心情以外，对于文化思想的重整与开建，已无能为力。

总之，自十九世纪末期到二十世纪初期的中国青少年们，也就是现在大家所听到看到的中老年人，犹如一群拆除旧式违章建筑的拆除大队，又像一批收拾垃圾的清洁人员；当他们年轻力壮的时候，大家拿着锄头板斧，想为后代开辟一条康庄大道，建筑一个新的文化乐园。谁知正当开工的时候，忽然有人放了一把野火，最后只剩下一片荒凉，百无一就。后来跟着来了一批小孩子，看到这幅图景，便不知所云地大骂这些前辈的老少年们，“无能”、“不负责”。他们愈看愈有气，于是就光着屁股、跳着脚，乱跑、乱骂，胡来一起。哭着、叫着、骂着，一无结果。大伙闹倦了，茫然一片，只好横七竖八，躺在地上耍懒，自称乐天知命而不忧了！这样一幅画面，足以代表了二十世纪的东方和中国历史文化“留取丹心照汗青”的册页,也就是形成现代青少年们的思想和心理上的一片空白的成因之一。

三、大时代的小故事

开始没落的西方文化

第二次世界大战结束了东方的一幕悲剧,但也同时裁判了西方欧洲的命运。意大利、德国、法国,乃至在十九世纪中号称无落日的英国,都相继没落了。残余的欧洲文化,除了一些历史的陈迹供人凭吊以外,过去号称列强的欧洲"诸侯"之邦,如德、法等国,只留下"可怜无定河边骨,犹是春闺梦里人"的女多男少景象,使人感慨唏嘘而已。

"十年风水轮流转",目前震惊世界的西方文化,只有美国的金元与科学,它建国将近两百年的年轻历史、美国式的民主和自由。运用着这些本钱,美国小开们后来居上,用毫无领导世界历史的经验,加上"信道不笃,为德不果"的作风,来摇荡乾坤,捭阖樽俎。然而不论美国的文化是如何的幼稚和浅薄,在二十世纪的最近三十年来,它对于中国和东方,以及其他的科学文明和工商业落后的地区而言,却实在有左右影响的足够力量。

有关中美文化的不同看法

现在要讲现代青少年的思想与心理问题,而它与西来的"飘"风,却有非常密切的关系。因此,首先要向大家述说我亲自经历的二三个小故事,以便从侧面来透视它的正题。

美国青年观念中的现代文明

第一个故事：五六年前，有一位美国来华留学的学生，跟我听课将近六七个月。有一天晚饭后，我们开始闲谈。他问我："你常说我们要先发起救世救人的志愿，才能作学问，那是为了什么？"我当时很惊奇地说："你听了这样久中国文化的课，对于这种基本的精神，还没有弄清楚吗？"他说："我只问你为什么要济世救人？"我说："你没有觉得这个世界，有太多的惨痛吗？"他说："这个世界在现世纪中科学文明如此发达，人们多么幸福，哪里有太多的痛苦呢？"我说："你没有看到因为科学文明的发达，促使世界第一次、第二次的大战，多少人受害受苦？而且战争的悲剧还未就此终场？"他说："这两次世界大战也只是局部性的。如果以整个世界来说，到底很有限。大多数地区的人，都很幸福。这个时代真是最光辉最美丽的时代。"我听得呆了。同时，也明白了美国现代青年们的思想与心理。我接着问他："美国青年们和大多数的美国人，都和你这种观念一样吗？"他说："大概如此。"我便说："假如你是澳洲或瑞士的青年，一定早就认为我是疯子，拂袖而去了！可惜你不是东方人，更可惜你不是东方的中国人，所以对于现世纪的文化思想所造成历史的惨痛事实，以及有关的灾祸，并没有亲自经历那么多的教训。一时和你也说不清楚，慢慢地再交换意见吧。不过，我也因此了解你们国务院里的'秀才不出门，便知天下事'的错误心理。更明白你们所谓的中国通，根本上便患有先天性不通的偏见。"

他最后又说："你们常常说我们患有民族优越感的心理病，其实，我在东方一年多，住过日本、印度，又路过东南亚等地。现在跟你们住了六七个月，我发觉最富于民族优越感的是东方人，尤其是东方的中国人。"我笑说："你已经沾有中国文化师生之谊的礼貌，你不好意思说民族优越感最强的是我，对吧？"说完了，有许多未尽之意，便在彼此哈哈一笑中结束了这一次的谈话。

美国教授观念中的中国文化思想

第二个故事：四年前，一位美国某大学的社会学教授，在暑假期间访问东方。因为他读过我所著《中国特殊社会问题》的英文译本，特别安排与我碰面，又提出好多问题。其中，他问到："中国经过几次等于亡国的时代，但是这个国家、民族、文化，不但没有亡掉，而且每经过一次历史的灾难，反而更加光辉而强大，这在西方历史上，几乎是绝无此例，这是什么力量?"我当时简单明了地答复他："这是文化统一的力量。"他听了，虽然手里不停地在作笔记，但是他的态度充满了怀疑。我不等他再问，就说："当我们在春秋战国时期，和欧洲一样，诸侯之国大小数百，言语、文字、经济、交通等都各自为政。自从秦、汉统一以来，'书同文，车同轨'，因此不仅是政治上的统一，实在也是中国文化的大统一。后世两千年来，中国各地的方言、习惯与风俗，虽然还保持各自成文的惯例，甚之，相隔数里，便有言语完全不同的情形。但是，中国的文字和文化思想，却完全一致，而且远及亚洲的日本、韩国、越南等地，也同样地普遍。因此，后来中国的历史，虽经历代政治上的变革，更改了历史的面貌，但是民族文化的大统一，始终是一贯不变的。假如西方古代的欧洲，文字和文化的统一，也和中国一样，那么，西方的历史便不是现在的情形了。不过，话说回来，正因为西方的历史背景不同、文化背景的同异互见，所以才有十七八世纪以后的进步，和今天西方文化在美国表现的情况。我们传统文化的精神，儒家、道家的思想，都是要求统一的。"

最后，他提出儒家孔子的大同思想，《礼运》大同篇里所述说的情形。于是我便说："《礼运》大同篇所叙述社会政治的理想，它的主要中心，在于每个人人性的自觉，人人要求自己道德人格的升华,进而达到社会群体道德的完美。《春秋》的王道、《公羊传》所谓三世中的太平盛世、道家取法于自然的'无为'之治,都由此传统的文化思想而出发。"

美国式的自由和民主

第三个故事:四年以前,一个留华修硕士的美国学生,和我讨论许多有关中西文化的问题,他曾经想把它翻成英文,已经积了好多稿子。有一次,他和我讨论自由和民主的问题。我说:"在现代史上,美国人打着西方文化唯一光荣的旗帜,便是自由和民主的呼声。其实美国人所说的自由民主,只能说是'美国式的自由和民主',并不适合于其他民族、其他地区。尤其对于有五千年以上历史文化的中国,更不适宜。但你们自己不明白,更不肯反省,因此美援与美式自由民主思想,对所到的地区所发生的作用,正好与美援成为对等的反感。"

他问:"你所谓美国式的自由和民主,这是什么意思?"我说:"这要从你们立国到现在,二百年来的历史成因说起,相当复杂。总之,由十八世纪到现在,美国的祖先们,虽然带着欧洲工业革命后的文化,闯进这块新大陆。但来自英、法、德、奥等国的,各自有一套祖国文化背景的观念。加上利益共同均沾的思想,因此,而形成你们'民有、民治、民享'的立国精神。但无论如何讲究的自由和民主,在先天性的骨子里,都潜在有工商业化的利益和价值的成分。立国之初是如此,到两百年后的今天还是如此。说句老实话,你们现在的民主政治,幕后的操持者,仍然不能离开工商业资本威力的背景。诚然!美国到目前为止,对其他地区,还并无太大的领土野心,但不能说没有占有市场的要求啊!一有如此潜在的存心,加上国内的人们,对外界世局认识不清,受到民主政治牵制的弊害,于是在国际政治上,便举棋不定,依违两可。你们想要领导世界局势,必须要熟读中国的《春秋》,多学些国际政治的经验,然后才能了解《春秋》中'兴灭国,继绝世'的大义。"到现在,这位美国同学,已经回国在哈佛大学任教,开始教授《春秋》、《左传》了!

我们为了要讨论近三十年来,中国青少年们受到美国文化风气影响的关系,所以首先要讲述以上我所经历的小故事,然后再来探讨"彼美人兮自西来"以后的得失利害。

四、美国文化带来的迷惘

讲到二十世纪的历史与文化,和现代人的思想与心理问题,无论东方和西方的任何国家、任何地区,在第二次世界大战以后,或多或少,总要受到美国的影响。尤其是东方的中国和日本,关系更大,更为密切。

全世界所有的国度里,除了少数真正的落后民族,以及某些因为地理环境的关系,还在将变未变的国家,目前正坐享其成地接受现代物质文明,而仍能固守传统,苟安待变以外,欧洲的国家,如英、法、德等国,虽然抱着传统的自尊,始终存有看不起美国的心理,但在历史演变的时代趋势中,也仍然脱离不了美国风气的回旋波荡。至于东方的中国,在最近的三十余年中,确有美人闹乱朝市,形成"亲者痛而仇者快"以及"恩里生害"的情况。

现代的中国青少年们,急需认识和反省的是:造成世界局势至于现在的局面,除了美国立国经验太过幼稚以外,同时也是我们自己处在新旧文化夹缝潮流的趋势中必有的矛盾。现在,我们要想在极度的艰难困苦中,力求自强而复兴,就必须先对此历史时代的前因后果,加以寻思探讨,才能"温故知新",才知如何自立而立人。

西风吹醒日本登上列强的席次

距今百年以前,东方的古国——中国和日本,在文艺复兴和工业革命后,西方新兴国家的眼光里,几乎也被视为第二个或第三个印度。其时,日本和中国,都同时警觉到关门拒盗的迷梦并非良策。于是,先后派遣留学生到外国学习西方文明。但是,那个时代所谓西方文明的重心,是在欧洲的英、法、德、奥等国家;美国,仅属其次而已,并不像现在一样有举足轻重之势。

日本的留学生回国以后,便出现了日本历史上最光荣的一页——明治维新。由此,促使日本跃登列强的地位。中国的青年呢?在清朝的腐败残局中,许多回国的人才,除了少数在洋务衙门行走以外,另外还有的,只有在洋行买办这一行中,自展抱负而已。当然,这不是当年中国青年们的过错,这是中国历史悲剧的一面。由此悲愤而化为国民革命,推翻清政府,建立中华民国的力量。

日本之所以如此,自然归功到它的历史背景,促成明治维新的幸运。当时的日本,在政治方面,因有天皇万世一系的观念,别无民族或其他大问题的存在。所以君明臣贤,而建立了伊藤博文等不世的殊勋。在学术思想上,因有中国宋、明儒家以后王阳明理学的普及影响,化成日本民族文化的根本精神。除了以西方的科学文明为用,仍以日本大和魂的民族文化精神为主。在国家的士气方面,因有强横霸道武士道的传统,特别容易与军国主义结合,于是一变就成为"大日如来"的帝国主义侵略思想。

西风吹乱黄华

而当时的中国呢?恰与日本相反。在政治方面,始终存在着将近三百年来的民族问题,以及清廷末代万难收拾的腐败政局。在学术思想上,五千年来的文化,远有儒、墨、道与诸子百家的汪洋浩瀚,各宗所是,互争长短。近有儒、释、道与东西方新旧文化的交流比较,莫衷一是。尤其正当三百年来民族革命改变历史的关节上,盲目地直接承受法国式的革命思想,舍己之所长而取其糟粕。甚之,唯恐革之不尽,致使在学术思想上,缺乏重心而呈一片混乱。

至于国家士气方面,由明末清初三四百年来,无论朝野上下,都对一本小说——《三国演义》,深植了浓厚的感情和兴趣。由桃园三结义而到单枪匹马,纵横天下,割据城池,自我英雄的崇拜,配上拿破仑式的戏剧性思想,便造成保皇、复辟、称王称帝以及一连串北洋军阀的历史悲剧。由此而有国父遗嘱的"革命尚未成功,同志仍需努力",由此而有德、日发动第二次世界大战中,中国的抗日战争。只因日本的战争,毁了中国,也毁了整个东方的文化。我们了解了这些历史事实,拿我们国家的现代史,与日本、苏联的现代史来比,你说,谁应该负这个责任呢?"虽曰人事,岂非天命哉!"

第二次大战中的暴发户——美国

姑且不论我们过去有多久远的历史,但在人类历史的无尽过程中,却只占了极短的一节。然而在这几十年来的经历,如果比起美国立国二百年来的历史,我们的国家,便如佛家所说,已经经历好多次的危亡劫运而不堪回首。我们这些"半老儿郎"或"老乃国之宝"的老少年们所遭逢的苦痛和伤感,绝不是现在中国青少年们,由中学和大学的课本上所得到的历史常识中能体会得到的。然而美国和现在青少年们心目中的美国文化,却在第二次世界大战中轰然爆发,一跃而居于西方文化的首席代表地位。

在我们现代青少年的心目中,说到西方文化,就好像只有美国似的。而十九世纪,西方文化系统的英、法、德、奥的光荣,就只在白纸上占据了数十页面,供人观摩研究而已。殊不知五六十年前,当英国称雄世界的时期,英国文化便占据了一切。留学的目标,与回国的标榜,唯英国的马首是瞻。后来德国和日本兴盛,德、日派的思想和德、日派的权威,又成为一时的风尚。英、德、法、日过去了,现在便轮到美国最吃香。但是,我们盲目追随这个历史太过年轻、有冲劲、有干劲而文化太过幼稚的朋友,崇拜它的裸体美,倾心它的纸醉金迷,实在和玩弄火山上美人一样的可怕。

我们必须警觉,对于国家、对于人类历史和文化,万万不可以“大胆的假设,小心的求证。”否则,这个求证的代价,所需付出的生命血汗实在难以计算。青少年们,一听到这些中老年的朋友们在批评或讥笑英、美的“嬉皮”,看不起“嬉皮”,就非常反感。反而对于“嬉皮”有无限的偏好和同情,而对于这些批评和奚落,却有着无限的不满。其实,英、美式“嬉皮”风气的出现,正是表示欧、美的青少年们,对于西方文化一股反抗的浪潮。他们为了反对前辈的传统文化,扬弃宗教的信仰,摆脱旧哲学的传统,讨厌物质机械文明而生出种种的反动心理。“嬉皮”!“嬉皮”!并非偶然的“顽皮”!但时至今日,美式的“嬉皮”,又要很快地成为过去,他们现在正在盲目地探寻东方印度文化的“超越冥想”,和中国文化的“口头禅”,以及中国道家的“旁门左道”,作为趋向于“超心理学”的路线。

平天下不能寄望于牛仔式的纨袴

其次,我也常常听到我们自己的朋友,很得意地引用英国前任香港总督葛亮洪在美国的演讲,他认为“十九世纪,是英国人的世纪;二十世纪,是美国人的世纪;二十一世纪,将是中国人的世纪”。可惜我没有亲自听到,同时很难百分之百证实这句话,即使真有其事,别人信口开河一说,也许是别有用心,我们自己不自强,行吗?况且,且看今日的美国,对内对外的举措失当,都是使人唏嘘的事。如果没有前年的送人登陆月球,藉此一手遮闭天下人的耳目,恐怕它的声望与国际地位,早已随着美钞的无形贬值,丧失在欧洲共同市场的坫坛了。在当前世界史上,美国最叫座、最成功的便是“美国式的民主和自由”。但是今天美国在国际上丧失声威的致命伤,无论在国内或国外,也便是害在“美国式的民主和自由”的作为上。

因此,第二次世界大战结束以后,国际政治上,无论在欧洲或东方,凡美国式的民主和自由所到达的地方,最大的成就,就是把别人的国家瓜分为二。而且美国始终不知如何才是真能安邦定国平天下的上策。内政上,在“美式”的民主和自由的旗帜下,弄得全国充满了黄(色情泛滥)、蓝(工人问题)、白(吸毒与服用麻醉品流行)、黑(种族问题)等各色危机。外加学生闹事、妇女运动、逃避兵役和漏税等问题,无一不是领导世界青少年走上堕落的歪风。

当然啰！这些问题在美国人的思想中看来,并不重要。他们没有历史文化的包袱观念,随时可以改变,随时可以通过民主的议会而改正它的缺点。他们有足够的自由,也有足够的勇气,能够做到“知过必改”的程度。然而其他受到美国风气影响的青少年,学坏容易,变好却难,这又怎么办?

前些日子,有一位半洋化的中国青年,和一位美国少年对我说:“你们政府下令不准青少年留长发、变‘嬉皮’相,可以。为什么对我们外国人也要干涉?”我说:“你到中国来做什么?”他说:“读书。”我说:“既然到中国来学中国文化,对不起！中国文化素来讲究‘整其衣冠,肃其瞻视’,这是我们的‘国风’,‘入境随俗’,不容马虎。如果我到天体会去,一定也照他们那么做。这是要适合国际间社会的礼貌,你不能认为这是干涉你的自由。我在街上看到你们同学们赤着脚走路,我们从来没有人干涉过,对吗?”

千金之子与贾母

此外,有人认为美国花了那么多的军费在欧洲、在东方的几处战场上,又死了那么多的人,为什么不彻底地诉之于武力,求得国际间永恒的和平。其实,这便是“美国式的民主和自由”的必然结果。他们的政治人物,即使有才如管仲、乐毅,也无法一展其志向。他们的军事人才,即使有智如孙武、吴起,也无能一展其怀抱。只许在国外打不准胜利的战争,限制军事战略的发挥,这是“美国式民主”的主意。可以瓜分别人的国土,画地自守,要求别人实施“美国式的民主和自由”,好让自己闭门揖让,熙熙融融地享受物质之乐,这是“美国式民主”的一贯政策。过去如此,现在如此,数十年如一日都如此,实在不足为奇。

所谓“美国式民主和自由”的特征,正如他们一位从工商业起家的名言:“世界上最大的学问,便是如何让别人把口袋里的钱,很高兴地送到我的口袋里。”“学而优则商,商而优则仕。”民选仕途幕后的牵线主力,始终离不开拥有工商业,而需要随时争取国际市场的资本家的手心。为实行国际道义,帮助别人“兴灭国,继绝世”去打仗,在工商业的成本观念上,万万划不来。所以不能打,也不准打。此外,民选的票源,是广大的民众,美国一般民众与老太婆们,真不懂他们自己的政治家和军人们,何以对现成的福不会享?硬要出兵远涉重洋为别人去打仗?“千金之子,坐不垂堂。”谁家的老太太们,愿意把自己的富家纨袴弟子,送上战场?

民主的选票是权威,在美国的大观园中,如《红楼梦》中贾母和王熙凤之流的人物,占有全国半数的选票。她们和他们的资本家,虽然是同床异梦,然而对此却是殊途同归。她们和他们,联手投票送一个有政治理想的人上了台,起初二三年中刚好摸熟了国内外政治的行情,还未能有所作为,便要忙着为下次选票,争取同情。纵有掀天揭地之才,其奈天下苍生何?又奈全民选票何?况且以下驷之才,处于民主选票的悠悠之口,“众口铄金,积毁销骨”,谁又敢冒纠正积非成是的危险,甘为正义而自毁其政治前途呢!

美国文化不是人文文化的指标

由于这些粗枝大叶的认识,我们的青少年同学们,就可认清“美国式的民主和自由”以及它的文化思想的是非得失。同时应当知道自己没有特立独行的文化思想,而盲目倾心爱美,于国于家,后果均不堪设想。

如果从科学的发达、物质文明的进步、工商业的发展去认识美国,而立志要向今天美国的这一面学习,这是百分之百的正确思想。至于从整个的人文文化而言,仅有立国二百年历史文化的国家,就拿它代表了西方文化,认为它是盖过一切,那是莫大的错误。国者,人之积;人者,心之器。累积全国人心上下数千年经验和思想,方能构成一个文化的大系。今天的美国,仅是西方文化零落中的一颗经天彗星,它是科学文明的实验场,并非就是整个人文文化的指标。

五、望子成龙

反身而诚论遗传

目前提起青少年的问题,从各方面的见闻所及,不是涉及家庭教育、学校教育,就牵连到社会教育有关的社会风气方面。同时,社会演变随着时代的变化,日益加速,不但青少年的问题有与日俱增的严重趋势,跟着而来的,儿童问题与问题儿童等也同时并发。于是,一听到这些问题的表面,便像一个很严重的危机,就在人们的心里,将要随时爆发似的。束手无策地忧虑和叹息,便替代了解决这些问题的办法。

其实,一个人或社会群体的思想和心理的成因,是由许多因素而组成,并非只是单纯或少数的几个原因所造成。一个人的思想,从意识活动而来。意识的活动,随着身体生理的成长和变化,以及家庭、教育、社会环境等各种影响而形成。由于意识活动构成各种思想的变化而造成心理的状态。复由心理的状态,反复接触外界的刺激和反应,而产生一般思想或某种特殊思想的范畴。依中国文化的习惯观念来讲,综合起来,由婴儿、孩童,到达少年、青年,每一阶段暂定以五岁作为界限,节节形成一个人的思想与心理的作用,必须凭藉身心两方面互相影响而成长。

暂时搁置形而上的生命本体论的禀赋问题不谈。遗传、家庭、历史文化、时代潮流、社会环境与学校教育等六个因素,便是形成青少年们思想与心理的主要成因。其中忽略了任何一个问题,都可能会造成偏见与错误的论断。因此研究青少年问题,随便笼统地涉及家庭教育或学校教育等问题,未必尽是确论。

关于遗传的问题,现在不想牵扯太远。贸然钻进遗传学的范围,难免变成坐谈学理而不切于实际。如果严格讨论到遗传的关系,便会牵涉到人类学、民族血统学,乃至天文、星象、地理环境、生理学、性心理与性生理学,以及中国古代文化重典中《礼记》的胎教等等许多学理。因此,暂时只讨论到遗传的实际关系。

任何一个儿童或成人,他的心理状况,除了主要原因——得自先天形而上生命本体的禀赋,略而不谈以外,他的意识潜能的成长,实由于父母遗传的秉受,有大多数的因素。只是一般人忽略了这个问题的重心,或者根本没有发现这个人父母本身潜在意识的重点而已。而且遗传的作用,大约有两种形态:(1)直接遗传:这便是说某一个人的遗传作用,是由父母两人的直接禀赋而来。(2)间接遗传:这便是说某一个人的遗传作用,是由祖父、祖母,或外祖父、外祖母的血缘关系而来。无论为直接遗传或间接遗传的关系,一个人的个性和心理的形成,属于遗传的关系,几乎占有一半的成分。但是遗传的关系,又有更代变化的作用,并非是父母或祖宗是白痴,所生的子女必定就是白痴。在遗传的成因中,他还有自我的禀赋,加上受胎时的时间、空间的物理环境,以及父母在性行为时的心理与思想等等主要正反的遗传原因,因此而起变化成为更代性的成因。

望子成龙岂如人意

此外,遗传的作用,最为明显也最容易被忽略的事实是,它有承受传统遗传与反承受传统遗传的两种作用。(1)所谓承受传统遗传:这便是说某一个人,他的父母是纯良老实或者刁钻古怪的人,而所生的子女,也是纯良老实,或者刁钻古怪。(2)所谓反承受传统的遗传:这便是说某一个人,他的父母是纯良老实,但所生的子女,却很刁钻古怪。他的父母是慷慨好义,而所生的子女,却是悭吝自私。或者介乎两者之间,具有双重性格的个性。相对地,某一个人的父母是刁钻古怪,所生的子女,却很老成持重。这种现象便是反承受传统遗传的作用。他的父母是满腹经纶,所生的子女,可能是冥顽不灵。因此中国古史上的有名的唐尧是圣人,但是他所生的儿子丹朱,却是一个不肖之子;瞽叟不是好人,他的妻子也很坏,但是他们所生的儿子虞舜,却是圣人。有些忠厚老实之家,反出败子。有些不善良的父母,反而生出大好人的儿子。这就是说,在某一父母的心理潜能里,他有善良的一面,也有很不好的一面。例如一个老实人,处处肯吃亏,可是这种肯吃亏老实的行为,是压制内心的反抗,无可奈何而变成的老实表现。实际上,他的内心并不宁谧,虽然压制心理思想而表示为老实吃亏的外表行为,但仍不能平静内心,含蓄有极端的愤怒和愠怨的嗔恨。因此,便形成更代遗传的相反个性。或者,在受胎的性行为时,男女双方的思想心理因某种事实,或天然气候,或某种环境的影响,而构成当时心理的极大抗拒和郁抑,也就变成更代遗传的相反作用了。所以望子成龙而未必尽然,并非偶然的事。

由于这个道理,所以大学问家的子女,也许是天生不通文墨,不爱好读书的种子。大英雄的子女,也许是过分懦弱的人物。文学家的子女,可能不爱好文学而喜欢玩耍。艺术家的子女,可能是鄙视艺术而喜爱做工或经商。军人的子女,可能爱好文学而反对军事。工商业巨子的子女,可能是游手好闲,贪恋游荡的角色。其中原因,错综复杂,要由诸位有心研究者,以科学的方法去搜集资料,统计结果,加上哲学的推理,便可求出结论。那时,方知我言不谬也。在此只是指出原理、原则的所在,要同学们去深入研究。我没有时间也没有作这些精细统计的工作。我现在所讲最主要的重点,是希望家长们,或者注意家庭教育的人们,应当先了解这个原理,自己加以反省,或进而作更深入的研究,然后才对儿童教育与家庭教育实施正确的方针。如果一味望子成龙,好像有些父母一样,把自己一生的失败和没有达成的愿望统统加在子女身上,要他们努力向上,去替自己争口气而光耀门楣,荣宗显祖,这不但是很大的过错,实在也是作父母心理道德上的罪过。结果一味如此妄求,他的结果会适得其反,反而造成子女在心理上潜在的抗拒,结果便变成不容于家庭和亲友乡里,而社会上,又随随便便加以一顶太保或太妹的帽子。不但使自家无后,而且也使国家社会,无故丧失了一个有用的人才。同时,希望一般盲目跟着升学主义走的人,能够宁静自思,好好为家庭、为国家、为社会着想,而努力地教育子女成为有用的人才。

什么是家庭教育

讲到家庭教育,听起来是很普通的名词。任何一对父母,有了子女,由婴儿至孩提,由儿童到青年,谁又不施管教?古今中外,哪个孩子又没有受过家庭教育呢?除非少数的例外,属于不幸者的遭遇,那就另当别论。因此,所讲家庭教育,岂非极普通而不成问题的问题吗?然而,如何是家庭教育的标准?家庭教育应该要怎样做?哪些父母才有资格担任家庭教育的主角?这等于说:凡是学校,都有老师,可是哪种人才有为人师表的资格?谁又是真正的好老师呢?所以当父母或家长的人,他自己本身的家庭教育,和他所受的其他教育,是否都够水准而无差错呢?这些都是决定家庭教育的先决条件。倘使讲家庭教育而忽略了这些问题,或者把问题青少年的过错随随便便,一概归咎于家庭教育,这就真成为家庭教育思想的问题了。

中国文化中家庭教育的论著

依照中国人一般通俗的观念来讲,大体上都认为我国的家庭教育,是最完善、最悠久的伦理教育。历史悠久,这是不可否认的事实。是否最完善,那是多方面的问题,不能泛泛而论。在中国文化中,对于家庭教育,列有明训的,最早莫过于《礼记》。我总希望自己的国人、自己的民族,都能先行深切了解自己的文化。至少,也须人人一读《礼记》的重要部分,所以在此不再详引。但是依照古礼——也可以说是古代的文化制度,童子六岁入小学,先从"洒扫应对"开始学习。以现代语来讲,便是先从生活的劳动教育入手,以养成清洁整齐的习惯;然后施以待人接物的礼貌教育,这便是所讲"应对"的内涵。换言之,古礼的六岁入小学,先从"洒扫应对"开始。它的教育精神,是注重在人格的培养,和礼仪的规范,并非先以知识的灌输为教育的前提。所以在《论语》中记载孔子的教育,也说"弟子入则孝,出则弟,泛爱众,而亲仁,行有余力,则以学文"。透过这个主要的中心思想,便可想而知中国古代,对于"洒扫应对"的儿童教育,也是在入学后开始。难道六岁以前,在家庭方面,便没有教过"洒扫应对"的事吗?事实不然,所谓"洒扫应对"的教育,当一个儿童在家庭中受到父母家人身教的熏陶,早已"耳濡目染",所谓不教而教,教在其中已矣。六岁开始入学,除了注重儿童的生活教育,和礼仪教育的基础以外,便以知识和技能的养成为前提,那便是:礼、乐、射、御、书、数等有关文事武功的"六艺"。到了十八岁入大学,才实施立身处世的成人教育。所谓"学而优则仕",便是指这个青年阶段前后的教育而言。总之,中国古代的家庭教育,让我们重复地说一句:除了《礼记》上所列举有关的记载以外,并无别的专书。

汉、魏以后,对于家庭教育,逐渐出现了专书。但是严格地说一句,那些有关家庭教育的皇皇大著,并不见得是为教育的理想而立论,而且更不是由教育哲学的基础而出发。那些著作大体上还是受到秦、汉以后门第观念的影响而作。例如汉、魏之间班昭的《女诫》、隋朝颜之推的《颜氏家训》等。而且它是成人的伦理思想教育,并非绝对可作为儿童家庭教育的范本。宋、元以后,理学家的儒者们,渗入佛、道二教因果报应的观念,散见于个人学案中有关家庭教育的思想,更为普遍。自元代儒者郭居敬选定了《二十四孝图说》以后,到了明代理学家朱柏庐所作《治家格言》,便更普遍地被认为是儿童教育的读物。而原属于道教教义的《太上感应篇》,以及亦儒亦道亦佛的《阴骘文》、《功过格》,也普遍流行为家喻户晓的家庭教育指南。清儒陈榕门所著《五种遗规》中的"教女"、"训俗"两种遗规,都可以说是儒、佛、道三家的有关家庭教育思想的汇流。实际上,这些著作,大体都是伦理思想和人格养成的成人教育的范围。所以说在中国文化中,对于家庭教育的思想、理论、实施,是否真能称为最完善的,就须重新切磋商量,不能空泛而骤下定论。

六、孝和爱

以孝道治天下的家庭教育

从中国历史文化来讲,自汉文帝、景帝以后,“以孝道治天下”的教育精神,便已逐渐奠定基础。而汉武帝时代选举制度兴起以后,社会风气更加注重品德。所谓“贤、良、方、正”之士的选拔,促使政府与民间社会,自然而然注重家庭教育,以人格培养为其重心。到了魏文帝以后,竭力提倡孝道,由此使得历代帝王在政治思想和政治措施上,形成了“圣朝以孝治天下”的名训和准绳。然而“孝道”是宗法社会氏族中心的家庭教育的标准,它有时与国家观念或忠君思想,不能两全其美。唐代以后,为求“忠孝”思想的统一,便将《孝经》和“大孝于天下”的精神调和贯串,而产生过去中国文化思想上的名言:“求忠臣必于孝子之门”的定训。

“以孝道治天下”绝对没有错,而且“孝道”是中国文化的特征。但是在近代三百年来,中国文化的“孝道”却在历史政治上出现了正反两次的巨变。这正如庄子所说,一般人为了提防扒手与偷窃,一定把东西封锁起来,这是世俗人共通的知识。但是大盗们来了,便挑起箱子,抬走柜子,而唯恐你封锁得不牢固,以致有所散失。天下事有如此难料的变化,人心思想的邪正,有如此不定的反复,如果不好学深思地深入文化哲学的堂奥,岂能深切了解一种文化思想的利弊。

所谓“以孝道治天下”的正变,便是清兵入关以后,康熙运用“以孝道治天下”的政策。谁能相信清兵入关,只以三部书就统治了四万万人口的中国呢！相传爱新觉罗氏入关前后,要满族子弟,只要熟读一部《三国演义》,便知兵法。到了康熙登位以后,在政治思想上，就采用“内用黄老,外示儒术”的秘诀。他要满族的王公大臣,必须熟读《老子》。后来又提倡《孝经》,极力揭示“圣朝以孝治天下”的古训。把《孝经》配合他的“圣谕广训”,规定在乡的秀才或族长们,在每月的初一、十五,必须讲解诵读以规训子弟。老实说,康熙把中国文化“孝道”的特征,深入到民间社会和家庭方面去,这是他的一大德政,也是他奠定大清政权的一项最有效的措施。但相反地讲,他利用了“孝道”作为统治的权术,他用“孝道治天下”的办法,对付了关西大儒李二曲的不合作主义;同时又采用汉代地方选举“贤、良、方、正”的办法,而开了“博学鸿词”的特科,网罗了反清的遗臣和志士,因此而使顾亭林等无所能为。试想:人人都须作孝子顺孙,家家都要孙贤子孝,还有谁家的父母肯叫自己的子女去为反清复明而造反杀头呢？然而无论康熙“圣朝以孝治天下”的措施是德政,或是权术的运用,此举可说是“孝道”思想在近三百年来的正变。

东西文化的“爱”和“孝”

正变也罢,反变也罢,历史文化的演变,终归要成为过去的陈迹。但处在历史夹缝时代中的我们,内遭古今未有的巨变,外受西方思想风气的压力,仍然想要讲究“孝道”而谈家庭教育,恐怕未必能够尽遂人意。

近半个世纪以来的中国思想,并不须要过分急于全盘西化或半西化。事实上,一般的思想大体都已洋化。单从教育方面来讲,无论是家庭教育或学校教育,乃至社会人心的观念,都以西方文化教育思想中“爱”的教育为重心。尽管有人作调和论者,犹如运用八卦的“纳甲”方式,解释“爱”与孔子所说的“仁”是同样的意义。

但言“仁”者自论其“仁”，主张“爱”者还自讲其“爱”。“上帝爱世人”和“我爱你”、“父母爱子女”、“师长爱学生”，一片模糊，统统进入混淆不清、“一以贯之”的笼统观念。其实，这许多“爱”的概念，各有各的范畴，各有各的内涵，各有各的心理作用。唯有真能知“仁”的智者，才可“知其方”矣。无论在美国、在欧洲，父母对子女的“爱”的教育，自有他的文化思想的习惯和范围，并非一味的“溺爱”。他以“爱”为中心，培养后一代各自独立奋斗的精神。并不像我们“拿到鸡毛当令箭”，因此而产生新式家庭教育，一味地变成“溺爱”和“乱爱”为能事。这是作为现代中国家庭主体的父母们，必须重新检讨的地方。

与此相对的，作为现代子女的中国青少年们，对于固有传统的“孝道”，必须了解它便是“爱”的延伸，和“爱”的反应。因为大家只从表面去看西方的文化，只看见他们做父母的对子女尽心尽力地付出“爱”，并没有像中国人一样抱着“养儿防老，积谷防饥”的心理和目的。所以他们的老年父母，老无所归，“不亡以待尽”地伶仃彳亍以等死的情景，触目皆是。其实，这是西方文化制度和社会习惯上的最大漏洞，并非是西方人在根本的人性上就缺乏“孝”心、缺乏“爱”父母之心。据我所知以及所接触到的欧、美人士，当然包括青年人，他们思念父母之情，绝不亚于东方的“孝”心。他们在谈话中，也时常流露出思归与惦念父母家人的情怀。最近有一位法国学生，回国以后来信向我诉说，因为老年父母有意见，闹离婚，使他内心有无比的痛苦，他因此而生了严重的肠胃病。谁说在西方文化的教育之下，便缺乏了“孝心”？只能说他们缺乏了“孝道”的具体精神和制度而已。

由此可知“孝”便是“爱”的延伸，也便是“爱”的反应。诚然，过去有些孔家店的店员——后世的儒者们，错解“孝道”，强调“孝道”的理论，将“天下无不是之父母”，认为是千古不移的定律。其实，早在周、秦以前的思想，在《易经》的“蛊卦”中，便已隐约指出天下有不是的“父母”。所以“蛊卦”的“爻辞”上,便有“干父之蛊”、“干母之蛊”的观念。但做父母的,虽然被蛊惑而有不是的事,但在子女的立场来说,仍然需要以最大的“爱”心而为父母斡旋过错。所以孔子也说:“事父母几谏,见志不从,又敬不违,劳而不怨。”但是后世以讹传讹,或语焉不详,便把“天下无不是之父母”的观念,变成了铁定如律令的诫条。

同时做父母的,更要了解中国文化的“孝道”思想,并非只是单面的要求,它是相互的情爱。“父慈子孝”、“兄友弟恭”这是必然的因果律。孔子所谓“君君、臣臣、父父、子子”的道理,每句下面那个重复字,都是假借作为动词来读。用现代观念来说,就是:倘使父母不成其为父母,或父母没有尽到做父母之“爱”的责任,只是单方面要求子女来尽“孝”,那也是不合理的。其余各句的观念,依此类推,同一道理,当然不必重复细说。

现在我们不厌其烦地反复讨论了传统观念中家庭教育思想的概略,既不是否定以“孝道”作中心的家庭教育的价值,也不是接受从“爱”的教育出发的便是真理。现在我们所讲的目的,只是说明我们这一代对于家庭思想,与家庭教育方式,大多数都处在东西文化交流撞激的夹缝里,正在新旧观念混淆不清的矛盾现象中发生偏差。尤其是一般新式家庭的父母,外受西方文化生活方式的皮毛影响,对欧、美家庭教育方式一知半解的崇洋心理的作祟,于是将错就错地仿照那些外国电影,而将不中不西的洋盘思想,奉为金科玉律。但在骨子里,又潜伏着传统文化思想的血液,“望子成龙”与“光耀门楣”的观念,并未完全抛却。于是便造成此时此地,在家庭教育方面,产生了问题儿童和问题青少年的事件。结果,不是怨天,便是尤人。再不然,便埋怨到学校教育和社会教育错误,自己好像置身事外,一无过错似的。其实,要讲我们青少年的思想与心理问题,就必须正本清源地从家庭教育的检讨开始,而不能将一切过错,都由我们后代的子女去负担。

七、旧八股和新八股

自孔子“删诗书,定礼乐”以后,我们从他所修订的“六经”,和他的遗著中,仰窥三代,俯瞰现在,综罗上下三千年来教育之目的和精神,一言以蔽之,纯粹为注重人格养成的教育。《礼记》遗篇中的《大学》、《中庸》、《儒行》等,虽然敷陈衍义,但自东周以来,仍然不外如《大学》所言:“自天子以至于庶人,壹是皆以修身为本。”所谓“修身”,用现代语来说,便是人格教育。而人格教育,势必先从心理和思想的基本修正着手,因此《大学》便有“格物、致知、诚意、正心”等一系列程序的述说了。

我们从这个观念反观“六经”,归纳它的主旨便可强调地说:

《书经》的精神,是后世政治哲学和政治人格教育的典范。由此再配合孔子所著《春秋》的精神,便成为政治思想和政治行为的是非、得失、进退、举措等有关历史哲学,与政治人格和政治行为的成败事例。

《易经》的精神,从科学(中国古代的科学观念)的观察而进入哲学的精微,纯粹是洁净心理、升华思想的文化教育。由此再配合孔子手编的《诗经》与《乐记》(因《乐经》已失,故只以《乐记》来说),便成为适用于一般人陶冶性情、调剂身心的教育。

《礼经》所包括《三礼》——《礼记》、《周礼》、《仪礼》的精神,则是汇集中国上古传统文化的大成,包含教育、政治、经济、军事、社会、文学、艺术、人生等思想的体系。强调地说,它是后世奉为个人人格教育、政治人格教育等的典范。

但是这些观念,是从两汉以迄近代的儒家传统思想而立论。在历史的事实上,自春秋、战国迄于秦、汉之际,五百年间“六经”并未受到重视。尤其在春秋、战国时代,“智、力、勇、辩”之士,竞相以“纵横捭阖”、兵谋、杂说、阴阳等学术,取悦人主而自求爵禄功名荣显于当世,并即以此为天经地义的要务。少数宗奉孔子汇集的经书思想者,只有鲁、卫之间的儒生们,如曾子、子思、孟子等人。但是他们仍然需要依附于人君的喜悦而得其苟安的生活,否则,依然不能荣显当世而畅怀于当时。因此,凄凉寂寞一生,自所难免。

秦汉以后读书与教育之目的

大家都知道中国历史上,记载汉高祖平定天下以后的一句最有趣的名言:“乃公(天下)居马上而得之。”后世都把他引为笑谈,认为汉高祖没有受过读书的教育,因此而轻视知识分子,骂儒生们为“竖儒”。事实上这个观念,早已种因于秦并六国以后,自秦始皇、李斯与儒生们(当时的儒生,是包括道家等各种知识分子的统称)彼此不能合作,即造成学术思想的真空现象,因此我们大可不必如此耻笑汉高祖的不学无术。同时,自汉初接受叔孙通等的制体(定制度)开始,所谓当时的儒生如叔孙通等人,虽然依附汉高祖而攀龙附凤,等待引用,但对于中国上古传统文化的经义,并无高深造诣。大家只要研究《史记》、《汉书》中叔孙通等有关传记,便可明白他们的思想和目的,也止于取悦人主,谋一身爵禄的荣显,并无什么传道授业的大志。他们与中国自古以来的传统教育精神,以及孔子的学术思想,早已大相径庭了。

汉初重视儒术,尊崇孔子,事实上是从汉武帝欣赏司马相如的文章词赋、重视董仲舒的儒学思想(董学并非纯粹的承接孔孟之学)、信任公孙弘的形似儒家之学开始的。于是才有西汉的重儒尊孔,由此再演绎渐变,就形成东汉儒家“经学”思想的大成。汉儒之学,上面顶着孔子的帽子,内在借题发挥,糅集道、墨、阴阳诸家之所长,外饰儒家为标榜,从此曲学阿世,大得其势,后世历经魏、晋、南北朝、唐、宋、元、明、清,中间屡有变质,虽然或有以“词章、义理、记闻”等为儒林学者的内涵;以“君道、师道、臣道”为儒家学问的本质。但不管如何说法,总之,必须要以功名爵禄,入仕用世为目的。孟子说过:“不孝有三,无后为大。”此外,其余两种不孝之一,据汉儒赵岐的注解,便是“家贫亲老,不为禄仕。”换言之,读书除了作官以外,就不能谋生,既不能谋生养亲,当然就罪莫大焉。这与现在“教育即生活”,生活以赚大钱为最有出息的新观念,除了形式与方法有不同以外,它的本质,究竟又有什么两样?

汉唐的“选举”、“考试”制度

自周、秦以后,读书受教育之目的,概略已如上述。而朝廷量才任用的方法,除了上古时代,因为教育尚未发达,以学问德行为选士入仕的成规以外,到了战国时期,因为学术思想的勃兴,而诸侯各国,称王称霸,又需要起用有学术思想的人才,因此便造成战国末期六国“义士”储备人才的风气,自汉初统一天下以后,国家安定,政治上了轨道,“义士”的风气没有了,但是有思想、有学识的人并不因为政治社会的安定便没有了,因此才开创出以品行德学为标准的“选举”制度,推荐地方上“贤良方正”之士,进为国家用人取士的体制。汉初的“选举”制度,的确是法良意美,但是世界上一切良法美政,实行久了,流弊就出来了,所谓“法久弊深”与“法严弊深”,都是中外千古不易的名言。所以到了汉代末期,便有世家门第等把持“选举”,徇私荐贤,于是这就成为知识分子掀起社会乱源的重要原因。由此在中国的历史上,相继紊乱了三百年左右,历魏、晋、南北朝之间,读书有学问的知识分子又需靠类似“义士”荐贤等方式而显扬功名于当世。一直到了隋、唐之际,唐太宗承袭隋朝取士方式,创立了考试制度以后,才得意地说出:“天下英雄,尽入吾彀中”的豪语。从此,考试取士的方法,便演变而成为宋、元、明、清的科举考试制度。于是“三更灯火五更鸡,正是男儿立志时”、“十年窗下无人问,一朝成名天下知”等功成名遂的颠倒梦想,便深植人心,永为世法了。到了清代末期,以八股制义的“考试”取士制度,流弊丛生,而教育思想也陈腐朽败,因此才引起清末有学问、有思想知识分子的不满,配合民族革命的主张,就结束了三百年来的满清王朝,也由此而推翻了二千多年来旧传统的教育方式。

顺手附录近日看到《金史》的资料,以便窥见过去历史中,教育思想由考试取士所产生弊病的一斑。明、清后期的情形,大致也与此相同,尤其清末以“八股文”取士的毛病,“考场”陋习与笑料,见于近代史者,随处皆是,不必多说。《归潜志》云:

金取士以词赋为重,故士人往往不暇习为他文。尝闻先进故老,见子弟辈读苏黄诗,辄怒斥。故学者止工于律赋,问之他文,则懵然不知。间有登第后始读书为文者,诸名士是也。南渡以来,士人多为古学,以著文作诗相高,然旧日专为科举之学者,疾之为仇雠。若分为两途,互相诋讥。其作诗文者,目举子为科举之学;为科举之学者,指文士为任子弟,笑其不工科举。殊不知国家勒设科举,用四篇文字,本取全才。盖赋以择制诰之才,诗以取风骚之旨,策以究经济之业,论以考史鉴之方。四者俱工,其人才为何如也。而学者不知,狃于习俗,止力为律赋,至于诗、策、论,俱不留心,其弊基于有司者,止考赋而不究诗、策、论也。吾尝记故老云:“泰和间,有司考诗赋,已定去取,及读策论,则止用笔点庙讳御名,但数字数与涂注之寡多。”有司如此,欲举子辈专精难矣。南渡后,赵杨诸公为有司,文风始振,然而谤议纷起矣。

新旧教育亟待修正的八股学风

大致了解了上下三千年来教育的概况,和“考试”取士的情形,无论我们的先圣先贤、诸子百家的名言,关于教育与学问的教诫,作过如何庄严神圣的定论,但教育的理想与一般社会对教育的“暗盘”思想,毕竟存在一段很大的距离。如果我们真肯深切地反省检讨,那么,就可以明白地说,我们的一般教育思想,历经两千多年来,始终还陷落在一个一贯错误的“暗盘”里打转。这个“暗盘”思想错误观念的由来,首先便是自古以来中外一例的“重男轻女”思想。为什么要“重男轻女”呢?因为男主外,女主内。男儿志在四方,“有子克家”,便可以“光耀门楣”、“光宗耀祖”。而光耀门楣和光宗耀祖的方法,就只有读书是最好的出路。尤其在古代轻视工商业的观念之下,当然就会产生“万般皆下品,惟有读书高”的看法了!读书为什么有这些好处呢?因为读了书,可以考取功名,登科及第而作官。因此“读书作官”自然而然就成为一般社会天经地义的思想。作官又有什么好呢?因为作了官,就能得到坐食国家俸禄的利益。由此“升官发财”便顺理成章地被民间视为当然的道理。由于这一系列错误观念的养成,读书读到后来,所有经、史、子、集,也成剩余的物质,只有“八股”的制义文章,才是生活的宝典,这都是很自然而形成的思想,无足为怪。

到了十九世纪末期和二十世纪之初,西方的文化思想东来,慢慢地把旧有“家塾”、“寒窗”、“书院”和“国子监”等中国传统教育的方式变了,变成了西方式的学府制度。由“洋学堂”的称呼开始,一直到了现在三级制的学校制度而至于研究院等为止。教育是真的普及了,一般国民的知识水准是真的提高了。但是知识的普及,使得一切学问的真正精神垮了,尤其是中国文化和东西文化的精义所在,几乎是完全陷入贫病不堪救药的境地。不但如此,我们的教育思想和教育制度,虽然接受西方文化的熏陶而换旧更新,可是我们教育的“暗盘”思想,依然落在两千多年来的一贯观念之中,只不过把以往“读书作官”、“光耀门楣”的思想,稍微变了一点方向,转向于求学就可以赚钱发财的观念而已。然后引用一句门面话来自我遮盖这个观念,而以“教育即生活”,作为正面堂皇的文章,几家父母潜意识中,对子女的升学大事不受这个观念的作祟?又有几家子弟选读学校、选修科系的心理,不为这个观念所左右?于是,新的“科学八股”的考试方法,但凭“死记”、“背诵”为学问的作风,依然犹如以往历史的陈迹,只是过去的风气,但须记诵八股文章,作为考试的本钱;现在的风气,但须记诵回答和猜题,便能赢得好学校以及联考的光荣。过去的读书为考功名、为作官;现在的读书和考试,为求出路、为求职业、为赚大钱。过去读书的,“志在圣贤”;作官的,一心以天下国家为己任,如此立志,也大有人在。否则,就抱着“君子乘时则驾,不得其时,则蓬虆以行”,归到农村社会,以耕读终生的也不少。现在则受了教育以后,不能谋得一个出洋、赚大钱的机会,至少也要作个公教人员,才算是不负平生一片读书求学的苦心。尤其是工商业时代都市生活的诱惑,小市民思想的深入人心,如果不能如此,只好优游等待机会,或者自己封个“马路巡阅使”来息荡息荡也可以。至于其他的事,只有付之于命运的安排了。

我们只要息心反省教育的现状,就可明白现代青少年陷落在一片迷惘境地的前因和后果。因此,我们为了后一代,对于家庭教育思想、社会教育思想,以及学校教育的思想制度,必须要多作检讨,以建立一番复兴文化的新气象。虽然说问题并不简单,但问题终须寻求出答案和调整的方法。这不但是我们老一辈的责任,也正是落在现代青年身上的重要责任,极须渊博通达的学问,才能挽救亟待复兴图强的中国文化。

八、从处变自强说起

这一代的后起之秀，缺乏历史文化精神的学养，更没有遭逢历史变故的经验，因此而没有定力和远见。可喜的是，他们已经从时代环境的骄宠和颓唐中振奋起来，走上自觉更新的道路。但是慷慨赴义易，从容适变难。因为激于一时的气愤，慷慨赴义，犹如庄子所说的“决起而飞，抢榆枋，时则不至而控于地而已矣”。至于从容适变，必须厚积风力，然后“培风”而起飞，才能转危为安，措天下于衽席之上，救亡图强，在于才智，而才智的养成，需要深厚的学术与精微思想的“风力”。我们基于“温故而知新”、“鉴往而知来”的观念，需要将近代和现在有关救亡图强等学术思想的演变史，作一溯往的启导，使大家由此而窥见它错综复杂的前因与后果，知道应当如何去振兴奋发。

救亡图强的思想与历史

从历史哲学的立场来看，人类真是可怜的一群，虽然累积上下五千年、古今中外多少人的才智与能力，如何如何地为某一地、某一国，甚至全世界的和平康乐，竭尽心力去努力。但是人类的历史，始终还是在扰攘和变乱之中，好像除了扰攘变乱以外，便无历史的内容似的。可是，也正因为如此，才不断地产生了东方的圣人、西方的哲人，随时随地，在种种艰困的环境中，为人类、为国家、为民族而寻求学术思想的方案。地不分南北，人不论东西，大致都不外于此例。

我们现在从明末清初近三百年来的学术思想,举其荦荦大者来讲,便可知道我们近代和现代的学术思想,一直没有离开为救亡图强与国计民生的大计之关系。在明代末期,作为中国文化主流之一的儒家理学的学术思想,随着历史的演变,和满清的入关,就强烈地促发为国家民族救亡图强而产生的革新思潮。再由十九世纪末期而到现阶段,时移世易,虽然是处在东西方文化的交流撞激的时期,但无论新的思想和旧的学术,仍然都是为救亡图强而努力。即如现代青年思想的矛盾,与情绪烦闷的情况,从大的方向来说,也都与此有关,并不例外。

明清之间的诸大儒

自明末清初来讲,当时影响力最大的大儒,便有黄梨洲、顾亭林、颜习斋、李二曲、王船山等人。他们都身受国破家亡的痛苦,鉴于明末学术思想的颓丧,和朝野社会风气的腐败,深切地体会到救亡图强与国计民生等根本大计,必须以重振学术思想、敦正人心,为第一要务。因此他们的学术思想,似乎都是一循旧贯,为辨别发明宋、明儒家理学某些思想的观念。但在实质上,都为鼓吹民族正义、反清复明而努力,以为经世之学的阐扬。可是清初的帝王,如康熙、雍正、乾隆父子三代,都是不世的英才,他们也深知这个道理,因此极力注重文事与武功的作为上,竭尽所能地吸收清初诸儒学术思想的精华,作为励精图治的张本。孟子说:“虽有智慧,不如乘势。虽有镃基,不如待时。”明、清之际诸大儒的千秋事业,恰恰遭逢康熙三代父子的时势,就被他们所吸收利用而成为一代的事功。其中顾亭林与王船山二人的学术思想,却一直笼罩了三百年而影响到六十年代的现世。此中的前因后果,牵涉太广,所以暂略而不谈。

乾嘉以后与龚定盦思想的关系

到了乾(隆)、嘉(庆)以后,清廷统治的事功,已非康熙父子三代的全盛情形,时代刺激了青年,便有龚自珍(定盦)的学术思想,应时而起。龚定盦与金圣叹、王仲瞿,都是清代的怪人。但龚的才智,又远非金圣叹、王仲瞿可比。他的学术思想,一直影响道(光)、咸(丰)以后而到民国初年。同(治)、光(绪)以来,康有为、谭嗣同、梁启超等的学术思想,大致说来,虽有时代观念的不同,但都是承受龚定盦的影响而启发其新知。龚定盦著作的《平均篇》与《乙丙之际塾议》等,关于救亡图强思想的影响,更为有力。至于咸(丰)、同(治)之间曾国藩的学术,是靠他的事功陪衬出理学的思想,又另当别论。

有关现代的学术思想

到了清末民初之际,我们的历史时代,又遭遇一个新的巨变,而西方文化的东来,是激起历史巨变最为有力的因素。因此,融合古今中外的学术思想,为救亡图强而努力的风气,也随世变而波澜壮阔。其中影响最大而见之于缔造中华民国的事功者,当然是首推国父孙中山先生的思想。但是追溯学术思想的演变史实,和到达现在情况的前因后果,那么,便须对于有关这一时代的多方关系,稍加列述,可使青年同学们,略知梗概。

(一)距今三十年前的

甲:有关救亡图强的学术思想,影响三十年前的朝野社会最为有力的,便有:康有为(《大同书》、《礼运注叙》、《上清帝第二书》等)、梁启超(《饮冰室文集》等)、谭嗣同(《仁学》等篇)、张之洞(《劝学》等篇)、严复(译《天演论》及其自序、《原强》、《辟韩》等篇)等人。

乙:有关纯粹思想,影响学术思想界最有力量的,便有:杨仁山(佛学)、欧阳竟无(佛学)、马一浮(儒学、佛学)、熊十力(佛学、儒学)等人。

丙:介乎经世实用与学术之间,亦足影响的,便有:章太炎、刘师培、梁漱溟等人。

丁:有关文学艺术,影响三十年前新旧社会之间,而风靡一时的,便有:樊樊山、陈三立、易顺鼎、苏曼殊、弘一上人(李叔同)、林琴南(意译西洋小说)、辜鸿铭、王国维,以及南社诸人与溥儒、齐白石等人。

(二)属于近四十年的

甲:有关学术思想,立意为救亡图强而努力的,便有:胡适、张君劢、顾颉刚、马叙伦、马寅初、冯友兰、柳诒徵等人。

乙:有关纯粹思想,亦足以影响学术思想界的,便有:谢无量(佛学文学)、汤用彤(佛学)、蒋维乔(佛学)等人。

此外,有关正派或反派的学术思想,也和以上所列举的一样。其中又有正中偏与偏中正之分,而且都能影响三十年前的时代思想的,还有许多人物,一时记忆不详,碍难一一具列。至于介乎学术与政治之间,虽然名重当时,而如烟云过眼、昙花一现的,又当别论。

至于有关自然科学的新知方面,除了詹天佑以外,其余都无藉藉之名,亦少见其有创见的发明者,如没有人即起编列史料,则恐此类"名湮没不彰",亦势所难免。

丙:三民主义的学术思想:是以三民主义以次的体系学说而

言，一概见于国民党党史的，自有专著，不在本题范围之内。

丁：共产主义的学术思想：是指接受或译述西方文化中的社会主义和共产主义的思想，力足以影响三十年前的思想和社会。包括前期的左派文人的著作和思想。此辈中人，便有：陈独秀、陈启、马哲民、侯外庐、陈望道、施存统、张闻天、罗隆基、陈禹、周作人、周树人（鲁迅）、沈雁冰、郁达夫、李芾甘（巴金）、万家宝（曹禺）等人。

戊：有关文学与小说的写作，风行一时，亦足以影响人心的，便有：朱自清、徐志摩、舒舍予（老舍）、张恨水等人。

我们简略地追溯过去六七十年来有关救亡图强的学术思想与人物，虽然在时间上只有短短的几十年，有如一瞬；专搞学术思想而有影响的人物，也只有几十位，人数不太多，但是他们的思想，却已影响了上一辈的青年约达六十年之久。虽然在今天的青年心目中，因为学力的不足，思想的散漫，并不占有太重要的地位，但仍然还有他们精神上的影响，只是在历史的事实上，却似成为过去，正如清儒赵翼所说："江山代有才人出，各领风骚数百年"的情形，我们可以由此而知在这六十年之间，这些著名学人的学术思想，一言以蔽之，也如我们的现实历史一样，都为国家民族的救亡图强而努力，各自发挥他的一得之见，构成一家之言，成为文化历史的精神资料。

万木无声知雨来的思想界

根据以上所讲这一世纪中，我们七十年来学术思想的大势，便知我们的上一代，生当第二次世界大战前后的青年，为国家、为民族、为世界人类，脑子里装满了这许许多多古今中外的异同思想，已有不胜矛盾之感。而同时又遭遇到史无前例的抗日战争，在心理和感情上，又加上无比悲愤，和无比痛苦的负担。我们如果拿文学的境界来做比喻,可以说三四十年前的知识青年们,大有“江山起伏争供眼,风雨纵横乱入楼”的感慨。而我们现在这一代的安定,却有“万木无声知雨来”的境况。

现在我们的教育,愈来愈普及,知识的范围也愈来愈普遍,实非前三十年可比。但是我们青少年们的学术思想,以及“见义勇为”、挺身而起“救亡图强”的精神和心理,却远不及上一辈的老少年们。因为我们模仿物质文明的进步,促使求安于现实生活的享受逸乐之中,已经心无旁骛。穷追工商业的发达,以争取经济的富裕,在宝贵而紧张的时间潮流中,更无余力去好学深思。因此养成社会风气,盲目地重视自然科学的技能,对于人文思想的研究,几乎视为是奢侈、浪费。大家却没有看到未来世界的局势,由于自然科学畸形的发达而更发达,进步而更进步的后果,它将会促成人文文化的“狮子身中虫,自食狮子肉”的悲惨局面。

我们要想努力为国家、为世界追求新的思想前途,首先就必须要了解现代世界局势的战争,归根究底,它是一个文化思想的战争。无论是西方或东方,无论是工商业进步或落后的地区,总而言之,仍如过去历史一样,依然为了物质的现实生活,与精神的出路而困扰。换言之,就是为人类经济生活的平均与分配问题,以及人们心理的安详与精神的归宿问题而烦恼。因此我们现代的知识青年,读书求学,除了为学习基本的谋生技能,以及为救亡图强以外,现在和未来,便有两大课题,急需产生新的千秋人物来完成缴卷的:

一、是如何为全人类着想,建立新的经济哲学思想。

二、是如何沟通精神与物质文明的综合科学的思想。

同时,更需要了解,这种属于人文思想的事业,是一个人的千秋事业,需要好学深思,由博返约去努力。绝不是急功好利,只图一时之快的工作。也许这与现实的环境有一大段很长的距离,但是“功名毕竟属书生”。拿这句话来针对这种从事人文文化学术思想的千秋大业而言,应该可以令人深省。如果只图目前个人的出路与个人现实生活的需要,历史上有无数当前的荣耀,也都成为过去了。以眼前的现实,换取永远的现实;以个人的生命,换取历史的生命。这在现代青少年的观念中,实在需要有重新的估价。我们不能让六十年后的学术思想史上,留下一页真空的白纸,贻笑于后人。

九、六十年来教育的变和惑

教育乃国家命脉和民族精神之所系。我们的教育,在本世纪六十年来,从旧式的传统,几经变革而到现在。但是我们还得承认我们现在的教育思想与教育制度,虽然形似进步,仍然存有太多的困扰与矛盾。因此促使青少年们在现行的教育方式之下,产生了许多心理的反抗与思想的迷惘。有关这个问题,我们必须要从新旧教育的实际变相中,寻求前因和后果,才能知所先后,深思反省而庄敬自强起来;否则,又会本末倒置,变成一个"不知所云"的结论。

由旧式的"家塾"到新式的学校

距今五六十年以前,我们的教育,实在不普及,虽然自宋代以后,各省地方便有公立和私立"书院"存在,但是那是高级学府,相当于现行教育制度中所包括的中学(初中和高中)到大学的性质。主持"书院"的老师又称为"山长",他是一人包办的责任式之导师制。学生的来源,是绝对的自由从师,并非政府命令的规定。教学的内容,也有为专赶科场(考试功名)而研读"制义"——考试用的八股文的时文,等于现在的补习班。也有为研究经学而讲论心性的理学,或者兼带文章的讲习。然而能够读得起"书院"的学生,都是已经学有底子,或者已有功名在身的人。而且虽然是家境清贫,但总能设法弄到聊足温饱而专攻苦读。至于一般自幼年开始,如何到"家塾"去发蒙入学,以及在"家塾"读书的情形,需要略作简介,俾知变革中新旧教育的得失,有一比较。同时也为使将来研究教育的青年同学们稍微知道一些旧式教育的实际资料。

家塾教育的回顾

我们的传统,遵照《礼记》的精神,童子六岁入小学,每个人到了六岁以上,便应该开始读书识字,但是在过去农业社会的乡村或城市中,国民经济与风俗习惯,并不能做到人人都在六岁的时候,便可读书受教育。第一,并无公家设立的学校,全靠大家凑足人数和财力,专请一位老师设立一个"蒙馆"——等于现在的小学和幼稚园的"家塾",真不容易办。第二,一般乡村情形,并不都像孟子说的:"五亩之宅,树之以桑,五十者可以衣帛矣。鸡豚狗彘之畜,无失其时,七十者可以食肉矣。百亩之田,勿夺其时,八口之家,可以无饥矣。谨庠序之教,申之以孝悌之义,颁白者不负戴于道路矣。"事实上,却是"加之以师旅,因之以饥馑"、"老弱转乎沟壑,壮者散而之四方"。这便是清朝末代的大体现象。所以农村子弟,至于比较生活安定的,也大都是"儿童未解供耕织,也旁桑阴学种瓜"。读书、考功名、做官,那是某一些人专有的职业,一般人们,好像本来就不存非分之想似的。

如果有了适当的"家塾",一个子弟开始进入学馆去"启蒙"求学时,那真如办一件相当慎重的大事似的。当然那时只限于男孩而言,女性受教育的机会,少之又少,可以说是绝无仅有的事。稍能注重子弟入学的家庭,在开始上学的一天,便先要他跪拜了祖宗的灵位,背着书包,由大人陪送他去入学。到了"学塾"里,先要跪拜大成至圣先师孔子的圣像或神位以后,然后再拜老师。安好桌位,才由老师慢慢地开始教授读书和写字。距今三十年前,我们对于老师,都是尊称为"先生",或者在先生之上,加上一个姓氏。至少,我是从来没有听到过称教学的"先生"叫老师的。一般学生抑或学手工艺的学徒,都称老师叫"师傅"。只有民间社会,对一般工匠叫“老司”或“老师”。我所知道在江南一带,大致相同。现在时代的风气变了,在这二三十年来,叫“老师”做“先生”的,却认为是不礼貌。由此可知是非礼义的标准,完全是因时因地的人为而定,哪里会有一成不变的绝对规范呢?

家塾中的读书

当时在“家塾”中发蒙的学生,读的是什么书呢?大致约分两种情形:

如果是以读书考功名的,一开始,就很可能是读《论语》,其次《孟子》,其次《中庸》,其次《大学》。由六岁到九岁之间,关于以上所列的四书,必须要背诵得滚瓜烂熟,以备应考“童子试”的初步考试。至于《幼学琼林》、《千家诗》、《唐诗三百首》等,也是应读的课外读物,而且都须要背诵熟练,以备不时之需。当时读书注重“背诵”,所以便养成读书人“朗诵”的工夫和本领,有腔有调,合板合拍,等于唱戏或唱歌一样的有趣。至于书本,像启蒙学生所用的二十篇《论语》等,虽然都是木板墨印,但是都有一篇一篇的散卖的薄本,即使撕烂了或墨涂坏了,还可以再买一篇回来。

如果只以读书认字为目的,一开始,便读《三字经》、《百家姓》、《千字文》、《神童诗》、《增广昔时贤文》等等,各随所便,并不是规定一律。

因此,有些学生多的“家塾”,每天早上,老师各个分别地圈点教读了每个不同的书本以后,不管你懂不懂得意义,便由学生们自己去念读“背诵”,之乎者也,哄堂叫读,不亦乐乎。从前有人描述“家塾”的散漫情形,便作过一首打油诗,记述当时的实况,如云:

一阵乌鸦噪晚风,诸生齐放好喉咙。赵钱孙李周吴郑(《百家姓》),天地玄黄宇宙洪(《千字文》)。《三字经》完翻《鉴略》(《通鉴史略》),《千家诗》毕念《神童》(《神童诗》)。其中有个聪明者,一日三行读《大》(《大学》)《中》(《中庸》)。

至于吟诗作对,那是“发蒙”两三年后的必修功课。开始先学对对,初由一字一对,再慢慢地到达长篇长对。因此,李笠翁所著的《对韵》:“天对地。雨对风。大陆对长空。山花对海树。赤日对苍穹。雷隐隐。雾濛濛。日下对天中。风高秋月白。雨霁晚霞红。牛女二星河左右。参商两曜斗西东。十月边塞,飒飒寒霜惊戍旅。三冬江上,漫漫朔雪冷渔翁。”等,便是当时学习韵对的范本。到了《四书》读完,大约十几岁的年龄,学会作诗,那是并不太难的事。至于是否能够作得好诗,却是另一问题。总之,当时把吟诗作对与读书作文章,完全连在一起,因为从童子试的“考童生”开始,作诗是必须的一手绝活,等于现在考试中的英文,非要你学会不可。我们当时在十二三岁便会作诗,那是很自然的事。但是,后来我碰到很多位前清遗老,所谓“秀才”与“举人”的老先生们,到老仍然作不出真有才气的诗,那也是司空见惯的常事。这正如赵翼所说:“到老方知非力取,三分人事七分天。”一点不错。

写字的“启蒙”

讲到“启蒙”时期的写字,更为有趣。起初开始练习写字,便要“描红”。那是在一张白纸上印好红字,用毛笔蘸墨去填写。一个六七岁的小学生,连拿毛笔是怎样的拿,都不清楚,马上就要“描红”写字,真也是件不容易的事。于是老师和大人们,往往便为你“把笔”练习(用自己的手握在学生的手上,帮他写字),那时开始“描红”的纸上,所写的红字并不太好,但是却是具有传统文化的历史权威的一首词句,从宋代开始,便一直为“启蒙”入学时期的小学生们所应用,它的内容是:“上大人,孔乙己。化三千,七十士。尔小生,八九子。佳作仁,可知礼也。”这首意义似通非通的词句,将近千年以来,应用得非常广泛。距今四十年前,我碰到一位学道术的人,他会画符念咒,大家都说他神通广大,法术无边。后来我和他接近以后,才知道他出卖的风云雷雨,完全靠一个很有效验的咒子。你说那是什么咒呢?原来他反复所念的,便是这首《上大人》。也等于另有一派专门替人画符念咒治病的术士,他们口中念念有词的,便是“大学之道,在明明德”的首一章,你说可笑不可笑。

学写字,先“描红”,还不错。有的穷苦学生,连“描红”的《上大人》也买不起,只用一块木板,漆成黑白两面,用毛笔蘸墨在白色的一面上学写字。等到老师看不见时,便用一堆墨倒在白板上,用嘴吹它一口气,再来用指头东抹西画一番,便会变出一幅很有趣的画面,山水人物、虫鱼花鸟都有。所以我常常想到当时那些小同学的影像画,真够前进,也真够“抽象”,如果拿到现在来,一定是最时髦的作品。但是我们当时在“家塾”里的同学们,却并不时髦,因为大家书包里,都带着毛笔、墨、砚台和书本,在“家塾”里读了一天的书,东画西画,每个人的手上、脸上、嘴上,都涂抹得一塌糊涂,都自勾成一个像京戏里丑角的面孔。

塾师和家塾

讲到“家塾”,我们顾名思义,一定都设在某一个人的家里啰?其实,并不尽然,除了殷实的富户人家,或者世代书香之后,可以有空房子,专门设立“家塾”,供子弟们读书以外,大多数的农村社会,都做不到有这样好的教育环境。所以多数的“家塾”,多半设立在某某宗祠的祠堂或寺庙里。因为这些地方,比较清静宽广,学生们还有活动的余地,荡秋千、踢毽子、叠罗汉、打小小的群架,那也是常有的事。但在偏僻地方的三家村里的“家塾”,情形又当别论。在此,我要声明,为什么一直要称它作“家塾”,却不用“私塾”的名称呢？因为“私塾”是在民国成立以后，建立了新的教育制度，对于过去私家设立的“家塾”，依法称它为“私塾”。事实上，在六十年前后的“家塾”，并无所谓公立或私立的严格差别。

至于担任“家塾”里教书的老师，说来真有无限的感慨。同时，也可因此而为古今中外从事教学的先生们同下一掬伤心而凄凉的泪水。大概我们都知道过去私家教学的风格和习惯，凡是讲到家里教书先生的代名词，叫做“西席”。老师们称呼主人的雅号，叫做“东主”或“东翁”。除了一般已经有了初步功名成就的子弟，再请一位有学问或有功名的“西席”先生来家专门教读以外，其他一般“家塾”所请的老师，不是落第的书生，便是穷而无奈的酸丁。表面上虽然表示尊敬，实际上，并不受一般社会所重视。他们生活的刻苦，以及报酬待遇的菲薄，真是不堪想象。那时，并非以月薪计算报酬，只是以年节计算实物，或者加上当时极其少数的货币（银两或银洋），一年辛苦所得，也仅得温饱而已。至于以此养家活口，那就苦不堪言了。所谓“命薄不如趁早死，家贫无奈做先生”的感慨，都是这种情况中所产生的悲哀。可是话说回来，碰到有些“冬烘”迂腐的学究，实在也会使人觉得“百无一用是书生”的可厌。凡事总有正反不同的两面道理，当然不能一概而论。但大体说来，当时多数的教书先生们，一言以蔽之，都在“清苦”中度过他的一生。所以清代的名士郑板桥（燮），在他没有考取功名以前，也曾经做过教书先生，他便写过一首足为千秋后世同声一叹的名诗，如云：

教读原来是下流，傍人门户过春秋。半饥半饱清闲客，无锁无枷自在囚。课少父兄嫌懒惰，功多子弟结冤仇。而今幸作青云客，遮却当年一半羞。

又相传光绪时，有李森庐者，以教读为业，某年岁除，不能归，作诗寄其妻云：“今年馆事太清平，新旧生徒只数人。寄语贤妻休盼望，想钱还账莫劳神。”“我命从来实可怜，一双赤手砚为田。今年恰似逢干旱,只半收成莫怨天。”现在教书先生的情形,虽然没有完全像这样的惨痛,但是以“舌耕”为务的人,比较一般从事有关工商职业的,在物质生活的享乐上,到底还有很大的差距。过去是“一席青毡”,罚坐在冷板凳上。现在是一张聘约,罚站在冷柜台。况且一校一系一派,无形中各自形成圈圈,清儒童二树所谓:“左圈右圈圈不了,不知圈了有多少?而今跳出圈圈外,恐被圈圈圈到老。”古今中外,同此一例,这也正是人类思想和心理的一个重大问题。

十、七十年前八股文的思想与教育

讲到中国六十年前读书受教育的事,除了为读书做官而“考功名”以外,有人又把中国过去两千多年来学术文化的范围,归纳为“记闻”、“词章”、“义理”三大类。如果从这一观念出发,我们也可以强调说:两汉以来的“传经之学”,大体上是属于“记闻”之类;隋、唐的文章华丽,是属于“词章”之学;宋、明以还,特别偏重“义理”之学。虽然如此,但在六十年前的“家塾”教育中,无论“义理”、“词章”,都谈不上,充其量,只能说是教导“记诵”而已。有关人格养成的“德育”,也便在这种“记诵”之学的情形中潜移默化,种下了牢不可拔的种子。当然啰!这种“记诵”教育的方法,以现代教育眼光看来,完全是“注入式”的死读死记的方法,毫无启发才智的教育意义。甚之,是把人的头脑填成“书呆子”式的笨办法。

但从事实来说,并不尽然。当时的时代情况和社会环境,并不如现在的繁华和复杂。所以读书受教育方面,科类项目也当然不像现在那么多。当时所“记诵”的,只是有关“词章”、“义理”名著的简篇,而且每天背诵的也不太多。聪明一点的,只要花上一二小时的时间,就可以背诵出一篇文章。其余的时间,多半于优游自在中,任性之所乐,读书、写字、吟诗、作对,或者作有限度的嬉游。虽然并无现代体育教育的设备,可是自由活动,或打拳练武,也被认为是正当之行为,并不太过管束。当时严格执教“记诵”的作用,除了为“考功名”时所必要以外,在旧教育的理论上,认为它有一种“反刍”的妙用。因为从童年脑力健全、思想纯洁时开始注入这些经书诗文,虽然当时理解力不够,但一到了中年,从人生行为的日用上,和人事物理的经历体验上,便可发生如牛吃草的“反刍”作用,重新细嚼,自然而然便有营养补益的用处了。即如我们在这一代中,六七十年来的老少年们,对国家、民族、社会有所贡献的,也都是从这种教育方式开始,经过新旧教育的变革中所培养出来的人物。至于完全由新式教育所产生的后起之秀,对于将来历史的交代,那是以后的事,目前还无法来下定论。

由家塾教育的启蒙到书院

"家塾"的读书受教育,为时并不太久。聪明一点,大约读了八九年书以后,"四书"全熟了,应试的八股文也学会了,就可准备应付乡试考"秀才"。考取了秀才再准备会试考"举人",这时已到了青年的时代了。但当时在二十多岁中,"举人",所谓少年腾达的,也并不太多。从"举人"再进而考取"进士"的,大多数都是三四十岁之间的事了。五六十年以前,现代的教育制度建立以后,还有人把高等小学(相等于现行的国民小学)毕业的学生,当作"秀才"看待;中学生等于"举人";大学生等于"进士"。至于研究院中的博士,就把他比作"翰林院"中的翰林学士了。清朝末代,自戊戌维新前后,有些派到外国去学科学的学生回来,还特意为他们设立了"同进士"出身的洋"进士"头衔哩!

至于由"家塾"读书开始,或者"十年窗下无人问"的努力自修之后,是不是一定要读"书院"呢?那是另一问题,因为当时的"书院",虽然有些是公立的,但并无明文规定读书必要进"书院"才能取得考试的资格。而且公设或私立的"书院"有的注重"经学",有的属于一般性的从师受读,或者专为进修时文"制艺"、学习八股文章而准备考试的,也各任自由。但是清朝末代的"书院"制度,已远非宋代开始有"书院"时的旧有精神了。

旧式“八股文”

过去读书受教育,大体简单的情形,已如上述。我们从现代的观点,回转来再了解一下被我们唾弃了六七十年,同时也左右了中国文化五百多年来的“八股文”,它究竟是怎么样的呢?我们除了举出一些实例以作说明之外,然后需要站在中国文学的立场,再进而研究一下旧“八股”与新的“科学八股”,它在教育制度和方法上的得失利弊了。但在此要郑重声明,这并未存在“复古”意识,更不是希望在国文教育中提倡旧“八股”文。在这里只能说,提起专读国文的大专同学和一般青少年们的注意,了解一下从前的青少年们所作“八股文”的文章技巧,和人格养成的思想教育,究竟是怎么一回事,以资反省检讨而已。

(一) 不愤不启不悱不发

秦道然

(破题)圣人不轻于启发,欲有所待而后施也。(承题)夫夫子固欲尽人而启发之,而无如不愤不悱何也!欲求启发者,亦知所省哉!(起讲)且学之中,必有无可如何之一候焉。自学者不知,而教者虽有善导之方,往往隔而不入。夫至隔而不入,而始叹善导之无益也;孰若默而息焉,以俟其无可如何之一候乎!(提句)夫学所谓无可如何者何也?(提比)学者于天下之理,未能尽喻诸心也。而视夫既喻者,又不能不欣慕之也,欣慕之而不得,则愤焉矣。学者于天下之理,未能尽达诸辞也。而视夫既达者,抑不能不遥企之也。遥企之无从,则悱焉矣。(中比)其人而果愤矣乎?将见徬徨于通塞之途,急求之,则已急也。缓求之,则又缓也。欲求诸此而尚恐其或在彼也。当是时,俨乎其若思,茫乎其若迷。方无如愤何!而教者则曰:是正其可启之端,且有欲不启而不能者也。其人而果悱矣乎?将见迟回于疑信之交,约指焉而难定其真也。博求焉而不得其似也。已知其然而难知其所以然也。当是时,欲亹亹乎言之,又戛戛乎难之。方无如悱乎!而教者则曰:是正其可发之机,且有欲不发而不能也。(后比)而无如其不愤也!本无求启之诚,旋授之而旋弃之耳!且徒负求启之名,面折之而面承之耳!非特隐诱无由,即显示亦无由也,安所施吾启乎!夫聪明不愤不生,精神不愤不振。吾非不欲启,而无如不愤何也!不然,吾岂乐于不启者乎!而无如其不悱也!本无求发之诚,相视不相谋耳。且徒负求发之名,相告不相入耳。非特微言无益,即繁称亦无益也。安所庸吾发乎!夫意见不悱不化,辩论不悱不亲。吾非不欲发,而无如不悱何也。不然,吾岂乐于不发者乎?(结比)且不愤而启,是终无由愤也。若因不启而愤,亦事之未可知者也。学者日望吾之启而自思之,愤乎未也?不悱而发,是终无由悱也。若因不发而悱,亦事之未可料者也。不悱而发,是终无由悱也,若因不发而悱,亦事之未可料者也。学者日望吾之发而自思之,悱乎未也。(结句)愤勿但咎其不启,不发为也。

本文作者秦道然,年代、籍贯,难以考证。这是他少年时代的作品,是从清代八股文的汇编《初学度铖》中摘录出来的。所谓“八股”,便是“破题”、“承题”、“起讲”、“提比”等八个程式。如果了解了本文全篇的思想,与现在教育学的原理和教育哲学完全吻合,则不能说只是无病呻吟的考试文字而已。以下所录的,便是阅者的总评。如说:

此题之理,在欲学者勉于愤悱,以为受启发之地。此题之情,在反言以激之;故全神都在四不字,从愤悱转启发,正是题理,从不愤不悱转到不启不发,正是题情。又从不启不发,转到可以使其愤悱，正是题神。神者，兼情理而得之者也。至其就题两扇，劈分八股，如连环锁子，骨节相生。不用单句转接，局法最为高老。中股后接起，皆有藕断丝连之妙。每股煞脚，摇曳多姿。股中诠发实义，字字透辟细切。无一字一句，不可效法。允为初学津梁、发蒙妙药。如诸葛八阵图，知入而不知出。余线批已细细指明，万勿粗心阅过，以为平平无奇也。文所以明道也，代圣贤立言，而不得其意之所存，炳炳烺烺徒然耳。顾生千百载后，欲道千百载以上人之意，已难，况圣贤微妙之言乎！况初握管而效为之者乎！故言文于初学最难言也。初学作文，最患将题含糊诵去，不能逐字洗刷。才高者，辜负才情，不顾题理。质钝者，缚杀笔底，不透题情。是二人者，其失不同，而为无当于文则一也。夫文之为道，题而已矣。一题有一题之理，一题有一题之情，得理与情，而思过半矣。顾其端，全在从题字中，层层搜剔而出。反正闭合，轻重抑扬，使其来路至精也，去路极清也。前后倒乱，非题理也。步骤逾越，非题情也。只此一诀，神而明之，知者不易学，愚者不难为。可以探千百载以上人之意焉，可以代圣贤立言焉，可以明通焉。安得谓初学作文，可不自此始哉！

（二）临大节而不可夺也八比正格

向日贞

节能有守者，臣职克尽矣。夫人臣非才为难，而节为难也。临之而不可夺，殆克守其节者欤！且夫事未至而谈节义，在在可以为忠臣。事既过而论坚贞，人人可以为志士。然矜言气节之人，未必真能气节者，何也？曰：以其非临事也。盖臣品之邪正，居恒未可深知，独危急困顿之时，一生之贤奸莫不分其梗概。学术之真伪，平昔未可遽辨，独艰难纷集之际，毕生之忠佞，莫不定其权衡。嗟乎！孰是临大节而不可夺者乎？朝廷养士数百载，岂无责报之一日。及势至凌夷,而漫无足恃者,功名之士多,节烈之士少也。若人秉忠贞以为怀,故刃可蹈,鼎可甘,独此百折不回之意,必不可改。此国存与存,国亡与亡者,盖自匡居坐论时而已决矣。宁于委贽为臣也而忍负之。吾人读书数十年,岂无自靖之一念。及时至颠危,而顿易其操者,自家之念重,爱国之念轻也。若人本精白以自将,故家可亡,身可戮,独此靖共自献之心,必不可回。此不为威屈,不为势阻者,盖自草茅诵读而已定矣。宁于登朝致主也而忍忘之。幸而邦家徐定,则正色以立朝,而上可告无咎于君父,下可告无过于苍生。即特立之孤忠,自足树一代人臣之表。不幸而帝命难留,则从容以就义,而精诚可表于天地,志节可昭于日星。即一己之捐躯,亦足酬数世尊贤之报。持此志也,希贤希圣,已为天壤之全人。勿二勿三,庶几名教之正士。谓之君子,谁曰不然!

本文是一篇"八股"小品,但它对于人格的养成教育,以及人品和气节的思想,也并没有腐败到哪里去啊!现在再看当时阅读本文者的评语。如:

"字挟风霜,词奔雷电,他日立朝,风节于此窥一斑——左笔臣"。

"忠贞如铁石,文信国公之《正气歌》也——鲁木齐"。

(三) 孝慈则忠单句

李课云

以忠课忠,忠固不待于使矣。盖孝慈即上之忠也。上能如此,民之忠顾待使哉。且上欲民之相见以心,上固善窥民之性情也,而不知民早已窥上之性情。上能为人子,民自戴之如父。上能为人父,民自依之如子。此上与下之以性情相见者也,而谓民之忠顾待于使哉。今夫民之不忠者有故矣,非不知元后之犹父母也。然上欲民之视犹父母，曷不念己之尚有父母乎？而胡为天性之多薄也。非不闻乐只之歌父母也。然上欲民之感同父母，亦曾问己之果能为父母乎？而胡为怀保之无闻也。是不能孝也，不能慈也，而第以忠责民乎哉！且夫世亦有能孝而不能慈者，而有说矣。谓取吾侪之衣，以衣其所亲。取吾侪之食，以食其所亲，是偏私之甚也。而兹则能孝而复能慈也如是，世更有能慈而不能孝者，而民尤有讥矣。谓不能亲其所亲，何能亲其所疏。不能厚其所厚，何能厚其所薄。是无本之施也，而兹则能慈而先能孝也如是，是则无所期于民，而民之寤寐自动也。天下惟是情之容拂耳，上自笃乎义所不容辞。一寝膳之节，而闾巷播为美谈。一抚手之恩，而妇孺感而歌泣。直不啻家人父子之情以相属也，而谁复自匿其情欤。是则无所迫于民，而民之感通自捷也。天下惟是理之不容诬耳。上自操乎物所不得遁，文告有时违所不忍违者，孝子长吏有时负所不忍负者，慈亲更晓于尊君亲上之理，不容诬也。而谁复显悖乎理欤！孝慈则忠，此上与下以性情相见者也，使云乎哉。

评语：

若顺从孝慈讲到忠字，文势便平，又局亦不紧。讲下倒从不忠跌出孝慈，紧而能醒。诠孝慈处，俱从民心目中看出，则忠字既有根，而所以能忠之故，不烦言而解。凡属倒纲题，及感应题，皆作如是观。——次青

我们读了这些“八股”文以后，便可发现历史有今古的差别，文章体裁的作法，也有时代的不同。但是青少年们的思想和心理，并没有因为历史时代的不同就有太大的差距啊！只有经过不同的教育方式的熏陶，各自发展成不同的意识形态而已。例如本文对于忠孝养成的观念，便指出须由“慈爱的教育”作根本，才能培养出忠孝的气节，这是古今中外不易的定理。

十一、新旧教育的变革

上文讲到过去中国的读书受教育和考选人才的办法,以“四书”、“五经”作为标准,是由宋儒理学兴盛之后,自王安石的首倡开始。至于用“八股文”作考试取士的定式,是由明初开其先例。废止科举和“八股文”改以“策论”作考选的标准,则自戊戌政变以前,由康有为、杨深秀的上书力言其弊,而得光绪的同意实施,下诏正式废止,才结束了历史上以“八股文”考试的旧账。但完全停止科举考试的制度,兴办近代学校教育,则是光绪三十一年(一九〇五年)以后的事。

从中国教育思想的演变史来讲,废科举、办学校并非自光绪末年才开始。如果要了解这一代六七十年来教育的演变,以及今后教育的趋向,追溯远因,应该要从鸦片战争以后,太平天国军兴和满清中兴的时期开始探寻,才能找出它的前因后果。换言之,近代中国受到西方文化的刺激,开始举办学校教育,其初是受实用科学的技术所影响,和军事上的需要而开此风气之先。废“八股”、废“科举”,在满清末代而言,是受到时势的逼迫,仓促应变的事。并非如日本明治维新一样,变则全盘通变,有计划地变得干净利落。

自鸦片战争以后,满清政府迫于洋务的需要,从咸丰十年(一八六〇年)设立总理各国通商事务衙门开始,到了同治元年(一八六二年),因总理衙门的请求,为了翻译外国语文和熟悉洋务的需要,于京师(北京)设立“同文馆”。但是当时“同文馆”招收生徒,指定专用正途的科甲人员。除了学习外国语文以外,第二年,又增设学习西洋的天文、算学。可是当时朝野的保守派,对于“同文馆”的设置,力持反对的阻力也相当的大。到了同治五年(一八六六年),

开始派遣知县斌椿率领官生赴欧洲各国游历。那时所谓的官生，大都从“同文馆”出身。在这个时期，由左宗棠发动船政之议，由陈葆桢负责办理造船工作，有关造船的技术职业教育，已经在半洋半旧的方式下开始了。

再到光绪二十一年（一八九五年）。张之洞奏议仿照德国制度，设立陆军及铁路学堂。二十三年，张之洞又奏设武备学堂。一直到戊戌政变那年，才开始设立经济特科，又设立京师大学堂，又诏改各省书院为学校。不过那时所谓的经济特科，并非现在狭义的经济学（Economics），那时所称的经济，是旧观念的经纶济世的通才之学。同年五月，又诏废“八股文”，改“科举”的考试文章为“策论”，跟着又诏各省府厅州县设立学校。再到光绪二十九年（一九〇三年），才正式颁布学堂章程。三十一年（一九〇五年）再诏停“科举”，再举经济特科，设立学部。三十二年（一九〇六年），宣布教育宗旨。

我们简略地了解了从咸丰十年（一八六〇年）开始，中国接触了西方文化，逐渐改变固有的教育制度。到现在，已经有了一百年上下的历史。时代的推移迭相更改，历史的变革频仍。由此而看东西文化的交流，以及新旧教育制度的改革演变，对于国家民族的兴衰得失，便会产生无限的感慨。

我们现在以“温故知新”的态度，先把满清末期（光绪时代）有关变革教育制度的大要史料，重新翻阅一遍，然后再来讨论这一代教育与现代青少年的思想和心理问题的关键所在，便可“观今鉴古”而求出它得失利弊的前因后果。

附录资料

光绪十三年开始，由总理衙门奏定出洋旅游人员章程十四条，是继同治以后派遣出洋留学考察，输入西方文化的实施办法。

如云:

一、每年经费四万余两,以十员或二十员为额。二、考试人才,以长于记载、叙事有条理者入选。三、量官阶高下,酌给薪水。四、准开川资,准带仆役。五、游历年限。六、预支薪水。七、船价车价报销。八、游历地方川资。九、游历各地详细记载。十、各国语言文字科学,审择学习。十一、游历回华,应自明心得及著述。十二、由使臣领事保护照料。十三、各员先后具报启程。十四、父母老病不愿出洋者,准呈明免行。

张之洞初在两广总督任内,设立陆师学堂。到了光绪二十一年十一月奏陈练兵改用洋操,设江南自强新军外,又在十二月,奏设陆军学堂及铁路学堂。奏谓:

"自强新军开办情形,业已陈奏在案。德国陆军人员无一不由学堂出身,今欲仿照德制,练成劲旅,非广设学堂,实力教练,不足以造就将才。光绪十二年间,天津地方,曾设立武备学堂。即臣在两广总督任内,亦曾设立陆师学堂,虽学生额数有限,而此次创练新军,营哨各官,取之两处学堂出身之人,究视未学者领会较易,长进甚速,是学堂之益,确有明证。查江南省城原设有水师学堂,今于仪凤门和会街地方,创建陆军学堂,讲舍住屋操场,一例备具。学生以一百五十人为额,为马步炮队,及工程台炮各门,约以二年为期,二年后再令专习炮法一年。三年期满,分别甲乙,是为毕业。又铁路一项,学有专门,与陆军尤相关系。从前北洋亦经设有铁路学堂,但人数不多,殊不敷用。今拟另延洋教习三人,招集学生九十人,别为铁路专门,附入陆军学堂,以资通贯。其款项筹拨方法,陆军学堂开办四万数千两,在筹防局动款拨用。至常年经费四万余两,又铁路学堂经费二万数千两,即在山海关新认加解每年四万两,镇江关新认加解每年七千两项内动支,更劝募商捐以定之。

疏入报可。

这就是我们在上面所说,中国历史上教育的改制,开始仿照西方文化的教育制度兴办学校,是为了实用技术和军事上所需要的史料之一。

跟着而来的,便是光绪二十二年,始设官书局,任命孙家鼐为管理大臣,积极接受西方文化洗礼的事:

先是光绪初,日割琉球,法割安南,英割缅甸,列强竞争,外患日迫。中外士大夫,多有知旧政之不良,潜思改革者。一八八八年,英美宣教士及领事等,创办广学会于上海,有志之士,相与译新书,讲新学,排外自大之气为之一变。及甲午战起,粤人康有为等,复继广学会设强学会于上海,尚书孙家鼐、鄂督张之洞等,均赞助之。于是京师官绅,相与设强学书局翻译新书,讲求时务。嗣经御史杨崇伊,奏请封禁。至是御史胡孚宸复奏请将强学书局,改归官办,总理各国事务衙门因奏请改设强学书局为官书局。

奉旨允准,并特派孙家鼐为管理大臣。

同年七月,又由工部尚书孙家鼐奏请开办京师大学堂。

先是大学士李端棻奏请推广学校,以励人才,京师宜建立大学堂等语。朝命饬下管理官书局大臣孙家鼐,察度情形,妥筹办理。至是孙家鼐奏陈六事:

一、宗旨宜先定:以中学为主,西学为辅,中学为体,西学为用。

二、学堂宜建造:讲堂学舍,必爽恺宜人。仪器图书,须度藏合度。

三、学问宜分科:拟分立十科:甲、天学,算学附焉。乙,地学,矿学附焉。丙、道学,各教源流附焉。丁、政学,西国政治及律例附焉。戊、文学,各国语言文字附焉。己、武学,水师附焉。庚、农学,种植水利附焉。辛、工学,制造格致各学附焉。壬、商学,轮船铁路电报附焉。癸、医学,地产植物各化学附焉。

四、教习宜访求:中国教习,应取品行纯正,学问渊深;外国教习,须深通西学,兼识华文,方无扞格。

五、生徒宜慎选:年以十五岁为度,以中学西学赅通者为上,中学通而略通西学者次之,西文通而粗通中学者又次之,分为三班。

六、出身宜推广:参酌中西,特辟三途。

甲、立科:仿前乡会试立算学、时务等科之例,咨送与考。

乙、派差:如应试不中式,量其所长,咨总署派往使馆充当翻译,或分布南北洋海陆军船政制造各局帮办一切。

丙、分教:泰西有师范学堂者,专学为师,学生如不应举为官,即考验后任为教习。至经费一层,应请飞饬南北洋大臣,无论何款,按月各拨银五千两,解交户部,作为京师大学堂专款。

疏入从之。

到了光绪二十三年五月,湖广总督张之洞,又奏设武备学堂。奏谓:

外洋武备学堂分为三等,小学堂教弁目,中学堂教武官,大学堂教统领。学术浅深难易,为此为差。今我国如救时计,虽不能遽设大学堂,而教武官之学堂似不可缓,今拟专储将领之材,选文武举贡生员及文武候补员弁。官绅世家子弟,文理明通,身体强健者,考取入学堂肄业。其功课章程,令洋教习酌议,课程余暇,即令其诵读四书,披览诸史兵略,以固中学根柢,兹于湖北省城东偏黄土坡地方,购地建造学堂,派员妥定课程,以期有实效而无流弊。

得旨允行。

光绪二十四年,也就是有名的戊戌政变那一年正月,诏设经济特科,正式设立京师大学堂,改各省书院为学校。

先是贵州学政严修,奏请开议专科,经总理各国事务衙门会同礼部议奏,允先行特科,次行岁举。特科约以六事,曰:内政、外交、理财、经武、格物、考工。由三品以上京官及督抚学政各举所知,咨送总理衙门,会同礼部,奏请试以策论,名为经济特科。岁举则每届乡试年分,由各省学政调取各学堂书院高等生,送乡试分场专考。

令高等学堂毕业者入焉,以谨遵谕旨,端正趋向,造就通才为宗旨。计分八科,曰:经学科、政治科、文科、医科、格致科、农科、工科、商科。

诏各省府厅州县,将现有之大小书院,一律改为兼习中学西学之学校,以省学为高等学校,郡城为中等,州县为小学,并祠庙不在祀典者,一律改为学堂。

五月,诏废"八股文","科举"改试"策论":

经义试士,始于宋王安石,至明初乃定为八股文体式。尊其体曰代孔孟立言,严其格曰清真雅正,禁不得用秦汉以后之书,不得言秦汉以后之事。于是士人皆束书不观,争事帖括,至有通籍高第,而不知汉祖唐宗为何物者。康有为及御史杨深秀,会于本年三月,上书请废八股,为许应骙所驳,不行。四月初,梁启超复联合举人百余人,连署上书,请废八股,书格不得达。至是康有为、张元济因召见,皆力陈其害,康至谓辽台之割,二百兆之价,琉球、安南、缅甸之弃,轮船、铁路、矿务、商务之不兴,以及民之贫,国之弱,皆由八股害之。帝喟然曰:西人皆曰为有用之学,我民独曰为无用之学。康即请曰:皇上知其无用,能废之乎?帝曰:可也。康退,告宋伯鲁,使抗疏再言之。疏既上,帝立命军机大臣批准,刚毅谓此乃祖制,不可轻废,请下部议。帝曰:部臣据旧例以议新政,惟有驳之而已,吾意已决,何议为?诏遂下。

略如云:

我朝沿宋明旧制,以四书文取士,康熙年间曾停止八股,考试策论,未久旋复旧制。一时文运昌明,儒生稽古穷经,类能推究本原,阐明义理。制科所得,实不乏通经致用之才,乃近来风尚日漓,文体日蔽,试场献艺,大都循题敷衍,于经义罕有发明,而浅陋空疏者,每获滥竽充选。若不因时通变,何以励实学而拔真才。著自下科为始,乡会试及生童岁科各试,向用四书文者,一律改试策论。

同年五月又诏各省府厅州县设立学校。诏谓:

前谕入京师大学堂肄业者,必由中小学递升。惟各省中小学,尚未一律开办,著各督抚饬地方官各将所属书院详查,一律改为兼习中学西学之学校。至于学校等级科目,应以省会之大书院高等学堂,郡县以次递降。所有小学中学应读之书,仍遵前谕,由官书局编译中外各书,颁发遵行。至于民间祠庙,有不在祀典者,即由地方官晓谕民间,一律改为学堂。

光绪二十七年八月,诏各省州县改设三级制学堂:

自七月下旬,诏各省筹建武备学堂,停止捐纳实官后,至是复命各省所有书院,于省城改设大学堂,各府及直隶州改设中学堂,各州县改设小学堂,并多设蒙养学堂,已而又命各省选派学生出洋肄业。

光绪二十九年十一月间,颁布学堂章程,再诏停"科举":

于省城改设大学堂,各府及直隶州改设中学堂,各州县改设小学堂,并多设蒙养学堂,定章程以鼓励之。凡由学堂毕业考取合格者,给予贡生、举人、进士等名称。又特设管学大臣以专其责,此二十七年事也。二十八年颁定学制,命各省选择学生,派往西洋各国讲求专门之学。其后学制,递经改订,规模渐具,至是命由张之洞会同管学大臣,将学堂章程悉心厘订,议定进呈。

凡初等小学堂、高等小学堂、中学堂、高等学堂、大学堂、附设通儒院,六种章程各一册。又外国蒙养院,一名幼稚园,兹参酌其意,订为蒙养院章程及家庭教育各一册。另就原设师范馆章程参考订定初级师范学堂、优级师范学堂、任用教师等三种章程各一册。又农工商实业，另拟有初等农商实业学堂、附实业补习普通学堂，及艺术学堂各章程。中等农工商实业学堂。高等农工商实业学堂、实业教育讲习所、实业学堂通则，五种章程各一册。此外管理法编为各学堂管理通则一册，又总括设教宗旨，为学务纲要一册。

当时称为赅备，并拟递减科举办法，疏入，命次第推行，并改任孙家鼐为学务大臣。

光绪三十一年，又诏停科举：

自二十七年七月诏废八股之后，科举仍每岁举行，至是因日俄之战，全国风动，直隶总督袁世凯等遂奏请立停科举，推广学校，廷议从之，遂下谕。略言：三代以前选士皆由学校，而得人极盛，实我国兴贤育才之隆轨。即东西洋各国富强之效，亦无不本于学堂，方今时局多难，储才为急，朝廷以近日科举每习空文，屡降明诏，准将乡会试中额，分三科递减。兹据该督等奏称科举不停，民间相率观望，欲推广学堂，必先停科举等语，所陈不谓无见。著即自丙午科为始，所有乡会试一律停止。各省岁科考试，亦即停止。又言：学堂本古学校之制，其奖励出身，又与科举无异云。自是科举遂废，学堂日兴，其留学欧美者所在兴起，全国风气为之一变。

到了光绪三十二年二月，宣示教育宗旨。诏曰：

考各国学制，大别有二：曰专门。曰普通。而普通尤为各国所注重，普通云者，不在造就少数之人才，而在造就多数之国民。今因中国政教之所固有，而亟宜发明以距异说者有二：曰忠君，曰尊孔。又宜箴砭以图振起者有三：曰尚公，曰尚武，曰尚实。著将钦定教育宗旨，颁示天下，悬之京外学堂。

看了以上的历史资料，我们至少可以得到一个概念：在时代潮流的趋势中,要想真正融会古今中外而建立一个新的教育思想和制度,绝非单凭浅见的眼光而只图一时的快意和躁进所能成其事。同时,看了这些史料以后,也可了解我们现在有关文化教育等问题,仍然还是这个世纪中的老问题,只因时代意识的不同,表现的形式两样而已。

十二、值得反省的代差与教育

前面费了不少的时间，反复讲述了近代一个世纪以来文化和教育在历史上演变的陈迹，其目的，为了使我们现代的青少年们，了解有关这一世纪的思想和心理问题的来因去果，而后才能真正深入其中心，探讨其得失，也才知道如何自强自发地担负起这一代应负的责任，以及如何建立今后文化思想的方向。现在要讲的，将是衔接我们这一代切身的问题。但是其中还有不少的因素，牵涉广泛，无法一一剖析，只是略说端倪，以资启发，希望有志之士自寻答案而确立自身的作业。

由于前面的讲述，我们至少知道过去有关东西文化、语文的交流工作，以及教育思想和教育制度的演变情形，已经有了百年前后的历史，换言之，横亘在我们面前的种种问题，例如：东西文化思想的交流、教育思想、教育制度和教育方法等等，仍然逗留在将近百年以来的老问题上，到目前为止，并无特别翻新之处。同时也由此可知重新整建一个国家民族的文化，绝不是单凭一时的意气，可以"立竿见影"，一蹴而就，侥幸而得的。并且也由此可知其中根本就没有什么"代差"、"代沟"等的存在。现在青少年们所梦想以赴，愤慨以求的，也是上一代所希求的目的；现在青少年们的感受，也正是上一代慷慨悲歌的情形。只是时代环境的不同，彼此面对的景象各别而已。规规矩矩来说，上一代的老少年们，由于年龄随时代的消失，意志随岁月的凋逝，精神随体力的衰竭，把齐家、治国、平天下的愿望，寄托在下一辈后起之秀的身上。因此，从表面看来，老少两代的思想与作风，在形式上纵有差异，但在实际上，却正如接力赛，互相衔接，上下两代哪里真有一道鸿沟的间隔呢！如果真有“代差”、“代沟”的存在，人类的历史一定会有绝无仅有或一段真空的现象出现。那么，历史事实与历史哲学的本身，都成为废话而不通了！事实上，历史的演变也正是衔接性接力的变异，绝无一个无因而来的可能。因此，历史哲学仍然具有它值得研究探寻的价值。

文化史上的一笔“呆账”

现在我们旧话重提，再从满清末代废除科举取士与改革教育制度谈起，由咸丰时代的学习西洋文学，出洋考察，成立“同文馆”，翻译西书，以及到了光绪初年废除各省州县的“书院”制度，成立“学堂”，和正式设立“北京大学堂”的一连串的事实开始，将近一百年来的文化输入，和“东才西学”的成绩，它在历史上究竟有些什么交替？而且一般正式从“西学东来”的前辈学人们，他们为我们的国家民族又究竟作了哪些实际的贡献？当然啰！除了从事有关应用科学而默默无闻的建树者，值得我们予以相当的崇敬以外，其余的，实在不敢期期奉承。此所以我们在这一时代中，不及东邻日本在第二次世界大战以前的进步之故。固然，我们也不能随随便便就将这个重任，贸然地加付在他们的头上，况且其中还有许多阻力的因素，绝非骤然可以消除的；例如历史文化旧包袱的拖累，以及新旧思想一时难以融通的差异，因此才有上一代劳而无功的结果。但从“春秋责备贤者”的意义来看，却也不能轻易地推掉中国文化人的责任啊！

先从小学教育的课本说起

讲到这一世纪教育上的沿革，我们必须要从教育的宗旨和内容说起。同时更需要从基本教育——中小学的教育说起。关于过去童稚开始接受教育的情形,我们已略如前面所讲,虽然并无明文规定它的宗旨,大体上都是以人格的养成为教育彻始彻终的精神。至于上下二千年来教育的内容,都以"四书"、"五经"为教材的主要中心。除此之外,虽然另有如《三字经》、《千字文》等一类的书,也只能算是辅助性的读物。自从西风东渐促使教育改制以来,"中学为体,西学为用"的观念,以"经"、"书"为主的一贯教育,始终还是一仍未变。尽管有人表示反对。但过去数十年来的确是如此。后来由改制而注意到小学教育的课本,根本撇开旧套,从教习儿童的识字教育开始,但还是走的《礼记》文化的老路线,采用"小学"、"训诂"的精神,配合西方文化的看图认字的教学方法,因此而有了"人、手、刀、尺"、"山、水、田"、"狗、牛、羊"等初级小学课本的出现。从此而再演变,便又改的课本,作为小学"小猫三只四只"、"猫儿叫,狗儿跳"一类低年级的读物。再往后的一再改变,便到了现在的"开学了!开学了"、"老师早,老师好"的课本了。可惜我手边资料不够,如果资料齐全的话,就可以把这几十年来所有课本内容的改革,作有系统的研究,那么一定会发现许多道理和足资反省、检讨的地方。如果有人拿这资料作一篇《二十世纪中国中小学教育课本的改革和文化思想之演变关系》的论文,保证一定可以拿到一个学位。

当时有关这些课本的改革问题,都是经过慎重的研究和考虑,尤其须要根据国家教育政策和"教育学"、"儿童教育心理"等等学理的依据,并无随便乱来的嫌疑。至于人格养成的教育,则只归公民课本去负责(旧式的公民,叫作修身)。大家都是身历其境,都有受过这一教育方式的实际经验,不必再作详说。尤其像我们列入上一代的老少年们,亲自有过新旧不同的教育经验者,对此看得更为清楚。必须承认新时代的教育内容和方法,对于开启国民知识和普及教育的效果,的确迥非前代可比。但是知识并非就是"学问”,人格养成和国家民族文化精神的栽接,并非有了知识就能成功的。尤其对于儿童教育来说,问题更为严重。因为我们现在所采用的教育方法,为了配合当前时代的需要,大体上都是传授知识和技能,并没有真正考虑到国家民族“承先启后”的百年大计。旧式的教育,虽然也没有明文确定是为这一目的而教育,但几千年来的一贯精神,实在是与此目的相契合的。

现在为了面对当前时代的需要而传授知识和技能,那么,所有教育措施,就只看时代的趋向、社会的需要而决定教育的方向。因此,就无法以教育思想来开辟时代而领导新时代了。尤其为了“语”、“文”合一而采用的课本,对于知识的传授和传播,收到眼前的功效确实不少。但是距离中国文化的本位,就愈来愈远了。我们所谓的中国文化的宝库,都在上下五千年的古典书籍里,但是古书都用文言写成的。我眼见现代的青少年们,虽然爱好中国文化,有心要想研究中国文化,基本上就读不通古书,打不开这个上下五千年宝库的锁钥,因此只有望洋兴叹,左顾右盼的尽是一片茫然了。

以考试为学问的流弊

并且最不可解的,我们现行的小学课本,与中学、大学并非都能衔接。从小学一年级开始,拚命教儿童们背诵现行课本上的许多大可不必要的知识,来准备月考和期考。因此弄得有心“望子成龙”的家庭,比较上进的子弟,“三更灯火五更鸡”背书作功课,比起科举时代的考功名、背“八股”,更加严重。当时为了考功名,背“经”、“书”,背了以后,一辈子受用不尽而学无止境。只要问一问,我们现代六七十岁以上有所建树的老少年们,请他们平心静气地谈一谈,哪一个的学问知识不是从这种旧教育方式中打下基础。可是现在我们花费了无价可比的下一代童年时代的时间和精力来背课本,弄得头脑呆板,眼睛近视,背熟了以后,除了应付一级一级的考试以外,便等于毫无用处。一考上了中学,小学读的书就等于白费。考上高中,初中的书是白读了。考上大学,中小学的书等于无用。大学毕业以后,踏进各阶层社会来做事,无论如何专门,也会感觉到所学与所用,完全毫不相干。除非还要为一辈子的考试再接再厉,那才还有些用处。因而,正常情况下,或者在大学毕业以后,才需要正式开始重新读书求学。

有一次和一位学师范教育的同学谈天,偶然讲到这些问题,我问他说:"我们现在教育的真正价值在哪里?"他叹了一口气,笑着对我说:"为了考试"。由小学考中学,中学考大学,考研究所,考出国,考种种和种种的考。考过了一生,然后方有资格称"显考"和"皇考"。这真是一个语重心长的幽默。考试是中国文化特有的创作制度,法良意美,素来为外人称道赞誉的。谁知到了现在,一考之弊至于如此,因此而形成现在青少年们的思想与心理潜在的抗拒意识,也是相当严重的因素之一,的确不能掉以轻心而疏忽置之的。如果以时代观点,从西方文化的教育制度来讲,无论欧、美各国的小学教育,其课本与作业,也有考试,但轻松而活泼,收效的现象也绝不像我们的情形。至少目前美侨在我们这里的教育,也可以值得借镜而窥见其一斑的。

新式与旧制小学的差距

其次,讲到有关几十年前小学教育制度的内容和现在的情形,更会使人引起教育史上的沧桑之慨!如果一定说现在的老少两代存有"代沟"或"代差"的话,所受教育制度内容的影响,也是重要的原因之一。过去的小学,由旧式到新时代,制度还未十分完备。小学教育,便有"初级小学"与"高等小学"之分。如果再向前推,又有旧制的"高等学堂"之别了。我们在前面已经讲过由清末以来的教育改制资料,便可知旧制的“高等学堂”,它的性质相当于现在的完全中学。再进一步,便是旧制所称的“大学堂”了。至于综合旧制的“初级小学”和“高等小学”来讲,它的性质,等于现在的完全小学。但在几十年前的小学,由初级到高级,不但对于西方文化的英文、算学等基本教育,已经列为必修而有相当的程度,而对于中国文化的传统教授,大体上还是因袭旧式的精神,保持传统的读书风气。因此倒退回去几十年来讲,那个时代一个毕业于“高等小学”的优秀学生,他的知识程度、学问修养和见解,比起现在一个毕业于完全中学的学生,实在高明得多。如所周知,在这个时代几十年来很多对国家社会有建树的人物,无论在党政、军事或文化教育、工商各界出人头地的,他的学识基础的深度,都是由于旧制小学和依照旧式读书的教育成果。其实,这是我们这一代老少年们大家心照不宣的老实话,我相信他们大家也都有同感,只是不肯出之于口而已。

我们现在社会安定、经济进步的一代,国家花了经费,普及了国民教育,何以在完整的国民教育制度下,反不如其初也?而且反因教育的普及,促使青少年思想与心理上的徬徨,这又是什么原因?实在值得深思反省。老实说,这几十年来,如果只靠普通学校教育的方法,恐怕中国文化的精神,早已沦陷无遗了。当然,我所知不及的地方,或许很多,但是,如果这一代中,真正亲自接受过新旧教育与普通学校教育和军事学校教育的,或者对我所说会予首肯的。

十三、教育与文化的中空

这一两年来,有些从大学和研究所毕业的同学,进入社会工作以后,深切地感觉到中国文化以及中文修养方面,太过贫乏,甚之,因此而影响对西方文化的认识,也愈来愈肤浅。希望我们读过旧式"书院"的老少年们,根据真正"书院"的精神,参酌西方研究院的长处,试办一个可供读书讲学的地方。此事看来很好办,但事实上,有许多的困难无法解决,同时也是一件吃力不讨好的工作。而且最主要的,我还是振作不起疏懒惯了的个性,平常徒托空言,不肯积极地见之于行事之间。所以一再因循,得过且过。

最近,许多大学毕业的同学,碰到初进大学的同学,向他们讨教求学的方向,以及开始研究中国文化的方法。因为这些青年考进了大学之门以后,才开始觉悟到必须"反求诸己"——研究中国文化的精要。但因为由小学到中学的十多年时间,浪费了青春的精力和智力,死背了许多无用的知识,对于中国文化,所有的是一片非常可怕的"空白"。现在进入大学,比较有些自由读书研究的机会和时间,但又不知如何入手,如何找出一条简捷易晓的捷径,以及如何迅速地弥补过去的"空白"。

新进的同学们发觉了问题,前期的同学们对此也同样不知所措,谁也不能昧着良心盲目地指人一条暗路,单靠"读经"就行吗?谁又不会"读经"呢?凡是多认识些中国字的,都说自己会读"三坟五典,八索九丘"。甚之,诸子百家之学,都可一目了然,无所不通。目今林林总总的学子,以及负责教育的,谁又不是博古通今,目空一切的呢!而且讲授人文思想的,提到中国文化,除了尧、舜、禹、汤、文、武、周公、孔、孟以外,便是"我"。然后便气"盖"万夫地褒贬诸方,肆意谩骂。提到西方文化,除了苏格拉底、柏拉图、亚里士多德等以外,在中国,无论自己的洋文真的通与不通,除“我”以外,还有谁呢!结果呢?砍过程咬金式的三斧头以外,再要“扣其两端”,便是“空空如也”犹如圣人了。如今滔滔滚滚者大半如此。因而青年们,徬徨更徬徨,唾弃更唾弃,你说怎么办?

还有一位某大学的同学对我说:“我们学校的新决定,要把某一科的思想史,改作一年级的必修课。请问:你对此有无意见?”我说:“放在哪一年都可以,我无意见。不过,为什么有了这种动议?”他说:“因为要大家先对历史有了认识,才好选择自己的志趣,应该专攻哪些学问。”我说:“如果照这样说来,大家在中学阶段都没有读过历史吗?如果在中学里已经读过历史,为什么到了大学一年级还要再了解一次历史呢?倘使本来已经知道历史,只是不知道历史上的学术思想史而已,那么,兹事体大,就非大学一年级的程度所能了解。照现在大学生的程度,恐怕至少要三年级才能开始研究。”总之,对于这个问题的本身,并不足以重视,目前教育的现况,都是似是而非,只要学校当局的“老板”们,随心所欲而不逾外行人规定,爱怎么办就怎么办。但是由中学到大学的一段“中空”,又是谁该负其责咎呢?

再说中小学教育的“代差”

本世纪的六十年中,我们的国家一直在忧患中度过多难的岁月。距今三十年前,我们还未实施国民义务教育以前,无论小学、中学、大学,都是在旧制中蜕变改进,并未确定一个为国家百年大计,除旧更新的准确路线。虽然各省县照例有县立高等小学和省立中学的建立,但较为僻远的地方,仍未普遍地设立。因各地的知识分子,秉承中国固有文化思想的读书人,抱着读书救国的传统精神,起而私人兴学的,大有人在。但是,三四十年前的小学或中学,无论是公立或私办,大多都在不今不古、半中半西的文化思想之回漩中,教育青少年们。人文思想方面,正是西方文化思想开始输入的阶段;自然科学方面,也只是初步移植新知,培养后进。除了东南和沿海一带,比较容易接受西方文化之外,教会的势力也随着百年来的苦心经营,而伸入教育范围,此时已兴办新式学校,努力介绍西方文化,积极传授洋文。至于其他公私立中小学的学风,仍然还是停留在以中学为主,西学为用的阶段。有些虽然不是完全以中国文化为主,至少也是偏重在东方文化方面。倘使只从中国文化的立场来说,三四十年前受过中、小学教育的人,对于中国固有文化,正处在"褪色"的阶段,还没有像这二十多年来,由褪色而变为"真空"。这种现象,只要深切体会我们现代中国人对于中国文化吸收的程度,以二十年做一阶段,从六十年前受教育,与四十年前受教育,以及最近二十年来受教育的人相比,就可很明显地看出差异。如果说现代中国文化真有"代沟"的话,那么文化思想上的"代差"就是非常明显的事实,大可不必讳疾忌医而不谋自救之道。至于目前二十岁左右的大专同学,乃至再往前看看,还正在受小学教育的小朋友们,因传播事业和时代文明的发展,新的"代差",又在更新的孕育中成长。为"国家百年大计"、为"人类文明前途",亲身目睹这些历史文化演变的现象,使人对于"成己成人"的千秋事业,不禁四顾徬徨,毕竟如何才能向历史任务作一交代呢?

六十年来演进中的大专教育

由以上的大要,了解了六十年来中、小学教育的概况,再回顾一下本世纪中我们的大专教育,更有"概乎言之"之况了!我们在前几次讲述中,对于清末民初教育制度变革的情形,已经约略提到它在历史上演变的大要。从一般性的大专教育来讲,大学方面,由京师大学堂改制成民国以来的北京大学之后,在北方还有北京师范大学、清华大学等的建立。以后各省也分别设立了大学,例如云南、四川、山西、浙江大学等。此外,各地也有继起的私办大学,后来又有国立的各个大学。其他在东南沿海直接或间接由教会办的和私人创办的大学,在输入西方文化和传授洋文方面,素来便有一路领先、特别优秀的卓越声望。至于职业性的学院,除了医学、法政与交通等,要算师范学堂最为流行,因为当时我们国家在政治、立法和建立新时代的教育方面,正在需要人才。此外,有关矿冶、蚕桑、纺织方面,也有少数的专校。但是,一切都还在建设性的新创过程,教育方法虽然很认真,制度还未完全确立,或多或少,总在不今不古、半古半西的成长阶段。特别是属于革命性的教育方面,又与一般教育分途。

由旧式教育转向新式教育

面对我们现在的青少年们,大概描述了这几十年来教育的趋势,虽然笼统讲了中、小学和大专的情形,但是绝不能拿诸位同学现在在此地受教育的经历,来看过去五六十年或三四十年的情况。否则,便会使我们要讲的主题——二十世纪青少年的思想与心理问题——完全脱节而毫不相干。我们花费了很长的时间,叙述现代史上教育演变的情形,正是为了层层剖剥有关现代青少年思想与心理问题的因果关系。也许大家了解了这些事实以后,由果推因,便会知道自己是如何成长茁壮在这个安定幸福的社会中,同时也可由此而体会到“忧患兴邦,逸乐亡身”的道理。

几十年前,我们读书求学可没有像诸位现在那么容易。现在政府实行义务教育,并有奖励求学等政策的规定,又加社会安定、国民经济平稳、交通方便,所以由小学、中学,一直读到大专和研究所,都是一帆风顺,平步青云。可是前一辈的老少年们,就与现代青少年们大大的不同了。尤其像我们这些不今不古、不中不西、不老不少的老朋友们,讲到读书求学的故事,真有不胜今昔之沧桑感慨。

几十年前,像我们这些来自乡村的老少年,先在家里接受了旧式读经书的“家塾”教育,既不是像现在青少年为求职业、求学历、求出路而接受教育;更不是为了“科举”、考“八股”以博取功名。我们从小先要接受旧式教育的动机,那是传统历史文化上旧观念的习惯所驱使,同时也是受了旧观念的“万般皆下品,唯有读书高”的意识所影响。因为当时在新旧社会形态的变革时期,许多乡下人真还弄不清国家教育政策的方向。除非有些在通都大邑的人,得其风气之先,才真是为了读书救国,为了学问而学问地接受教育。现在反省起来,说句老实话,我们当时的读书受教育,有意无意,或多或少,都是因袭三千年来的旧观念,不外乎由“光耀门楣”、“读书作官”的动机而来。当然仍有少数杰出之士属于例外,不能一概而论。这种观念,也正如现在大家潜在意识的观念一样,是为了求学历,拿文凭,好找职业,好谋出路。只是时代不同,观念的名称改变,实质上,还是“换汤不换药”,在根本的心理意识上,完全相同。

新旧读书方法

我们当时旧式读书受教育的方法,是“读古文,背经史,作文章,讲义理”,那是一贯的作业。那种“摇头摆尾去心火”的读书姿态,以及朗朗上口的读书声,也正如现在大家默默地看书,死死地记问题,牢牢地背公式一样,都有无比的烦躁,同时也有乐在其中的滋味。不过,以我个人的体验,那种方式的读书,乐在其中的味道,确比现在念书的方式好多了。而且一劳永逸,由儿童时代背诵的“经”、“史”和中国文化等基本的典籍以后,一生取之不尽,用之不竭。当年摇头摆尾装进去,经过咀嚼融化以后,现在只要带上一支粉笔,就可摇头摆尾地上讲堂吐出来。所以现在对于中国文化的基本精要,并不太过外行,更不会有“空白”之感,这不得不归功于当年的父母师长,保守地硬性要我们如此读书。

“家塾”读书受“经”的遗风当然存在不了好久,时代的潮流到底很自然地打开了风气,马上就需要转进“学堂”(当时俗语称呼新式的学校叫“洋学堂”)去上学。但是,就以“高等小学”(等于现在的国民小学)来说,一个县里也没有两三个,有些地方隔一两县,才有个中学。虽然路途只隔十多里或二三十里,可是要一个生长在保守性农村的子弟,基本上是先受旧式教育读书的小孩子,背上一肩行李和书箱,离开家园而进入“学堂”的大门,过着团体受教育的生活,其中况味,比起现在出国去读书,还要难过。如果由高等小学毕了业,有能力、有志趣,要再上进去读中学,那种气氛就像专制时代进省考“举人”一般严重。三四十年以前,在守旧、保守的农村社会里,一个乡村没有几个中学生。当时,他们便等于是“洋举人”,风头之健,足以博得人们的刮目相待,或“侧目以视”,至于偏僻地方,一个县里能有几十个中学生,已是了不起的事。再能进读大学的,真是寥寥无几了。但是那时一个高等小学毕业生的学养程度,比起现在中学毕业的,还高得多。一个中学生,比起现在大学毕业的,也要胜出一筹。如果大家不说假话,当代多少知名之士,在各界有所成就的中年以上人物,很多都是在这种不新不旧的中、小学教育环境中成长自立起来的。尤其站在中国文化方面来讲,的确是如此,其中的原因固然很多,最重要的因素,还是因为时代的不同,从小学开始,对于中国固有文化,已经打了较好的基础,这是不必讳言的事实。这就是我们的国家,在几十年前,由农业社会转进工商业社会,因教育形式的不同,而使得这半个世纪中的心理和思想上,产生许多新旧的差异。

为什么当时读到中学的人那样少呢?这就涉及了当时政治、经济、交通、教育等等许多的问题,而且这些问题,也都是现代教育上的专题。现在追溯从前,只从经济方面来讲,当年的农业社会,较为僻远的地方，能够使一个子弟读完高等小学，在学费的负担上，已经非常吃力，如果要使一个子弟读完中学，在学费、路费（交通费）、住宿、膳费等的负担，如非“中人之生产”的家庭，实在很难负担得起。除了通都大埠以外，一般农村社会，除了要子弟读书作官来光耀门楣，否则，教育对他们而言，真是一件过于奢侈的事了。倘使再要上进去读大学，就等于满清时代的上京考“进士”一样的严重。因此那时候一个大学生，除了少数真正毫无出息的世家公子，或富家纨袴子弟以外，只要能够进入大学读书的，学识才能的程度，就远非今日的大专同学可比了。当然，大学生们也许会盲目地责怪上一代的老少年们对于国家历史上的贡献。事实上，如果真能深切地研究、了解了我们国家在这半个世纪中，遭遇“内忧外患”的种种经过，便会体谅上一代的老少年们，是如何地运用不今不古、半古半西的学问知识，极其艰辛地撑持了这“六十年来家国，八千里地山河”的历史局面。在艰危变乱中，诚然不免忙中有错，何况世界上最难了解、最难判断的便是“人”和“事”。因此对于这个问题，很可以引用两句古话来说：“书到用时方恨少，事非经过不知难。”

才流都向考中磨

在这二十多年来，教育的发达和普及，远非从前可比。但是无论教师或家长，都感觉到教育水准的低落，一代甚于一代，而远不及从前。当然，其中原因复杂，不能只苛求于学校的教育，例如社会风气与社会教育的关系，家庭教育与家长思想的关系，整个教育精神与教育制度的关系。在在处处，都是整体连锁性的因素。不过，单以中学的教育而言，问题就颇为严重。历年来为众望所归的几个著名小学或中学，尤其是某些“女中”，为了争取“校誉”（以升学率的高低而定校誉的声望），大半时间，在教“考”。除了背考试题以外,就不知道什么叫教育了。而且功课的繁重,根本没有时间多读课外的书。我与学生及在中学里当教师的同学们谈话,他们或她们在夜里做梦的时候,经常都还梦见"赶考"——被考或考人。除"考"以外,简直不知什么是学问。旧式考试考"思想",现在考试考"记诵"。《礼记》有言:"记诵之学,不足为人师。"可是现在能记诵而善于考试的学生,家庭与学校,都认为是好学生。稍加活泼而稍富于才能与思想的,反而考得不好。而社会、家庭与学校,根本就抛弃诱导天才等的教育原理,很轻易地认为是坏学生——太保或太妹。所以这些不"太"而也被汰的青少年们,率性就抗拒到底,一路地汰下去了。家长期望于现在好学校的心理是如此,所谓好学校的校风恰也合于家长和社会的要求,你能说是有错吗?其谁之过欤!其谁之过欤!

十四、尊师重道

“尊师重道”,是人类文明的共通德性,无论中外都是一样,只有礼仪形式上的不同,并无精神上的差别。但在五千年来中国文化的传统中,“师道”的尊严,“尊师重道”的精神和礼仪上的风气,俨然已与“君道”互相对峙,构成“政”、“教”互助的特质。只要读过历史(不是现在学校里的历史课本),懂得中国文化史的人,都是了然于心,不待细说的。即使没有读过书,没有受过教育的人,在文化传统的熏染中,也都知道“尊师”的重要。尤其在过去的民间社会,不读书,不进学校,自由从师学习百工技艺为专业的人,终其一生而“尊师重道”的精神和行为,比起读过书,受过教育的人,有过之而无不及。至于习“武”的人,对于“尊师”,更加重视。但在二十世纪的这个时代中,数十年间,师之不尊,道之不行,其所由来者久矣。因此政府与社会,苦心复兴中国文化,强调“尊师重道”的行谊,每逢一年一度的“教师节”,特别提倡“敬师”的运动,实在是煞费苦心。

但从另一角度来看,隳堕才须复兴,颓废才须提倡。正因为中国文化的优良精神,经过几十年来的蜕变、没落,产生了许许多多的弊病,所以才须复兴和提倡。即如“尊师重道”一事来说,也正因为感慨于“师道”的沦夷,因此才重新号召。老子所谓“六亲不和有孝慈”,也便是这个道理的反映。可是多少年来,无论在教育界、在社会间,“尊师重道”的风气,一经提倡和号召,便已确实改进了吗?事实并不如此。相反地,如果深入观察,反而看到现代师生之间的彼此排挤、倾轧、嫉恨、轻视,甚之互相谩骂,处处皆是。由此可知一种优良的礼仪风气,绝非制度或规定所能养成。它的基本根柢,仍然有赖于教育和学风的改正,以及整个社会风气和全民思想的培植。

中国传统文化的师道

现在让我们先来回顾一下历史文化上有关“师道”的情形,使大家在观念上,能够“温故而知新”,可以得到惩前毖后的准确方向。在我们的传统历史上,师道的尊严,自三代开始,就与“君”、“亲”并行。所谓“作之君,作之亲”,同时也便要“作之师”的。

自东周以后,有孔子的精神和人格的感召,“万世师表”的典范,和“尊师重道”的观念,便与“君道”分途而截然独立。但与“亲”道仍然是互相呼应。秦、汉以后的“传经”和重视师承的风气,虽然渐已趋向狭小而发生流弊,但这种优良传统精神的存在,依然有其特殊的价值。

魏、晋南北朝之间,师道渐趋隳堕,但因新兴佛教重视师承的作风,以及政治体制上确立了王者尊师的礼仪。“师道”为尊的精神,又走向一个新的境界。

到了中唐以后,韩愈写了《师说》与《原道》,为“尊师重道”和重视师儒的风气,又添了一番新的景象。由于儒、佛两家学风的影响,到了宋代,理学兴起,撮取《礼记》和“丛林制度”的精神,新的“尊师重道”的面目,便从此确立。

如果肯读一下“四朝(宋、元、明、清)学案”和“五种遗规”等书,资料俱在,在此不必多说,因此自明、清以后,各阶层社会重视“师道”的观念,普遍流行。过去许多家庭的中堂,供奉了一个宗教式的牌位,上写“天、地、君、亲、师”五个大字,也便由此而兴。所谓“一日从师,终身为父。”乃至尊重“一字之师”的美德,也便为大家所乐道。民间社会和宗教上“师父”的称呼,以及帝王们在朝廷上对“师傅”的恭敬,也由此而成为当然的风俗。

可是,所说的这些故实,还只是历史上的精神形式。事实上,自宋、明以后,“师道”的尊严,并非只是对学生们的要求。实际上,是师生互相尊重的礼仪。固然“一日从师,终身为父。”是对学生们的教诫。但是老师对于受业的学生,亲情爱护,以及对他的学术思想乃至行为上,都须负起毕生的责任。学生对于老师,固然视之如父,但是老师对于学生,在中国礼仪的传统习惯上,向来都很谦抑,犹如兄弟的相处。所以古来称学生为“弟子”,就有弟兄的意义。老师写信给学生,除了“贤契”等文绉绉的称呼以外,有时多以“仁弟”或“老弟”相称。老师自己的具名之上,不是加上“友生”,便是“愚兄”,表示互相的尊重。

即使学生中了“状元”,作了“宰相”,而在乡的教师,始终是青毡一席,没有博得功名,终老于白屋,一旦“状元”或“宰相”的学生,衣锦回乡,仍然还是执礼甚恭,犹如在学之日。

由此影响所及,从前官场的仪注,对于门生故吏之间的感情,也如师生一样。便是由于这种学风而来。

三十年前,我的一位老同学朱铎民老先生,出任于某省厅长以后,偶然回乡,马上赶到老师坟上去拜奠一番,还为老师的家属购买了几亩田地,以供祭扫,因此大家交口称誉,传为美谈,认为他是学生的模范。现在他已年逾八十,我们有时谈到新知旧学时,真有无限的感慨。

当然!我说的这些,也许诸位同学认为是站在师长一面而言,并没有说出中国文化史上师生彼此负责的事实。现在为了节省时间,只举出宋、明以来历史上两三个故事,便可代表了这个观念。

至于在学理上,所有文化史的实际资料,足可作一长篇论文的充实内容,但需要诸位自己去读书寻找,让我卖个关子,以免大家太偷懒,养成依赖性。第一个故事:就是宋代忠臣文天祥被陷在元朝的时候,他的学生怕他受不了威胁利诱,特别作了一篇祭文,连带祭品偷偷地送给他。他看了一笑,带信告诉学生们放心,他绝不会不忠而投降。第二个故事:我们都知道明代的忠臣方孝孺,不肯为明成祖的篡位写诏书,惹得成祖要杀他十族。古代最重的刑戮是灭九族,明成祖对方孝孺的灭十族,便是加上一个师族。这岂不是表示中国文化"师道"的尊严,和师生之间彼此负责任的事实吗?第三个故事:便是清代的年羹尧,相传他的禀赋非常恶劣,后来是靠一位明师教导出来而"文成武就"的。后来,他对请来教导子女的"西席"老师,也就特别恭敬、重视,优待异常。但是他在老师教书的地方,却贴了一副对联:"不敬师尊,天诛地灭。误人子弟,男盗女娼。"这副对子,虽然很粗鄙,但也正是对教育和师生之间的互相责任上,下了一个严谨的忠告。

现行三级学校的敬师

有关过去的风气,暂时讲到这里为止。最近二十多年来,我们所看到"尊师重道"的精神和风气,只有在国民小学的学生们,还可以保存这些气息。一开始进入中学,就渐渐地淡了,到了大学,就只有一些影子了,甚之,连影子也看不见了。至于一般的社会和家庭,有时提到老师一词,等于代表了讥笑和讽刺的笑料名辞。在小学生们的纯洁心灵中,大体说来,对于好的老师的尊敬,真有神圣庄严之感。看到老师就要敬礼,同时又一半胆怯、一半含羞亲切地喊一声老师。可是一到初中,学生的年龄长大了,老师的尊严也走样了——当然这与现行教育的学校制度是有密切的关系。于是对于"尊师"的态度,比起在小学时代,已经大大地打了折扣。再到了高中时代,比起初中,又减少到一半以上。如果一考进了大学,学生与师长之间,就几同陌路之人。甚之,离开课堂以外,在任何地方碰见了师长,还肯向老师翘翘下巴(不是点头),举举手打个招呼,老师们应该有"受宠若惊"之感。倘使亲切地喊一声"老师",真会使你感觉到感激涕零,不胜感动呢!大学毕业以后,在别处遇见了老师，还能礼貌地招呼一声，那会使你觉得其人可以“德配尧舜，道贯先贤”了呢！这种情形，是现代中国人和教育界心照不宣、显而易见的事实。我们由此可知，在现行教育制度的学风之下，教育程度愈高，知识愈丰富的，尊师重道的精神也愈减少。甚之，低到于零。唯有在军事学校的教育方面，大体上还能保留了固有文化的精神，和袍泽情深的情感。

讲到这里，使我想到了有关“敬师”的一个滑稽事实，稍作报告，希望有心复兴文化和有心整顿教育风气的人，多从正反双方注意研究。但我要声明，这个事实的存在，应该已有三四年的历史了，因为在三四年前，我的家里，还有三级学校的学生，所以看得比较清楚，现在我家已经只有大专学生的经验，恐怕时过境迁，也许是已落伍了。况且我又不喜欢多方接触，更不肯深入社会去作资料调查，只好据实报告一番而已。

大家都知道，我们过去几十年前“尊师”的风气，最注重的是一年三节，端阳、中秋和过年的时节，一定要备礼物，如无礼物也要去向老师拜年、拜节。现在时代变了，当然须要革除旧习。但在这十多年来，每逢“教师节”的时候，凡在国民小学里的学生，一定由家长会发给一个红包带回家，上面注明是“敬师金”。虽然说这种作法产生的流弊也太多了，但在我个人的观感，倒可引用孔子的一句话来说：“赐也！尔爱其羊，我爱其礼。”当我的孩子们带回了“敬师金”的红包时，我问要装多少钱？这就产生了两个不同的问题了。第一，因此可以看出一个级任教师的好坏。第二，因此可以看出孩子们的心理、禀赋的个性。当时孩子们的回答说：“起码的规定需要十元，但是我们的老师太好，而且我们总要比同学们多一点，才有面子。”于是我就故意先与他们讨价还价地渐渐加上去。最后才告诉他们“尊师重道”的道理，宁可自己节省一点，对于“敬师金”应该比较从丰为是。相反的，也有孩子说：“我的可以少一点，不必那么多。因为‘敬师金’是由老师们集中起来分的，好坏的老师都一样,每个人分不到多少钱。并且我的老师有补习(当时小学的老师另有补习的风气),一个月可以收入六七千元,或多到八九千元左右。家里的用具比我们的寒舍好多了。爸!你为什么要教大学,还不如去教小学多好呢!"这番话,使我听呆了。第一个感觉,就是这一代的教育怎么办?他们的小小心灵上,已经感觉到只有"钱"和"物质"的需要,难怪人心愈来愈要趋向现实。当时除了多方讲解,善为教导以外,同时又得到一个机会去拜访那位老师。我先请教他"贵姓?"他说:"我贵姓×。"跟着再请教他"府上哪里?"他说:"我府上××"!因此等等,我只有鞠躬如也,唯唯告退!这个孩子的学业,后来就蒙受损失很大。过了几年,听说他又混到了某大学毕业,现在又全家出国去了。真是不胜感慨。

孩子们读到了中学以后,到了"教师节"时,有关"敬师金"的事,就一年比一年地淡薄下去,据说在缴学费时,已经加进去了(当然很有限)。读到了高中,好像是"云淡风轻近午天",大有烟消云散之概。一到了大学,不要说根本没有这回事,就连起码的礼貌也没有影子了,那只有"月落乌啼霜满天,江枫渔火对愁眠"的境界了。如果碰到一个真正清寒的大学教授,当他"儿啼于前,妻号于室"的时候,那真会使人回忆起古人的"命薄不如趁早死,家贫无奈做先生"的苦涩滋味。

当然!这还只站在一面的观点来讲做老师的苦经。如果另从学生和家长一面来讲,据我所知,当时有些小学生带回了"敬师金"的红包回家时,根本不敢拿出来跟父母家人去说,小小的心灵上,只有偷偷地在哭泣。因为他们的家境实在太贫寒,每天要十元钱买菜都不可得,哪里能够拿得出"敬师金"呢!可是,有的学校,有的老师,看到学生不交付"敬师金",就另眼相看,甚之,不堪其苦。你说,这又怎么办呢?后来教育当局,也许知道了这个弊病,好像下令稍稍改变了这个办法。但是,持平之道,毕竟太难做到,究竟"敬师"或"不敬师"要如何做才好,利弊也各有千秋,谁能做到真正得其“中和”而“天地位焉，万物育焉”呢？

谁能遣此的大专学风

好了，闲话少说。现在我们回转来检讨一下大专学校的教授、老师们何以会受如此的冷落，这也许与现行的教育制度和学风有绝对的关系。理由和理论太多，一时讲不完，最方便而最好的办法，也可引用一两个故事来说明事实。第一个故事是在清朝末年稗官野史上的记载，当年张之洞在湖北开始创办洋学堂的时候，聘请了好多老师宿儒来当“教习”(等于现在的教授)。张之洞第一次对“教习”们讲话，其中便有语重心长的两句笑话，他的意思是说：今天请到的“教习”老师们，都是“衮衮诸公”，希望大家能够尽心尽力地教好学生。如果不能教好学生，便有负初心，那么，只好是“诸公滚滚”了！由于这个故事，使我们联想到旧式社会的“书院”或“家塾”里请一西席老师的时候，无论家长或代表学生和家长的是什么地位，都须不厌其烦地亲自依礼去请老师。因为这种礼貌是表示他代表学生们来请老师，不是给恩赏饭吃。所以像张之洞请来的“衮衮诸公”，也便在这种方式之下挽请到的。如果使他一片苦心失了望，那当然只有“诸公滚滚”了！

可是这种“尊师重道”的风气，现在变得没有影子，不管公立的大专学校或私立的大专学校，只要能够聘请你当一位老师，不但是天大的面子，而且对你真有恩同再造的衣食父母之慨。如果你不听话，当然就“诸公滚滚”了！所以当一纸聘书，交付邮局寄到你家里来的时候，应该犹如接捧古代皇帝的诏书一样，喜从天降。身为学校当局的负责人，还有谁肯保持中国文化的礼仪，公然地为学生亲自作代表或派学校的大员，执礼甚恭地送聘书呢？尤其有一类私立的某些专校，由一二个略识之乎的老板们唯利是图地创办起来，请老师是当作赏饭吃，那种踌躇满志、睥睨一切的神气，实在可使书生们不寒而栗。有的同学们出去任教,碰到这种情形回来和我谈起。我说:老弟们,学问的养成,气节最要紧。做工、当小贩的职业,与你的学问并无关系。甚之,“多能鄙事”,更可接近孔圣的心传!何必一定要做教师呢?何况事实上,一校、一院、一系都画满了圈圈,如果夤缘不到,不能得到学校老板的青睐,纵然“才高八斗,学富五车”,照样是投闲置散,无法上得讲台。加以社会安定,一切上轨道,有制度,论资历和年资的限制,又正好作为阻挡的藉口。稍有才具的人,不免多有些意气,于是,讨厌意气而不欣赏气节,便从此打入了冷宫。或者你教学教得太好,碰到老板们不高兴,同事的妒忌,就明褒暗贬地从此不给你开课。由于这些道理,就引出我的第二个故事。这个故事,还只有二三年的历史,是我亲身所经历的。有一天下大雨,我与某某名经济学者(因未征求同意,必须保留姓名),一起候车上课,大家已经半身雨水,不堪其苦了。我说:“唉!现在真是工商业的时代了,能够讲礼仪,‘尊重师道’的,也只有在军事学校方面,还能保持礼貌。他们接教授,有专车,迎送都到家门,始终礼遇不衰。除此以外,其余不足观也已。”这位学者听了以后,便对我说:“老兄,说你不懂经济,一点不错。你要知道,现在的学校制度,哪里是工商业的行为?其实都是官气。你应该知道,工商业的要点是‘顾客至上’,学生固然是顾客,当老师的也是顾客啊!谁叫你不去办个学校,也请我这个顾客上去讲讲课呢!”

家庭与社会的尊师

除了因为学校的制度而形成“师道”沦夷的因素以外,社会和家庭教育方面,也逐渐地丧失了传统文化的精神,并不真正重视“师道”。因此与学校制度互为因果,便使五千年来的礼仪之风,几乎不绝如缕,这也便是最大的原因。过去的“尊师”,因为由于某一个人的“传道、授业、解惑”之关系,所以对于传授精神生命学问的老师,终身视之如父。现在是以“母校”为标榜,一切的荣誉,归之于学校,教师们只是学校中的一分子。纵然有好的老师,一切荣誉,也只有归之于学校,与个人无涉。而且工商业影响整个时代,老师们按月领薪水、拿钟点费,等同工商业的行为,所谓上课也者,也便是出卖知识而已。品行和人格的教导,当然由训导处去负责,何必多事。教室和讲台上的蛛丝尘渍,自有总务处来管理,不必劳心。教师们没有固定的休息室,没有固定的茶水供应,那是活该,又有谁来管你?下了课,赶快要去赶交通车,学生要想在课外请教,实在没有时间,也没有地方——办公室。交通车脱了班,自掏腰包划不来,这个月的生活预算怎么办?至于负责“德育”的训导,以及具有“内相”之才的总务,是否真能做到与负责“智育”的教务互为一体,那也只有天晓得。其实,办“总务”和管“训导”的,根本各自为政,谁也没有做到,谁也没有责任。因此有许多学生们一离开校门,“怨声载道,有口皆悲”,更影响了家庭和社会对于学校的轻视。学店观念和只要有学历的思想,便普遍流行,谁还管你老师的好不好呢!结果弄得对于个人“尊师重道”的风气沦丧殆尽,对于学校的情感和信赖,也只是若存若亡而已。

讲到家庭教育,又使我联想起几个学生在外面当“家教”的情形。综合他们回来谈话的结果,便会使人想到现在的家庭教育需要重整,更有重于学校的隐忧。旧式的社会,“家教”便是教师,师严而从道尊。现在的请“家教”,是由于社会的风气和有些家长们盲从升学主义的促使。大致说来,可以把他分为三类。第一类:家长们也是受过教育的知识分子,不过都是现代人,学问思想,像我们一样,大多都在不中不西、不古不今的夹缝中。望子成龙心切,更有崇拜自然科学的时髦感,自己不管子女的天才和本质如何,只是要求老师努力向这一方向去教导孩子,有时候自己还顺便扮演一下旁听学生兼督学,往往弄得“家教”老师吃不消地知难而退。第二类:家长们,尤其是主妇们,上了牌桌就六亲不认,孩子们学业的好坏——不是学业,只管考试,一切责之于"家教"的老师。学生们考不好,老师便是冤家。学生们考得好,就认为"这个家伙"还不错。第三类:惨了!学时髦,请"家教",根本就不知道为什么?"家教"的老师教完了,还凭特殊的身份,克扣报酬。有一次,一位女同学当"家教",碰上了这桩事。这位女同学小人气大,并不管学生的家长是什么职位和身份,准备到他办公室去要。双方是否都有错,很难说。但的确有一二人还有要不到的呢!我们试想,"家道"如此,"师道"如此,中国文化怎么办?

师道的自尊

讲了半天"尊师重道"的闲话,看来好像都是学校、社会、家庭的不对,老师们都是绝对的对似的。其实,人靠平地才站起来,同时也正因为有了平地才使人跌倒的!现在教育的进步和教育的普及,比较三十年前,大有天渊之别。但是我们的国家,我们的文化,又加上正在一个"古今中外"的回漩中求复兴,求建设。所以忘记了旧的人格修养的教育思想和教育精神是"学问";新的学识和技能的教育是"知识"。因此观念的分野,混淆不清,所以教育的思想和规定就乱了章法。同时人文学科的重要和科学新知识的重要,更没有完全分别确定其尊崇的地位,因此教育上的科目和课程,一味乱排,轻重倒置。又加上教育的来源不同,倾倒欧洲派和美国派的学人意见互相冲突,因此更使中国文化徒具口号,并无实质的内义可循。这还是对于教育前提的荦荦大者而言。其中的前因后果,各个存有许多关键,一时言之不尽。至于从事教育事业的老师人才,扪心自问,是否真为教育而教育,这是一个很大的问题。虽然多少年来,自有专门培养教育师资的学校和学系,但是有关培养师资的"教育之教育"的问题也还不少。而且最大的原因,从事教育的已经有明文规定成为公教人员,因此作教师的是否都具有一片赤心为国家、为民族教育子弟而任教,或者仅为个人生活的需要而谋求任教为职业的,更须大加反省。

中国文化过去的明训是“学而优则仕”。但是过去的学而优不仕,而专为教师的真也不少。现在呢?一切受西方文化表层的影响,“学而优则商,商而不优则仕,仕而不优则教学”的,实在是一个罪过的思想。我也亲自听人说过,“有什么关系,谋不到好职业,去教教书总可以吧!”你想,他有没有学问不要说,但以此存心而从事教育,其后果不问可知矣。而且教育界的老师,原来如此,又怎样能够使人尊敬他为清高或高尚的职业呢!此外,无论在大小学教师之中,有的教科学的,是几十年前陈年的知识,丝毫不图长进。有新书,有新知,便藏起来,不让学生们知道,有的教文、法的,把图书馆里好的参考书,借回家后,有去无回,束之高阁。上课堂,大骂天下人、天下事一番,错的都是别人,不是自己。自我标榜学贯中西,才无今古,馀子碌碌,都是混蛋,可惜你们与人们不懂而已。骂完了,已经去了三分之一的上课时间,然后查问一番,略讲一节,训诫几句,使学生们为了学分而忍气吞声地鞠躬如也,敢怒而不敢言。比较好一点的,写黑板,宣读一下自己的著作,上课、下课,如此而已。也许是时代的病态,形成了人们多多少少都有些肝火太旺,或者是心理变态的毛病。但是以此而言教育,那就要值得我们好好地反省深思了!如果骂人的教育,需要开课,这倒是很好的榜样。否则,夫子的“温、良、恭、俭、让”,以及“望之俨然,即之也温”的教育态度,必须要努力去学习做到才好。非常抱歉,我讲这番话的动机,绝对不存有任何其他意见。只是蒿目时艰,为了国家民族培养后一代青年们着想,所以偶而发出伤时的感慨。希望大家能够真诚坦率地在“孔圣”面前由衷地忏悔改进。禅学里有一句话说:“要说话亦错,不说话亦错。”现在想来,这也算是我的口过。知我罪我,那就无法计及了。

十五、武侠小说与社会心理教育

从文化的立场来说,学术思想为整个文化的中心。文学是文化的骨干。而包括在文学范围内的小说,又是人文思想和文学境界互相结合的前趋。如果从小说的立场来看历史,全部人类历史,就是一部大小说。历史上的人名和地名,都是真的,但有许多事实,大多数已经走了样,甚之,完全变质。而小说中人名和地名,大多数是假托的,可是那些故事的内容,却几乎都是真的。只不过再经文人的手笔,加以渲染剪裁而已。只有幻想小说,完全是虚无缥缈的无稽之谈。但是幻想也是人们心理行为的呈现,而反映出一个时代或某一地区、某一环境中的人们思想和情绪。而且它对于社会思想的向背和心理思想的正反,都有绝对的影响。尽管有些自命为正人君子的读书人,反对看小说,甚或嫉之如仇,但他的思想和情绪,在不知不觉中早已受到小说的影响。因为小说会自然地变成戏剧或民俗故事,往往在无形中影响了各阶层的心理。

中国小说发展史的思想背景

中国小说史发展的渊源相当久远。由上古的“神话”而至于班固著《汉书·艺文志》的观念,已经正式建立了它在文化史上的分量。虽然说,“小说家者流,盖出于稗官,街谈巷语,道听途说者之所造也。孔子曰:虽小道,必有可观者焉。致远恐泥,是以君子弗为也。然亦弗灭也。闾里小知者之所及,亦使缀而不忘。如或一言可采,此亦刍荛狂夫之议也。”到了六朝,神怪小说大兴,正好反映出汉末魏、晋、南北朝几百年来的思想，是“玄学”和宗教性的神奇传说相互结合的时代。到了唐代，“传奇”小说大行，由天人之间的玄秘神奇而变为人物的传奇，提高了人的价值与功能，显示唐人文化的质朴之处，而且充满禅与道的气息。宋代的小说承接唐人的“传奇”而变为“志怪”，反映两宋历史社会的不安定，只好作无可奈何的寄托。但因此而形成了元、明以后“话本”与“历史演义”的先声。如明代罗贯中以讲史为题材的名著《三国演义》、《残唐五代史演传》等。还有以描写社会现状，与社会人物的心理为题材的名著，如施耐庵的《水浒传》。又以神怪妖魔为背景的《四游记》、《八仙传》、《西游记》等，都风行一时，成为传世之作。这也表现出明代思想的不稳定和逃避现实的状况。到了清代，“言情”小说与“讽刺”小说兴起。前者如《红楼梦》等，后者如《儒林外史》以及清末民初的《二十年目睹之怪现状》、《官场现形记》等。大致都代表了异族统治下思想和心理的假托与发泄。此外，有关吃喝玩乐的狎邪小说，如《花月痕》、《青楼梦》等，则开启了民国初年鸳鸯蝴蝶派的“哀情”小说，如《玉梨魂》、《雪鸿泪史》、《芸兰日记》，乃至如苏曼殊的《断鸿零雁记》等的风格。这都是反映时代社会的病态，显示悲凉怆痛的情调。总之，清代文学，承接唐、宋、元、明之后，在小说方面，形成多方的流派，而且较为细腻。这些有关中国过去小说发展史的大要，并不涉及近代和现代小说史的种种，只是借此略述小说所代表历史文化的时代背景与社会心理的演变概要。而本文要讲的只是着重有关“武侠”小说发展史的前因和后果。

武侠在历史文化中的分量

中国“武侠”，正式见于传记的，是从司马迁所著的《史记·游侠列传》开始。但是司马迁在《游侠列传》中，首先引用韩非子的话：“儒以文乱法，侠以武犯禁。”从法家的观点看来，“二者皆讥”。也就是说,韩非对于儒与侠两种人,都有讥评而极不同意。但是单以侠义的精神和侠义道的史实来看,所谓侠义的作风,实渊源于儒墨两家思想的互相结合,尤其偏重于墨家的精神,而侠义道发展的事实,却上承战国时代的六国养士,下接隋、唐的选举制度,与明、清以后的特殊社会的形式。但司马迁最初所称的"游侠",并非纯粹以个人的尚武见长。以个人的武技与侠义合并而成为后世的"武侠",应当说是《史记》中"刺客列传"的作风与"游侠"精神互相结合的事迹。唐、宋以后,由于禅与道的影响,中国文化的发展,处处进入艺术的境界,而不再是秦、汉时代的情形。所以对于文学的造诣境界,便称之谓"文艺"。对于武功技击造诣的境界,便称之谓"武艺"。明、清以后,文有文状元,武也有武状元、武进士、武举人、武秀才等科第。而且民间迷信科学,甚至有认为文状元是天上的文曲星下凡;武艺超群的武状元,或古代武功高强的大将,也就是武曲星下凡。于是,宋明以来的"历史演义"小说,充满了这种观念,而普遍灌输,影响到各阶层的社会。

侠义小说的兴起

纯粹以个人为主角,描写他的武技出神入化,而且有"技而进乎道矣"的造诣。而他们的行为,在个人方面,类似隐士,对国家、社会或帮助正人君子的事业,却满怀侠义,或为锄奸惩恶,或为济弱扶危,甚之,劫富济贫,也在所不惜。这是从唐人的传奇小说开始,例如《昆仑奴》、《空空儿》、《聂隐娘》等故事,便是后世武侠小说的先声。到了清朝中叶以后,侠义小说糅合了忠君爱国的忠义之气,把锄奸惩恶、除暴安良和劫富济贫等社会不平的心理混合为一,于是便有文康的《儿女英雄传》、石玉昆的《三侠五义》、俞樾的《七侠五义》,以及《小五义》、《续小五义》、《正续小五义全传》。同时又有《施公案》、《彭公案》、《七剑十三侠》等等,相继勃然兴起。

但书中描述人物的邪和正以及人情世故的是和非,个人人品行为的善和恶,都是泾渭分明,一目了然。就如我们儿时看戏,看到红脸出场,就知道是关公一样的好人。看到白脸,就会想到和曹操一样的坏人。总之,它的终结,不外是注意正邪善恶的果报。一面藉此而宣泄人人胸中所有的不平之气,一面也以此而敦正人心,并宣扬传统的“善恶到头终有报,只争来早与来迟”的信念。至于描写武功方面,由《儿女英雄传》的真刀真枪和拳来脚往的演变,到了《七剑十三侠》,便变为白光一道,飞剑取人首级于百里之外的境界。看了真使人有神乎其技之感,叹为观止。但也显见小说家笔底的“武艺”,随着历史时代的发展,逐渐进入玄妙而神奇的想象意境。倘使从另一角度来看,则正好反映出十九世纪中叶以后,东方“止戈为武”,与西方的“尚武好斗”的风气,都从原始技击和刀兵的运用,而进入神奇的要求。西方文化以物质文明为本,所以便发展为枪炮机械。中国文化是以人文本位和个人的精神为基础,所以便把技击进入以气驭剑,或心剑合一的幻想境界。清末“义和拳”的误国事件,虽然说是清朝宫室上下无知所造成,然而平时深植人心的剑仙侠客与《施公案》、《彭公案》等的小说故事,实在也是造成这种错误的重大原因之一。只不过士大夫者流的知识分子,讳不自知而已。

抗战期间的武侠小说

精良的艺术是太平盛世以及安定社会中的产品。而宗教、哲学、小说,大体说来,都是历史变乱,社会不安定中的结晶。自民国初年到抗战期间,武侠小说随着印刷的发达,风起云涌。阅读武侠小说的风气,也正如西方人阅读侦探小说和科学幻想小说一样的普遍。初期影响最大的,便是向恺然(笔名“平江不肖生”)所著的《江湖奇侠传》。书中的“武侠”宗师“金罗汉”和“柳迟”,以及主要事件的“火烧红莲寺”的故事,不但脍炙人口,而且几乎成为家喻户晓的事迹。因此拍成电影,而大受观众的欢迎。甚之,有许多小学生阅读了《江湖奇侠传》就离家出走,入山学道,寻访明师,闹出许多啼笑皆非的笑话。跟着而来的,便有李寿民(笔名“还珠楼主”),所著的长篇《蜀山剑侠传》(又名《峨眉剑侠传》)、《青城十九侠》、《兵书峡》等剑侠小说,都畅销全国而充斥书摊。至于出租武侠小说的行业,也因此应运而兴,赚得大好生意。还珠楼主的小说,又长又玄,几乎没有一部完工的著作,但却永远吸引着读者的心理。他以曾经学过道家方术的知识,和他游历过许多名山大川的见闻,以及多识虫鱼鸟兽人物等的经验,并脱胎于《神仙传》与《山海经》的幻想,配合他文白相间的笔调,实在使当时的青年人读之,即醉心于心灵幻想的雄奇之境,而逃避了现实的苦闷。他如许多学者大师们,也乐此不疲而藉资消遣。就如大家所谓当时的哲学家胡适之先生,据说也是还珠楼主的忠实读者之一(是否属实已无法考证)。但著者以后下落不明,据说他客居上海写小说时,堕落到终日躺在鸦片烟铺上吞云吐雾,挖空心思构想情节,而口授助手来笔录。后来我碰到有些传授道家方术的人,居然说出自得明师真传“离合神光”的道法,实在令人哑然失笑而瞠目不知所对。因为这些法术的名称,实出于还珠楼主小说中的杜撰臆造,结果竟公然有人信以为真,岂非不可思议。其次,比较不太过于以神奇相号召,而以中国少林、武当的武术技击加以渲染的,则有曾经学过国术的郑证因所著的《鹰爪王》等,却属于较为合理的武侠小说。而郑证因也是多产的武侠小说作家,大受国术界的欣赏。其他还有些后起之秀的武侠小说作家,记忆不全,姑不详说。受到这些武侠小说的影响,抗日战争期间,川康一带,公然有人号称结合剑仙侠客的地方团队,愿意参加抗战。这种爱国热情的忠义之气,实在值得敬佩,但是他们的见解和常识,却仍停留在“义和拳”时代,也是令人啼笑皆非的事。

近年武侠小说的演变

抗战胜利以后，武侠小说逐渐开始转变方向，其时平江不肖生的《江湖奇侠传》已成过去，还珠楼主的《蜀山剑侠传》、郑证因的《鹰爪王》的风靡，也渐见减色。介于剑仙侠客之间的故事，和完全不适合中国技击的功夫，而只凭臆测构想的作品，渐渐抬头。同时，有人以李自成、张献忠等为对象，影射中共的夺权行为，而写成武侠小说。因此在台湾，出租武侠小说的书摊行业，就凭这些小说，使得在风雨飘摇、流离颠沛的人们，得以宣泄胸中的满腔块垒。当此之时，有一位多年从事文化事业，出版经验丰富的书侠，他从出版事业的立场而言出版，认为这些武侠小说都将成为过去，于是出资请人写作武侠小说，如《南明侠隐》、《年羹尧新传》等，便由此陆续发行。自此以后，写作武侠小说的作家，和从事武侠小说的出版商，以及出租武侠小说的大小书店，便如雨后春笋，应运而兴。由此解决了许多人的全家生活问题，同时也因此使一股醉心武侠小说的迷风，吹遍了各阶层社会，乃至家庭主妇、大中小学等学生的脑子里。看武侠小说的风气，如此之盛，主要的原因，由于时代与社会心理愈加苦闷的时候，“怪、力、乱、神”的小说，也愈受人欢迎。何况一般爱情小说、社会小说，千篇一律，更无杰出的作品出现，早已使人厌于阅读。

阅读武侠小说的风气

但这一二十年来，国内海外（包括香港方面）武侠小说的写作与出版，随便一本便算一卷，精粗好坏，据我所知道和我所看过的，也不下几千本乃至万卷之多。因此我常说笑话：“如果说读书破万卷的话,单以武侠小说而言,我早已超过此限。”此中并无学问,而且乱说乱盖的多如牛毛,但在精研正式书本与深思学问之余,借此换换头脑,休息心灵,遮遮老眼,的确还很有趣。后来发现与我有此同好者,还有许多学者教授、出国留学的学生和若干自命“才高于顶,眼大如箕”的文人名士。至于一般青年学生,以及劳工朋友们,不但人手一本,而且装满两个裤袋,都是全般武侠。有一天,我经过城中公园,看到前任警官学校的校长。独自一人坐在树下看书。我心想,他真用功勤读,大概又在研究《四书》或《论语》吧!为了不忍心打断他的读书境界,所以不好招呼,只轻轻地从背后绕过一看,原来也在聚精会神地看武侠小说。这一时代,中国人之所以喜欢看武侠小说,就相当于美国政坛的重要人物,借着阅读侦探小说或科学幻想小说以调剂心神。东西双方的这种情况,也可以说都是时代的心理病态。然而侠风所至,还不止此,多少年来,任何大小报纸刊物,如果去掉武侠小说与描写黑社会的小说,则几乎可以使报纸刊物的发行数字直线下降。这股十里刀风,实在有使人不寒而栗之感。

武侠小说写作的泛滥

但是武侠小说的写作题材,经过二十年来的挖掘,的确都成陈腔滥调,而更无上品出现。偷袭《蜀山剑侠》、《江湖奇侠》、《鹰爪王》的内容,写光了。继而外搭包情,配合西洋侦探小说与科学观念的用毒和解毒,以及易容化装,利用物理作用等幻想也写完了。于是跟着而来的,便是好勇斗狠,帮派复仇,一言不合就拔剑而起,流血五步,在所不惜。或睚眦必报,毫无情理。这种满怀个人恩怨,或即将心理变态的病态武侠,写成主角,无形中给予青年以极坏的小说教育,关系极大。至于其中不通地理,不明地方风俗,不知历史时代的生活方式的写作,实在不胜枚举。于是华山的绝顶险处，可以骑马，而把崇山峻岭的地方，却描写成为大湖深泽。这些不经之谈，自然都不在话下了。除此以外，还有乱讲佛、道两家的修气炼脉之术，同时又把东洋日本武士道的抽刀拔剑的手法和东洋日本式的打斗拳脚，变成国术的招式。真正中国武功的技击，反而毫无所知。甚至把瑜伽术引用到武功里去，虽然别有精彩之处，但认为这些便是中国的正宗技击武术，那就更为可笑了。目前武侠电影流行，所有舞弄刀枪剑棒的武术技击，一半以上都是东洋日本的武士道手法，在行家眼中看来，回顾一下我们国术界的情形，真有啼笑皆非之感慨！可是这一流的电影不但大受男女老幼的欢迎，而且多少学者教授们，也都醉心欣赏，而大为击节赞扬。这不仅是中国文化中“武艺”的悲哀，而且还应该说是中国文化真正衰落的一劫。但是，这些现象，也正表示出人心的沉闷，时代的哀愁，大家在无可奈何之中，只好借此一消胸中块垒，并不在于中国“武艺”文化的真假和是非了。

武侠与社会教育

武侠小说在今日国内的风气，概如上述。而我们负责文化者不但完全外行，甚至也无法领导。几年以前，一位有关人士曾和我说，应想出一个对此稍加限制的良策才好。因为这种风气，在无形中，给予社会青年一种极坏的教育。我说：“天下事往往存在着许多矛盾。”教堂的对面开设了“绿灯户”，最高学府的门前，有人大兜看黄色小电影的生意。一面防范管制“太保”、“阿飞”的好勇斗狠。一面大量开放粗著滥作的小说，以及电视上极力播演杀人不眨眼的西方牛仔，以及笨拙万分的摔角镜头。谁又愿意正本清源从事社会教育。何况“智、勇、辩、力”四者，绝非限制所能生效。只有疏导，才是办法。譬如人“因地而倒，因地而起。”如果认为武侠小说影响了青少年的行为，何以不培植写作武侠小说的名家们，多为后一代着想,而灌输一些真正的中国文化,如人伦道德、侠义忠勇等精神和事实。同时再好好研究一下中国文化的“武德”以及真正中国的南北派和其他名家的技击的“武术”呢?禁止之弊,甚于防范。疏导之功,利于无形。小说之功,过于教育。人谋之臧,可以造成良好的风气。好的武侠小说,对于培养国家民族正气的效果,也同样有不可思议的力量。虽说未必尽然,却未必不是当前文化的急务。

十六、老文学和新文艺

近来司法界提倡新风气,改用语体文书,一切诉讼文件和法官们的判决书,都要尽量采用语体。这实在是司法上贤明而便民的改革,是值得喝彩的。但因此有些人错以为这是现代六十年来第二次的白话运动。大学里中文系有新文艺思潮和国文教授方法上的争辩,便引起一些学习中文和关心中国文化同学们的徬徨迷惘,莫衷一是地群相征询意见。

公文语体化的历史渊源

关于前一问题,我认为中国三千年来的文化史上,有关政府文书的文章自有文献可徵的,大多数都是用语体来书写的。我国文化史上第一部的政治史文献,当然是以《尚书》为首。我们现在来读《尚书》,一般人都认为它是古文。这种所谓古文的观念,应该是对时代距离先后所下的定义。事实上,《尚书》里收集当时历史上的文告或记载史事的资料,大多数都是当时的语体文。即如《周易》一书的卦爻词句,大多数也是当时的语体。秦、汉以后,有关政府法令的文辞,从许多方面来看,多数也是当时的语体。当然不能只以西汉时代贾谊的《过秦论》,或东汉末期诸葛亮的前后《出师表》作标准。即使就把《过秦论》和前后《出师表》来作规格,我觉得其中的文辞语句,有许多地方,仍然是采用当时的语体。我们现在叫它是古文,这个"古"字,应该说只是对于历史时代的划分,并非就是亘古不变的定义。在魏、晋以后,文学的风气弥漫,因此经历南北朝三四百年来的公文辞章,的确偏重于骈俪的文学化了,比起汉代,更缺乏普及性。所以到了初唐,由唐高祖李渊开始,便下命令改革公文,不许有太过骈俪的文学辞藻而妨害事实的叙述。后来唐代的文风复古,不但是初唐政治上开其风气之先,事实上也是文运兴替的必然趋势。韩愈的"文起八代之衰"的复古运动,并非如我们现代人心目中的复古,实际上,正是恢复当时读书人——知识分子的文学语体化。当然,在这里须要注意,古代的教育并不普及,所以能够以写作文辞来表达意识思想的,仍然只属于少数读书人的事。宋、元、明、清以来,不但在公文上多数是采用语体化,即使如"四朝学案"中的儒家讲学的记载,也都是采用语体。所谓"语录"的风气,便由中唐的禅宗和宋初的理学家们所开始。并且翻开历史上历代奏议一类的文章,有关政令和事务性的叙述,几乎都用语体来表达,从来没有人认为那些缺乏文学格调的"奏议",没有历史性的价值。只有在清朝中叶之后,由于少数几位深于文学修养的人做了地方官,遇到有些"官司"上的判词,便以文学的风趣,大玩其花样,如袁枚、郑板桥等人的几件判词。可是此风一长,到了后来绍兴师爷的手里,便积习成规,在刀笔之间,大玩其有笔如刀、精细雕虫的笔墨花样。于是《樊山判牍》一类的文章,便成金科玉律了。不过,这种风气在满清中兴的时代,已经稍有变革了。民国以来,公文的改革,在有形或无形中,也有过几个阶段,现在在司法上又正式提出采用语体,虽然说是革新,如果在中国文化精神的立场而言,应该说这正合于中国文化固有精神的复兴运动。

白话文和中国文化的命运

由于前面所讲的历史事实,推演开来,说到后一问题,无论在文学上或文化上,所谓的新文艺运动,我认为大可不必操心,此事不运而动,一代自有一代的必然趋势和结果。例如前面讲过在秦、汉时期的文学和文章,虽然在三千年以后的现在,好像一仍未变。而事实上,秦文、汉文,已大有不同之处,拿它和春秋战国时代比较,有迥然不同的特点。唐代和宋代的文学文章不同;明、清和近代的文学文章更不同。从文艺上来看,汉代的“辞赋”,唐代的“诗”,宋代的“词”,元代的“曲”,明代的“小说”,清代的“联语”等等,任何一个时代,都自然而然地有其新文艺运动的特色。至于在某一时代,因为某一人的提倡使文风丕变,乃至使文运改变了方向,其实是他在那个时间、空间恰好当时当位,便很幸运地成为推动这个波澜的焦点。事实上,这种风气,到了某一时期,即使不由某一人的推动,它在事前或当时,也早已自然而然地形成了风气,势在必变而事在当变了。例如唐代的韩愈,现代的胡适,也都是适逢其会的人物。老一辈的朋友中,有人大骂胡适,深恶痛绝其提倡白话文,认为他是千古罪人。事实上,平心而论当“五四运动”的先后时期,即使胡适不提倡白话文,也必然会有人要出来提倡的。就是没有某一个人出来提倡,白话文的替代古文,也会自然不运而动的。胡适先生却在当时自我标榜了龚定盦“但开风气不为师”的一句话,真是适得风云际会,相当地“幸致”而已。

“五四运动”在二十世纪的中国文化史上,功过很难说。只就提倡白话文的运动来讲,对于六十年来的现代,功过也无法衡量。至少,因为白话文的提倡,中国的教育因此而更容易普及,一般国民的知识水准因此而提高。但是五千年来的中国传统文化,却因此有被拦腰截断的危机。我们追溯六十年前,所谓五千年来中国文化的遗产,都蕴藏在古典的书籍中。这些古典书籍,都用古文写作的。后来的青年,从白话教育入手的,对于古籍中的古文,没有基本的修养,不但自己不会写作那些文章,根本就看不懂这些古籍,因此而奢谈中国文化,问题当然就不简单了。于是,有些爱护中国文化之士,以卫道者的精神,极力提倡读古书,写古文,憧憬着旧日的读书方法和旧式的读书趣味。但是历史犹如东流的逝水,一去总不回头,虽然这些卫道者其心可敬,其志可嘉,到底不能挽狂澜于既倒,反而招来许多无谓的困惑。曾经有一位青年同学对我说:“历史已经走向电脑时代,有人可以专用注音符号替代文字来表达语言和意识思想,居然还有人要复古提倡古文,真是不可思议。打字机的功用愈来愈发达,居然有人还要拚命地提倡写毛笔字,真是不可想象。”当时我听了也有啼笑皆非之感,便说:“原子能的威力可以消灭人类于无形,居然还有许多人要求做人,岂非更是匪夷所思吗?世事都在对立矛盾中交织成为人文文化的历史,老弟台既不必过于愤慨老前辈的忧伤,老朋友们也大可不必为后一辈叹息。”

新文艺运动中白话的古文

其次,我们都知道白话文的新文艺运动,已经推行了五六十年,它的效果已如前所说,但是它的价值须另当别论了。当时大家需要推行白话文,大半的原因,是受到西方文化东来的影响。六十年前,鉴于西方各国的富强康乐和坚甲利兵的威势,于是晕头转向西方去学习科学的方法和民主的制度,穷根究底,认为他们教育与知识的普及,是靠着语言和文字一体的作用,同时回顾我们当时的民智闭塞,风气不开,也正坐此病,所以便提倡了白话。但是大家都忽略了一个非常严重的问题,那就是任何一个民族,任何一个社会,语言总会跟着时代而变更的。甚之,语音也有因时代而变革的。依中国文化的习惯来说,三十年算作一世。语言往往经过三十年的一代而有所变动。因此西方各国的文字和语言合一的学风,便在语言和文学历代变革中产生了重大的问题。我们细心研究,便可看出西方各国的文化书籍,过了一二百年的文章,大多数就非专家看不懂了。

同样的,我们古代的白话文章,如元、明之间用白话文所写的小说像《三国演义》、《水浒传》、《西游记》、《金瓶梅》,以及清代的《红楼梦》等等的书,它在现代青少年看来,完全是白话中的古文了。其次,我们只要拿出五六十年前的报章杂志来对照一下,当时人所写的语体文、白话文,也早已生硬地成为现代的古文了。一代白话文大师胡适先生的早期作品,何尝能够外于此例?反过来说,我们再看一看现代青少年们的白话文,甚之,二十多岁刚从大专毕业去当教师的,亲自研究一下更下一代的白话文,如不拍案惊奇,摇头叹息,那才真是奇怪呢。至于现代汗牛充栋新文艺的著作中,夹杂"意识流"和"存在主义"的文学作品,有的超越冥想,比禅的文字更难懂,那也是司空见惯的常事。总之,旧的被推翻了,新的文艺毫无基础,铲平了五千年来的基石,想凭空摸索去建立空中楼阁,实在需要仔细思量,慎重考虑。安知后之视今,不犹今之视昔呢?

古文的劳苦功高

中华民族的文字结构,我们是值得自豪的。用中国文字所构成的古文学,也是值得自夸的。我们姑且不从"六书"和"训诂"等来说中国的文字和文章的价值,首先应当了解我们祖先的文化精神,在任何方面,都是"寓繁于简"的,上古的文字,大多以象形开始,同时又需要以最简单的动作,把它雕刻在兽骨或竹简上面,因此更需要言简而含义多方,以便于书刻。由于这种文化精神随着时代的扩展,便构成了我们所谓的古文体裁。更明白一点地说,由于这种古文体裁的文学,便使文字和语言完全分开。同时也使文学词章超然独立在时间、空间之外,因此,保留了五千年的文化思想。先人与后世的意识,完全不受时代环境的变革而有所阻碍难通。换言之,依照过去旧式教授文字文学的方法,只要真能教,真能懂的,不过花费青少年时代一二年的时间,便学会了这种写作文章而统率各种语意的作法,然后终生用之不尽,取之不竭。当然,这种教学方法,势必要包括小学的“六书”和“训诂”等的方法。如果硬要把“训诂”和小学“六书”视为毕生学无止境的课题,或者像现在一样,到了大学或研究所博士班里才开始研究,那就很难说了。至少,纯粹从旧式教育来讲,这并不完全是在浪费青年宝贵的光阴。了解了这个道理,我们便可知道中国五千年来文化遗产的古典书籍,数目并不太多。中国字典包括的字数也不多。而且自古以来的学者,如果不作文字学的专家,真能认识了二三千个字,便足够应用发挥而有余了。懂了中国文字的运用以后,就可了解古文的一二个字便包括多方的意思。如用现代的用语来解释,或许要用十多个字才能说得清楚。例如我最近答应翻译《周易》一书为白话文,当我着手工作以后,才后悔自寻苦恼。因为我看《周易》卦爻的词句,本来都是语体,非常明白,若要把它翻译成现代话,那可真够麻烦了,有时候一字要变成好几个字的句子,而且还要加以解释,即使如此,也可能还不够明白。由此联想到现代出版的书籍,几乎有盖古之多,好像真是知识的爆发似的,从另一方面看,也可以说只是文化退化的贫乏现象而已。

更上层楼的负担

可是话说回来,再进一步的新文艺运动是必须的吗?我倒认为是极须的,不过,不能弄错方向就是了。我们现在需要的是“温故知新”,如何整理五千年文化的遗产,如何吸收西方文化的精英而融会贯通,并发扬光大。只以文学来说,我们到目前为止,就没有办法创作一种文体,足以概括古今而永垂式范的。老实说,所有专心一致搞新文艺运动的,大体上都和我们一样,不是博古通今之士,甚之,连传统文化遗产的边缘都还未摸着。只知随着时代的潮流,漂流在大西洋与太平洋的文化边缘,如“海上仙山,可望而不可即”而已。再新的新文艺，必须是真正切合中国文化的新文艺，那恐怕不是目前所搞的新文艺运动所能负的艰巨大任。

当我在说这些观点的时候，恰好看到十月一日《联合报》第三版上登载了一篇专访，报道国内数学界的学者专家们，正发起一项“科学中文化”的运动，他们已开始用中文写数学的教科书，期以十年有成，达到“科学在中国文化中生根”的目的。看了以后，情不自禁地对他们肃然起敬。这一作为，才真是中华民族、中国文化的重要工作。我们闹了几十年的“科学”，到今天才开始中文化，比起日本虽然已迟了几十年，但到底是我们学术教育界的一大觉醒。迎头赶上，也许胜过别人。但我希望其他如医学、天文、物理等等学科，应该也会如“风行草偃”，慢慢地跟踪而起。可是其中最困难的前奏，恐怕还是再新的新文艺运动吧！

十七、人性与人欲

儒家学说中的人性善恶观

什么是人性?原始的人性,究竟是善的,或是恶的?人欲是否就是罪恶?这都是中西哲学上的大问题,也是人类思想史上几千年的悬案。

中国哲学史上关于人性善恶的争论,已经二千余年,初由孟子特别提出的“性善”说,连带批判告子论“性无善恶”的观念,稍后又有荀子的“性恶”说,与性善的观念恰恰相反,于是便成为思想界争辩的论据。再后,由于佛学的传入中国,谈心说性,便成为哲学辩论的中心。宋、明的儒者——理学家们,内在接受佛家、道家的思想,于是人性的善恶问题,也就成为理学论据的要义。大体说来,理学家们,大多都是秉承孟子的性善说,认为“人之初,性本善。”人之所以为恶,都是后天的习性所养成;后天的习性和人欲又有密切的关系,因此要反省克念,去尽人欲,使天理流行,才能恢复人性本来善良的面目。

孟子与告子的论辩

孟子提出“性善”论据的重点,认为“恻隐之心,人皆有之。羞恶之心,人皆有之。恭敬之心,人皆有之。是非之心,人皆有之。”便是人性本自良善的有力证明。而且肯定地说:“人性之善也,犹水之就下。人无有不善,水无有不下。”他所指出人性中本自具有

“恻隐、羞恶、恭敬、是非”之心，作为证明，是有相当的理由。但以水的就下，肯定形容人性的本善，确实有所商榷的余地。

同时，孟子提出告子等对于人性“无善无不善”的批判，使我们知道告子等学说的大概。如说：“告子曰：性，无善无不善。”“或曰：可以为善，可以为不善。”“或曰：有性善，有性不善。”至于告子论据的重点，他认为“性，犹杞柳也。义，犹桮棬也。以人性为仁义，犹以杞柳为桮棬。”“性，犹湍水也。决诸东方则东流。决诸西方则西流。人性之无分于善不善也，犹水之无分于东西也。”告子的理论，是否正确，暂且搁置。但以孟子所提出告子的这些话看来，它与现代流行西方文化中的机械心理学，却有异曲同工之妙。

而且更有趣的，告子一时大意，不懂论辩的理则(现代人所惯称的逻辑思考的方法)，当时被孟子的纵横才气盖住了，当场吃瘪。如说：“告子曰：生之谓性。孟子曰：生之谓性也。犹白之谓白与？曰：然。白羽之白也，犹白雪之白；白雪之白，犹白玉之白与？曰：然。然则犬之性，犹牛之性，牛之性，犹人之性与？”现在我们读了这节书，非常明显的，发生两个重要的问题：(一)告子所说“生之谓性。”定义不太详尽。因为古代语文过于简化的关系，或者说，可惜告子不懂“因明”的法则，语焉不详，所以并未表明自己真正的主旨；是指有了生命活动能力的便叫做性呢？或是说性是与生命同时俱来的呢？(二)孟子善于辩论的方法，他抓住了告子这个弱点，就说：既然“生之谓性。”那么，等于白与白是一样的啰？告子说：是。孟子跟着这一句“是”的答案，就说：那么，白羽的白，就等于白雪的白；白雪的白，就等于白玉的白吗？告子又答：是的。孟子因此便说：那么，狗的性，就等于牛的性；牛的性，就等于人的性啰？孟子这一论辩，相似于“因明”(印度古代论理学的名称)引用比喻的方法，以此难倒了告子。其实，平心静气地说，孟子所用的比喻，几乎是有“引喻失义”的嫌疑。告子一时懵懂，无理可申,只好就此吃瘪,至于本来的人性是善是恶?毕竟还是悬案未决。

荀子的性恶说

到了论争末期,荀子直截了当地提出性恶的论据,恰恰与孟子的观念,成为强烈的对照;但要注意孟子与荀子,都是历来公认为战国时代的大儒,只是儒家的分号,并非别处的杂货店。荀子说:“人之性恶。其善者,伪也。今人之性,生而有好利焉,顺是故争夺生而辞嚷亡焉。生而有疾恶焉,顺是故残贼生而忠信亡焉。生而有耳目之欲,有好声色焉,顺是故淫乱生而礼义文理亡焉。……然则,人之性恶明矣,其善者伪也。”根据荀子这一节理论,它与西方文化中的唯物思想、经验学派、机械论者似乎都有相同的观点。但在此,只是指荀子对于性恶说这一观念而言,并非以偏概全,认为荀子的整体思想,都是如此。如要研究荀子通盘思想与学术,必须熟读《荀子》全书方可,切勿因噎废食,顾此失彼。

扬雄的善恶混杂说

再后,到了汉代,扬雄便提出人性的善恶混杂的观念,如说:“人之性也,善恶混。修其善则为善人。修其恶则为恶人。气也者,所以适善恶之也与?”扬雄这一观念,上半节等于是告子思想的变相。下半节引出气和人性善恶的关系,又是孟子思想“志者,气之帅也”的观念。这真是道道地地的善恶混说,好像很有道理,严格推究起来,到底言无所宗。

王阳明的见地

等次以下,历汉末、魏、晋、南北朝,而到唐、宋,理学之儒,崛然兴起,号称上接孔、孟的心法,下开百代的宗师们,或以性即是理,理即是性;或以理与气的二元而论性,阐说心性的玄微,愈说愈有性格,也愈使人迷离。再进展而到明代,有了王阳明的学说,对于性的问题,倒下了明确的定义,有名的阳明四句教:"无善无恶性之体。有善有恶意之动。知善知恶是良知。为善去恶是格物。"但是,问题解决了没有?不但没有真正解决了问题,而且阳明先生四句教的本身,却又产生了矛盾,他纵有晚年定论来补充,仍然有欠透彻。阳明先生既然肯定了性的体是无善无恶的,善恶只因意动而分,这便是第一重矛盾。试想这个能动的意,是否是由体上起用?如果意是由体上起用的,那么,体中本来就应含藏有善恶的功能,何以说体是无善无恶的呢?如果说:意不是由体上起用,那么,这意又从何而来?而且它与无善无恶之体对立,岂非是二元对立吗?同时,能知善知恶的这一知,又是否便是体上的良知呢?这又是第二重矛盾。如果是的,确见这个"知体"或"体知",本来就含藏有善恶的功能,何以说:体无善无恶呢?况且有了一个意,又有了一个知,都是体上起用的功能,究竟是三元一体——"一气化三清",或是三元对立的呢?至于"为善去恶是格物",那是行为伦理的道德修养原则,自然无可疑议。

我们大致了解了以上所举出中国哲学史上,有关儒家对于人性善恶论的一些重要资料,关于人性究竟是善是恶的争端,已经约略明了了大概,如果肯下好学深思的工夫,"博学、审问、慎思、明辨",便应当知道这个问题的关键所在了。西方的学者,或倾心于西方文化的学者,认为中国没有真正的哲学,也可以在这些问题上看出了端倪。

界说不清的症结

其实,说了半天中国哲学史上人性善恶观争辩的要旨,其中最大的关键,就是界说不清,大家只从建立行为道德的要点上争论人性本善本恶的定见,并没有先把行为道德的问题,暂且搁置一边,先行严格探寻所谓人性的本身,它究竟是什么?而且更重要的界说关键在于:大家所说的人性,是先天——形而上——父母未生以前的本性(它是否存在?又是这一问题中的问题)?或者是指有了生命以后的人性?应当先下一个研究讨论的范围,才好对此问题有进一层探讨的线索。总之,上自孟夫子开始,下至明、清以还的理学大儒,他们所讨论人性善恶之说,都是以有了生命之后的人性行为作基准,而由此推测到先天——形而上的人性本体论,界说混淆不清,弄得一头雾水,因此论说纷纭,便成为众盲摸象,各执一端的流弊了。如果以有了生命以后的人性来说善恶,孟子、告子、荀子、扬雄,乃至王阳明诸家的说法,都有理由,可以成立。但可惜的是,这都是与遗传学、心理学、教育心理学等等有关的问题,至于和真正哲学的本体论,则了无牵涉。以之而言行为心理学则可;如果就以此而论形而上学,还大有一段距离,实在需要细加审思探寻。

希腊哲学对人性的知见

提起西方文化,科学在现代的地位,具有决定性左右一切学术的权威。但到目前为止,无论科学如何的发达,所有代表西方文化的欧美文明,仍然还没有跳出宗教和哲学的范围,尤其是希腊哲学和“新旧约”的教义。

讲到希腊哲学，当然不能不追溯苏格拉底(Socrates)的思想。苏氏的生平，正如中国的圣人孔子所说一样——“述而不作”。要想研究他的思想学说，必须要从他的高足弟子柏拉图(Plato)的《对话录》中寻找他的线索。苏氏虽未明确讲述人性本来的善恶问题，但在《对话录》中可看出他早期论述的部分思想，似亦主张“人性本善”，如“普罗太哥拉斯”(Protagoras)篇中的记录，苏氏认为“道德与智慧初无差别，而邪恶系由无知而来。”“正义、节制、勇敢等……无有不同于知识者。”这应当是西方思想史上首次出现的“知德合一”的见解。其次《对话录》“曼诺”(Meno)篇中，主要说明“知识由于记忆而来”。由此可见苏氏认为人性本自具有善的真知灼见，本来的真知应该为善，人之所以为恶者，由于没有知识，致使判断错误。这也便是西方哲学重视知识即道德之善行的主要源流。

至于柏拉图的思想，对于人性的理论，虽有理、情、欲三分的论说，而且认为理性即为人性，它是灵魂中不朽不变的体质，情与欲，则可朽可坏(见《对话录》“菲多”(Phaedo)篇及“国家”(State)篇)。由此可见柏氏仍然继承其师苏格拉底的学说，认为人之理性本来是善的。

到了亚里士多德(Aristotle)手里，扩充其师柏拉图的人性灵魂的三分说：“植物灵魂”司营养，“动物灵魂”司情欲，“人类灵魂”司理性。道德，即为协调这三者，使它逐次达于至善之目的。如何在行为上确实使三者达到理想的境界，则有赖于知德与行德——实践之德的结合。总之，以理性控驭情、欲，为德行的究竟。而理之驭情，又须赖经验与事实上的抉择，以及习惯的养成。亚氏虽不明白涉及人性本来的善恶问题，但他认为凡物之善，其目的在求实现的特性。人之善，不仅在于动植物的二种灵魂，尤其重要的，在于理性特质的实现。由引可知亚氏，亦认为“人性本善”，其至善者，乃由于习惯而来。这便是亚氏的思想，着重于经验论的色彩，使善恶两种极端尖锐地对立,为之缓和而成为有中性化的作用。所以有人批评,认为他所谓经验事实的抉择,还不及后世西方伦理学中“自由意志”的最高境界,这又属于另一问题,不必节外生枝去讨论它。

西方宗教文化的人性问题

此外,大家都知道,在西方文化中,如果不从宗教的经典“新旧约”开始研究,根本无法探讨西方文化的渊源所自。《新约》姑且不论,在《旧约》的“创世纪”中,谁也知道神(耶和华)创造了天地以后,又按照他自己的形像创造了人。但是,夏娃、亚当偷尝了“伊甸园”中的禁果,如果人性本善,又如何会为不善?虽然它没有提出人性本善本恶的专题,但由“创世纪”中叙述“伊甸园”的一番旖旎风光,便已看出人性本善的主旨;如果人性不是本善的,即使修善作义人,也无法返还到原路,钻进窄门,走回上帝的天堂了!由此看来,便可为它下一结论:“可怜禁果偷尝后,情欲由来最害人。”对吗?讲到这里为止,人性究竟是善是恶的问题,还没来得及作结论,更没有提出中国文化中道家与佛家有关人性问题的要义,便又引出人欲或性欲是否是恶与罪的问题来了!

有人认为欲非恶

有关人欲的问题,我的同乡黄美煌先生,曾经写了一篇《欲非恶》的文章,又不耻下问地当面和我讨论。现在说句道歉的老实话,我真是既忙且懒,曾经托人要找这篇文章,但他始终未替我找来,所以一直没有拜读这篇大文,当时更无辞以对。现在讲到人性和人欲的问题,同时又扯到希腊哲学柏拉图理、情、欲三分的说法,不得不临时转向,先把中国儒家学说有关情和欲的观念,稍加解说。

我们都是中国人,中国人引用中国文化,本来便是自己的家产,也用不着分家得太清楚。但如正式引用到学术上去,总要留心一点才是。我们常会听人说孔子说的"食、色,性也"这句话。其实,错了,这句话,是告子所说,而在《孟子》书上记述出来的,孔子并没有说过这句话。只在《礼记》的《礼运》篇中,孔子曾经说过:"饮食男女,人之大欲存焉。死亡贫苦,人之大恶(可恶的恶)存焉。故欲恶者,心之大端也。人藏其心,不可测度也。美恶皆在其心,不见其色也,欲一以穷之,舍礼何以哉!"孔子与告子的话,语句虽有不同,但同样的,都是承认饮食与男女的色欲,都是人欲或人心的大端。而且要特别注意的是:告子在这句话里所谓的"性",并非代表他自己所说人性犹杞柳、犹湍水的本性,实在是代表原始人欲本能的属性。不信,可去仔细研读原文便知。那么,孔子、孟子、告子,他们认为人之大欲,究竟是不是恶的呢?这可实在不易随便论断。在上文引用孔子的学说,夫子已经说过:"人藏其心,实在不可能从外表去测度它,因为美恶皆在人心之中,不能够从外表的态度上看得出来,如果想要一贯的探求它的究竟,除了礼的作用,哪里能够呢!"同时,在《礼运》篇中,孔子又把人之大欲,归到人的"七情"之内,所谓七情,便是"喜、怒、哀、乐、爱、恶、欲。"因此便产生后世的儒家,有了性和情的理念。自汉儒董仲舒以次,姑且不一一列举,最为明显的,到了唐代李翱著《复性书》时,便确切地提出"性"、"情"的说法。至于欲的观念,约略而不重要。而"欲",是否就是罪,且待下文研讨。

人欲与天理说

此外,更有趣的是子思所著的《中庸》里,除了只提到"喜、怒、哀、乐”以外,从来没有提出他祖父孔子的“七情”,故无怪考据学家们,对于这几本书的著作,怀疑到有问题了。考据的事,不是我们要讲的范围,暂且不管。因有孔子、孟子、告子提出的“人性”与“性”和“情”、“欲”等观念,到了宋儒的理学家手里,因袭了佛学的观念,采用《中庸》的“喜怒哀乐之未发,谓之中。发而皆中节,谓之和……致中和,天地位焉,万物育焉”的主旨,于是强调去人欲,存天理。“人欲净尽,天理流行”的说法,便普遍传习,成为宋儒儒学的中心思想。其实,以此而言道德的修养,则为不二法门;如以此而言形而上道的人性本体论,则当再加商榷。但这些思想学说,却与希腊哲学家苏格拉底、柏拉图、亚里士多德,何其不谋而合,多么相近。同时,我更怀疑康德的学说,某些地方,有受宋儒思想影响的可能,所以我曾经建议一位专攻康德之学的学者,留意这个问题(本文有关学说,不详引原文,希望青年同学们,能够由此抛砖引玉,启发慧思,肯去研读原典)。

儒道两家共通的观念

自从宋、明的儒者——理学家们,提出了“天理”与“人欲”的问题,为中国文化的伦理哲学,与行为哲学方面,奠定了一个名辞简捷易晓,而内容充实的普遍道德意识——便是后世尽人皆知的做人和做事要凭“天理良心”的观念。但也很明显的,认为“人欲”的作用,多半是属于罪恶的一面,所以去“人欲”存“天理”,便是理学的基本学问。理学家们既然自认是上接孔、孟的心法,我们对此又不得不再追溯到先秦之际足以代表道家的老子、儒家的孔子,看看他们对于“天理”与“人欲”的看法。

上文曾经扼要提引到孔子对于“情”和“欲”的观念。如果再要深入一点提引这些资料,便需要寻找经过孔子所整理的古籍文献,例如《礼记》中的《乐记》,曾有记载:“人生而静,天之性也。感于物而动,性之欲也。”《曲礼》说:“欲不可从。”都很明显地说出“人欲”的动向,而认为它是可怕的,是不可放纵的。至于孔子本人曾说:“饮食男女,人之大欲存焉。”他并非直接认为“人欲”便是“人性”本有的正当行为。而只是说明人之所以为人,便自然而然地会有饮食和男女等基本的“人欲”,所以他又说:“何谓人情?喜、怒、哀、乐、爱、恶、欲,七者弗学而能。”

由于“人性”有这些基本的“情”和“欲”,可能趋向于自害害人,甚至达到不可收拾的地步,所以必须要注重人文的教化,于是制礼以防患未然,作乐以调整性情。“三礼”的精神即由此而订定,《春秋》的大义,也由此而建立,为求还于“天性”之初的礼、乐之教,也由此而出发。

至于老子,除了着重于阐扬传统文化的道(体)和德(用)以外,并未确切提到“人性”和“人欲”的问题。除非把他所说的“道”字,强行拉到“人性”和“天性”的范围来讲,但总不免有点牵强的嫌疑,但是老子却提到“不见可欲,使民心不乱”的观念。在他简短的五千文中,只要有了这一观念,便可了解他所认为的“人欲”,也不是一个好东西。至少,它是“犯意”的先驱,受到所“见”的教唆而成为罪乱的主犯。所以他便提出“少私寡欲”,作为修养的方法和目的。此外,只有《易经》的《系传》里,提到“成性存存,道义之门”两句,便成为后来儒道两家的共通原理。因此,由先秦而至现在,儒、道两家对于“人性”和“人欲”的概念,大体都是“同出而异名”地在应用了。

大乘佛学的原始人性本净论

中国文化思想中“天性”和“人欲”的问题,在传统的微茫混淆中,历经秦、汉、魏、晋到了隋、唐之际,因有大乘佛学思想的加入,便廓然大放光明,截然确立形而上(先天)的“性理”本元,与形而下

(后天)的“人欲”界限,建立一个理论完整、体系井然的思想。但我在这里所说的大乘佛学也便笼统地包括了禅、密、天台、华严、唯识、三论、成实宗等的宗纲。但取其要义,变更它的名相而言,并非概约大乘佛学的整体思想。

大乘佛学思想认为原始的人性,本来便是光明清静,含容万象万类,极其圆满,而与宇宙万有共同一体。当它在光明清静的元始之初,既非有善,亦非有恶,所谓善恶,都是人为后天的观点,不足以言先天的元始“本性”。如果勉强以善恶来论,应该称之为“至善”的,或“纯净”的,方差可比拟。但极其圆满的光明清净的本然之性,由于明极而忽然缘起无明阴影,由此动则易乱,于是便生起天地宇宙与人类万象了。从此由于无明的污染人性,愈动愈乱,愈乱愈动,因而迷失它本来的清净圆明,坚固地执著“我执”与“爱欲”,于是便形成分为段落的死生生死,而构成人世间永无休止的分段生命现象。基于此,所有大小乘佛学的基本精神,都是要求“人性”的自觉,破除由执为小我的后天“我执”,而返还到先天无余大我的自性清净。努力修正由“我执”、“爱欲”所起的种种错误心理和行为,涤除由惑乱心理所构成人世间的烦恼苦果。

佛学所有的经论即由此基点出发,因此它薄视物质形器世间的所有,发出众生同体之慈以及无任何条件之悲心,呼召众生超越形质,返还形而上的光明清净,归到非善无恶的圆满自性之境界。例如著名而普遍流传的《法华经》、《楞严经》、《楞伽经》等,均以此为中心。又如《大涅槃经》以“常”(永恒)、“乐”、“我”(无小我的自性本元)、“净”等四象说明自性的圆明清净。而唯识法相的经典,则以剖析为“爱欲”所污染的心、意、识的阴暗面,指证出元始光明真净的本来。至于《华严经》却以宇宙万象本为一体,融会形而上道与形而下的物质世间,指证自性的体用互通,而达于光明清净的圆极。《般若经》等,便是直指智慧的自觉,而超证于形而上道的捷径。而禅宗心法的证悟,也就是证此一事,悟此一理。

隋唐以后佛学与儒道的互注

中国文化思想因为隋唐之际,有了大小乘佛学思想的加入,于是魏晋以来《易经》、《老子》、《庄子》的三玄之学,更加发挥它精义的深度。唐、宋以后《易经》的理、象、数之学所突出的“太极”涵三、阴阳互变的哲理,也由此而充盈。至于曾子所著《大学》的明德致用,子思所著《中庸》的“天命之谓性,率性之谓道,修道之谓教。道也者,不可须臾离也”等观念,也由此而益增光彩。因此宋儒袭取佛道两家的思想,而代之以儒学为中心,存“天理”去“人欲”的修养方法,也由此创格。而我们也由此得以了解孔、孟之说,认清历来诸儒对于先后天的“人性”与“人欲”之间的界限,而了解原来颇多混淆之处,以及并未划清界说的弊病。

欲非恶与恶之前驱

综此以观,原有与生命俱来的“欲”的问题,它究竟是恶或非恶呢？我们可以说:“欲”并非全是恶的。但“欲”很可能为恶的前驱,那是毫无疑问的。佛说狭义的“爱欲”为生死业力的根本,也就是教人认清“爱欲”,实为自私所生的过患,而须防患于未然。《曲礼》所谓“欲不可从”,也正同此意。亚当和夏娃在“伊甸园”中的一幕,何尝又非此意。

至于再把“欲”归纳到男女之间狭义的“爱欲”范围,而且认为“欲”就是罪恶,那是宗教性绝对道德的观念。宋明理学家也袭用了这严肃的一面,例如朱熹所说“世上无如人欲险,几人到此误平生”,就是由这严肃人格的观点而出发的。

至若《论语》中记载孔子所说的:“我欲仁,斯仁至矣。”那是以

“欲”作为动词的说法,也可以说:这是广义的“欲”,所以佛“欲”度尽众生,使之离苦得乐,此“欲”已经化除“私欲”与“爱欲”而成为伟大的愿力。人们若能涤荡“私欲”、“爱欲”的胸襟,不被物欲所拘累,而善于变化“物欲”,为人类建立一个庄严、美善的世界,则与释迦慈悲度世的愿力,孔子所谓“我欲仁,斯仁至矣”的仁欲,并无二致。所以有人说:“欲非恶”。我想,应作如是观。

·中国文化泛言·

出版说明

本书初名《序集》，由台湾老古文化事业公司于1986年12月出版，1992年1月第2版时改为今名。它汇集了著名学者南怀瑾先生历年来为自己的著作、他人的作品、整理出版的古籍所撰的序跋，以及其他文翰，总计七十二篇。分为儒家、易经、道家、经义、禅宗、密宗、健身、历史、其他等九大类，对中国文化的方方面面作了精深的阐述。内容叙及：古代文献；诸家学术；社会变迁；文史掌故；经世治学；为人之道；孔孟精髓；道藏珍蕴；易学源流；佛经大义；禅宗语录；密教修行；兵法谋略；阴阳术数；瑜伽气功；保健养生；诗词歌赋；古文今译；以及作者的行履交往，等等。文辞典雅，见识独特。

南怀瑾先生的著作多为学生根据他讲学时的口述整理而成，而本书则基本上出自他的手笔。

兹征得作者和原出版单位的同意，将《中国文化泛言》台湾1994年12月第4版改排出版，以资研究。

复旦大学出版社
1995年6月15日

前　　言

本书原名《序集》,收集了南怀瑾先生多年来为各书所写的序。现于再版之际,为更切合实际,爰斟酌其内容,更名为《中国文化泛言》,并予分门别类,重新编排,俾读者检阅方便,对同一问题,不必翻竟全书,即可获得更为广泛、深入之概念;同时另增加《中国医药学术与道家之关系》等篇,以充实其内容,增加其篇幅,较之原书有足者。

本书内容触涉庞多,如能细心读之,无论于儒、释、道各家学说,乃至中西文化、社会发展、历史经验等,咸能摄要勾玄、举其纲领、撷其法要,学者读此一书,于诸家学说,非独可窥全貌,且有登泰山而小天下之感,所谓纲举目张,条贯井然旷然在目矣。

老古文化事业公司编辑室

一九九一年九月

儒家之部

《孔学新语》自序

髫年入学,初课四书;壮岁穷经,终惭三学。虽游心于佛道,探性命之真如;犹输志于宏儒,乐治平之实际。况干戈扰攘,河山之面目全非,世变频仍,文教之精神隳裂。默言循晦,灭迹何难。众苦煎熬,离群非计。故当夜阑昼午,每与二三子温故而知新。疑古证今,时感二十篇入奴而出主。讲述积久,笔记盈篇。朋辈咐嘱灾梨,自愧见囿窥管。好在宫墙外望,明堂揖让两庑。径道异行,云辇留连一乘。六篇先讲,相期欲尽全文。半部可安,会意何妨片羽。砖陈玉见,同扬洙泗之传薪。讽颂雅言,一任尼山之拄杖。是为序。

〔一九六二年孔圣诞辰,台北〕

《孔学新语》发凡

我们作为现代的一个人,既有很沉痛的悲惨遭遇,也有难逢难遇的幸运;使我们生当历史文化空前巨变的潮流中,身当其冲的要负起开继的责任。但是目前所遭遇的种种危难,除了个人身受其苦以外,并不足可怕。眼见我们历史传统的文化思想快要灭绝了,那才是值得震惊和悲哀的事!自从五四运动的先后时期,先我们一辈而老去了的青年们,为了寻求救国之路,不惜削足适履,大喊其打倒孔家店。虽然人之将死,其言也善,有些人到了晚年,转而讲述儒家的思想,重新提倡孔孟之学,用求内心的悔意,可是已形成了的风气,大有排山倒海之势,根本已无能为力了!

其实,孔家店在四十年前的那个时代,是否应该打倒,平心而论,实在很有问题,也不能尽将责任推向那些大打出手的人物。原因是孔家店开得太久了,经过二千多年的陈腐滥败,许多好东西,都被前古那些店员们弄得霉滥不堪,还要硬说它是好东西,叫大家买来吃,这也是很不合理的事。可是在我们的文化里,原有悠久历史性的老牌宝号,要把它洗刷革新一番,本是应该的事,若随便把它打倒,那就万不可以。这是什么原因呢?我有一个简单的譬喻:我们那个老牌宝号的孔家店,他向来是出售米麦五谷等的粮食店,除非你成了仙佛,否则如果我们不吃五谷米粮,就要没命了!固然面包牛排也一样可以吃饱,但是它到底太稀松,不能长日充饥,而且我们也买不起,甚至不客气地说:还吃得不太习惯,常常会患消化不良的毛病。至于说时令不对,新谷已经登场,我们要把本店里的陈霉滥货倒掉,添买新米,那是绝对可以的事。

因此,就可了解孔家店被人打倒是不无原因的。

第一,所讲的义理不对;第二,内容的讲法不合科学。我们举几个例子来说:(1)“三年无改于父之道,可谓孝矣。”几千年来,都把它解释做父母死了,三年以后,还没有改变了父母的旧道路,这样才叫做孝子。那么,问题就来了,如果男盗女娼,他的子女岂不也要实行其旧业三年吗?(2)“无友不如己者。”又解释做交朋友都要交比自己好的,不要交不如自己的人。如果大家都如此,岂不是势利待人吗?其实,几千年来,大家都把这些话解错了,把孔子冤枉得太苦了!所以我现在就不怕挨骂,替他讲个明白,为孔子伸冤。这些毛病出在哪里呢?古人和今人一样,都是把《论语》当做一节一节的格言句读,没有看出它是实实在在首尾连贯的关系,而且每篇都不可以分割,每节都不可以支解。他们的错误,都错在断章取义,使整个义理支离破碎了。本来二十篇《论语》,都已经孔门弟子的悉心编排,都是首尾一贯,条理井然,是一篇完整的文章。因此,大家所讲的第二个问题,认为它没有体系,不合科学分类的编排,也是很大的误解。

为什么古人会忽略这一点,一直就误解内容,错了二千多年呢?这也有个原因:因为自汉代独尊儒学以后,士大夫们“学成文武艺,货与帝王家”的思想,唯一批发厂家,只有孔家一门,人云亦云,谁也不敢独具异见,否则,不但纱帽儿戴不上,甚至,被士大夫所指责,被社会所唾弃,乃至把戴纱帽的家伙也会玩掉,所以谁都不敢推翻旧说,为孔子伸冤啊!再加以到了明代以后,科举考试,必以“四书”的章句为题,而“四书”的义解,又必宗朱熹的为是。于是先贤有错,大家就将错就错,一直就错到现在,真是冤上加错!

现在,我们的看法,不但是二十篇《论语》,每篇都条理井然,脉络一贯。而且二十篇的编排,都是首尾呼应,等于一篇天衣无缝的好文章。如果要确切了解我们历史传统文化的思想精神,必须先要了解儒家孔孟之学,和研究孔子学术思想的体系,然后才能触类旁通,自然会把它融和起来了。至于内容方面,历来的讲解,错误之处,屡见不鲜,也须一一加以明辨清楚,使大家能认识孔子之所以被尊为圣人,的确是有其伟大的道理。如果认为我是大胆得狂妄,居然敢推翻几千年来的旧说,那我也只好引用孟子说的:“予岂好辩哉!予不得已也!”何况我的发现,也正因为有历代先贤的启发,加以力学、思辨和体验,才敢如此作为,开创新说。其次,更要郑重声明,我不敢如宋明理学家们的无聊,明明是因佛道两家的启发,才对儒学有所发挥,却为了士大夫社会的地位,反而大骂佛老。我呢?假如这些见解确是对的,事实上,也只是因为我在多年学佛,才悟出其中的道理。为了深感世变的可怕,再不重整孔家店,大家精神上遭遇的危难,恐怕还会有更大的悲哀!所以我才讲述二十年前的一得之见,贡献于诸位后起之秀。希望大家能秉宋代大儒张横渠先生的目标:“为天地立心,为生民立命,为往圣继绝学,为万世开太平。”为今后我们的文化和历史,承担起更重大的责任。我既不想入孔庙吃冷猪头,更不敢自己杜塞学问的根源。

其次,我们要了解传统文化,首先必须要了解儒家的学术思想。要讲儒家的思想,首先便要研究孔孟的学术。要讲孔子的思想学术,必须先要了解《论语》。《论语》是记载孔子的生平讲学、和弟子们言行的一部书。它虽然像语录一样用简单的文字,记载那些教条式的名言懿行,但都是经过门弟子们的悉心编排,自有它的体系条贯的。自唐以后,经过名儒们的圈点,沿习成风,大家便认为《论语》的章节,就是这种支支节节的形式,随便排列,谁也不敢跳出这传统的范围,重新加以注释,所以就墨守成规,弄得问题丛生了!这种原因,虽然是学者因袭成见,困于师承之所致。但是,最大的责任,还是由于汉、宋诸儒的思想垄断,以致贻误至今!

我们传统的历史文化,自秦汉统一以后,儒家的学术思想,已经独尊天下,生当汉代的大儒们,正当经过战国与秦汉的大变乱之后,文化学术,支离破碎,亟须重加整理。于是汉儒们便极力注重考据、训诂、疏释等的工作,这种学术的风气,就成为汉代儒家学者特有朴实的风格,这就是有名的“汉学”。现在外国人把研究中国文化的学问也统名叫做“汉学”,这是大有问题的,我们自己要把这个名词所代表的不同意义分清楚。唐代儒者的学风,大体还是因袭汉学,对于章句、训诂、名物等类,更加详证,但对义理并无特别的创见。到了宋代以后,便有理学家的儒者兴起,自谓直承孔孟以后的心传,大讲其心性微妙的义理,这就是宋儒的理学。与汉儒们只讲训诂、疏释的学问,又别有一番面目。从此儒学从汉学的范畴脱颖而出,一直误认讲义理之学便是儒家的主旨,相沿传习,直到明代的儒者,仍然守此藩篱而不变。到了明末清初时代,有几位儒家学者,对于平时静坐而谈心性的理学,深恶痛绝,认为这是坐致亡国的原因,因此便提倡恢复朴学的路线,但求平实治学而不重玄谈,仍然注重考据和训诂的学问,以整治汉学为标榜,这就是清儒的朴学。由此可知儒家的孔孟学术,虽然经汉、唐、宋、明、清的几个时代的变动,治学方法和路线虽有不同,但是尊崇孔孟,不敢离经叛道而加以新说,这是一仍不变的态度。虽然不是完全把他构成为一宗教,但把孔子温良恭俭让的生平,塑成为一个威严不可侵犯的圣人偶像,致使后生小子,望之却步,实在大有瞒人眼目之嫌,罪过不浅!所以现代人愤愤然奋起要打倒孔家店,使开创二千多年老店的祖宗,也受牵连之过,岂不太冤枉了吗?

现在我们既要重新估价,再来研究《论语》,首先必须了解几个前提。(一)《论语》是孔门弟子们所编记,先贤们几经考据,认为它大多是出于曾子或有子门人的编纂,这个观念比较信实而可靠。(二)但是当孔门弟子编辑此书的时候,对于它的编辑体系,已经经过详密的研究,所以它的条理次序,都是井然不乱的。(三)所以此书不但仅为孔子和孔门弟子们当时的言行录,同时也便是孔子一生开万世宗师的史料,为汉代史家们编录孔子历史资料的渊源。由此可知研究《论语》,也等于直接研究孔子的生平。至于效法先圣,自立立人以至于治平之道,那是当然的本分事。(四)可是古代书册是刻记于竹简上的，所以文字极需简练，后来发明了纸张笔墨，也是以卷幅抄写卷起，但因古代的字体屡经变更，所以一抄再抄，讹误之处，不免有所脱节，因此少数地方，或加重复，或有脱误，或自增删，都是难免的事实。（五）古代相传的《论语》有三种，即《鲁论》二十篇，和《齐论》二十二篇，又在孝景帝的时期，传说鲁恭王坏孔子故宅的墙壁，又得古文《论语》。但古文《论语》和《齐论》，到了汉魏之间，都已逐渐失传，现在所传诵的《论语》，就是《鲁论》二十篇了。（六）至于《论语》的训诂注疏，历汉、唐、宋、明、清诸代，已经有详实的考据，我们不必在此另作画蛇添足的工作。至若极言性命心性的微言，自北宋五大儒的兴起，也已经有一套完整的努力，我们也不必另创新说，再添枝叶。

最后举出我们现在所要讲的，便是要入乎其内，出乎其外的体验，摆脱二千余年的章句训诂的范围，重新来确定它章句训诂的内义。主要的是将经史合参，以《论语》与《春秋》的史迹相融会，看到春秋战国时期政治社会的紊乱面目，以见孔子确立开创教化的历史文化思想的精神；再来比照现代世界上的国际间文化潮流，对于自己民族、国家和历史，确定今后应该要走的路线和方向。因此若能使一般陷于现代社会心理病态的人们，在我们讲的文字言语以外去体会，能够求得一个解脱的答案，建立一种卓然不拔，矗立于风雨艰危中的人生目的和精神，这便是我所要馨香祷祝的了。

〔一九六二年，台北〕

《论语别裁》前言

回首十五年的岁月,不算太多,但也不少。可是我对于时间,生性善忘,悠悠忽忽,真不知老之将至,现在为了出版这本《论语》讲录,翻检以前的记录,才发觉在这短短的十五年历程中,已经讲过三四次《论语》。起初,完全是兴之所至,由于个人对读书的见解而发,并没有一点基于卫道的用心,更没有标新立异的用意。讲过以后,看到同学的笔记,不觉洒然一笑,如忆梦中呓语。“言亡虑绝,事过无痕。”想来蛮好玩的。

第一次讲论语,是一九六二年秋天的事,当时的记载,只有开始的六篇,后来出版,初名《孔学新语——论语精义今训》,由杨管北居士题签。又有一次再于有关单位讲了半部《论语》,没有整理记录。再到一九七四年四月开始,一次在信义路鼎庐,固定每周三下午讲两小时,经过近一年时间,才将全部《论语》讲完。而且最可感的是蔡策先生的全部笔录。他不但记录得忠实,同时还替我详细地补充了资料,例如传统家谱的格式,另外还有对传统祭礼的仪范,可惜他事情太忙,未能全部补充。蔡君在这段时间,正担任《中央日报》秘书的职务。一个从事笔政工作的人,精神脑力的劳碌,非局外人可以想象,而他却毫无所求地费了十倍听讲的时间,完成这部记录,其情可感,其心可佩。

此外,这本讲录,曾经承唐树祥社长的厚爱,在《青年战士报》慈湖版全部发表(自一九七五年四月一日开始到一九七六年三月十六日止);同时《人文世界》刊登大部分。又蒙李平山先生见爱,资助排印成书。不过,这部《论语》的讲述,只是因时因地的一些知见,并无学术价值。况且“书不尽言,言不尽意。”更谈不到文化上的分量。今古学术知见,大概都是时代刺激的反映,社会病态的悲鸣。谁能振衰补敝,改变历史时代而使其安和康乐?端赖实际从事工作者的努力。我辈书生知见,游戏文章,实在无补时艰,且当解闷消愁的戏论视之可也。

至于孔子学说与《论语》本书的价值,无论在任何时代、任何地区,对它的原文本意,只要不故加曲解,始终具有不可毁、不可赞的不朽价值。后起之秀,如笃学之,慎思之,明辨之,融会有得而见之于行事之间,必可得到自证。现在正当此书付印,特录宋儒陈同甫先生的精辟见解,以供读者借镜。

如其告宋孝宗之说:“今之儒者,自以为正心诚意之学者,皆风痹不知痛痒之人也。学一世安于君父之仇,而方低头拱手以谈性命,不知何者谓之性命。”而于《论语》,则说:“《论语》一书,无非下学之事也。学者求其上达之说而不得,则取其言之若微妙者玩索之,意生见长,又从而为之辞:曰此精也,彼特其粗耳。此所以终身读之,卒堕于榛莽之中,而犹自谓其有得也。夫道之在天下,无本末,无内外。圣人之言,乌有举其一而遗其一者乎!举其一而遗其一,是圣人犹与道为二也。然则《论语》之书,若之何而读之,曰:用明于心,汲汲于下学,而求其心之所同然者,功深力到,则他日之上达,无非今日之下学也。于是而读《论语》之书,必知通体而好之矣。”

本书定名为“别裁”,也正为这次的所有讲解,都自别裁于正宗儒者经学之外,只是个人一得所见,不入学术预流,未足以论下学上达之事也。

〔一九七六年三月,台北〕

《论语别裁》再版记言

本书自今年端午节出版之后,蒙广大读者的爱好,现在即将再版。这实在是始料所不及的事。

由此可见社会人心的向背,孔子学说的可贵,毕竟是万古常新,永远颠扑不破。因此反而使我深为惭愧,当时并未加以严谨的发挥,未免罪过。当初版问世之时,承蒙朋友们的盛意,纷纷惠示意见,希望继续开讲《孟子》等经书,俾使儒家一系列的学说,以现代化的姿态出现。此情极为可感。无奈青春顽劣,白首疏狂的我,向来只图懒散。况且先孔子而生,非孔子无以圣。后孔子而生,非孔子无以明。我辈纵有所见,亦无非先贤的糟粕而已,真是何足道哉!何足道哉!因此当时便写了一首总答朋友问的诗:“古道微茫致曲全,由来学术诬先贤。陈言岂尽真如理,开卷倘留一笑缘。”际此再版,同学们要我写点意见,便记此以留一笑之缘可也。

〔一九七六年冬月,台北〕

《孟子旁通》前言

生为二十世纪的中国人,正当东西方文化潮流交互排荡撞击的时代,从个人到家庭,自各阶层的社会到国家,甚至全世界,都在内外不安,身心交瘁的状态中,度过漫长的岁月。因此在进退失据的现实环境中,由触觉而发生感想,由烦恼而退居反省,再自周遍寻思,周遍观察,然后可知在时空对待中所产生的变异,只是现象的不同,而天地还是照旧的天地,人物还是照旧的人物,生存的原则并没有变;所变的,只是生活的方式。比如在行路中而迷途,因为人为的方向而似有迷惑,其实,真际无方,本自不迷。如果逐物迷方,必然会千回百叠,永远在纷纭混乱中忙得团团而转,失落本位而不知其所适从。

我是中国人,当然随着这一时代东方的中国文化命运一样,似乎是真的迷失了方向,也曾一度跟着人们向西方文化去摸索,几乎忘了我是立足在本地方分上的一个生命,而自迷方向。《周易·序卦》说:“穷大者必失其居,故受之以旅。旅而无所容,故受之以巽。巽者,入也。入而后说之,故受之以兑。兑者,说也。”我们自己的文化,因几千年来的穷大而一时失去了本分的立足点,因此而需要乞求外来的文明以自济困溺,所谓:“他山之石,可以攻错。”这是势所难免的事实。然而一旦自知久旅他方而无以自容于天地之间,那便须知机知时而反求诸已,唤醒国魂,洗心革面以求自立自强之道。正因为如此的心情,有些西方的朋友和学生们,都认为我是顽固的推崇东方文化的倔强分子,虽有许多欧美的友人们,屡加邀请旅外讲学而始终懒得离开国门一步。其实,我自认为并无偏见,只是情有所钟,安土重迁而已。同时,我也正在忠告西方的朋友们,应该各自反求诸己,重振西方哲学、宗教的固有精神文化,以济助物质文明的不足,才是正理。

至于我个人的一生,早已算过八字命运——“生于忧患,死于忧患。”每常自己譬解,犹如古老中国文化中的一个白头宫女,闲话古今,徒添许多络索而已。有两首古人的诗,恰好用作自我的写照。第一首唐人张方平的宫词:“竟日残莺伴妾啼,开帘只见草萋萋。庭前时有东风入,杨柳千条尽向西。”诗中所写是一只飘残零落的小黄莺,一天到晚陪伴着一个孤单的白头宫女,凄凄凉凉地自在悲啼,毫无目的地怆然独立,恰如我自况的情景。偶而开帘外望,眼前尽是萋迷芳草,一片茫然,有时忽然吹过一阵东风,却见那些随风飘荡的千条杨柳,也都是任运流转,向西飘去。第二首是唐末洞山良价禅师的诗偈:“净洗浓妆为阿谁?子规声里劝人归。百花落尽啼无尽,更向乱峰深处啼。”这首诗也正好犹如我的现状,长年累月抱残守阙,滥竽充数,侈谈中国文化,其实,学无所成,语无伦次,只是心怀故国,俨如泣血的杜鹃一样,“百花落尽啼无尽,更向乱峰深处啼。”如此而已。每念及此,总是沓然自失,洒然自笑不已。

但是人生的旅程,往往有不期然而然的际遇,孟子曾经说过人有“不虞之誉,求全之毁”。一个人的一生,如果在你多方接触社会各层面的经验中,就会容易体会到孟老夫子的话,并非向壁虚构,确是历练过来的至理名言。当在一九七五年,我因应邀讲完一部《论语》之后(事见《论语别裁前言》),由蔡策先生悉心记录,复受社会各阶层的偏爱,怂恿排版出书。但我自知所讲的内容,既非正统的汉、唐、宋儒的学术思想,又非现代新儒家的理路,到底只是因应时代潮流的乱谈,属于旁门左道,不堪入流,因此便定名叫它《论语别裁》,以免混淆视听,惑乱后学。谁知出书以后,却受到广大读者的爱好,接连出了十二版,实在弥增惶恐,生怕误人。因为徒手杀人,罪不过抵死而已,如果以学问误人,便是戕人慧命,万死不足以辞其咎。此所以在我们固有文化的传统中,学者有毕生不愿著书,或者穷一生学力,只肯极其谨严地写几篇足以传世的文章而已。这就是以往中国文化人的精诚,当然不如我们现代一样,著作等身,妄自称尊的作风。

但继此以后,友人唐树祥先生,在他担任《青年战士报》社长的时期,极力邀请在其报社继续再讲《孟子》、《大学》、《中庸》等所谓四书之学。唐社长平时说话极为风趣,尤其对我更是畅所欲言,不拘形迹。当他担任中正理工学院政战部主任的时期,常来拉我去讲课,而且劝说:在这个时期,大家都忙得没有时间读书,你写书写文章有什么用?多来讲课,教授青年学子,还比较有意义。总之,我在他的盛情不可却的压迫下,只好被他拖上讲台。但当他调任报社社长的时期,他便说:多讲还不如多写的好。希望我多写点东西,好交他在报上披露。他的能言善道,我对他真是莫可奈何。其实,我对讲学则言不异众,写作则语不惊人,可以说一窍不通,毫无长处。但毕竟挡不住他的热情,终于在一九七六年的秋天,开始在《青年战士报》的楼上开讲《孟子》。那个时候,也正是我思念在苦难中的父母,心情最难排遣的时期。讲到孟子,就自然而然地联想到千秋母教仪范的孟母,因此开章明义,便引用了黄仲则的诗:“搴帷拜母河梁去,白发愁看泪眼枯。惨惨柴门风雪夜,此时有子不如无。”当然,这种情怀,不只我一人是如此,在当时现场的听众们,大多数也有所同感。同时蔡策也对讲四书的记录工作,极有兴趣和决心,他一再强调,这是他一生中最有意义的一件事。《孟子》讲稿的因缘,就在唐、蔡两位的鼓励下完成。

后来因为俗务累积太多,自己没有真正安静的时间看记录稿,因此,积压多年无法完帙。目前,老古文化图书公司的出书业务,正由陈世志同学来担任。他站在现代青年的立场,又一再催迫出书,我常笑他犹如宗泽的三呼渡河,左季高的大喊儿郎们出击一样,壮气如山,无奈太过冒昧!然而他毕竟强人所难的做了,还要催我写序。事实上,《孟子》的序言,实在不好写,因此只是先行略抒本书问世的始末因由,暂且交卷。书名《旁通》,却又暗合宋代的桂瑛及元代的杜瑛两位先生所撰的佚书命题。但我所以定名《旁通》的本章,仍如《论语别裁》一样,只是自认为旁门左道之说,大有别于正统儒家或儒家道学们的严谨学术著作而已,并非旁通各家学说的涵义。

〔一九八四年端阳节,台北〕

印行《二顾全书》前记

近世卓识之士,抱经世之志,究文武之略,相聚而论学术之实用,必曰《二顾全书》。然以二顾之巨著,非游心于史实而踪迹于山川形势者,终难引古证今而学以致用也。

溯自司马子长唱言学究天人之际,通古今之变。皆知实修之学非读万卷书,行万里路,博识弘达,无可以语此道。唯明清变革以还,昆山顾亭林,常熟顾祖禹二先生,足以当此而无愧。虽曰不得见于当时反正之事功,而立言彰教,影响炎黄后裔于百世之下,足有馀裕。

抗战军兴,余亦蜀山行役,萧条行李,跋涉艰难,唯珍袭二书,终不忍舍。孰意四十馀年后,朝夕摩挲之卷帙,翻随陆沉。时迍世变,弥切怀旧鉴新之思。近年坊间虽有出版,或顾此而失彼,终难并得《二顾全书》而再细读之。

顷间门人陈得清电告于海外觅得《二顾全书》完帙,不禁皤然兴起,喜不自胜。因此筹付印行,庶得流传广布,以供仁人志士建国之资,岂非万亿之幸乎!书成,采附《清史稿》二顾先生之传记,虽未尽详实,亦秉述而不作之旨,留待后贤之参证已耳。

且闻之昔日遗老所言,亭林先生挟经世之学,怀复国之志,行脚遍宇内,随处而别成室家以防不测,哲人有后,隐晦不宣,盖为避世而藏也。《清史稿》及诸家所载,大多言其无子,其然乎?岂其然乎!附志于此,不没旧闻,其亦兴灭继绝之师意焉。至若先生所著《天下郡国利病书》之旨,如其诗所谓:“十年天地干戈老,四海苍生痛哭深。”“感慨河山追失计,艰难戎马发深情”之意,不复赘言之矣。

〔一九八一年仲夏,台北〕

易经之部

《周易今注今译》叙言

《易经》,是中国文化最古老的典籍,历代正统派的学者,用许多不同的文字赞扬它,大致说来,推崇它为“群经之首”,致予无上的敬意。相反的,认为仅是古代的一部卜筮之书,近于巫祝的诬词,卑不足道,只是经过孔子传述《周易》以后,又加上历代许多学者穿凿附会,才有了后世的盲从和崇敬。甚之,近代以来,还有许多类似轻薄的讥刺。

无可否认的,《易经》原是上古卜筮的学术,但到了商、周之际,经过文王的整理和注述,把它由卜筮的范围,进入“天人之际”的学术领域,由此《周易》一书,便成为中国人文文化的基础。自东周以来,再经过孔子的研究和传述,同时又散为诸子百家学术思想的源泉,这是无可否认的事实。

因此,如要研究中国文化,无论是春秋、战国时期的儒、道、墨和诸子百家,乃至唐、宋以后的儒、佛、道等诸家之学,不从《易经》探研,便有数典忘祖之慨了。

《易经》与三易

通常我们提到《易经》,就很自然地知道是指《周易》这本书。因为中国文化,自经孔子删《诗》、《书》,订《礼》、《乐》以后,冠以《周易》一书,统称“六经”。经是天地的大准则,也是人生的大通道。称《周易》等书为六经,便是说明经过孔子所整理过的这六部书,它是包括中国传统文化“天人之际”所有学问的大原理、大法则。

自秦、汉以后，研究易学的，对于《易经》一书命名的内涵问题，就有“三易”之说的异同出现了。

第一：属于秦、汉以后正统儒家学派的理论，根据《易纬·乾凿度》这本书的观念，认为“易”的内涵，包括三个意义：

(1) 易。就是简易、平易的意思。因为天地自然的法则，本来就是那样简朴而平易的。

(二) 变易。认为天地自然的万事万物以及人事，随时在交互变化之中，永无休止。但是这种变化的法则，却有其必然的准则可循，并非乱变。

(三) 不易。天地自然的万事万物以及人事，虽然随时随地都在错综复杂、互为因果的变化之中，但所变化者是其现象。而能变化的，却本自不易，至为简易。

第二：属于秦、汉以后儒、道两家学者通用的观念，根据《周礼·大卜》篇对于三易的涵义，是指上古以来直到周代初期之间的《易经》学术思想，约分为三个系统：(一)《连山易》。(二)《归藏易》。(三)《周易》。

据说，伏羲时代的易学，是《连山易》。首先以“艮卦”开始，象征“山之出云，连绵不绝”。

黄帝时代的易学，是《归藏易》。首先以“坤卦”开始，象征“万物莫不归藏于其中”。意思是指人类的文化和文明，都以大地为主。万物皆生于地，终又归藏于地。

周代人文文化的开始，便以现在留传的《周易》为宝典，首先从“乾”“坤”两卦开始，表示天地之间，以及“天人之际”的学问。

但东汉的大儒郑玄，认为夏代的易学是《连山》。殷代的易学是《归藏》。当然，周代的易学便是《周易》了。

又另有一说：认为上古的神农氏世系名“连山氏”，又名“列山氏”。所谓“连山”，便是“列山”的音别。黄帝的世系又名“归藏氏”。

因此两说,又有异同的问题存在其间,如果认为夏代所宗奉的易学便是《连山易》。殷代所宗奉的易学便是《归藏易》。到了周代,经过文王的整理,才构成为《周易》体系的易学。那么关于这两个分歧的意见,也就没有太大的出入了。

但以考据学者的观点来看《易纬·乾凿度》和《周礼·大卜》篇这两种文献资料,应该都有值得怀疑的地方。历来考据学家们,认为《易纬·乾凿度》等书,纯出汉末或魏、晋人的伪作,假托是上古的传承。这种观念,并非完全无理,也的确值得研究、考虑。

可是两汉以后的学者,硬性舍弃《周礼·大卜》的观念而不采信,偏要采用更有问题的《易纬·乾凿度》之说,认为"简易、变易、不易"为天经地义的易学内涵,这便是后世以儒理说易的根据。那是不顾考据,只取所谓三易原理的内义,用之说明易学的大要而已。

此外,关于"连山、归藏、周易"的三易之说,在汉、魏以后道家的学术思想中,便又发生了两种观念。

(一) 认为《连山》、《归藏》这两个系统的易学,早已失传。

(二) 认为汉、魏以后的象、数易学,便是《连山》、《归藏》的遗留,颇为合理。而且《连山》、《归藏》易学的精义,确已成为秦、汉以后道家学术思想的主干。如十二辟卦之说,便是以"归藏"的"坤"卦为主。卦气起"中孚"之说,便是以"艮卦"的半象为用。

易名的定义

后世有人从《易经》内容所举例的动物,如龙啊! 马啊! 象啊! 豕啊! 鹿啊! 等等着眼,并且采用《系辞传》所说,我们的老祖宗伏羲开始画卦时有"远取诸物"的说明,认为原始的"易"字,便是取其象形飞鸟的观念。不过,此说并未引起重视。

到了近代,有人认为"易"便是蜥蜴的简化,蜥蜴这种生物,它的本身颜色随时随地变化多端,当它依附在某种物体时,它的颜色,便会变成与某种物体的色相相同。《易经》是说明天地间事物的必然变化之理,所以便取蜥蜴作象征,犹如经书中的龙、象等一样。但总不能叫它是“蜴经”,因此便取名为“易”。主张此说的,以日本的学者中最为强调。这等于在第二次大战前,说“尧”是香炉、“舜”为蜡烛台、“禹”是爬虫,同样的都含有轻薄的恶意诬蔑,不值得有识者的一笑,不足道也。

那么《易经》的“易”字,究竟是什么意义呢?根据道家易学者的传统,经东汉魏伯阳著《参同契》所标出,认为“日月之谓易”的定义,最为合理。“易”字,便是上日下月的象形。《易经》学术思想的内涵,也便是说明这个天地之间,日月系统以内人生与事物变化的大法则。

并且从近世甲骨文的研究的确有象形上日下月的“易”字。因此更足以证明道家传统和魏伯阳之说“日月之谓易”的定义之准确性。目前《易经》的学术思想,在西方欧、美各国,逐渐大加流行,我们自己对国家民族祖先文化准确的定名和解释,绝对不能跟着人云亦云,含糊混淆,自损文化道统的尊严。

《易经》的作者

“易更三圣”。这是秦、汉以后的作者,对于上古形成易学传统者公认的定说。也是我们现在开始研究易学者必须先得了解的问题。

秦、汉以后,儒家学者的共同认定,开始画八卦的,是我们的老祖宗伏羲氏。演绎八卦的,当然是周文王。发扬易学精义的,便是孔子。因此说“易更三圣”就是指画卦者伏羲、演卦者文王、传述者孔子。事实上,文王演卦而作“卦辞”,他的儿子周公又祖述文王的思想而发扬扩充之,便著了《爻辞》,为什么三圣之中却不提到周公呢?据汉儒的解说,根据古代宗法的观念,父子相从,因此三圣之中便不另外提到周公了。关于这个问题,如此结案,是否公允而有理,还是很难认定。

开始画卦的,当然是伏羲,这是毫无疑问的事。经过文王演卦、周公祖述、孔子发扬以后,硬要赖掉周公在文化学术上的功劳,恐怕孔子梦对周公时,于心难安。同时,又轻易地溜掉“更三圣”的这个“更”字,也不应该。古文“更”字又有“曾经”的意思,所谓“易更三圣”者,是指易学经过三位圣人学者的整理,才得发扬光大。

由伏羲画八卦开始,到了商、周之际,再经过文王、周公、孔子三圣的研究和著述,才建立了《周易》学术思想的系统。因此可知“易更三圣”一语,严格地说,应该是对《周易》一书而言。如果说对所有的易学系统来说,硬拉下伏羲来凑合三圣,似乎有点牵强。连带这个问题而来的,便是“文王演易”和重复演绎为六十四卦的问题了。

伏羲画卦,这是古今公认的事实。由八卦演绎成六十四卦,却有四种说法:

(一) 认为六十四卦也是伏羲所排列的。

(二) 有的认为六十四卦也是文王的演绎。

(三) 认为由八卦重复排演成六十四卦的,是神农氏。

(四) 认为重复演卦的人是夏禹。

主张第一说的,以王弼(辅嗣)等为最有力。主张第二说的是司马迁等。主张第三说的是郑玄等。主张第四说的是孙盛等。

要把这四种说法加以考据确定,实在不容易,而且几乎是绝对不可能的事。至于认定重复卦象的人是周文王,大概是从“文王演易”这个“演”字的观念来推定。其实,这个“演”字,不能硬说就是演绎六十四卦的涵义,只能说是对《周易》一书六十四卦排列的次序和方式,以及《周易》书中对卦爻辞的演义而言。这是无可否认的,都是文王的杰作。至于伏羲画出的卦象,它的原来次序程式究竟是如何排演的?为什么《连山》易的排列以“艮卦”为首,为什么

《归藏》易的排列以"坤卦"为首等问题,都是值得研究的。王辅嗣的主张,认为重复排演六十四卦者,仍是伏羲的创作,这是最为有理的。

"十翼"的作者及其他

研究易学,都须知道有汉儒郑玄所提出的"十翼"之说。"翼",当然是羽翼的意思。《周易》一书的内容,有十种论著,都是辅翼易学、发扬而光大之主要著作。这便是:

(一) 上经的彖辞。(二) 下经的彖辞。(三) 上经的象辞。(四) 下经的象辞。(五) 系辞上传。(六) 系辞下传。(七) 文言。(八) 说卦传。(九) 序卦传。(十) 杂卦传。

这是郑氏对于《周易》内容所作的分类范围,凡欲研究易学者,应当先加了解。

至于有关"十翼"的作者问题,大致说来,又有三种异同的见解。

一般的认定,"十翼"都出于孔子的手笔。这是传统的观念,完全从尊孔的意识出发。

其次,认为文王作《卦辞》,当然没有问题。但是《象辞》也是周公的著作,并且根据《左传》中"韩宣子适鲁,见易象"说:"吾乃知周公之德"的话,更为有力的佐证。汉末的学者马融、陆绩等,都同意主张此说。

事实上,《象辞》与《彖辞》对卦象的论断,有许多地方,彼此互有出入,实在难以确认同是一人的观点。复次,除了《象辞》、《彖辞》以外,关于《系传》以及《序卦》、《说卦》等篇,不但它的文辞、思想,处处有先后异同的论调,严格说来,绝对不能认为都是孔子的手笔。其中有许多观念,可能都是孔子以后后人的著作。或者可以说是孔门弟子们的著作,统统归并于夫子的名下,那也是古代著述中常有的事。

易学的传承及其他

在中国文化的领域中,自经孔子删《诗》、《书》,订《礼》、《乐》之后,由他编著了六经,赞述《周易》以来,关于《周易》易学的传承,在司马迁的《史记》,班固的《汉书》,以及范晔的《后汉书》中,都记载有孔子以下易学传承的系统。

但自唐、宋以后,我们所读的《周易》,关于"十翼"的排列程序,事实上,大多都是根据汉末王弼的排列的。他把"乾"、"坤"两卦的文言,拿来放在本卦下面,同时把《系传》的中间次序,有些地方也照他自己的意思来颠倒安排。等于我们现在读的《大学》一书,那是经过宋儒的安排,并非原本的《大学》的次序。现在对于研究《周易》来讲,这点应当注意及之。

自孔子至战国末期的易学:孔子授商瞿,商授鲁桥庇子庸,子庸授江东馯臂子弓(其人是荀卿之子),子弓授燕周丑子家,子家授东武孙虞子乘,子乘授齐田何子庄。此其一。

又:孔子殁,子夏也讲易学于河西,但受到孔门同学们的驳斥,认为他对于易学的修养不够,所以子夏以后的传承,并无太准确的资料。唯后世留传有《子夏易传》一书,真伪难辨,但确具有古代"易学"思想上的价值。此其二。

西汉的易学:田何授(东武)王同子中、(洛阳)周王孙、(梁)丁宽、(齐)服生。四人皆著《易传》数篇,但后世已散佚。

其次:自(东武)王同子中一系,再传(菑川)杨何,字元敬。元敬传京房,房传梁丘贺,贺传子临,临传王骏。

丁宽一系,又再传田王孙,王孙传施雠,雠传张禹,禹传彭宣。

以上都是著名专长易学学者的传承。至于阴阳、纳甲、卦气等易学,自田何到丁宽之后,又另有一系。

主阴阳、卦气之说的，由王孙传孟喜。喜再传焦赣，字延寿，著有《易林》一书，迥然打破《周易》的蹊径。又另一京房，承传焦延寿的易学，著有《京房易传》一书，开启象数易学的阴阳“纳甲”之门。

东汉与后汉的易学：西汉的易学，到了东汉时期，其间的传承似乎已经散失不备，因此象数之学与易理的分途，也便由此而形成了。后汉的易学，传承的系统更不分明。此时的著名易学大家，便有马融、郑玄、荀爽、刘表、虞翻、陆绩，以及魏末的王弼等人。

其中荀爽的易学，曾经有后人采集当时的九家易学合成一编的论述，故在后世研究易学中，经常有提到“九家易”或“荀九家”的名词，就是对此而言。

郑玄的易学，开始是学京房的象数，后来才舍离京学，专学费直之说，以孔子《易传》来解说易学。

汉末的易学，大概都跟着荀爽、虞翻的脚跟而转，愈来愈加没落，因此才有青年才俊的王弼的起来别走一途，专从老、庄玄学的思想而说“易”了。最为遗憾的，后世的易学，大体上又一直跟着王辅嗣的脚跟在转，不能上穷碧落，下极黄泉，直探羲皇之室。

两派十宗及其他

由秦、汉以后直到现在，大致综合易学发展的系统，我过去曾胪列它为两派六宗。所谓两派：

（一）即是以象数为主的汉易，经唐、宋以后，其间贯通今古的大家，应当以宋代邵康节的易学为其翘楚。又别称为道家易学系统的，这便是道家易学的一派。

（二）宋儒崛起，间接受到王辅嗣等易注的影响，专主以儒理来说易的，这便是儒家易学的一派。

所谓六宗：

（一）占卜。（二）灾祥。（三）谶纬。（四）老庄。（五）儒理。

(六) 史事。

"占卜"、"灾祥"、"谶纬"等三宗易学,其实都是不脱象数的范围。以"老庄"来说易的,开始于魏、晋之初,由阮籍、王弼等开其先声。继之而起,便有北魏以后的道教,套用东汉魏伯阳著《参同契》的观念,彼此挹注,杂相运用"易"与"老庄"的道理。"儒理"说易,大盛于南北宋时期,如司马光的《潜虚》、周敦颐的《太极图说》、程颐的《易传》,以至于朱熹的《易本义》等,大抵都属于这一范围。史事一系,也由宋儒开始,如杨万里的易学,便偏重于这一观点。

事实上,我以前所提出的六宗之说,还不能尽概两千馀年易学关连的内容。如果加上由象数易学的发展,包括术数的杂易等,应该可归纳为十宗,除了以上所说的六宗以外,另有四宗,便是:

(七) 医药。

(八) 丹道。

(九) 堪舆。

(十) 星相。

至于明末清初,佛教中的大师,如藕益和尚所著的《周易禅解》、道盛和尚的《金刚大易衍义》等,都从唐末曹洞宗的爻象思想所开发,虽别有会心之处,但究竟不能列入易学的正宗。但上述四宗所涉及的易学,都以象数为主,比较偏向于固有的科学性质,素来不为寻章摘句、循行数墨的学者所能接受,因此在过去的学术专制时代中,便被打入江湖术士的方伎之流,无法有所增益与发明,颇为可惜。

事实上,《易经》学术思想的根源,如果离开象数,只是偏重儒理,对于中国文化来说,未免是很大的损失。古人所谓"象外无词",也便是这个意思。如果潜心研究象数的易学,配合科学思想的方法,相信必有更新的发现,很可能会替中国文化的前途,开发更大的光芒。古人虽然也有这种企图,但始终不敢脱离前人的窠臼。例如焦延寿的《易林》、京房的《易传》、南宋以后邵康节的《皇极经世》,以及假托邵康节所著的《河洛理数》、明代术数家们所著的《太乙数统宗》等易书。虽然对于象数易学,别有心得,完全不采用《周易》的原意,大胆地创设卦爻辞例,但仍困于灾祥休咎的观念,只作人事吉凶的判断,并未扩充到仰观天文,俯察地理,中通万物之情的境界。

清代的儒者,研究易学的风气颇盛,如王船山、惠栋、江永、焦循等,都有专著,唯仍多依违于汉、宋儒易的范围,为清代的经学生色不少,如近人杭辛斋、尚秉和颇得象数的效用,亦自成家。

易学的精神

唐、宋以后的易学研究,应该说又建立了另一“三易”之说。这个新的“三易”观念,也是说明秦、汉以后以至现代的易学内涵之范围。换言之,唐、宋以后所谓易学的内涵,它大要包括有“理、象、数”的三个要点。如果用现代的观念来说:

“理”,便是类似于哲学思想的范围。它是探讨宇宙人生形上、形下的能变、所变,与不变之原理。

“象”,是从现实世界万有现象中,寻求其变化的原则。

“数”,是由现象界中形下的数理,演绎推详它的变化过程,由此而知人事与万物的前因后果。反之,也可由数理的归纳方法,了解形而上的原始之本能。

再来综合这三种内涵的意义,便可知“易理”之学,是属于哲学性的。“象、数”之学,是属于科学性的。总而言之,完整的易学,它必须要由“象、数”科学的基础而到达哲学的最高境界。它并非属于纯粹的思想哲学,只凭心、意识的思维观念,便来类比推断一切事物的。

宇宙万象,变化莫测。人生际遇,动止纷纭。综罗易学“理、象、数”的内涵,无非教人知变与适变而已。知变是“理”智的结晶。

适变是“象、数”的明辨。《礼记·经解》中，提到易学的宗旨，便说“絜静精微，易之教也。”所谓“絜静”的意义，是指易学的精神，是具有宗教哲学性的高度理智之修养。所谓“精微”的意义，是指易学“絜静”的内涵，同时具有科学性周密明辨的作用。但在明辨理性之间，倘使不从沉潜静定的涵养而进入易学的境界，稍一走向偏锋，便会流入歧途，自落魔障。故《经解》中，又说到易学的偏失，很可能会“使人也贼”。

从“理、象、数”的精华来看易学，由“乾”、“坤”两卦开始，错综重叠，旁通蔓衍，初从八卦而演变为六十四卦。循此再加演绎，层层推广，便多至无数，大至无穷，尽“精微”之至。

如果归纳卦爻内在的交互作用，便可了解六十四卦的内容，只有“乾、坤、剥、复、睽、家人、归妹、渐、姤、夬、解、蹇、颐、大过、未济、既济”等十六卦象。在六十四卦的内在交互中，这十六卦象，每卦都出现四次。

再由此十六卦而求其内在交互的作用，便只有“乾、坤、既济、未济”四卦，每卦各出现四次。

复由此类推，就可了知在此天地之间，除了“乾、坤、坎、离”代表阴、阳的元本功能以外，凡宇宙以外的物理或人事，无论如何千变万化，它的吉凶观念价值的构成，唯有“既济、未济”两个对待的现象而已。

由此而精思入神，便可了解一画未分以前，阴、阳未动之初的至善真如之境界，可以完全体认大易“絜静精微”的精神，就能把握到自得其圜中的妙用了。

本书译事的经过

本书的完成，说来非常惭愧。远在三年前，有一天，程沧波先生对我说：商务印书馆要翻译《周易》为白话，这个工作，原来是由刘百闵先生担任。刘先生承诺以后,忽然作古,所以王云五先生与程先生谈起,想叫我来担任这个工作,我与百闵先生也认识,当时听了,便冲口而出承担了此事。在我的想法,如果没有别的打扰,每天翻译一卦,至多半年可以完成。谁知开始着手翻译时,才发现许多难以解决的问题。例如:

一、译本的原文是《周易》,必须要尽量与原文原意不离谱。不可以随便说自己的易学见解,也不能独取某一家的易学见解为准。

二、上古的文字,一个字或两三个字便可代表一句话或几句话的语意。如果已经了解了古文的内涵,《周易》原文的本身,本来就是白话,用不着更加语译。现在既要用现代语来译出,既不能离经一字,又必须要加上解释字义、考证原意等工作。有时原文只用一个字,但我们需要用好多字来表达它,而且还不能作到尽善尽美。因此便要在"今译"以外,再加"今释",才能了解。

三、历代学者对于"五经"的著述和研究,包括"四库"以后的著述,如《皇清经解》,《续皇清经解》等书以外,要算有关《易经》的著述为最多,而且各家都别有会心,甚至互相矛盾的也不少。

我们当然也不能忽略这些资料而不顾,究竟如何取裁也是一个很大的问题。

我当时的立意,是以汉易为原则,尽量避开宋易的解释。因为易学的内涵,虽然以"理、象、数"为主,如果真能懂得了注重"象、数"的汉易,其理自然便在其中了。"象外无词",原是研究易学的笃论。

有了这些问题横梗在前,所以开始翻译乾坤两卦时,便费了一个半月的时间。其馀每一个卦,原意计划用一个星期把它翻译出来,结果还是不能如愿以偿。

在这一段时间,除了手边原有收藏有关《易经》的书籍以外,还得王新衡先生的帮助,送我一套文海出版社《国学集要》第十种中有关《易经》这一全部的书籍,盛意可感,至今还欠上这笔情债。

跟着,我的俗事和课务纷至沓来,实在无法闲坐小窗翻《周易》了,所以一拖再拖,翻到"观"卦时,便搁笔迟延,一直没有继续工作。中间曾经写信向王岫老商量,希望另请高明完成此事,结果岫老又坚持不便改约。

去年春天,徐芹庭来看我,谈到《易经》译稿的事,他看我忙的可怜,便愿意替我完成其事。我当时也想叫他试试看。因为芹庭刚进师大的那一年,便认识我。除了欣赏他诚朴的气质以外,还有很多难能可贵的善行,不是一般人能做到的。他是一个孝子,每个星期都要赶回苗栗乡下,赤脚耘田,帮助父母去种地。所以我就叫他先从《来注易经》入手,希望他对《易经》下番工夫,结果他的硕士论文照着这个目的来完成,博士论文则研究汉易。他目前偏重"来易"和汉易。从我研究"象、数"方面的朱文光博士,又远在国外,不能和他互相切磋。

半年以后,芹庭送来全部译稿,他从"噬嗑卦"以后,一气呵成的成绩。我看过以后,便对他说:"很可惜"你仍未脱离"来易"及汉易的范围。但是,有了这样的成就,的确很不容易。

这样一搁又是一年。到了年底,程沧波先生又催我交卷。我也觉得实在说不过去了,再去信和岫老商量,希望能采用芹庭的译稿,而且由芹庭负起这本书的著作责任。结果得到岫老的勉强同意,但说必须注明是我和芹庭的合著。因此才有本书的问世。

但我仍以至诚,向商务印书馆和王云五先生以及读者,致无限的歉意。才力和精力有限,未能达成想象中的任务,希望将来能够好好地完成一部《易经》的研究,贡献给大家以作补偿。这是否能成为"既济卦"或"未济卦"的祝词,便很难预料了。

〔一九七四年,台北〕

《周易今注今译》再校后记

商务印书馆,在王岫老主持今注今译经部第一集之时,《周易》一书,因刘百闵先生逝世,辗转交由我来语译,其间经过,已略于叙言。然我所从事者,仅上经二十卦(由乾卦至观卦)而已。

《周易今注今译》出版发行以后,经诸学子发现有漏今译今释者,已悔付托匪人,狂简从事,愧疚不已。近年以来,又经诸学子陆续发现误译及简陋之处者,更加惶悚。乃转请商务印书馆负责诸公,再付校雠。俾稍能补阙以交卷,待他日真得息影专心时,当为易学尽本分之贡献。今由蔡策、朱文光二人审核今译部分,差已完整。至于今释部分,后续者偏于虞(翻)易之处,及未能完全语译详明者,不及尽能更正,至以为憾。

一九四四年暑期,我过四川嘉定乌尤寺复性书院,晋访马一浮先生,谈及先生之著述,承告"深悔昔年轻率著书,拟欲尽毁其版而不尽能"云云,言下颇为不快。而我意谓先生谦抑自牧,或未必然。然读蔡元培先生自述传略,有云:"孑民在青岛不及三月,由日文译德国科培氏《哲学要领》一册,售稿商务印书馆。其时无参考书,又心绪不宁,所译人名多诘屈。而一时笔误,竟以空间为宙,时间为宇。常欲于再版时修正之。"等语。方知人生非年事经历不到处,决不能深悉悔恨前非之心情。今特志于卷首,庶明向读者发露忏悔之意,并待他日自能善于补过也。

〔一九八四年,台北〕

《易经数理科学新解》序言

《易》之为书,深密难穷,为群经之宗祖。河洛精蕴无尽,范围品物而无遗。与其精蕴深密,昧者浅尝点滴,诩为悉知千古秘学。达者韬光守晦,艰其薪传。于是历世愈久,支离愈甚,易有随时偕进之义,诚如是乎!倘未然也。

传统易学,约其演变,有汉易、宋易之分。综其支流,有占卜、禨祥、象数、老庄、儒理、史事诸宗。古太卜掌占卜而断之以易,此占卜之宗也。汉儒去古未远,推演象数,阴阳五行之说。统入其学,此象数之宗也。京房、焦赣诸贤,专言禨祥,图谶之言迭兴,此禨祥之宗也。扬子云著《太玄》,以九畴之数,合卦象而言天道,应为别裁。王弼、王肃以老庄言易,开两晋玄学之风,此老庄玄易之宗也。魏伯阳著《参同契》,隐含卦气、变通、爻辰、升降、纳甲之义,参合老庄之说,以言丹道,儒者未之或信,然开千古丹经援易之风,实自此始。宋儒胡瑗、程颐以儒理言易,此儒理之宗也。邵康节以易统造化,出入儒道,别树学幢。李光、杨万里以史事言易以明人事之变,此以易论史事之宗也。僧肇引易理而入佛,曹洞师弟,据卦爻立五位君臣之义,以理心性之修证,开后世以易拟佛之渐。明清以还,治易诸儒,代有辈出,卓尔名家者颇有其人,要皆不出汉、宋诸学遗绪,回翔于谈玄实用之间。迨乎清末,西学东渐,学术文物,于兹丕变,易学衰歇,不绝如缕。先圣有言:“作易者其有忧患乎!”稽之往史,每当世运邅屯悔吝之际,必有贤者奋起,荷负开继,或述而不作,或作而不传,其感于忧患而望于治平者,诚有是于斯言也。

今世治易诸贤,信而好古者有之,疑而讥嫌者有之。或从传统,或言男女,或轻记事,或匹科学。以逻辑(Logic)符号说易者有之,以自然科学释易者有之。潮流所趋,夹珠玉泥沙而俱来,虽未前迈古人,易学日新,此亦时势所必然也。余潜心学易有年,智浅识陋,未尽探赜索隐之妙,欲求寡过,亦须天假之年,庶几可望。平居偶为新进诸子论易,徒涉皮毛已耳。今觏薛氏宿讲易经河洛著述,观其所由,乃比以现代自然科学之数理而相互发明,故原名其书曰《易经科学讲》。曰:超相对论。诸生有研读其书者,率议重梓,以广流传,俾粗言自然科学之拟易者,资为借鉴。倘温故知新,有所发现,亦为天地立心,生民立命之意欤。爰为言之如是。

〔一九六四年,台北〕

《周易尚氏学》前言

余自少年玄尚易学,壮岁行脚西方,孜孜以访求易学经师,参寻术数高士为乐。中间世易国变,而向学之志靡懈。今已皎皎华发,于学于易,终未敢云窥其堂奥。久闻尚秉和先生湛深于易学,所著《周易尚氏学》,响誉士林,惜乎终未得见。顷间汪君忠长游美乍返,见赠是书,喜能得偿夙愿。展读感佩,固甚尚矣。其学引经注经,阐发千古幽隐易象,昔无出其右者。唯于数理玄阃,惜未抉赜为憾。然其取法之诚谨,能不肃恭礼敬之耶!发扬前修绝学,启迪后贤新智,是为宿志。故为之记而付印行焉。

〔一九八一年,台北〕

《读易劄记》序

《易》之为书,周流六虚,变动不居,是其大要。与其不居于一隅,于是范围天地而不过,曲成万物而不遗,如百川入海、万学同睐、千彩丽空、十方异见。道并行而不相悖,何一而非《易》。何一而赅《易》焉。《四库全书》睐类十三经历代之疏注,唯《易》四百七十六部、都四千一百十九卷。远超春秋百家之言。乾嘉以后,犹不预其数。近代作者尤众,一得十挹、意迈前贤,而终未能意得忘象、鱼脱筌遗也。虽然,分河饮水、别树门庭,而资生解渴、各取所需,庸何伤哉,抑何碍耶!

休宁汪君忠长,学《易》于知命之年,睐志于摄生之道,于是糅诸家理象之旨,汇成一家之言,著书立说,题曰《读易劄记》,固是观成,且亦学效,唯其将有远行,属为之言,适余春假期中,督众禅悦,因循时日,稽延应命。今因梓工将竣,亟起援笔为书。秉老氏赠人以言之趣,为之记曰:

> 羲皇之上,未画无形,几动象生,数具理神。敷陈万类,截决要津。悟通心易,不着点尘。成师无朕。慎莫师心。

〔一九八二年孟春,台北〕

阎著《易经的图与卦》序

吾国上古之世,文武本不分途,及至春秋,孔门七十子之徒,文武兼资,习以为常,亦多可考可证。时代愈降,文韬武略,渐至分途,积弊所至,常以不学无术以视革胄之士,亦由来久矣。故在吾国军事史上,以书生从戎,功遂名就而彪炳史册者,莫盛于清代中兴之际,然亦仅曾、左、彭、胡麾幕之佐。君子豹变,殊不多觏。故论军中学术之盛,人才辈出者,较之往史,尚莫过于国民革命军之后期,如此时此地之辉煌灿烂也。

阎君修篆,以书生而从军有年,其在军书旁午,狼烟锋镝之间,终不辍学忘读,不敢或忽学以补不足之训。前者君之博士学位论文,即以《周易论卦》而卒业。今复以《易经的图与卦》一书,嘱以为序。忝属先闻,诚不可却,乃强为之言。

夫以易学之渊源幽远,浩博综罗,两汉以还,有关经学之注释,多莫过于《易经》。自唐虞世南有言:“不读《易》,不可为将相。”于是有用世之志,济世之才者,尤孜孜有索于《易》矣。然迄宋、元、明、清以降,纵览易学之作,图文并茂,万象森罗。但云山虽同,蹊径各别,是非纷然,非羲皇上人,孰敢确其一是。唯从易简而视之,则古今修途,仍皆局限于《易》之图变、《易》之数演。甚至,亦如数学中之游戏数学,虽慧思奇奥,终莫出此数学公式之范畴,而究之实用,及今虽穷人类之智术,犹未探得其足资利用之源,可以开物成务之功也。不然,则析理于人伦日用之间,坐谈心性,徒托空言而已。此实为易学圣明之痼病,更有甚于《礼记·经解》篇中所论《易》之弊也之说矣。或有说曰:《易》所统摄三玄之言,皆时兴于衰变之世。今者,易学勃兴,虽曰受国际学者注重中国文化之影响,然不期而合于世道衰变之际,可不惧哉!曰:是何伤乎,苟谓三玄之学,皆起于衰世,则孔孟之说,岂作于盛平之时耶?人事有代谢,世道有兴衰,而学则永固,隋末有河汾讲学之后,即有盛唐之崛起,庸何伤哉!唯望今时学者,志心于图卦之说,苟能舍其筌象,而得其圜中以应用无穷,则为幸矣。是为序。

〔一九七七年,台北〕

《太乙数统宗大全》序

术数之学,原出于阴阳之官,阴阳设官,始著于三代,盖职掌星象,顺适农时,因应人事者也。然溯其源流,旷渺幽远,书载犹阙,稽之初民,智识朴实,茫茫世事,欲逆料而知来者少,于是托赖占卜,以决休咎。继而文明进展,人事纷繁,卜筮之术,枝蔓流衍,同异互见。然原始要终,不外五行、八卦、九宫、历算。随之据星象而纳甲于八卦,引九宫而遁伏于奇门,于是太乙、六壬、丁戊、紫白、方伎竞起,各擅胜筹。

秦汉之间,援易象数而为术,谶纬之说,弥漫上下,有学无学,咸准为式,虽通儒硕学,亦所难免。唐宋之际,佛道学说,参杂并陈,自希夷传太极图像,邵子宗河洛理数,会三元于往复,列四象而为元会运世,于是托古图谶,附会预言者,屡出不鲜。佞之者奉为天则,辟之者嗤为妄诞,要皆未明天时人事之机枢,虽曰天命,岂非人事;固为人谋,亦应天运。欲穷其奥,此乃天心所秘,非聪明睿智,至诚通慧者所难知也。苟有其人,则知未必言,言又放诞,神秘理事,流散支离,群以江湖小术而目之矣。

固知人事有代谢,往来无古今,物情递变,虽微渺而不可思议,而先圣有言,数往者顺,知来者逆。居易以俟命,极言其大象细则,未尝不可测知。第学之未至,知之不逮耳,盖术数之学,实据于天文、地理,物情演变之妙而定其准则,虽小道,亦有可观者矣。苟扩而充之,启发慧知,方之今日科学,大有互相发明之处。昔儒囿于传统,目为杂学,置而不论。吾尝有言:欲言中国文化,如不通杂家之说,殆难窥其全貌。今英人著有《中国科学技术发展史》者,(SCIENCE AND CIVILISATION IN CHINA)其所引用,多为杂家之学，适符斯语，能不慨然。

黄陂胡玉书夫子，沉潜易象数之学五十馀年，余尝从之执经问难，多所启迪，犹未悉尽其学。宋今人君欲将《太乙数统宗大全》梓版，征之于余，乃举以质之夫子，咸嘱为言。夫太乙之说，原于天干之名数，而胎息于方伎者流，道家论天地星辰消息，列述太乙之神，汉代刘向校书于天乙阁，托太乙燃藜而为奇。医有太乙之鍼，兵有太乙之术，异名愈出，恍惚难测。实皆寓阴阳于象数，寄变化于神奇。太乙数者，虽不类同于河洛法则，参合三元运转，述象数之变而推知人事之理者，其揆一也。会之者，应用之妙，存乎一心。床之者，但存闻阙疑，留待后昆，或可随时偕进于文明之途欤！是为序。

〔一九六五年岁次乙巳腊月南怀瑾序于台北〕

朱文光著《易经象数的理论与应用》代序

东西文化幕后之学

人类的思想与行为,乃形成文化的主体。到目前为止,人类的文化汇成东西两大系统。但这两大文化系统,除了人文科学与自然科学的种种,无论东方文化或西方文化,都有一种不可知的神秘之感存于幕后。例如宇宙与一切生物的奥秘,人生的命运和生存的意义等问题,仍然是茫然不可解的一大疑团,还有待于科学去寻探究竟的答案。将来科学的答案究竟如何,现在不敢预料。但在东西双方文化的幕后始终存在着一个阴影,有形或无形地参加文化历史的发展,隐隐约约地作为导演的主角。无论学问、知识有何等高深造诣的人,当他遭遇到一件事物,实在难以知其究竟,或进退两难而不可解决的时候,便本能地爆发而变成依赖于他力的求知心,较之愚夫愚妇,并无两样。

术数与迷信

在中国五千年文化的幕后,除了儒、佛、道三教的宗教信仰以外,充扮历史文化的导演者,便以“术数”一系列的学说为主。由于“术数”的发展而演变为各式各样求预知的方法,推寻个人的、家庭的、国家的、宇宙的生命之究竟者,分歧多端,迷离莫测。世界上有其他学识的人虽然很多,但对于这些学识未曾涉猎者,由于自我心理抗拒"无知"的作祟,便自然地生起"强不知以为知"的潜在意识,贸然斥拒它为"迷信"。其实,迷信的定义,应指对某一些事物迷惘而不知其究竟,但又盲目地相信其说,才名为"迷信"。如果自己未曾探讨便冒昧地指为迷信,其实反为迷信之更甚者。相反地,自犹不知其究竟而深信其说为必然的定理,当然属于迷信之尤。但在中国过去三千年来的帝王、将相,和许多知识分子,以及一般民间社会,潜意识中都沉醉于这种似是而非的观念里,以致埋葬了一生,错乱了历史上的作为,事实俱在,不胜枚举。那么,这一类的"术数"学识,究竟有无实义?究竟有无学问的价值?而且它又根据些什么来凭空捏造其说呢?这就必须要加以慎思明辨了。

西方文化吹起了新术数的号角

最近,一个学生自美国回来探亲,他告诉我目前正在加州大学选修"算命"的学科,而且说来津津有味,头头是道,但大体都是根据大西洋学系和埃及学系的"星相学"而来,与中国文化的渊源不深。年轻的国家,文化草昧的民族,正以大胆的创见,挖掘、开发自己文化的新际运,不管是有道理或无道理,加以研究以后再作结论。但本自保有祖先留下来五千年庞大文化遗产的我们,却自加鄙弃而不顾,一定要等到外人来开采时才又自吹自擂的宣传一番了事,这真是莫大遗憾的事。

一九七一年朱文光博士自美国回来任教台大农学院客座副教授的一年期间,在其讲学的馀暇,不肯浪费一点时间,秉着他回国的初衷,帮助我整理有关这一类的学科。可惜的是时间太短,经费又无着落,未能做到尽善尽美的要求,他又匆匆再去国外搜集资料。因此只能就初步完成的草稿,交付给我,算是他这次回国研究工作的部分心得报告。有关解释和未完的事,又落在我的肩上。偏偏我又是一个"无事忙"的忙人,实在不能专务于此。况且对科学有认识、有造诣的助手难得,肯为学问而牺牲自我幸福的人更不易得。科学试验的设备和图书资料等等问题,都一筹莫展,也只有把未完的工作,留待以后的机缘了。

术数之学在中国文化幕后的演进

在中国五千年文化的幕后,有关“术数”一门学识,不外有五种主干,综罗交织而成。一、“阴阳”、“五行”。二、“八卦”、“九宫”。三、“天干”和“地支”。四、天文星象。五、附托于神祇鬼怪的神秘。这五种学说,开始时期,约有两说:(一)传统的传说,约当西历纪元前二千七百年之间,也就是黄帝轩辕氏时代。(二)后世与近来的疑古学派,宁愿将自己的历史文化“断鹤续凫”式的截断缩短,而认为约当西元前一千七百年左右,也就是“商汤”时代之后,才有了这些学说的出现。反正历史的时间是不需花钱的无价之宝,它不反对任何人替它拉长或缩短,它总是默默无言的消逝而去。我们在它后面拼命替它争长,它也不会报以回眸一笑以谢知己。即使硬要把它截短,它也是悠然自往而并不回头。

但由于这五类主干的学说,跟着时代的推进而互相结合,便产生了商、周(西元前一一五〇)之间“占卜”世运推移的学识了。历史上有名的周武王时代,“卜世三十,卜年八百”之说,便开启后世为国家推算命运之学的滥觞。到了东周以后,也正是孔子著《春秋》的先后,占卜风气弥漫了“春秋”时代的政治坛坫。“战国”之间,自邹衍的阴阳之说昌盛,谈天说地的风气,便别立旗帜,异军突起于学术之林。尽管卿士大夫的缙绅先生们(知识分子)如何的排驳或不齿,但贤如孟子、荀子等人,也或多或少受其影响而参杂于其学问思想之间,历历有据可寻。秦、汉之间,五行气运与帝王政治的“五德相替”之说,便大加流行,左右两汉以后两千多年的中国政治思想和政治哲学。尤其自秦、汉以来,“占卜”、“星相”、“阴阳”、“择日”、“堪舆”(地理)、“谶纬”(预言)等学,勃然兴起,分别饮水而各据门庭,即使两汉、魏、晋、南北朝而直到唐、宋以后二千多年来的历史演变,幕后都弥漫着一股神秘而有左右力量的思潮,推荡了政治和人物的命运,其为人类的愚昧,抑或为天命固有所属,殊为可怪而更不可解。在这中间,正当汉、魏时期的佛学输入,又渗进了印度的神奇“星象”学说。到了隋、唐之际,又加入了阿拉伯的天文观念。因此参差融会而形成了唐代“星命”之学的创立,产生李虚中的四柱八字之说,和徐子平的“星命”规例。

星命和星相与心理的关系

人类本来就是自私的动物,人生在世最关心的就是自己的幸福和安全。其次,才是关心与六亲共同连带的命运。因此自有子平“星命”之学的出现以后,人们便积渐信仰,风行草偃而习以为常了。但是子平的“星命”之学的内容,一半是根据实际天文的“星象”之学,一半又参杂有京房等易象数的“卦气”之说的抽象“星象”观念,同时又有印度抽象“星象学”的思想加入而综合构成。如果精于此术的推算结果,大致可以“象其物宜”,可能有百分之九十的相似。否则,墨守成规,不知变通的,便承虚接响,或少有相似而大体全非了。

从隋唐、五代而到北宋之际,有关“占卜”的方法,便有《火珠林》等粗浅的书籍留传。它所用在“占卜”的方式,大体仍是脱胎于京房的卜算,但又不够完备、精详。有关国家历史命运的预言,脱胎于两汉的“谶纬”之说的,便有李淳风“推背图”的传说,风行朝野,暗地留传在历史文化的幕后,左右个人、家庭、社会、国家等种种措施的思想和观念。同时“相人”之术——通常人们习惯相称的“看相”,也集合秦、汉以来的经验,配上“五行”、“八卦”等抽象的观念,而逐渐形成为专门的学识。人处衰乱之世,或自处在艰难困苦的境遇中,对于生命的悲观和生存前途的意义和价值之怀疑,便油然生起,急想求知。俗语所谓:“心思不定,看相算命”,便是这个道理。

宋代以后的术数

这种学识的内容,历经两三千年的流传,自然累积形成为不规则的体系。从宋代开始,便随着宋朝的国运与时代环境的刺激,自然而然有学者加以注意。因此有了邵康节易理与象数之学的兴起,出入于各种术数之间而形成《皇极经世》的巨著了。邵氏之学虽如异军突起崛立于上下五千年之间,但为探寻它的究竟,学虽别有师承,而实皆脱胎于术数而来,应当另列专论。自此以后,中国的“星命”、“星相”、“堪舆”、“谶纬”、“占卜”等之学识,或多或少,都受邵氏之学的影响而有另辟新境界的趋向。此类著作,或假托是邵氏的著述,或撮取邵氏之学的精神而另启蹊径。

由此而到了明代,“星命”之学,便有“河洛理数”、“太乙数”、“果老星宗”、“紫微斗数”、“铁板数”等方法的繁兴。“堪舆”之学,便有“三合”、“三元”等的分歧。但“九宫(星)”、“紫白”等方法,又通用于“星命”与“堪舆”等学说之间。其馀如“占卜”、“选择”之学,则有“大六壬”神数,与“奇门遁甲”等相互媲美。综罗复杂,学多旁歧,难以统一。且因历代学者儒林——传统的习惯观念,对于这些“术数”学识多予鄙弃,并不重视。专门喜爱“术数”的术士或学者,又限于时代环境的闭塞,读书不多,研究意见不得交流融会。故步自封而敝帚自珍的处处皆是,因此驳而不纯,各自为是地杂乱而不成系统。到了清初,由康熙朝编纂的《古今图书集成》,罗列资料,颇具规模。但并未研究整理成为严谨的体系,而且没有加以定论。乾隆接踵而起,除了搜集选择“术数”等有关的著作,分门别类,列入《四库全书》以内,又特命“术数”学家们,编纂了《协纪辨方》一书,以供学者的参考。对于学理的精究,毕竟仍然欠缺具体的定论。但是,它在中国文化思想的幕后具有的影响力量,依然如故。只是人人都各自暗中相信、寻求,但人人又都不肯明白承认。人心与学术一样,许多方面,都是诡怪得难以理喻,古今中外,均是如此。所以,对于幕后文化明贬暗褒的情形,也就不足为怪了。

〔一九七二年南怀瑾先生讲述,朱文光记录于台北〕

附：

邵康节的历史哲学

一个人天才和气质的禀赋,虽然各有所长,但气质的禀赋,对于学问,实在有很大的关系。在北宋时代,与邵康节同时知名的苏东坡,曾经说过“书到今生读已迟”的名言,这句话虽然有点过于神秘之感,但在强调天才和气质的关系上,实在含有深意。中国文化史上知名的北宋五大儒之一——邵康节,有出尘脱俗的禀赋和气质,加以好学深思的工力,和温柔自处的高深修养,所以尽他一生学问的成就,比较起来,就有胜于“二程”和张载诸大儒。后来朱晦翁(熹)对他甚为崇拜,并非纯为感情用事。北宋诸大儒的学问出入佛老之后,创建了“理学”而不遗馀力地排斥佛道之说。此外,不讲“理学”,留情佛老之学如苏东坡、王安石等人,又因各人对于世务上有了意见的争执而互相党同伐异,彼此攻讦不已,自误误国,与魏、晋谈玄学风的后果,可以说迹异而实同。其间唯有邵康节的学养见识,综罗儒、佛、道三家的精英,既不佞佛附道,亦不过分排斥佛老,超然物外,自成一家之言。单就这种态度和见解来讲,殊非北宋诸大儒所能及的。他的见地修养,除了《观物外篇》与《击壤集》,有极深的造诣,对《易经》“象数”之学,更有独到的成就。综罗汉、唐之说而别具见解,以六十四卦循环往复作为“纲宗”的符号,推演宇宙时间和人物的际运,说明“历史哲学”和人事机运的演变,认为人世事物一切随时变化的现象,并非出于偶然,在在处处,“虽曰人事,岂非天命!”因而他对“历史哲学”的观念,认为有其自然性的规律存在，本此著成《观物内篇》的图表，与《观物外篇》合集而构成《皇极经世》的千古名著。《观物内篇》的内容，好像是历史的宿命论，而又非纯粹的宿命论。可以说是中国历史上谶纬预言之学的综论或集成，同时也可以说是《易经》序卦史观的具体化。

中国文化星象历法的时间观念

年月日时的区分：根据《尚书》的资料，中国的历史文化，自唐尧开始，经过虞舜而到夏禹，早已秉承上古的传统，以太阴历为基准，确定时间的标准。一年共分为十二个月；每月均分为三十天；每天分为十二时辰——子、丑、寅、卯、辰、巳、午、未、申、酉、戌、亥；一时又分三刻。这种星象历法的时间观念，由来久远，相传远始于黄帝时代，这事是否可信，另当别论。但都是以太阴（月亮）为基准，所以代表了十二时辰的十二个符号，便叫作“地支”。扩充“地支”符号的应用，也可以作为年的代号，例如子年、丑年而到亥年以后，再开始为子年、丑年等循环性的规律。

二十四节气的区分：古代的“星象历法”，同时也以太阳在天体的行度作标准。所以中国过去采用的阴历，实际上是阴阳合历的。除了一年十二个月，一个月三十天的基准以外，根据太阳在天体上的行度与地面上气象的变化和影响，又以“春、夏、秋、冬”四季，统率十二个月。也等于《易经》“乾卦”卦辞所谓“元、亨、利、贞”的四种德性。并且除了以四季统率十二个月外，又进一步划分它在季节气象上的归属，而分为二十四个节气，例如“冬至、小寒十二月节大寒，立春正月节雨水，惊蛰二月节春分，清明三月节谷雨，立夏四月节小满，芒种五月节夏至，小暑六月节大暑，立秋七月节处暑，白露八月节秋分，寒露九月节霜降，立冬十月节小雪，大雪十一月节”等二十四个名号。这二十四节气的标准，是根据太阳与地球气象的关系而定,并非以太阴(月亮)的盈亏为准。

五候六气的划分:除了四季统率十二个月、二十四节气以外,又以"五天为一候"、"三候为一气"、"六候为一节"作为季节气候划分的基准。根据这种规例,推而广之,便可用在以三十年为一世,六十年为两世,配合《易经》交爻重划卦的作用。缩而小之,则可用在一天十二个时辰、刻、分之间与秒数的微妙关系。

这种上古天文气象学和星象学,以及历法的确立,虽然是以太阴(月亮)的盈亏为基准,但同时也配合太阳在天体上的行度,以及它与月亮、地球面上有关季节的变化。可是上古中国天文星象学除了这些以外,再把"时间"扩充到天体和宇宙的"空间"里去,探究宇宙时间的世界寿命之说,不但并不完备,实在还很欠缺。只有在秦、汉以后,逐渐形成以天文星象的公式,强自配合中国地理的"星象分野"之学,勉强可以说它便是中国上古文化的"时""空"统一的观念。很可惜的这种"时""空"统一的学说仍然只限于以中国即天下的范围,四海以外的"时""空",仍然未有所知。况且"星象分野"之学,在中国的地理学上,也是很牵强附会的思想,并不足以为据。青年同学们读国文,看到王勃《滕王阁序》所谓的"星象翼轸",便是由于这种"星象分野"的观念而来。

邵子对"时""空"思想的开拓

汉末魏、晋到南北朝数百年间,佛学中无限扩充的宇宙"时""空"观进入中国以后,便使中国文化中的宇宙观,跃进到新的境界。但很可惜的,魏、晋、南北朝数百年间的文化触角,始终在"文学的哲学"或"哲学的文学"境界中高谈形而上的理性,并没有重视这种珍奇的宇宙观,而进一步探索宇宙物理的变化与人事演变的微妙关系。甚之,当时的人们,限于知识的范围,反而视为荒诞虚玄而不足道(关于佛学的宇宙观和世界观的补充说明,必须要另作专论，才能较为详尽）。直到北宋时代，由邵康节开始，才撮取了佛家对于形成世界“成、住、坏、空”劫数之说的观念，揉入《易》理“盈、虚、消、长”“穷、通、变、化”的思想中，构成了《皇极经世》的“历史哲学”和“易学的史观”。其实，邵子创立《皇极经世》“易学史观”的方法，我想他的本意，也是寓繁于简，希望人人都能懂得，个个都可一目了然。因此而“知天”“知命”，“反身而诚”而合于天心的仁性。并非是故弄玄虚，希望千载之后的人们，“仰之弥高”钻之不透的。无奈经过后世学者多作画蛇添足的注解，反而使得邵子之学，愈来愈加糊涂。

在邵康节所著人尽皆知的《皇极经世》一书中，最基本的一个概念，便是他把人类世界的历史寿命，根据易理象数的法则，规定一个简单容易记录的公式。他对这个公式的定名，叫做“元、会、运、世”。简单地讲，以一年的年、月、日、时作基础。所谓一元，便是以一年作单元的代表。一年(元)之中有十二个月，每个月的月初和月尾。所谓晦朔之间，便是日月相会的时间，因此便叫做会。换言之，一元之间，便包含了十二会。每个月之中，地球本身运转三十次，所以一会包含三十运。但一天之中又有十二个时辰，每一个时辰，又有三十分。因此把一运之中包含十二世，一世概括三十分。扩而充之，便构成了“三十年为一世，十二世之中，共计三百六十年为一运。三十运之中，共计一万八百年为一会，十二会之中，共计十二万九千六百年为一元”。一元便是代表这个世界的文明形成到毁灭终结的基数，由开辟以后到终结的中间过程之演变，便分为十二会，每一会中又有运世的变化。这种观念大致是受到佛学中“大劫、中劫、小劫”之说的影响而来。如果把它列成公式，便如：

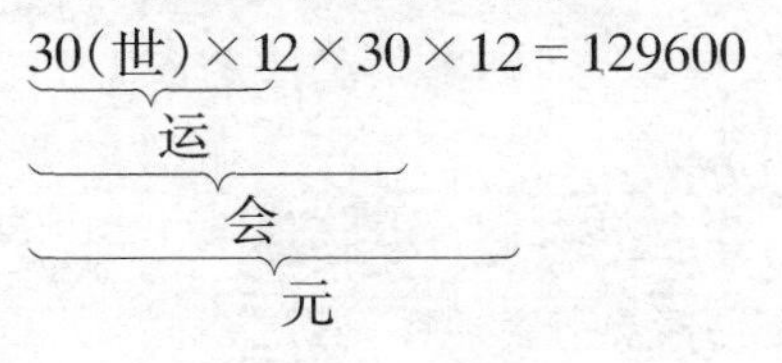

但是这种算式,在一般没有算学素养的人是不容易记得的,因此便把一元之中的十二会,用子、丑、寅、卯等十二地支作数字的符号,便于记忆。由世界开辟到终结,便分成了十二会。于是“天开于子,地辟于丑,人生于寅”的观念,便由邵氏的“元、会、运、世”之学中形成为后世阴阳家们的共通观念了。

邵子创立了“元、会、运、世”之学,用来说明自开天辟地以来,到达最后的“亥会”,合计为一十二万九千六百年。但邵子所说的天地始终之数,并非就是地球由出生到毁灭的寿命。这个“元、会、运、世”的数字之说,只是大致相当于佛学所说的一个“小劫”,是说世界人类文明的形成到毁灭的一段过程。佛学只用“刀兵”、“饥馑”、“瘟疫”等人类社会的活动现象作说明。邵子却以数字配合卦象作代表。至于循环之说,又与轮回的道理,默相契合,颇堪玩味。

〔一九七二年,南怀瑾先生讲述,朱文光记录于台北〕

《未来预知术》出书记

人生世事，假使划分过去、现在、未来为三分段，则过去多追悔，未来不可知，所谓现在，亦但随逐时势运会而转，极少能尽如人意者。于是上下亿万年，纵横九大洲之人类，莫不设想未来，求其先知以为快。故无论宗教、哲学、科学如何发展，所谓先知者及预言者，终为世人所向往。我国先民求预知之道，相同于世界各民族祖先文化，大致多假借依通之术聊当神通，如占卜、卦筮之斑斑可考也。

迨周文显扬《周易》以来，浸假而汇通于春秋后出之阴阳家言，因之以占卜而求预知之学，辄成一家之术者，如东汉时代焦赣之《易林》，京房之《易传》等作，相继问世。一变再变，而形成《火珠林》卜卦等术数，大异《周易》之趣。然深邃焦京术数之易学者，固知共因时移世易，用原始《周易》之术数，已不足以概人事日繁之世，故不背易理而新创随时之说者也。

魏晋以降，"关朗易传"犹继焦京等易学而再变，差可应世。迨乎宋代，邵子康节乘时崛起，融贯易理、阴阳、风角诸术，别成一家之言。其大著如《皇极经世》，小术如后人托名之《河洛理数》等书，不一而足，风行数百年。明朝中叶以后，则复有《太乙数统宗》等术，比翼邵子之学而并行，唯作者自遁其名，考证为难。

清朝以还，继周易筮法，焦京馀绪，邵子《河洛理数》，"太乙术数"等法则，愈演愈趋小径，大多皆以"卜筮正宗"之金钱卜法为准，实为《火珠林》之遗术也。

晚清末造，占卜灵验之术，所见所知，颇有多家新著，然皆并行不悖，难论轩轾。要之，变而通之，神而明之，在乎其人，不在其定式。

近日旅居海外学人陈君得清,遥寄《未来预知术》一书见赠,乃自搜购于域外之绝本,阅而不觉为之展颜。其术其辞,简明扼要,有如《易林》之隽永,有如《河洛理数》之平言,复有如神庙籤诗之俚句,融通雅俗,颇堪玩味。作者虽不可考,然其玩索易理而有得者,亦至幽且深矣。与其秘作枕中鸿宝,何如公之于世,庶使昔人心力,不沉埋于未来,亦足乐也。是以付印,并为之记。

〔一九八〇年冬月,台北〕

道家之部

推介中国传统文化主流之一《道藏》缘启

中国文化,为东方学术思想之主流,此为世界学者所知之事。而中国文化之中坚,实为道家之学术思想,此则往往为人所忽略。盖自秦汉以后,儒道与诸子分家,儒家学术,表现其优越成绩于中国政治社会间者,较为明显。道家学术则每每隐伏于幕后,故人但知儒术有利于治国平天下之大计,而不知道实操持拨乱反正之机枢。更何况后世之言治术与学术思想者,虽皆内用黄老,外示儒术,而故作入主出奴之笔,使之迷惑其源流。复因历代修纂历史学者,与乎明清两代编集群书,如《永乐大典》、《四库全书》等,主持之编纂者,大抵皆极力标榜儒术而偏斥道家。于是冠以经、史、子、集为正统传统文化之经纬,外若道家学术,若不冠以异端偏说之论,即漫存少数于子部之中。虽贤如纪晓岚亦有明言评其内容为"综罗百代,博大精微"之语,要皆囿于传统学者之习见,不敢明扬而推广之,殊为遗憾。因此而使后世学者,不知中国文化主流之一之道家学术思想为何事,仅以老子、庄子、列子等数人学说,即以概道家学术之全体,岂但贻人浅陋之讥,实亦不悉周秦以前儒道本不分家之渊源脉络,与其演变为百家学说之因由,至为可惜。至于清代以后之道家者流,高明之士,大都高蹈远引,不预世务。粗浅之辈,多半孤陋寡闻,师心是用,抱残守缺,自以鸣高,尤堪浩叹。

然以中国往昔历代古人,对于固有文化学术之重视,虽因见仁、见智,各有不同,而具有远大胸襟,不避世俗讥议,修集道家学术思想为一大藏,仿效印度佛教传入中国以后之整编工作,有明正统万历间，相继纂修，以千字文为次，自天字至群字为汇刻旧藏之目；自英字至缨字，为明人新续之目，总为五千四百八十五卷，即为传世之《正统道藏》正续编。固已将自周秦以前以迄明清为止之五千年来，凡有关于道家学术思想之撰述，真伪精粗，均已一并罗列俱存，使后世之人，欲穷先民学术思想之根源，以及黄帝子孙，欲了然于列祖列宗博大精微之思想者，确已藏集无遗。虽如长炬明灯，自来皆埋光于幽室之间，然终将有时烛照天下，透其五千年来智慧结晶之光辉于无间也。

前人保存将护此一文化学术之巨帙，固已历尽艰辛，而后世子孙能加发扬而光大之者，尤当责无旁贷。但自民国初年，由康有为、梁启超师弟为之号召，促成当时大总统徐东海主衔其事，曾经影印北平白云观版之《道藏》及《续藏》全部以外，至今仍如暗室幽灯，隐晦不明。故有心之士，身际此时此地，当此民族文化存亡续绝之秋，宁不见义勇为，为之重新铸版而阐扬之耶！近年以来，即有自由出版社萧天石先生首倡影印《道藏》精华中有关丹道之古本以来，今有艺文印书馆严一萍先生，独力具此壮志，不计成败利钝，毅然从事重印，岂独为经营而牟利？实亦泣血椎心，有不得不姑作牺牲之怀抱也。何况正当此时，又得侨居海外学者及国际友人等之鼓励，岂可让此中国文化之主流，湮没而不彰乎！

然因世人不知《道藏》之内蕴为何事，往往误以画符练咒，捉妖拿怪之法术，即谓此即为道家与道教之学术思想，卑陋浅薄如原始之巫医而不足道者，诚为可怪。假设《道藏》为一毫无价值之丛书，试想历三千年来我辈之先贤，皆为有目无珠，胸无点墨，而盲然为此者乎？积数千年前人学者之累积，而不经悉心研究阅读，动辄斥为卑陋，恐贻识者有非狂即愚之诮矣！宁不见每当国家板荡之秋，若干命世之才，其匡时救世之韬略兵机，阴阳钩距，纵横捭阖，建功立业而措变乱于安定者，靡不学宗道术，德操中和，重如伊尹、姜尚、张良、孔明，以及刘秉忠、姚广孝、刘基等辈，此皆彰明较著者；

他若功成身退,没世而名不称者,比比皆有。至如南面君人之术,无为至治之道,若不知黄老之学,未有成功而不败者。故须略加说明其内容,望吾民族国人与国际人士之有明见者,应当更加珍惜而推广流传之。上则可以对先民及吾列祖列宗在天之灵,下则使我后世人类之子孙,或可由此藏帙中温故而知新,藉得启发而光大之,对于人类生存之未来大计,将大有裨益矣。

盖《道藏》中所列诸经,汪洋渊博,只需去其宗教神话色彩之外衣,则可由此了解东方古代文化思想中,对于宇宙形而上之形成万物根元,早已另有发现。此则凡研究东西方哲学与宗教之士,不得不读。

其中有关于天文推步,日月星宿运行之原理与现象,要亦为东方原始天文气象学之渊源。故凡研究天文学说,以及了解印度、阿拉伯与中国天文之沟通者,不得不读。

其中有关于阴阳术数,五行八卦,奇门遁甲等学。故凡研究奇术异能者,此中尤多原始渊府,不得不读。

其中有关于河渎名山,神仙洞府,则为中国三千年前对于地球物理之基本观念。故研究自然科学如地球物理,欲参考先民远见之资料者,不得不读。

其中有关于五金八石,烧铅炼汞,捣药凝丹,则为三千年前人类远祖之化学端绪。故研究药物化学与矿物学者,不得不读。

其中有关于灵芝奇卉,本草仙葩,足以治疗身心寿命。故研究中国医药以及医学与药物发展史者,不得不读。

其中有关于符箓咒术,神通天人之际。故研究三千年前中国音声瑜伽,与印度梵文,以及埃及符箓之关系,与乎催眠术与心灵学者,不得不读。

其中有关于修身养性,志存长生不老之仙道,坎离交媾,姹女婴儿会合,河车旋运,九转丹成等。故研究神仙丹道者,不得不读。

其中有关于堪舆风水,奇门择日,九宫紫白等术。故研究山川地理、与地质学、气象学者，不得不读。

其中有关于日月奔璘，飞腾变化。故研究三千年前中国学术思想之追求太空宇宙，与探寻其他星球之理想者，不得不读。

至若研究周秦以前儒道同根之源头，与欲了解汉魏以下，佛教思想传入中国以后，其与固有儒道学术之沟通踪迹，对于中国文化儒、佛、道三家之汇通者，尤其不可不读。

此皆举其荦荦大者而言，其他如穷究东方神秘世界之玄妙，与乎人类原始神人思想之学术，语多怪异，文多奇诡者，尤其难以尽述。至如文章奇丽，词藻清新，瑶苑琳台，霞迷云拥，其为想象难闻者，则为道家文学之特质，不待介说可知。今即约略言之如上，可知道家学术思想所形成两汉以后之道教原因，并非无故。盖因秦汉以后，因人文思想独揽社会风气之大权，将此五千年来固有传统之有关于物理世界之学术思想，一概摒弃，故惟如神龙见首而不见其尾，但能附形寄影于宗教外衣之下而建立依存于道教之中，宁非我民族国家文化学术上一大不幸与一大遗憾者乎！是故望天下有心人，应当共同奋起，加以推广，藉以保此先民文化，与我国历史传统文化之巨帙，俾使其与四库、佛藏，同辉千古，实为无量功德，岂仅为吹嘘艺文印书馆为文化服务之微意哉！是为启。

一九六三年七月一日，台北《新天地》
月刊第二卷第五期

《略论中国医药学术与道家之关系》序

吾闻论中国医药者,皆云渊源于道家,而言道家之学术,则云综罗百代,博大精微,然则医药所宗之道家者,为方伎神仙之道?抑为形而上太极玄微之道?则似笼统未定其界说,故有扑朔迷离之惑,如折衷其旨,宜归于方伎神仙家之道较为互同。方伎神仙家之为道术也,以养生为宗,以修炼内外金丹为用,但言其术者,动辄推尊黄老,而黄帝之学,世谓其书大都出于后人之伪托,老子之学,已明白具于五千言,其间显见为医药之文者,未之见也。有之,唯黄帝《灵枢》《素问》,世并称之谓《内经》,以及道家之《黄庭》内外景经与丹书杂学,确为养生医药渊源之新本,姑不论其问世时代之远近,信为秦汉间之著述,当无疑义,由此可见中国医药之源流,其由来久远,而昌明于周秦之际。

实则无论有无文化之民族,其生老病死之过程,莫不殊途而同归,有生老病死之人生现实存在,亦必有医药随之以俱来,唯其学其术有精微粗率之别,而无有无之分也。中国医药,既云渊源于道家,而道家又以精微博大著称,其学术自当别具高明,奈何近世以来,一遇西洋医药输入,举国之人,几视其为陈腐朽败不经之学,将欲尽弃而勿论之耶?吾甚疑之,故喜涉猎其中,探寻其迹,乃知古之习医学者,必以《灵枢》《素问》、《内》《难》二经为其初基,再次而研习《伤寒》《金匮》、《本草》《脉诀》,然后博通群籍,融会诸学,方可以言医。至若粗知《本草》,略记药性,读《汤头脉诀》或专于科方针砭者,即骤自行医,实为医家之左道,人群之危人也。晚近有研求金元四大家之学,或探《医宗金鉴》之集,已可称为此中巨擘,既谓五运六气之说,徒有名言,概无实义,观摩止此,其他何足论哉。

夫《灵枢》《素问》、《内》《难》之旨,先须详知人身气化之本,经脉血气与天地阴阳盈虚消长之理,然后效法以养生,应用以医世。神仙方伎,故奉之为修炼之宝典,但研读之者,苟未识小学训诂,不知天文地理,且乏文学之修养者,则往往被其阴阳名目之迷而益滋烦惑,反视为虚玄谬说矣。至若《难经》之五行六运之说,辄取《周易》八卦之理则,智者知其为人生物理学术之最高原则,浅者反视为一派胡言乱统而已。何况《黄庭》内外景与丹书所言,龙虎水火、婴儿姹女,尤迹年神妙,苟不好学而深思之,必不易知其设喻所指之真谛也。须知《内》《难》二经等所言生老病死之变迁,并天地间物理与人生之关系,统纳法则于《易经》,而易学之理,则本于天文地理人事物理之自然规律,其学术秉承,渊源有本,确非空言妄构,徒为虚玄也。老子有言曰:“人法地,地法天,天法道,道法自然。”盖谓人之生存于天地之间,其生命本能现象,与天地自然规律之气化,固有息息相关者存焉,识知天地生物盈虚消长变通之理,然后方可以言养生与医药,中国医药之学术,其根本基础实秉此而来,则较之西洋医学,徒以人身为本位,以卫生医疗药物理论等为专科,大有不同者在焉。

人生天地之间,生活起居,不离地域,日月运行,寒暑迁改,皆与人有俯仰往来密切之影响,穷探此自然规律之来源,则须以本系星球中心之太阳为准则,古称五行以日元为主,即此意也。而所谓“五行”者,谓太阳辐射能之及于地球,互为吸引排荡而生变化,其间并感受其他四大行星互相放射之作用,地球上生物与人,即受行星间各种辐射能而生存,复皆藉地气之中和而受其变化之妙用。行者,即为旋转运行不息之意,强名谓金木水火土,亦为代表显示其现象之名辞,并非谓金即金铁,木即林木也,如食古不化,死守成文,则剑过已远,刻舟何用。至于九宫八卦,六壬推步,乃效法天地生物演变之一种固定法则,以卦显其演变之现象,以宫定其变迁之部位,六壬记其次序,推步述其过程,详知四时寒暑代谢之间,生物之成坏有序,昼夜明暗之际,精神之衰旺不同,例如七日来复,为天地气化同人身气血盈亏之规律,春生冬藏,为热胀冷缩心身互用之情形,良知疾病之由来,非但为外界传染,与饮食起居之所致,即太阳系内各星球之影响人类生存者,随时间空间而互变,更有大且甚者。医药所以为养生,养之医之而不穷究其本元在此,徒为术耳,未足以言学也。

由此研究人身之本能,法则天地造化之奥秘,其微密精细,如出一辙,古称人身为一小天地,亦决非夸张其辞,丹书所谓:“日出没,比精神之衰旺,月盈昃,喻气血之盛衰。”则知精神与气血,并为生命之中心,五脏之互相关系,有同于五行之运转,六腑之流通,有同于天地气机之往来,血管神经,同于江河之流注,情意畅抑,同于气象之阴晴,奇经八脉,为本能活动气化之径道,丹田命门,为能量储藏之机枢,此皆为生之学,从生命存在而可验其状况,并非有固定之质,不能于死后解剖可知其究竟。馀如认窍穴以针灸,为佛道两家之特长,炼神气以长生,乃神仙方伎之专业。秉其学而致用为医药之术,则有一针二灸三砭四汤医之分,辅之以精神治疗,如祝由符咒之神异,见之以本能力量,有推拿气功之妙用。其他如辨药性,须知地理地质气象性能之互变,究物理,须知有化朽腐为神奇之妙用,总此方得言医,岂非综罗百代,集学术精微之大成者耶!

中国医药之所长既在此,而近世不知而辟之者亦正以此,每况愈下,乃不能会中西医药之精华,而发扬光大之,徒持门户之争,而蒙文化之羞,不亦事有必致,理所固然者乎?须知中国医药,其源流由来虽久,而于东汉南北朝间,已随时代文化而一变,其间吸收古印度与西域诸国之所长,至盛唐而别具其光芒,历宋金元明,虽间有小变,但皆秉此馀绪,出入乘除,现代一切文明,既与西洋文物接触,其交光回互,发扬精辟,正为此一时代有心者之职责,应当急起直追,融会而贯通之,实无暇闭户称尊,彼此拒纳也。西洋医药,寄精细于解剖,穷详证于物理,假手机械之神明,试临床之实验,其小心仔细。确非泛知虚玄理论之空言也。但其囿于生物之理,而昧于宇宙大化之机,视人如物而忽视其气化之精神,此则较之中国医药,似有逊色,若能截长补短,互相融化于一炉,苟日新而日日新之,岂仅为民族之光,进而可为人群世界造大幸福,则所谓自亲亲,自仁民,而及于爱物直致于大同之世者,实有厚望焉。

吾愧才疏学浅,有志于医药而限于智力所未能,今因此书编者坐索为言,乃不辞谫陋,略抒鄙见所及之处为论其概要,并引大医孙思邈真人之言以证吾知。如云:"为大医者,须妙解阴阳禄命诸家相法,及灼龟五兆,周易六壬,并须精熟,若不尔者,如无目夜游,动致颠殒。又须涉猎群书,何者?若不读五经,不知有仁义之道,不读三史,不知有古今之事,不读诸子,睹事则不能默而识之,不读内典,则不知有慈悲喜舍之德,不读庄老,不能任运体真,则吉凶拘忌,触途而生,至于五行休壬,七曜天文,并须探赜,若能具而学之,则于医道无所滞碍,尽善尽美矣。"苟医能若此,则其为儒为道,实不得而分,直为圣人之智,吾不得而识其精微博大之涯际矣。是为序。时岁在庚子,月在太簇。

〔南怀瑾序于台北〕

《历史的经验》(一)前言

历史本来就是人和事经验的记录,换言之:把历代人和事的经验记录下来,就成为历史。读历史有两个方向:

一是站在后世——另一个时代,另一种社会型态,另一种生活方式,从自我的主观习惯出发,而又自称是客观的观点去看历史,然后再整理那一个历史时代的人事——政治、经济、社会、教育、军事、文学、艺术等等各个不同的角度去评论它、歌颂它、或讥刺它。这种研究,尽管说是客观的批判,其实,始终是有主观的成见,但不能说不是历史。

二是从历史的人事活动中,撷取教训,学习古人做人临事的经验,作为自己的参考,甚之,藉以效法它、模仿它。中国自宋代开始,极有名的一部历史巨著,便是司马光先生的《资治通鉴》。顾名思义,司马先生重辑编著这一部历史的方向,其重点是正面针对给皇帝们——领导人和领导班子们的政治教育必修的参考书。所谓"资治"的涵义,是比较谦虚客气的用词。资,是资助——帮助的意思。治,便是政治。合起来讲,就是拿古代历史盛衰成败的资料,帮助你走上贤良政治、清明政治的一部历史经验。因此,平常对朋友们谈笑,你最喜欢读《资治通鉴》意欲何为?你想做一个好皇帝,或是做一个顶天立地的大臣和名臣吗?当然,笑话归笑话,事实上,《资治通鉴》就是这样一部历史的书。

我讲《历史的经验》,时在一九七五年春夏之间,在一个偶然的机会,一时兴之所至,信口开河,毫无目的,也无次序的信手拈来,随便和"恒庐"的一般有兴趣的朋友谈谈,既不从学术立场来讨论历史,更无所谓学问。等于古老农业社会三家村里的落第秀才,潦倒穷酸的老学究，在瓜棚豆架下，开讲《三国演义》、《封神榜》等小说，赢得大众化的会心思忖而已。不料因此而引起许多读者的兴趣，促成老古文化出版公司搜集已经发表过的一部分讲稿，编排付印，反而觉得有欺世盗名的罪过，因此，联想到顾祖禹的一首诗说："重瞳帐下已知名，隆准军中亦漫行。半世行藏都是错，如何坛上会谈兵"。我当忏悔。

〔一九八五年端阳，台北〕

《历史的经验》(二)前记

吾国学术,自汉武帝罢黜百家,独尊儒术,千载以还,致使百家之文,多流散佚。诸子之说,视若异端。此风至宋、明尤炽。然纵观两千馀年史迹,时有否泰,势有合分。其间拨乱反正之士,盛平拱默之时,固未特以儒术鸣也。明陈恭尹读《秦纪》有言:“谤声易弭怨难除,秦法虽严亦甚疏。夜半桥边呼孺子,人间犹有未烧书。”盖指张良受太公兵法于圯下,佐高祖一统天下也。近世梁启超先生,治学有宗。亦以忧世感时,愤儒家之说,难济艰危,曾赋言以寄:“六鳌摇动海山倾,谁入沧溟斩巨鲸。括地无书思补著,倚天有剑欲长征。抗章北阙知无用,纳履南山恐不成。我欲青溪寻鬼谷,不论礼乐但论兵。”目今世局纷纷,人心糜诈。动关诡谲,道德夷凌。故谋略一词,不仅风行域外,即国内亦末未飓风,先萌朕兆。波澜既起,防或未迟,故有不得已于言者。

史迁尝论子贡曰:“田常欲作乱于齐,惮高国鲍晏,故移其兵,欲以伐鲁。孔子闻之,谓门弟子曰:夫鲁,坟墓所处,父母之国。国危如此,二三子何为莫出?子贡请行,孔子许之。……故子贡一出,存鲁,乱齐,破吴,强晋而霸越。子贡一使,使势相破,十年之中,五国各有变。”又曾子亦有言:“用师者王,用友者霸,用徒者亡。”夫二子者,孔门高弟,儒林称贤。审曾子之言,析子贡之术,皆钩距之宗纲,长短术之时用也。故时有常变,势有顺逆,事有经权。若谓儒学皆经,是乃书生之管见,自期期以为不可。此其一。

谋略之术,与人俱来。其学无所不包,要在人、事两端。稽诸历史,亦人也,亦事也。入世之学,有出于人、事者乎?其用在因势利导,顺以推移。故又名“长短术”,或曰“钩距术”,亦称“纵横术”,

皆阴谋也。阴者，暗也，险也，柔也。故为道之所忌，不得已而用之。“君子得之固穷，小人得之伤命。”若无深厚之道德以为基，苟用之，未有不自损者也。故苏秦陨身，陈平绝后。史迹昭昭，因果不昧，可不慎哉。此其二。

近世教育方针，受西风影响至巨。启蒙既乏应对之宜，罔知立己修身之本。深研复无经济之学，昧于应世济人之方。无情岁月，数纸文凭。有限年华，几场考试。嗟呼！一士难求，才岂易得。故大风思猛士，大厦求良材。此千古一调，百世同所浩叹也。或云时代之流风，岂非人谋之不臧。廿世纪末世界文化趋向，起复于东方，历史循环反复，殆无疑义。既光固有文化，岂限一尊？欲建非常功事，何妨并臻。此其三。

老子有言：“以正理国，以奇用兵，以无事取天下。”际此太白经天，兵氛摇曳。爰检《素书》《太公兵法》（俗称三略，古之玉钤。）详为阐述。或旁徵博采，用明其体。或记事论人，欲证其用。总君臣师三道之菁英，概三千年来历史之事。或奇或正，亦经亦权。非为自诩知见，但祈逗诱来机。只眼既具，或可直探骊珠，会之于心。倘能以德为基，具出尘之胸襟而致力乎入世之事业，因时顺易，功德岂可限量哉！

是书讲述之时，有客闻见之而谓曰：“三略之书，虽云太公、黄石所传，亦有谓宋相张商英所撰，考之皆系伪托，子以盲接引，穷极神思，得毋空劳乎？”师笑曰：“子之论似是而非。昔者，林子超先生喜藏字画，然多赝品，人莫能辨。有识者诘之，则答曰：‘书画用娱心目，广胸次，消块垒。虽赝品，其艺足以匹真，余玩之，心胸既畅，虽然赝，庸何伤哉？’余爱其言也。”客称善焉。

〔一九七五年南怀瑾先生讲述，冯道元记于台北〕

《正统谋略学汇编初辑》前言

谋略之学,道家所长,儒者所忌。道家喜谈兵而言谋略,儒者揭仁义而力治平。道家如良医诊疾,谈兵与谋略,亦其处方去病之药剂,故世当衰变,拨乱反正,舍之不为功。儒者如农之种植,春耕秋割,时播百谷而务期滋养生息,故止戈而后修齐以致治平,舍此而莫由。若时势疾病,不事药剂之疗治则病将何瘳。如药到病除,则此牛溲马勃皆可藏之他山,封之后世,但知而不用,唯事休养生息而已矣。然则,儒道虽异其治,而其致同归也。今者老古出版社有鉴于侈言谋略之多歧也,思从传统文化儒道两家之古籍中,择其有益于拨乱反正之思惟者而为书,嘱为拣选;乃就今古简册,随手成编,作此初辑,或有匡于思益,并以就正于方家云尔。是为之言。

〔一九七八年端阳,台北〕

毛宗岗批《三国演义》前介

昔人云:“孔子作《春秋》,而乱臣贼子惧。”而孔子则自言:“知我者《春秋》,罪我者《春秋》。”作《春秋》而何罪之有?此为千古一大疑情,一大话头。吾人幼时读《春秋》、《左传》,而耆年硕学者则告诫曰:“少年不宜读《左传》,恐因此而误入歧途;吾辈后生小子,则相讥谓:然则,何以关云长读《春秋》,俗世反称为武圣,美髯公真为《春秋》所误耶!此亦一大疑情,一大话头。大可一参。

先民遗产古籍中之有《春秋》、《左传》、《战国策》等著作,诚皆为可读而不可读之书;可读者,以其叙述历史人与事之险阻艰难,情伪得失,波诡云幻,变化莫测,实为壮观。其不可读者,人能观今鉴古而克己为圣为贤为善者难;人而读书而有知识,学足杂济其奸,文足掩饰其过,反而资助于为非为恶者易。由此而知孔子自叹罪我者《春秋》之言,则爽然而尽释疑情矣。

泛观秦汉以后历经魏、晋而南北朝之历史人物,慧黠者口说《春秋》大义而阴用《左传》、《国策》之权谋者,代不乏人,尤其以魏蜀吴之三国局势,最为显著。于是初唐之际,而有赵蕤著《长短经》之作,评议古今,昭示正反之旨,其于三国权谋,尤所议论。自此以后,宋、元则误于理学之清谈,以积弱为能事而已。

顺沿而至明末,则有李卓吾辈之崛起,攻讦历史,揭橥用经用权之淡,骚然于学术之林;一变再变,复有冯梦龙等《古今谭概》、《智囊补》等之作,杨慎修《廿五史弹词》以及明末清初金圣叹评论说部之谈,言赅意长,借词比事,往往深含夫子微言大义之旨,以示权谋韬略之可用与不可用,以彰善善恶恶之分齐,必须慎思明辨,方能得其圜中。

至若清初毛宗岗批《三国演义》之词,据称为金圣叹同意之作,事实为何,不得而考。但其批语,虽为说部小品,而涵义深远,足发《左传》、《国策》谋略之旨要,诚为三百年来不可多得之慧解。惜乎历来被埋没于《三国演义》本事之外,而为明眼者所忽略,殊为可慨。今由老古文化出版公司特为汇集成为专书,俾世之讲谋略者,藉此可发深省,则为幸甚。

〔一九八五年端阳,台北〕

经 义 之 部

《楞严大义今释》叙言

(一)

在这个大时代里,一切都在变,变动之中,自然乱象纷陈。变乱使凡百俱废,因之,事事都须从头整理。专就文化而言,整理固有文化,以配合新时代的要求,实在是一件很重要的事情。那是任重而道远的,要能耐得凄凉,甘于寂寞,在默默无闻中,散播无形的种子。耕耘不问收获,成功不必在我。必须要有香象渡河,截流而过的精神,不辞艰苦的做去。

历史文化,是我们最好的宝镜,观今鉴古,可以使我们在艰苦的岁月中,增加坚毅的信心。试追溯我们的历史,就可以发现每次大变乱中,都吸收了外来的文化,融合之后,又有一种新的光芒产生。我们如果将历来变乱时代加以划分,共有春秋战国、南北朝、五代、金元、清朝等几次文化政治上的大变动,其间如南北朝,为佛教文化输入的阶段,在我们文化思想上,经过一段较长时期的融化以后,便产生盛唐一代的灿烂光明。五代与金元时期,在文化上,虽然没有南北朝时代那样大的变动,但欧亚文化交流的迹象却历历可寻。而且中国文化传播给西方者较西方影响及于中国者为多。自清末至今百馀年间,西洋文化随武力而东来,激起我们文化政治上的一连串的变革,启发我们实验实践的欲望。科学一马当先,几乎有一种趋势,将使宗教与哲学,文学与艺术,都成为它的附庸。这乃是必然的现象。我们的固有文化,在和西洋文化互相冲突后,由冲突而交流,由交流而互相融化,继之而来的一定是另一番照耀世界的新气象。目前的一切现象,乃是变化中的过程,而不是定局。但是在这股冲荡的急流中,我们既不应随波逐流,更不要畏惧趦趄。必须认清方向,把稳船舵,此时此地,应该各安本位,无论在边缘或在核心,只有勤慎明敏的各尽所能,做些整理介绍的工作。这本书的译述,便是本着这个愿望开始,希望人们明了佛法既不是宗教的迷信,也不是哲学的思想,更不是科学的囿于现实的有限知识。但是却可因之而对于宗教哲学和科学获得较深刻的认识,由此也许可以得到一些较大的启示。

(二)

依据西洋文化史的看法,人类由原始思想而形成宗教文化,复由于对宗教的反动,而有哲学思想和科学实验的产生。哲学是依据思想理论来推断人生和宇宙,科学则系从研究实验来证明宇宙和人生。所以希腊与罗马文明,都有它划时代的千秋价值。自欧洲文艺复兴运动以后,科学支配着这个世界,形成以工商业为重心的物质文明。一般从表面看来,科学领导文明的进步,唯我独尊,宗教和哲学,将无存在的价值。事实上,科学并非万能,物质文明的进步,并不就是文化的升华。于是在这科学飞跃进步的世界中,哲学和宗教,仍有其不容忽视的价值。

佛教虽然也是宗教,但是一种具有高深的哲学理论和科学实验的宗教。它的哲学理论常常超出宗教范畴以外,所以也有人说佛教是一种哲学思想,而不是宗教。佛教具有科学的实证方法,但是因为它是从人生本位去证验宇宙,所以人们会忽略它的科学基础,而仍然将它归之于宗教。可是事实上,佛教确实有科学的证验,及哲学的论据。它的哲学,是以科学为基础,去否定狭义的宗教:它的科学,是用哲学的论据,去为宗教做证明。《楞严经》为其最显著者。研究《楞严经》后,对于宗教、哲学和科学,都将会有更深刻的认识。

(三)

世间一切学问,大至宇宙,细至无间,都是为了解决身心性命的问题。也就是说,都是为了研究人生。离开人生身心性命的研讨,便不会有其他学问的存在。《楞严经》的开始,就是讲身心性命的问题。它从现实人生基本的身心说起,等于是一部从心理生理的实际体验,进而达致哲学最高原理的纲要。它虽然建立了一个真心自性的假设本体,用来别于一般现实应用的妄心,但却非一般哲学所说的纯粹唯心论。因为佛家所说的真心,包括了形而上和万有世间的一切认识与本体论。可以从人人身心性命上去实验证得,并且可以拿得出证据。不只是一种思想论辨。举凡一切宗教的,哲学的,心理学的或生理学的矛盾隔阂,都可以自其中得到解答。

人生离不开现实世间,现实世间形形色色的物质形器,究竟从何而来?这是古今中外人人所要追寻的问题。彻底相信唯心论者,事实上并不能摆脱物质世间的束缚。相信唯物论者,事实上随时随地应用的,仍然是心的作用。哲学把理念世界与物理世界勉强分作两个,科学却认为主观的世界以外,另有一个客观世界的存在。这些理论总是互相矛盾,不能统一。可是早在二千多年前,《楞严经》便很有条理、有系统地讲明心物一元的统一原理,而且不仅是一种思想理论,乃是基于我们的实际心理生理情形,加以实验证明。《楞严经》说明物理世界的形成,是由于本体功能动力所产生。因为能与量的互变,构成形器世间的客观存在;但是真如本体也仍然是个假名。它从身心的实验去证明物理世界的原理,又从物理的范围,指出身心解脱实验的理论和方法。现代自然科学的理论,大体都与它相吻合。若干年后,如果科学与哲学能够再加进步,对于《楞严经》上的理论,将会获得更多的了解。

《楞严经》上讲到宇宙的现象,指出时间有三位,空间有十位。普通应用,空间只取四位。三四四三,乘除变化,纵横交织,说明上下古今,成为宇宙万有现象变化程序的中心。五十五位和六十六位的圣位建立的程序,虽然只代表身心修养的过程;事实上,三位时间和四位空间的数理演变,也说明了宇宙万有,只是一个完整的数理世界。一点动随万变,相对基于绝对而来,矛盾基于统一而生,重重叠叠,所以有物理世界和人事世间错综复杂的关系存在。数理是自然科学的锁钥,从数理之中,发现很多基本原则,如果要了解宇宙,从数理中,可以得到惊人的指示。目前许多自然科学不能解释证实的问题,如果肯用科学家的态度,就《楞严经》中提出的要点,加以深思研究,必定会有所得。若是只把它看作是宗教的教义,或是一种哲学理论而加以轻视,便是学术文化界的一个很大不幸了。

(四)

再从佛教的立场来讨论《楞严》,很久以前就有一个预言流传着。预言《楞严经》在所有佛经中是最后流传到中国的。而当佛法衰微时,它又是最先失传的。这是预言,或是神话,姑且不去管它。但在西风东渐以后,学术界的一股疑古风气,恰与外国人处心积虑来破坏中国文化的意向相呼应。《楞严》与其他几部著名的佛经,如《圆觉经》、《大乘起信论》等,便最先受到怀疑。民国初年,有人指出《楞严》是一部伪经。不过还只是说它是伪托佛说,对于真理内容,却没有轻议。可是近年有些新时代的佛学研究者,竟干脆认为《楞严》是一种真常唯心论的学说,和印度的一种外道的学理相同。讲学论道,一定会有争端,固然人能修养到圆融无碍,无学无诤,是一种很大的解脱,但是为了本经的伟大价值,使人有不能已于言者。

说《楞严经》是伪经的,近代由梁启超提出。他认为,第一,本经译文体裁的美妙,和说理的透辟,都不同于其他佛经,可能是后世禅师们所伪造。而且执笔的房融,是武则天当政时遭贬的宰相。武氏好佛,曾有伪造《大云经》的事例。房融可能为了阿附其好,所以才奉上翻译的《楞严经》,为的是重邀宠信。此经呈上武氏以后,一直被收藏于内廷,当时民间并未流通,所以说其为伪造的可能性很大。第二,《楞严经》中谈到人天境界,其中述及十种仙,梁氏认为根本就是有意驳斥道教的神仙,因为该经所说的仙道内容,与道教的神仙,非常相像。

梁氏是当时的权威学者,素为世人所崇敬。他一举此说,随声附和者,大有人在。固然反对此说者也很多,不过都是一鳞半爪的片段意见。一九五三年《学术》季刊第五卷第一期,载有罗香林先生著的《唐相房融在粤笔受首楞严经翻译考》一文。列举考证资料很多,态度与论证,也都很平实,足可为这一种学案的辨证资料。我认为梁氏的说法,事实上过于臆测与武断。因为梁氏对佛法的研究,为时较晚,并无深刻的工夫和造诣。试读《谭嗣同全集》里所载的任公对谭公诗词关于佛学的注释便知。本经译者房融,是唐初开国宰相房玄龄族系,房氏族对于佛法,素有研究,玄奘法师回国后的译经事业,唐太宗都交与房玄龄去办理。房融对于佛法的造诣和文学的修养,家学渊源,其所译经文自较他经为优美,乃是很自然的事;倘因此就指斥他为阿谀武氏而伪造《楞严》,未免轻率入人于罪,那是万万不可的。与其说《楞严》辞句太美,有伪造的嫌疑,毋宁说译者太过重于文学修辞,不免有些地方过于古奥。

依照梁氏第一点来说:我们都知道藏文的佛经,在初唐时代,也是直接由梵文翻译而成,并非取材于内地的中文佛经。藏文佛经里,却有《楞严经》的译本。西藏密宗所传的"大白伞盖咒",也就是"楞严咒"的一部分。这对于梁氏的第一点怀疑,可以说是很有力的解答。至于说《楞严经》中所说的十种仙,相同于道教的神仙,那是因为梁氏没有研究过印度婆罗门和瑜伽术的修炼方法,中国的神仙方士之术,一部分与这两种方法和目的,完全相同。是否是殊途同归,这又是学术上的大问题,不必在此讨论。但是仙人的名称及事实,和罗汉这个名词一样,并不是释迦佛所创立。在佛教之先,印度婆罗门的沙门和瑜伽士们,已经早有阿罗汉或仙人的名称存在。译者就我们传统文化,即以仙人名之,犹如唐人译称佛为大觉金仙一样。绝不可以将一切具有神仙之名实者,都搜为我们文化的特产。这对于梁氏所提出的第二点,也是很有力的驳斥。

而且就治学方法来说,疑古自必须考据,但是偏重或迷信于考据,则有时会发生很大的错误和过失。考据是一种死的方法,它依赖于或然性的陈年往迹,而又根据变动无常的人心思想去推断。人们自己日常的言行和亲历的事物,因时间空间世事的变迁,还会随时随地走了样,何况要远追昔人的陈迹,以现代观念去判断环境不同的古人呢?人们可以从考据方法中求得某一种知识,但是智慧并不必从考据中得来,它是要靠理论和实验去证得的。如果拼命去钻考据的牛角尖,很可能流于矫枉过正之弊。

说《楞严经》是真常唯心论的外道理论,这是晚近二三十年中新佛学研究派的论调。持此论者只是在研究佛学,而并非实验修持佛法。他们把佛学当作学术思想来研究,却忽略了有如科学实验的修证精神。而且这些理论,大多是根据日本式的佛学思想路线而来,在日本,真正佛法的精神早已变质。学佛的人为了避重就轻,曲学取巧,竟自舍本逐末,实在是不智之甚。其中有些甚至说禅宗也是根据真常唯心论,同样属于神我外道的见解。实际上,禅宗重在证悟自性,并不是证得神我。这些不值一辩,明眼人自知审择。《楞严》的确说出一个常住真心,但是它也明白解说了那是为的有别于妄心而勉强假设的,随着假设,立刻又提醒点破,只要仔细研究,就可以明白它的真义。举一个扼要的例来说,如本经佛说的偈语:“言妄显诸真,真妄同二妄。”岂不是很明显地证明《楞严》并不是真常唯心论吗?总之,痴慢与疑,也正是佛说为大智慧解脱积重难返的障碍;如果纯粹站在哲学研究立场,自有他的辩证、怀疑、批判的看法。如果站在佛法的立场,就有些不同了。学佛的人若不首先虚心辨别,又不肯力行证验,只是人云亦云,实在是很危险的偏差。佛说在我法中出家,却来毁我正法,那样的人才是最可怕的。

(五)

生在这个时代里,个人的遭遇,和世事的动乱,真是瞬息万变,往往使人茫然不知所之。整个世界和全体人类,都在惶惶不可终日的夹缝里生活着。无论是科学、哲学和宗教,都在寻求人生的真理,都想求得智慧的解脱。这本书译成于拂逆困穷的艰苦岁月中,如果读者由此而悟得真实智慧解脱的真理,使这个颠倒梦幻似的人生世界,能升华到恬静安乐的真善美之领域,就是我所馨香祷祝的了。

关于本书译述的几点要旨,也可以说是凡例,并此附志于后:

凡　例

(1) 本书只取《楞严经》的大意,用语体述明,以供研究者的参考,并非依据每一文句而译。希望由本书而通晓原经的大意,减少文字与专门术语的困难,使一般人都能理解。

(2) 特有名辞的解释,力求简要明白;如要详解,可自查佛学辞典。

(3) 原文有难舍之处,就依旧引用,加‘’号以分别之。遇到有待疏解之处,自己加以疏通的意见,就用()号,表明只是个人一得的见解,提供参考而已。

(4) 本书依照现代方式,在眉批处加注章节,既为了便利于一般的阅读习惯,同时也等于给《楞严经》列出一个纲要。只要一查目录,就可以明了各章节的内容要点,并且对全部《楞严》大意,也可以有一个概念了。

(5) 关于《楞严经》原文的精义,与修持原理方法有连带关系者,另集为《楞严法要串珠》一篇,由杨管北居士发心恭录制版附后,有如从酥酪中提炼出醍醐,尝其一滴,便得精华。

(6) 本书译述大意,只向自己负责,不敢说就是佛的原意。读者如有怀疑处,还请仔细研究原经。

(7) 为了小心求得正确的定本,本书暂时保留版权,以便于汇集海内贤智大德的指正。待经过慎审考订,决定再无疑义时,版权就不再保留,俾广流通。

〔一九六〇年,台北〕

附一：

楞严法要串珠

当知一切众生。从无始来。生死相续。皆由不知常住真心。性净明体。用诸妄想。此想不真。故有轮转。内守幽闲。犹为法尘分别影事。昏扰扰相。以为心性。一迷为心。决定惑为色身之内。不知色身外泊山河虚空大地。咸是妙明真心中物。譬如澄清百千大海。弃之。唯认一浮沤体。目为全潮。穷尽瀛渤。若能转物。则同如来。身心圆明。不动道场。于一毫端。遍能含受十方国土。离一切相。即一切法。见见之时。见非是见。见犹离见。见不能及。殊不能知生灭去来。本如来藏。常住妙明。不动周圆。妙真如性。性真常中。求于去来迷悟生死。了无所得。当知了别见闻觉知。圆满湛然。性非所从。兼彼虚空地水火风。均名七大。性真圆融。皆如来藏。本无生灭。一切世间诸所有物。皆即菩提妙明元心。心精遍圆。含里十方。反观父母所生之身。犹彼十方虚空之中。吹一微尘。若存若亡。如湛巨海。流一浮沤。起灭无从。背觉合尘。故发尘劳。有世间相。而如来藏唯妙觉明。圆照法界。是故于中一为无量。无量为一。小中现大。大中现小。不动道场。遍十方界。身含十方无尽虚空。于一毫端。现宝王刹。坐微尘里。转大法轮。灭尘合觉。故发真如妙觉明性。心中狂性自歇。歇即菩提。胜净明心。本周法界。不从人得。随拔一根。脱黏内伏。伏归元真。发本明耀。诸馀五黏。应拔圆脱。不由前尘所起知见。明不循根。寄根明发。由是六根互相为用。若弃生灭。守于真常。常光现前。根尘识心。应时销落。想相为尘。识情为垢。二俱远离。则汝法眼应时清明。云何不成无上知觉。知见立知。即无明本。知见无见。斯即涅槃无漏真净。于外六尘。不多流逸。因不流逸。旋元自归。尘既不缘。根无所偶。反流全一。六用不行。十方国土。皎然清净。譬如琉璃。内悬明月。身心快然。获大安稳。一切如来密圆净妙。皆现其中。是人即获无生法忍。当知虚空生汝心内。犹如片云点太清里。况诸世界。在虚空耶。汝等一人发真归元。此十方空。皆愁销殒。圆明精心。于中发化。如净琉璃。内含宝月。圆满菩提。归无所得。生因识有。灭从色除。理则顿悟。乘悟并销。事非顿除。因次第尽。

附二：

五阴解脱次第法要

汝坐道场。销落诸念。其念若尽。则诸离念一切精明。动静不移。忆忘如一。当住此处。入三摩提。如明目人。处大幽暗。精性妙净。心未发光。此则名为色阴区宇。若目明朗。十方洞开。无复幽黯。名色阴尽。是人则能超越劫浊。观其所由。坚固妄想以为其本。

彼善男子。修三摩提。奢摩他中。色阴尽者。见诸佛心。如明镜中。显现其像。若有所得而未能用。犹如魇人。手足宛然。见闻不惑。心触客邪而不能动。此则名为受阴区宇。若魇咎歇。其心离身。返观其面。去住自由。无复留碍。名受阴尽。是人则能超越见浊。观其所由。虚明妄想以为其本。

彼善男子,修三摩提。受阴尽者。虽未漏尽。心离其形。如鸟出笼。已能成就。从是凡身。上历菩萨六十圣位。得意生身。随往无碍。譬如有人。熟寐寱言。是人虽则无别所知。其言已成音韵伦次。令不寐者。咸悟其语。此则名为想阴区宇。若动念尽。浮想销除。于觉明心。如去尘垢。一伦生死。首尾圆照。名想阴尽。是人则能超烦恼浊。观其所由。融通妄想以为其本。

彼善男子。修三摩提。想阴尽者。是人平常梦想消灭。寤寐恒一。觉明虚静。犹如晴空。无复粗重。前尘影事。观诸世间大地山河。如镜鉴明。来无所粘。过无踪迹。虚受照应。了罔陈习。唯一精真。生灭根元。从此披露。见诸十方十二众生。毕殚其类。虽未通其各命由绪。见同生基。犹如野马。熠熠清扰。为浮根尘究竟枢穴。此则名为行阴区宇。若此清扰熠熠元性。性入元澄。一澄元习。如波澜灭。化为澄水。名行阴尽。是人则能超众生浊。观其所由。幽隐妄想以为其本。

彼善男子。修三摩提。行阴尽者。诸世间性。幽清扰动。同分生机。倏然隳裂。沈细纲纽。补特伽罗。酬业深脉。感应悬绝。于涅槃天。将大明悟。如鸡后鸣。瞻顾东方。已有精色。六根虚静。无复驰逸。内外湛明。入无所入。深达十方十二种类。受命元由。观由执元。诸类不召。于十方界。已获其同。精色不沈。发现幽秘。此则名为识阴区宇。若于群召已获同中。销磨六门。合开成就。见闻通邻。互用清净。十方世界。及与身心。如吠琉璃。内外明彻。名识阴尽。是人则能超越命浊。观其所由。罔象虚无。颠倒妄想以为其本。

汝等存心。秉如来道。将此法门。于我灭后。传示末世。普令众生觉了斯义。无令见魔。自作沈孽。保绥哀救。销息邪缘。令其身心入佛知见。从始成就。不遭歧路。

精真妙明。本觉圆净。非留死生。及诸尘垢。乃至虚空。皆因妄想之所生起。斯元本觉妙明精真。妄以发生诸器世间。如演若多。迷头认影。妄元无因。于妄想中。立因缘性。迷因缘者。称为自然。彼虚空性。犹实幻生。因缘自然。皆是众生妄心计度。阿难。知妄所起。说妄因缘。若妄元无。说妄因缘。元无所有。何况不知。推自然者。是故如来与汝发明。五阴本因。同是妄想。

是五受阴。五妄想成。汝今欲知因界浅深。唯色与空。是色边际。唯触及离。是受边际。唯记与忘。是想边际。唯灭与生。是行边际。湛入合湛。归识边际。此五阴元。重叠生起。生因识有。灭从色除。理则顿悟。乘悟并销。事非顿除。因次第尽。

一九七八年正月，岁次戊午，适余掩室已过一年之期，老古出版社亦已成立一年,乃发起重印《楞严大义》第五版,决心增排原经文相互对照,便利读者之研究查证。当经编辑部同仁李淑君、张明真、戴玉娟校定。原文采用慧因法师所编《楞严经易读简注》之版本为准,校以台湾印经处历年影印昔日上海佛学书局版本,互相资证,然后统由戴玉娟悉心校排,费时三月馀,方蒇其事。

今当其送审之际,有感专事修证佛法者之歧路,特将第九、第十两卷中。"五阴解脱次第"之法要,增辑于初译完稿时所缀《串珠》之后,以期有利末法时世之依法行者,是所祈顾。谨以此志胜缘。

〔一九七八年,台北〕

《楞严大义今释》后记

芸芸众生,茫茫世界,无论入世或出世的。一切宗教,哲学,乃至科学等,其最高目的,都是为了追求人生和宇宙的真理。但真理必是绝对的,真实不虚的,并且是可以由智慧而寻思求证得到的。因此世人才去探寻宗教的义理,追求哲学的睿思。我也曾经为此努力多年,涉猎的愈多,怀疑也因之愈甚。最后,终于在佛法里,解决了知识欲求的疑惑,才算心安理得。但佛经浩如烟海,初涉佛学,要求得佛法中心要领,实在无从着手。有条理,有系统,而且能够概括佛法精要的,只有《楞严经》,可算是一部综合佛法要领的经典。明儒推崇此经,曾有"自从一读《楞严》后,不看人间糟粕书"的颂辞,其伟大价值可以概见。然因译者的文辞古奥,使佛法义理,愈形晦涩,学者往往望而却步。多年以来,我一直期望有人把它译为语体,普利大众。为此每每鼓励朋辈,发愤为之。但以高明者既不屑为,要做的又力有未逮,这个期望遂始终没有实现。

避世东来,匆匆十一寒暑,其间曾开《楞严》讲席五次,愈觉此学的迫切需要。去年秋末的一个晚上,讲罢《楞严》,台湾大学助教徐玉标先生,与师范大学巫文芳同学,同在我斗室内闲谈,又讲到这个问题。他们希望我亲自动手译述,我说自己有三个心戒,所以迟延至今。第一,译述经文,不可冒昧恃才。尤其佛法,首先重在实证,不能但作学术思想来看。即或证得实相,又须仰仗文字以达意。所以古人对于此事,曾有一句名言,谓"依文解义,三世佛冤。离经一字,允为魔说。"如唐代宗时,一供奉谒慧忠国师,自云要注《思益经》。国师说,要注经必须会得佛意。他说:不会佛意,何以注经。国师就命侍者盛一碗水,中间放七粒米,碗面安一支箸,问他是什么意?他无语可对。国师说:你连老僧意都不会,何况佛意?由此可见注经的不易。我也唯恐佛头着粪,不敢率尔操觚。第二,从前受蜀中一前辈学者嘱付云:人心世道,都由学术思想而转移。文字是表达学术思想的利器,可以利人,亦可以害人。聪明的思想,配合动人的文辞,足可鼓舞视听,成名一时。但现在世界上邪说横行,思想紊乱,推原祸始,都是学术思想制造出来的。如果没有真知灼见,切勿只图一时快意,舞文弄墨。从此我对文字就非常戒惧,二十年来,无论处在何种境遇,总是只求潜修默行。中间一度,几乎完全摒弃文字而不用,至于胸无点墨之境。现在前人虽已作古,但言犹在耳,还是拳拳服膺,不敢孟浪。第三,向来处事习惯,既经决定方针,必竭全力以赴。自参究心宗以后,常觉行业不足。习静既久,耽嗜疏懒为乐。偶或动写作兴趣,就会想到德山说的:"穷诸玄辩,如一毫置于太虚。彻世机枢,似一滴投于巨壑。"便又默然搁笔了。徐、巫二位听了,认为是搪塞的遁辞,遂说但要我来口述,他们当下记录,以免我写作的麻烦。我想这样可以试而为之,就随便答应下来。起初是把每句文辞意义,逐字逐句翻成白话,所以字斟句酌,不胜其繁。过了三天,萧正之先生来访,又谈到此事。他认为佛法被人误解,也正如其他宗教一样,病在不肯脱掉宗教神秘的色彩,所以不能学术化,大众化。不如撷取其精华,发挥其要义,比较容易使人了解。我同意他的意见,为切合时代的要求,就改了方式,但用语体来述说它的大义,而且尽可能纯粹保留原文字句的意义。糅合翻译和解释两种作用,定名为《楞严大义讲话》。而徐、巫二位,因学校开学事忙,不能兼顾,我只有自己担起这副担子。起初预计三个月可以全部完成,不料日间忙于俗务和宾客酬应,必须到深夜更阑,方能灯前执笔。虽然每至连宵不寐,仍然拖到今年初夏,才得完成全稿。

每一事的成功,却须仰仗许多助缘。这本书的完成,也不外此例。当我写了一半的时候,杨管北居士闻知此事,即发心共同完成此一愿望,预定由他集资印出赠送,以广宏扬。对篇章编排方面,他并且提供了若干意见,这对于本书顺利问世,是一有力的助缘。刘世纶(叶曼)也立志襄助此事,在此半年期间,朝夕为之校阅原经和译稿,虽风雨而无阻。每因一字一句的斟酌,往返商量数次方定。虽值出国行期匆促,仍于百忙中竟成其事。其他如杨啸伊夫妇为之安排稿纸。韩长沂居士为之誊清全稿,查考注释,并自动发心负总校对之责。所以在印刷校对方面,我可以省却许多心力。有这许多自发的至诚,乃益增加我的努力。程沧波先生又为总阅原稿一遍,并为文跋其后,且提议改为今名,在此同致谢意。此外,去年秋间,张起钧教授赴美国华盛顿大学讲学之先,曾留赠名笔一枝,希望他返国之时,能够看到我一部著作。虽然没有写出如他所预期的那本书,但这本书的完成,曾数易其稿,都用这枝笔来写成,也可说是不负其所望,故志之以为纪念。张翰书教授、朱亚贤居士、巫文芳小友、邵君圆舫、龚君健群,有的协助抄写,有的分神校阅,或多或少,都贡献过心力,并笔之以志胜缘之难得。萧天石、鲁宽缘两位居士,曾提议要附印原经,以便读者对照研究。但因印刷不便,所以未能依照他们的雅教,谨致歉意。最后,接洽印刷事务,多蒙妙然、悟一两位法师的帮忙,感谢无量。

这本书的译述,只能算是一得之见,一家之言,不敢说是完全符合原经意旨。但开此风气之先,作为抛砖引玉。希望海内外积学有道之士,因此而有更完善的译本出现,以阐扬内典的精英,为新时代的明灯,庶可减少我狂妄的罪责。这诚是我薰香沐祷,衷心引领企望的。乃说偈曰:

白话出,《楞经》没。愿其不灭,故作此说。

为世明灯,照百千劫。无尽众生,同登觉阙。

〔一九六〇年孟秋,台北〕

《楞伽大义今释》自叙

(一)

《楞伽经》,它在全部佛法与佛学中,无论思想、理论或修证方法,显见都是一部很主要的宝典。中国研究法相唯识的学者,把它列为"五经十一论"的重心,凡有志唯识学者,必须要熟悉深知。但注重性宗的学者,也势所必读,尤其标榜传佛心印、不立文字的禅宗,自达摩大师东来传法的初期,同时即交付《楞伽经》印心,所以无论研究佛学教理,或直求修证的人,对于《楞伽经》若不作深入的探讨,是很遗憾的事。

《楞伽》的译本,共有三种:

(1) 宋译(公元四四三年间刘宋时代):求那跋陀罗翻译的《楞伽阿跋多罗宝经》,计四卷。

(2) 魏译(公元五一三年间):菩提流支翻译的《入楞伽经》,计十卷。

(3) 唐译(公元七〇〇年间):实叉难陀翻译的《大乘入楞伽经》,计七卷。

普通流行法本,都以宋译为准。

本经无论哪种翻译,义理系统和文字结构,都难使人晓畅了达。前人尽心竭力,想把高深的佛理,译成显明章句,要使人普遍明白它的真义,而结果愈读愈难懂,岂非背道而驰,有违初衷。有人说,佛法本身,固然高深莫测,不可思议,但译文的艰涩,读之如对海上三山,可望而不可即,这也是读不懂《楞伽经》的一个主要原因。其实,本经的难通之处,也不能完全归咎于译文的晦涩,因为《楞伽》奥义,本为融通性相之学,指示空有不异的事理,说明理论与修证的实际,必须通达因明(逻辑),善于分别法相,精思入神,归于第一义谛。同时要从真修实证入手,会之于心,然后方可探骊索珠,窥其堂奥。

无论中西文化,时代愈向上推,所有圣哲的遗教,大多是问答记录,纯用语录体裁,朴实无华,精深简要。时代愈向后降,浮华愈盛,洋洋洒洒,美不胜收,实则有的言中无物,使人读了就想忘去为快。可是习惯于浮华的人,对于古典经籍,反而大笑却走,真是不笑不足以为道了。《楞伽经》当然也是问答题材的语录体裁,粗看漫无头绪,不知所云,细究也是条分缕析,自然有其规律,只要将它先后次序把握得住,就不难发现它的系统分明,陈义高深。不过,读《楞伽》极需慎思明辨,严谨分析,然后归纳论据,融会于心,才会了解它的头绪,它可以说是一部佛法哲学化的典籍(本经大义的纲要,随手已列了一张体系表)。他如《解深密》、《楞严经》等,条理井然,层层转进,使人有抽丝剥茧之趣,可以说是佛法科学化的典籍。《阿弥陀》、《无量寿观》及《密严》等经,神变难思,庄严深邃,唯信可入,又可以说是佛法宗教化的典籍。所以研究《楞伽》,势须具备有探索哲学、习惯思辨的素养,才可望其涯岸。

《楞伽经》的开始,首先由大慧大士随意发问,提出了一百多个问题,其中有关于人生的、宇宙的、物理的、人文的,如果就每一个题目发挥,可以作为一部百科论文的综合典籍,并不只限于佛学本身的范围。而且这些问题,也都是古今中外,人人心目中的疑问,不仅只是佛家的需求。倘使先看了这些问题,觉得来势汹涌,好像后面将大有热闹可瞧,谁知吾佛世尊,却不随题作答,信手一搁,翻而直截了当地说心、说性、说相,依然引向形而上的第一义谛,所以难免有人认为大有答非所问的感觉。实则,本经的宗旨,主要在于直指人生的身心性命,与宇宙万象的根本体性。自然物理的也好、精神思想的也好,不管哪一方面的问题,都基于人们面对现实世界,因现象的感觉或观察而来,这就是佛法所谓的相。要是循名辨相,万汇纷纭,毕竟永无止境。即使分析到最后的止境,或为物理的,或为精神的,必然会归根结柢,反求之于形而上万物的本来而后可。因此吾佛世尊才由五法、三自性、八识、二无我,加以析辨,指出一个心物实际的"如来藏识"作为总答,此所以本经为后世法相学者视为唯识宗宝典的原因。

(二)

自佛灭以后,唯识法相之学,随时代的推进而昌明鼎盛,佛法大小乘的经论,也可以纯从唯识观点而概括它的体系,不幸远自印度,近及中国,乃至东方其他转译各国的佛学,却因此而有"胜义有"与"毕竟空"的学术异同的争论,历两千馀年不衰,这诚非释迦当初所乐闻的。殊不知"如来藏识",转成本来净相,便更名为"真如",由薰习种性,便名为"如来藏",此中毕竟无我,非物非心,何尝一定说为胜义之有呢?所以在《解深密经》中,佛便说:"阿陀那识甚深细,一切种子如瀑流。我于凡愚不开演,恐彼分别执为我。"同一道理,佛说般若方面,一切法如梦如幻,无去无来,而性空无相,又真实不虚,他又何尝定说为毕竟的空呢?倘肯再深一层体认修证,可谓法相唯识的说法,却是破相破执,才是彻底说空的佛法。般若的说法,倒是老实称性而谈,指示一个如来自性,跃然欲出呢!

但无论如何说法,佛法的说心说性,说有说空,乃至说一真如自性,或非真如自性;它所指形而上的体性,如何统摄心物两面的万有群象?乃至形而上与形而下物理世界的关联枢纽,始终没有具体的实说。而且到底是偏向于唯心唯识的理论为多,这也是使人不无遗憾的事。如果在这个问题的关键上,进一步剖析得更明白,那么,后世以至现代的唯心唯物哲学观点的争辩,应该已无必要,可以免除世界人类一个长期的浩劫,这岂不是人文思想的一件大事吗?唐代玄奘法师曾经著《八识规矩颂》,归纳阿赖耶识的内义,说它"受熏持种根身器,去后来先做主公。"而一般佛学,除了注重在根身,和去后来先做主公的寻讨以外,绝少向器世界(物理世界)的关系上,肯做有系统而追根究底的研究,所以佛法在现代哲学和科学上,不能发挥更大的光芒。也可说是抛弃自家宝藏不顾,缺乏科学和哲学的素养,没有把大小乘所以经论中的真义贯串起来,非常可惜。如果稍能摆脱一些浓厚而无谓的宗教习气,多向这一面着眼,那对于现实的人间世,和将来的世界,可能贡献更大;我想,这应该是合于佛心,当会得到吾佛世尊的会心微笑吧!倘使要想向这个方向研究,那对于《华严经》与《瑜伽师地论》等,有关于心识如何建立而形成这个世界的道理,应该多多努力寻探,便会不负所望的。

反之,说到参禅直求修证的人,最容易犯的毛病,就是通宗不通教,于是许多在意根下立定足根,或在独影境上依他起用,就相随境界而转;或著清静、或无,或认光明、尔焰;或乐机辩纵横;或死守古人言句。殊不知参禅,也仅是佛法求证的初学入门方法,不必故自鸣高,不肯印证教理,得少为足,便以为是。这同一般浅见误解唯识学说者,认为"诸法无自性"、或"一切无自性",自已未加修证体认,便说禅宗的明心见性是邪说,都同样犯了莫大的错误。须知"诸法无自性"、"一切无自性",这个观念,是指宇宙万有的现象界中,一切形器群象,或心理思想分别所生的种种知见,都没有一个固定自存,或永恒不变的独立自性。这些一切万象,统统是"如来藏"中的变相而已,所以说它"无自性"。《华严经》所谓:"一切皆从法界流,一切还归于法界",便是这个意思。如有人对法相唯识的著作或说法,已经有此误解者,不妨酌加修正,以免堕在自误误人、错解佛法的过失中,我当在此合掌曲躬,殷勤劝请。

(三)

一九六〇年,月到中秋分外明的时候,《楞严大义》的译述和出版,初次告一段落,又兴起想要著述《楞伽大义》的念头。有一天,在北投奇岩精舍讲述《华严》会上,杨管北居士也提出这个建议,而且他的夫人方菊仙女士,发心购赠两只上等钢笔,回向般若成就。因缘凑泊,就一鼓作气,从事本书的译述。自庚子重阳后开始,历冬徂春,谨慎研思,不间寒暑昼夜,直到一九六一年六月十二日,夏历岁次辛丑四月二十九日之夜,粗完初稿。在这七八个月著述的过程中,覃思精研,有难通未妥的地方,唯有冥坐入寂,求证于实际理地,而得融会贯通,那时我正寓居一个菜市场中,环境愦闹,腥臊污秽堆积,在五浊陋室的环境里,做此佛事,其中况味,忆之令人哑然失笑!处于这种情景十多年来,已能习惯成自然,而没有净秽的拣别了。只有一次冬夜挥笔,感触正法陵夷,邪见弃斥,人心陷溺的现况,却情不自禁,感作绝句四首,题为庚子冬夜译经即赋,虽如幻梦空花,姑录之以为纪念。其一:“风雨漫天岁又除,泥涂曳尾说三车。崖巉未许空生坐,输与能仁自著书。”其二:“灵鹫风高梦里寻,传灯独自度金针。依稀昔日祇园会,犹是今宵弄墨心。”其三:“无著天亲去未来,眼前兜率路崔嵬。人间论议与谁证,稽首灵山意已摧。”其四:“青山入梦照平湖,外我为谁倾此壶。彻夜翻经忘已晓,不知霜雪上头颅。”

本书的著述,参考《楞伽》三种原译本,而仍以流通本的《楞伽阿跋多罗宝经》为据,但译义取裁,则彼此互采其长,以求信达。遇有觉得需加申述之处,便随笔自加附论标记,说明个人的见解,表示只向自己负责而已。后来有人要求多加些附论,实在再提不起精神了。这次述著,除了杨管北居士夫妇的发心外,还有若干人的出力,他们的发心功德,不可泯灭。台大农化系讲师朱文光,购赠稿纸千张,而且负责誊清和校对,查订附加注解,奔走工作,任劳任怨,虽然他向来缄默无闻,不违如愚,但这多年来,旦夕相处,从来不因我的过于严格而引生退意,甚之,他作了许多功德事,也是为善无近名的。但到本经出版时,他已留学美国,来信还自谓惜未尽力。其馀如师大学生陈美智、汤珊先,都曾为誊稿抄写出过力。中国文化研究所的研究生吴怡,也曾为本书参加过润文,和提出质疑的工作。韩长沂居士负责出版总校对。最后,程沧波居士为之作序。这些都是和本书著述完成及出版,有直接关系的人和事,故记叙真相,作为雪泥鸿爪的前尘留影。

本书述著完成以后,对于文字因缘,淡到索然无味,也许是具生禀赋中的旧病,素来作为,但凭兴趣,兴尽即中途而废,不顾任何诟责,或者因人过中年,阅历愈深,遇事反易衰退,故原稿抄好一搁,首尾又是四年了。在这四年中间,也写作过儒、道两家的一些学术著作,但都是时作时辍,兴趣索然。甚之觉得著述都是多馀的事,反而后悔以前动笔的孟浪。每念德山禅师说的:“穷诸玄辩,若一毫置于太虚。竭世枢机,似一滴投于巨壑。”实在是至理名言,很想自己毁之为快。引用佛家语来说,可谓小乘之念,随时油然而生。故对本书的出版,一延再延。今年春正,禅集法会方毕,杨管北居士又提出此事,并且说,为回向他先慈薛太夫人,要独自捐资印刷本书五千部,赠送结缘,藉资冥福,所以今日才有本书的问世。始终成其事者,为杨管北居士,经云:“孝子不匮,永锡尔类。”我但任兴而为,得失是非,都了不相涉,只是对本书的译文,仍然不如理想的畅达,确很遗憾。倘使将来触动修整的兴趣,再为本书未能尽善的缺憾处,重作一番补过工夫。但排印中间,又为误罹自疾而耽搁了七八个月,深感业重障深,蒇事之难。本来要替本经与唯识法相的关系,及性相两宗的互通之处,作一篇简单的纲要,但又觉得多事著述,徒费笔墨纸张,于人于世,毕竟没有多大益处,所以便懒得提笔。唯在前贤著述中,寻出范古农居士述《八识规矩颂贯珠解》,附印于次,以便学者对唯识法相,有一基本认识,可以由此入门,研究性相的异同,契入经藏。

〔一九六五年,台北〕

《〈金刚经〉三十二品偈颂》自话

大乘佛法，以菩提解脱为先。《金刚经》者，为般若解脱道之中坚。自梵本翻译华言，先后计有七种译本。通常流行习诵者，皆以姚秦时代鸠摩罗什法师译本为准。原译本无品数之分，拈提品名者，实由梁昭明太子所作也。分品虽似割裂，然提纲醒目，叮咛后学，确甚有功。余初学佛，亦由此经起信，故于般若因缘，更感殊胜。偈颂之作，乃昔年掩室山中时之寱语，鄙陋不文，不足为训。且偈语不必尽依诗律，心有所感，即信口吟成，不知所云。今因友辈偏爱，促予付梓问世，贻笑方家，染污般若，难免罪过。

禅宗自达摩大师初传心印，当时咐嘱，并授《楞伽经》以印证心法。迨五祖以后，方改以《金刚般若经》为法印。六祖因之，广宏般若，禅宗又号称为"般若宗"者，盖自此因缘始也。禅宗源于释迦文佛之亲授，自东来数传以后，托胎般若，含融中华文物之精英，家风屡易，蜕变宗教情调而归于平常日用之间者，《金刚般若经》之影响，最为有力。然谛观本经首从文佛行持，极其平常之穿衣吃饭说起，绝非高推圣境，诞托虚玄者可比。其与后世宗风担柴运水，举饼吃茶，事无二致。审夫世出世间事物，参详谛当，智行相应，理事明了，虽奇特虚玄者，亦至为平实。苟愚顽罔思，虽至平实者亦极其玄妙。

即作颂了，乃复不揣谬见，随品数之分，更为拈提经偈所关大旨，用醒眉目，俾知偈颂出处。

第一，法会因由分。如经所云，佛于食时，著衣持钵，入舍卫大城乞食。于其城中，次第乞已。还至本处，饭食讫，收衣钵，洗足已，敷座而坐。此正说明本经述说释迦文佛住世教化之时，行极平实,更无奇特。一如常人穿衣吃饭,洗足敷座。并非云生足下,顶现圆光。

第二,善现起请分。正当佛自安座事了,时有长老须菩提(华言译其名字,另一意义为善现)即从大众中起而问法。问云:如来善护念诸菩萨,善咐嘱诸菩萨。若使有善男信女,发心求无上正等正觉者,应该如何住在此一初发自觉清净之正信心境中,应该如何降伏一切妄想烦恼之心。而本经所记佛之答语,极其有味,异常巧妙,但重复须菩提之问语云:如来善护念诸菩萨,善咐嘱诸菩萨。应如是住。如是降伏其心。初无加上许多说法。及须菩提长者唠叨不休,继续而说:唯然!世尊,愿乐欲闻。方引出以后若干经文,横说竖说,刹说众生说矣。其实,本经全部重心,在于善护念三字。无论圣人与凡夫,但能善护初心一念清净,则初发心即成正觉。苟善护此一清净正念,则往后文长,皆成剩语矣。

第三,大乘正宗分。正以凡夫众生,不能善护其善念,学佛中人,不能放下我证涅槃佛果,我在度人之相。则等同世间凡人,人相、我相、众生相、寿者相,样样不能放下,同为大病。若放却此世出世间诸相,岂非是一个无事凡夫,逍遥自在,快乐无忧,行同诸佛。

第四,妙行无住分。故佛于放下四相之后,乃说,菩萨于法,应无所住,行于布施,令此心犹如虚空。所谓布施者,内舍放诸缘之相,法施众生,外施舍身心财物,以济众生是也。功高万世,不住功相。德侔天地,不着德相。方为真布施也。

第五,如理实见分。到此又说,不可以身相见如来。故佛云:凡所有相,皆是虚妄。若见诸相非相,即见如来。无奈言者谆谆,听者藐藐,殊堪一叹。

第六,正信希有分。因此再三叮咛,知我说法,如筏喻者,法尚应舍,何况非法。能生信心,以此为实。诚为希有之正信也。

第七,无得无说分。继而说明无有定法,名"阿耨多罗三藐三菩提”。亦无有定法,如来可说。所以者何?一切圣贤,皆以无为法而有差别。

第八,依法出生分。于是提出持经说法之福德,无有自性之相可着,其广博犹如虚空。故云:所谓佛法者,即非佛法,是名佛法。

第九,一相无相分。不但福德功勋,犹如幻化。即如四果声闻,亦不能着意圆成。但了无相、无着、无愿之旨,可以当下释然一切经论教义之旨矣。

第十,庄严净土分。但应如此生清净心,如经所云:庄严佛土者,即非庄严,是名庄严。可谓明白晓畅之至。

第十一,无为福胜分。到此又复重申无为福胜,凡有为者,皆是世间尘滓之事,岂不当下爽然若失矣!

第十二,尊重正教分。义如品名,不必拈提。

第十三,如法受持分。乃知般若无知,法身无相,然后可以降伏镜里魔军,大作梦中佛事矣。

第十四,离相寂灭分。于是重申玄旨,乃言:离一切诸相,即名诸佛。又说:离一切相,发阿耨多罗三藐三菩提心。实相即是非相。如来所得法,此法无实无虚云云。

第十五,持经功德分。义如品名,不必拈提。

第十六,能净业障分。义如品名,不必拈提。

第十七,究竟无我分。经云:如来者,即诸法如义。如来所得阿耨多罗三藐三菩提,于是中无实无虚。是故如来说,一切法皆是佛法。若菩萨通达无我法者,如来说名真是菩萨。毕竟还是要人自无我相,方与佛法相应。

第十八,一体同观分。经云:何以故?如来说诸心,皆为非心,是名为心。过去心不可得,现在心不可得,未来心不可得。

第十九,法界通化分。莫以世间求福德之心而求佛法,是为至要。

第二十,离色离相分。经云:如来说诸相具足,即非具足,是名诸相具足。

第二十一,非说所说分。经云:说法者,无法可说,是名说法。

第二十二,无法可得分。经云:乃至无有少法可得,是名阿耨多罗三藐三菩提。

第二十三,净心行善分。义如品名,不必拈提。

第二十四,福智无比分。义如品名,不必拈提。

第二十五,化无所化分。义如品名,不必拈提。

第二十六,法身非相分。经云:若以色见我,以音声求我,是人行邪道,不能见如来。

第二十七,无断无灭分。经云:发阿耨多罗三藐三菩提心者,于法不说断灭相。

第二十八,不受不贪分。经云:菩萨所作福德,不应贪着,是故说不受福德。

第二十九,威仪寂静分。经云:若有人言如来若来、若去、若坐、若卧,是人不解我所说义。何以故,如来者,无所从来,亦无所去,故名如来。

第三十,一合理相分。经云:若世界实有者,即是一合相。但凡夫之人,贪著其事。

第三十一,知见不生分。义如品名,不必拈提。

第三十二,应化非真分。经云:云何为人演说,不取于相,如如不动。又云:一切有为法,如梦幻泡影,如露亦如电,应作如是观。

〔一九六八年,台北〕

为《金刚》《楞伽》《楞严》三经重印首语

释迦文佛一代时教，若不自东汉以后而传入中国，则将早随印度本土文化而沦丧殆尽。佛教输入中国，在魏、晋以后，若无达摩一系禅宗之崛起，亦将随南北朝之衰乱而心法无遗矣。故中国文化与佛教，正当盛唐之兴隆而卓然挺拔，良有以也。

但自晚唐五代之际，禅佛而有五宗七派之门庭设施，则已由盛而衰，势必入于儒道而相互依存，蜕异竞秀。因之而有宋代理学之突出，神仙丹道之辉耀，亦势易时变之必然也。过此以还，迨于明代中叶，左右佛老而汇集于理学心宗，则有阳明王学之作。当此之时，禅门佛子从王学而入道者，颇不乏人。

及乎明季末期，身为知识分子之儒冠学者，颇非王学之滥而欲规正于禅，但又鄙薄禅僧而不为，独以居士身而手提禅宗正令者，因而风起，如田素庵、李卓吾、瞿汝稷、曾凤仪辈，皆以当时名士而标示学佛，且为士大夫之所诽议者，其数不少。其间尤以李卓吾之得罪名教中人，遭逢不幸，最为可哀。

由此禅宗与理学，随宋明朝代之异易，亦转为入世应用之学，或为文词慧业而肆其智辩者，则有冯梦龙、李笠翁、金圣叹，似皆承其馀绪而故示跌宕也。

但禅佛正宗法印，几已荡然无存，师僧中虽有密云悟以及憨山、达观少数几人撑持门户，殆亦强弩之末，势不能穿鲁缟者耶。由此而及清初，能振兴禅宗，高提正印而扫荡阴霾者，有之，唯雍正一人而已。惜乎！身为帝王身，应为帝王身而得度者，恐终难得其人矣。今因学子周勋男之请,嘱为明末曾凤仪所辑《金刚、楞伽、楞严三经宗通》再版为序,旅泊中人,尘劳繁剧,实已无暇及此。然因其再三催促,简书禅佛宗乘之衍变如此,则可知曾氏之辑,固有其独具匠心,足资千古者。非大心开士,曷能作此,应为随喜赞叹,是法住法位云尔!

〔辛未年一九九一年四月二十八日记于香江〕

《华严经教与哲学研究》序

释迦文佛一代时教,综罗万辨,旨在求证超迈人间世与物理世界之交缚,然后和顺真俗而升腾情性。后之分疏其言思部类,因而有人天之际,大小道乘之差别。究其源本,理则圆融,事无二致。迨迦文寂灭,授受差歧,渴饮分河,门庭嶷立,玄灵罔象,尽成捉影分光,藏椟遗珠,竞取支离破碎。于是有龙树大士者,崛然兴起,理其繁芜,整其脉络,浸假曼衍,而有般若、中观、唯识、法相、禅、净、律、密等教法,悖如并行。而箭柱簇锋,枝枝贯串于华藏;云辉彩霭,光光缕集于日轮。猗欤!懋哉!讵能透视。

及乎教归中土,灿烂于盛唐之世,蓓蕾结实,花蕊纷披,法苑敷陈,封蹊互涉,虽百世争放,而群伦莫统。洎杜顺、智俨、法藏、登观、宗密、李长者辈相继出世,华严妙净,方挺然矗立于秽土莲泥之间。于是偏空执有,滞般若、胶法相者,咸须从妙高峰顶,落脚实地而俯首依皈于华藏果海;始信知见万象,悉是法身之依他;身色一异,尽属圆成之理量。明暗不二,物我同如,生灭无异,魔外齐了。藏天下于天下,负之而趋而寂然不动;析尘刹于尘刹,安之于默而感而遂通。唯然文教盛衰,俨同世运,宋元以降,虽理极情喻,尚堪嚼唾,而身证心了,几同绝响。每念斯文,辄废卷而戚戚。

距今十二年前,杨生政河,方就读于台大哲学研究所,晨窗清旷,过我问津,商酌毕业论文,欲取禅佛之妙旨以为题者。乃告之曰:近时禅已沦于肤学,嚣嚣晴辨,何胜其非。华严丰藏,可发新硎,子其勉之。政河曰:然则,指导师承,谁可与归?揣其所意,固知相挽。余曰:方教授东美,一代贤哲,曾两度过吾,言未详尽。余虽面告朝夕见顾之徐子明教授转致歉衷,唯微念犹未释然,子当告余此意,挽请其为指导,必相契合。继而政河固如所教而完成巨论,窃喜东美先生,晚年契人圆智,善果正圆之际,不幸继徐子明先生弃世而施身海藏。浮沤幻有,缘起无常。华落果存,薪传灰灭。今因政河梓印《华严经教与哲学研究》一书,复请为序,惊梦岁月,慨忆昔人。乃为之介,并纪其始末因缘如是我云。

〔一九八〇年初冬,台北〕

《佛学原理通释》序

治学如理乱丝，愈理而头绪愈繁。然千古聪明才智之士，毕生埋首于学术，虽纷而益固，历万险而弥坚者，盖心存淑世，志从学术思想以济救人心之陷溺也。仲尼删诗书而定礼乐，树中华文教之规模，光芒万丈，照耀古今。释迦辟邪说而立宗创教，阐人天之奥秘，说法如云如雨，普施众生而不分中外，而移植于中土。昔人有言，东方有圣人，西方有圣人，此心同、此理同，信其然乎！

佛学汪洋浩瀚，无可涯岸，后世分河饮水，但取瓢饮而鼓腹者，只各适其所志，润其知见，而无妨于雨露之广，河海之量，猗欤盛哉！近世以还，西学东渐，物质文明挟欧风美雨而骤至，东方人文之学，亦随狂澜而欲倒。于是有志之士，沉潜韬晦，崛起于故纸之间，温故而知新，默然而治慧学，藉求人类真理之归趋者，大有人焉。

余于一九四九年春来台，初识黄教授公伟，彼方主笔政于《全民日报》，长厚诚笃，蔼然可亲。而彼此不知其所学。因缘聚会数面以后，不通往来已十有馀年。今秋同讲学于辅仁大学，重逢于车次。方知其力学之勤，著述之富，诚仁人志士之用心也。一日，公伟兄以所著书相赠，并举《佛学原理通释》，嘱余审读而为之序，瞿然惊其付托。尘劳垢染如余，日无暇晷，恐将难全友信，欲求案无积事，即竭夜翻阅一遍，择其要者而为之介。

此书志存辟谬，力求佛学之原，故偏重于原始佛教小乘之理，侔于东瀛明治维新后诸名家佛学之论据，而加以作者力学心得之知见，诚乃晚近数十年中治佛学者不可多得之佳作也。足为入德之资粮，有辅于释迦之教非浅。至于大乘诸说，般若、唯识、中观之义,略而未详,盖欲待诸他日之专论,余将拭目以观其大成焉。公伟兄行宗儒术,心游佛境,著作等身,有笔如椽,苟非宿植德本,岂能为此。为此合什稽首,随喜赞叹,殆为异时灵山会上,拈花微笑之缘欤!

〔一九六五年冬月序于台北〕

为向子平印《敦煌大藏经》言

世人都言佛学浩如烟海，以烟海形容佛学，亦似是而非之辞。海即深不见底，广大无边，复加烟笼层面，永似缥渺难穷其际，如此境界，往往使人望而却步，不敢窥探究竟。迨有心人集佛说群经，综为一大藏教，纳无限而归之有限，如不游心外物，专诚恳读，浩如烟海者亦仅为一大藏。读而习之以勤，精研覃思，理与神会，言与寂合，一大藏教，亦只会心于方寸，又何足多哉！

距今六十年前，印刷尚未发达，全国伽蓝丛林，具有大藏一部者，寥寥无几而屈指可数，如欲深入经藏，几亦难如登海。及至现在，以台湾一隅而言，普遍印出历代各部大藏经，先后已有五、六种。无论善本残编，每出一部，僧俗竞相争购，肆无遗弃。若此情况，意谓并非深入经藏，实乃藏经深入民间，人人皆在佛学烟海之中，毋须再行推广矣。

然有向子平者，仍欲在此苍茫烟海中别出心裁，另放异彩，多年发心，以影印《敦煌大藏经》为一大愿力，并屡促我为之序。人间善语，佛皆说尽，文艺才华能在佛头着粪作序者，前修已尽其词，今则几同绝调矣。予何人，岂敢谬赞一词。唯愿向子此书印出，有愿必成，所求皆遂，凡有功德，亦普覆回向烟海为幸。向子当不以我又犯绮语戒耶！

〔一九九〇年岁次庚午端阳，南怀瑾寄于海外〕

禅宗之部

《禅海蠡测》初版自序

运厄阳九,窜伏海疆,矮屋风檐,尘生釜甑。客来自远,顾而让之曰:子脱屣圭缨,栖情衡泌有日矣;曩者掩室岷峨,行脚康藏,风霜凋其短鬓,烟水历乎百城,矻矻穷年,究此一事;虽梦宅虚无,本乏可留之迹,而空书斐亹,终成不著之文,际兹慧命丝悬,魔言鼎沸,同舟俨分乎楚汉,一室而判若参商,正法衰微,乾坤几息,不有津梁,罔克攸济,金针密固,庸所安乎?闻已而思,瞿然有省。夫妙契匪意,真证难言,动念已乖,况涉文字。然无说自说,瓶泻云兴,从上祖师,皆非得已,矧余末学,粗具见闻,窥测之谈,不离知解,揆诸先圣盍各之义,窃比昔贤就正之情,砖石之投,连城或致,则亦何妨著佛头粪,大作寱语耶!爰濡秃管,率成斯编,所涉虽繁,要仍以禅为主,如叶归根,如水赴海。倘阅者因筌得鱼,见月废指,形山打破,会即不疑,是吾心也。若遇明眼,烁破面门,此中廓然,徒添络索,一场忺愣,转见败阙,则余知过矣。

〔一九五五年,台湾〕

《禅海蠡测》再版自序

时轮劫浊，物欲攫人，举世纷纭，钝置心法，况禅道深邃，克证难期；余以默契宿因，嗜痂个事，觅衣珠于壮岁，虑魔焰之张狂，故不辞饶舌，缀拾斯文。然投滴巨壑，吹毫太虚，沉沉无补时艰，复将二十载。顷者，莘莘学子，惊顾域外之谈禅，攘攘士林，欲振中华之堕绪，再请重铸斯编，冀复燃灯暗室；固知旧铅新椠，尽同梦里尘劳。唼响撩虚，等是狂思玄辩，禅非言说，旨绝文词，拈花微笑，能仁已自多馀，渡海传衣，少室徒添渗漏，五家七派，无非自碎家珍，万别千差，透澈何劳竖指，斯编之作，为无为，何有于我哉！

〔一九七三年仲夏，台北〕

附:

《禅海蠡测》剩语

萧天石

禅宗一门,为我国佛教中之一革新派,旨在传佛心印。自释迦牟尼传大迦叶,递至二十八代菩提达摩,东来震旦,是为此土初祖。复自二祖僧璨递传至六祖惠能,宏开五叶,宗风大振。虽所提倡以"不立文字,直指人心,见性成佛"为宗旨,惟文字语言,亦未始非心传方便法门;故达摩初亦曾用《楞伽经》四卷以印心。惠能于黄梅,刚道得"本来无一物"一偈,便得衣钵,惟当授受之际,犹为说《金刚经》。其在曹溪弟子亦有《坛经》之记。厥后二派五宗,无不直指向上,皆令自求、自行、自悟、自解;然亦究不能无说,说不能无文。盖借语传心,因指见月,语言文字,有时亦不失为接引开示之方便也。

世谓禅宗为"教外别传",实则谓之"别传"固可,谓之非"别传"而为"嫡传"亦可。盖真谛不二,以教证宗,以宗举教,教实有言之宗,宗本无言之教。三藏十二部,默契之则皆宗;千七百公案,举扬之则皆教。佛说法数十年,未尝说得一字,以法尚应舍也。故究竟言之,教原未尝有言,而宗亦未尝无言也。天下同归而殊途,百虑而一致。归元无二路,方便有多门。能澈悟自心是圣,自心是佛,则触著便了,更无馀事。天地与我同根。万物与我一体,岂可因门庭施设,而分宗分教,俨然门户峥嵘,自生差别哉!

南君怀瑾,顷以所著《禅海蠡测》书稿见寄。细读之,深觉其超情离见,迥出格量。君虽演深契禅宗,然不以话头为实法,不以棒喝作家风;横说竖说,语语由自性心田中流出,绝非如优人俳语者可比。其中治儒释道各家之言,而综诸一贯,会归一旨,傥非能如大海之纳百川者,曷克臻此?是书虽累十馀万言,要亦只道得一字。若会时,看固得,不看亦得;不会时,不看固不得,看亦不得。洛浦安答僧云:"一片白云横谷口,几多飞鸟尽迷巢。"是佛固著不得,经典公案亦著不得。读者于此书所示,一字一句,又岂能著得?"不离文字难为道,尽舍语言始是经。"读者切勿泥于语句,堕入文字禅中,而宜独超冥造乎语言文字之外,是为近之。否则依然陷在妄想知见网中,虽一辈子学佛,一辈子参禅,一辈子求道,骑驴觅驴,与自己本来面目,毫没干涉,而终归是凡夫。余昔赠灵岩寺僧传西有句云:"不学佛时方成佛,非参禅处即参禅。"此与张拙见道偈之:"继除烦恼重增病,趋向真如亦是邪。"及憨山大师所谓:"妄想兴而涅槃现,烦恼起而佛道成。"其义一也。

余与怀瑾,论交十馀年矣。抗战初起时,君甫逾弱冠。殚力垦殖,深入夷区,部勒戍卒,蛮烟瘴雨,跃马边陲,气宇如王,高自期许。卒以囿于环境,单骑返蜀,复事铅椠。曾述其经历,著《西南夷区实录》一书,则又恂恂儒者,非复向日马上豪雄矣。无何,任教中央军校,时余持《党军日报》,每相与论天下事,壮怀激烈,慨然有澄清之志。惟以资禀超脱,不为物羁,故每尝芒鞋竹杖,遍历名山大川,友天下奇士,不知者辄目为痴狂,而君则恬然乐之。尝曰:"钟鼎山林,固皆夙愿,苟顿脱可企,则视天下犹敝屣耳!"一九四三年,余以婴疾,药炉禅榻,时益相亲;曾与遍访高僧,并同师事光厚老和尚。不期年,君辞军校事,而致学于金陵大学研究社会福利系。后又弃隐于青城之灵岩寺,霜枫红叶,日伍禅流。旋从禅德袁焕仙居士游,契入心要。嗣即不知踪迹者久之。一日,忽有客自峨眉来,始知闭关于中峰绝顶之大坪寺,西川旧好,相顾愕然!耆年如谢子厚、傅真吾,及君师袁焕仙等,相约入山访之,始知由名僧普钦之介,悄然至峨眉,初于龙门洞猴子坡等处,叠示灵异之迹,乃获寄迹该寺。在此期中,并曾折服当时负有盛名之唯识学者王某。龙门寺僧演观,曾记其事与对话,刊有专册行世,不胫而走。龙泉在匣,光芒不掩,真性情人,行事大抵固如是也。

后三年,余宰灌县,君飘然莅止,美髯拂胸,衲衣杖策,神采奕奕。问从甚处来?答谓:"前从灵岩去,今自金顶回。"问:在峨眉山何为?曰:"三年闭关,阅全藏竟。"复问其今后拟往何处?则曰:"到处不住到处住,处处无家处处家。"相视而失笑者久之。憩夏青城后,即远走康藏,穷探密宗之奥;行迹遍荒山绝巘,丛林叶刹。行脚愈远,所接大德高僧奇人异士亦愈众,而迹亦愈晦,盖所谓:"就万行以彰一心,即尘劳而作佛事"者也。嗣闻其经康藏至昆明后,曾讲学于云南大学。折返锦城,并一度应川大哲学教授傅养恬之邀,讲学于哲学研究会。斯时已声光并耀,缁白闻风问道者络绎。迨抗战胜利后二年,君即返里省亲,嗣复深隐于天竺灵隐山中,栖心玄秘。尔时,余适于役京畿,彼此不相闻问矣。

一九四九年夏,余自沪来台。一夕,君忽枉访于台北寓所,始悉其方有所营为。越明年,事与愿违,忽尔晦迹,行藏莫卜者久矣。迄去冬,因某居士之约而复聚于海滨一陋巷中,破窗尘几,意趣萧然;当力促以重亲笔砚。初不谓然,几劝始诺。曾未数月,遂成斯篇,都凡二十章,钩元提要,探幽阐微,手眼别具,发前人之所未发。全书以禅宗为主眼,而融会众流,归趣大海,虽于从上各家之说,略有损益,要皆言必有宗,指归至当。至若《参话头》、《中阴身》,及《修定参禅法要》诸篇,则皆古人隐密缄固不肯为人说破者,今皆不惜眉毛,金针巧度。虽小出作略,而其资益于真心向道者,宁为浅鲜?至其提持纲要,语不滞物,思泉坌涌,如山出云,殆今日之《广陵散》矣。余初识怀瑾,英年挺拔,跌宕磊落,前途正未可量;卒之鄙弃功名,参伍猿鹤,得以博览法藏,独契心源,返朴还淳,泥涂轩冕,所谓游于方之外者非欤?又君髫年曾习武技与方术,卒致力于佛法，深入禅教密各宗之堂奥。今后究将以何者为其归正，则又未可逆测。其殆游戏人间，应物无朕者耶！爰因其书成，略缀其生平行履一斑以附，庶读其书者，亦得略知其人。余虽早岁皈命瞿昙，然放逸怠荒，惮于精进，似草野人，为廊庙语，门外之诮，宁能幸免？惟承命为校订，于义不能无言，拉襍书之，亦自哂也。

〔一九五五年萧天石写于台中草庐〕

《禅宗丛林制度与中国社会问题》引言

社会学里的社会

社会这个名称,是指各个团体之间,具有一定的关系,共通的利益,因此合作以达一定的目的,组织成为一个整体的集团。普通便把它用来指某一种同业,某一类同身份人的名词,例如上流社会,劳动社会等。也有用以代表某一区域性的,如上海社会,汉口社会等。

当公元一九三八年间,法国学者孔德(Comte)便创了"社会学"这个名词,他用以研究以社会为体的一种科学,从前我们也有称它作"群学"的。自经英国学者斯宾塞(Spencer)沿用社会学这个名词以后,它就成为一个专门学科的名词,凡专门研究社会的组织的,就叫作"社会静学"(Social statics),专门研究它的成长和发展的,就叫作"社会动学"(Social dynamics)。它的研究对象,大体有三种:(一)社会的本质。(二)社会进化的过程。(三)社会进化的原理。有的以生物学作旁证,有的以心理学来证明。

东西文化不同的社会

推溯一百年前,我们的历史文化里,根本便没有这个名称,也毋须有这一门学识的成立,这不能说我们过去的不科学。只能说过去的历史文化,无此需要,这就是东西文化的基本不同的精神所在。基于经济学的观点来说,我国向来便以农立国,地大物博,土广人稀;有的是天然的天材地宝,可以利用厚生,并不需要向外争取利源以养活自己。加以传统的文化,素来以安居乐业,乐天知命为祖训,因此人人只要重礼守法,完了国家的粮税以外,农村的社会里,鸡犬相闻,老死不相往来,是件很平常的事。宋人范成大的诗所说:“绿遍山原白满川,子规声里雨如烟。乡村四月闲人少,才了蚕桑又插田。”这样一幅美丽的天然生活图画,谁愿意熙熙攘攘,过那忙得忘了自己,专为工商业社会的生活呢?除了西北和北方一带的游牧种族,还守着“穹庐夜月映悲笳”的生活,所以还需要兼带掠夺性的侵略以外,大体我们的祖先,都是安于和平康乐的人生的。

在西方的欧洲则不然,他们没有像我们的历史一样,早先就经过一度像秦汉的统一局面,部落酋长式的蕞尔小地,便称为一个国家。既不能以农立国,更不能靠土地生产的经济,维持人民的生活。因此,从盗匪式的抢夺之中,一变为国家间的侵略,由经营商业的远出贸迁,变为有组织的工商业集团,所以他们的每个社会,在在处处,都需要有组织。西方人的社会,由此成长和发展就很自然地成为人群生活的中心需要了。而且社会的主要开始目的,是由于经济的需求而来,所谓社会学上的社会制度,社会分化,都是渐渐地发生更多的问题所形成,例如社会运动,社会革命政策,社会心理学等等。他们一有了问题,就拿那一个问题作中心,将它分析研究,便变为一门学科,马克思、恩格斯的社会主义,在西方的这种环境之下,就会很自然地发生。西方的社会经济,进步到了现在,有欧美的科学化的工商业社会,而且已经由公司、会社、社团的组织,发展到各种各类的俱乐部,由经济剥削和侵略,发展到社会的福利经济。国家的法律,范围了组织。社会的组织,影响了国家的立法。不是从商业的市场竞争,演变成政治哲学的自由和民主第一,就是由经济政治的重心,认为社会主义第一。我们的历史文化,到了现阶段,也便恰当其时,卷入这个矛盾对立的世界洪流之中,亟待我们自己的努力,统一融会而坚强地站立起来。

宗法祖的辨别

假定从社会学的观点,来说明我们历史文化上的社会史迹,也有把我们过去的氏族宗法关系,叫它作“宗法社会”的。严格地说来,这还是有问题的。因为社会,是基于共同利益,或共同目的,集体合作的一种组织。我们祖先的宗法社会,只是一种民族精神所系的代表和象征。它以不忘民族的本来源流,传承继续先人的祖德,要求后世子孙的发扬光大;它既不是有一种群体法定的组织,犹如西方的社会一样;更不是为了一种共同的利益,达到一个政治或经济上的目的。宗法,只能说是传统文化中心的“礼”的表现,这个体,它具有相似于宗教性的,人情味的,是人类文化精神之升华,而且是性情和理法并重的。重性情,所以推崇天然,就轻视人为的组织。重理法,便讲礼义,裁定性情,使它合于人伦群体的活动。它与西方社会的只注重组织,是大有出入的。我认为人世间最高的组织,是由于人与人之间真感情的结合,所谓至性至情的流露。其次,才是如宗教一样的信仰,所谓崇拜的服从。再其次,才是法律和规范。至于从利害相关的集合,用权位生杀来范围,那是等而下之,等于市场的交易而已。凡事之不近于天然法则,违反人之性情的,没有不失败的道理,以社会学理的历史来讲,利害相关的组织,可能在社会史上,暂时占去时代的一页,但决不能争取千秋。

至于我们历史上的宗法社会,它的基本单位,就是家庭的家族。由家族和家族之间的结合,就是宗族。由宗族和氏族之间的结合,就是国家的社稷和宗庙。社稷、宗庙和宗祠,就是介乎人和天神之间的象征代表,贵为天子,还须畏惧天命,所以便当敬重社稷宗庙和山川神祇。如是普通的平民,不敬重宗族和宗祠,从礼仪为法律的中心观点而论，已经犯了大不敬的罪行，以传统文化思想的观念而论，便是获罪于天，得罪了祖宗神祇，应该是罪无可逭，便无可祈祷之处了。可是它在礼仪传统的风俗习惯上，和国家的法律观点上，虽然有此成法，但是并不同于西方和现代社团似的社会组织。汉唐以后的祠庙，后来通称为各个宗族之间的祠堂，那也并非是一种社会的组织，只能说是民族精神的中心所系。它相近于宗教性质，平时并无社会活动的作用，每逢岁时，便由族长率领同族中的人们，共同致祭于自己的祖先。族长虽由一族中辈分最高的人出任，但是也不是由法规的组织产生，那只是由传统文化礼的观念，人为的自然推崇。如遇族中的子孙们犯了违反传统礼仪的行为，由族长召集全族的人们，开祠堂门，拜祖宗，禀请祖先以宗法来评理，评定一事或一人的是非罪恶，也必须合乎天理、国法、人情。这也只是秉承礼仪的安排，便不同于法规纪律的性质，或是组织的制裁。乡里之间的里正和保正，或者社董，那是清代沿用唐宋以来地方自治保甲的名称，等于现在的乡里长。社仓，是宋代以后为地方储备饥馑赈济的福利事业，后来也有叫作义仓的。社学，是明代以后实施的乡村国民教育。这些都如众所周知，不能与社会这个名词，混为一谈。再推溯到秦汉以上，讲到社会政治的关系，更为简单，那时的文化思想，政治和教育，本来不能太过于划分。所谓作之君，作之师，作之亲；在精神上，几乎还保有上古质朴的观念，还是三位一体的。能够影响地方社会之间，也只有从礼义的传统上，自然的敬老尊贤，秦汉时代的老和公，只是一种尊崇敬重的称呼，更不是社会领袖的职衔。例如《左传》所称的"三老"，据服虔疏引："三老者，工老，商老，农老。"古天子有三老五更，以父兄之礼养之。据《汉高祖纪》所载："举民五十以上，有修行，能帅众为善，置以三老。乡一人，择乡三老一人为长三老。"宋祁说："乡有三老，掌教化，秦制也。"两汉都沿用这种制度，所以在我们的历史文化上，真难找出真正如西方社会组织的一种社会。初有社会的规模的,只有先秦的墨道,才略具有特殊社会的风规。其次,就是开始于唐代佛教禅宗的丛林制度,它影响元、明、清以后的历史和社会,以民族革命为宗旨的帮会组织。但是丛林制度,它既不同于西方的宗教社会,又不同于西方宗教的教育中心的神学院。至于帮会的组织呢?以传统的侠义精神,和政治活动相融会,说它是为了当时革命性的反正集团,确很正确,如果比之西方社会或流氓集团,推原它的初衷,当然也颇有出入了。

结　论

倘若专讲社会学而研究社会史的问题,那便立场不同,观念有别,应该另作一种说法。也可以说,我们在近六十年来,受了西方文化思想的影响,才有社会等等问题的产生,所以理论的依据与文化思想的方向,截然各有不同。不过我只想从观今宜鉴古的遗训,述说唐宋以来的丛林制度,和它如何影响后世的帮会组织;以此作为今后我们吸收融化东西文化,跨进新的时代,提供留心社会问题者的参考而已。

〔一九六二年,台北〕

景印《雍正御选语录》暨《心灯录》序

(一)

纷纭万象,劳碌人世,众生以得解脱为乐。为解脱故,有求道之事。为求道故,有禅等诸学之作。有禅之学术故,于不落言诠、不立文字之馀,有诸经语录之积。语录之作,本于无说无法中强示言说,使会者舍指见月,得鱼忘筌。孰意一落筌象,即有承虚撮影之辈,执文言情境而觅禅机,如麻似粟。于是建立门庭,聚讼坚白,不一而足。降至今世,谈禅成为专门之学,齐鲁道变、还珠买椟而说空蕉鹿梦者,朋从尔思,多如恒河沙数。自由出版社萧子天石,适际此时,景印《雍正御选语录》与《心灯录》二书,嘱以为言。骑牛觅牛,虽有画蛇添足之嫌,亦当勉起为其点睛,冀使二书再度问世,使禅之为学,从此破壁飞去,返还本来面目。

读书不难,读书不为书困,不为目瞒,入乎其内,出乎其外,别具只眼为难。禅宗诸经语录,为天下奇书之首,亦为世上最难读懂群书之冠。唐宋以还,宗门语录丛出,有读懂其书、视如无书之士,撷其精英,集其简要,使后之来者,易于出入慧海、涵泳性天风月者,乃有编纂禅宗汇书之作,如《传灯录》、《人天眼目》、《五灯会元》、《指月录》等继集成风,皆此类也。要皆匠心独运,各自甄拣先哲,以示异同。雍正手自编撰语录,亦为抒其见地,剖陈珠玉以示世,以显其磨穿砖镜、咬破铁馒之能事。《心灯录》则列为禁书,凡山中林下、参究宗乘之士,亦视为毒药,信为魔说。何以故?此中隐有清代历史文化之另一巨案,素为通儒硕学暨禅门衲子所忽略,几已不知其究竟之因缘矣。

(二)

爱新觉罗氏崛起东北,以孤儿寡妇率三万之众,席卷华夏,臣服五族,历二百六十馀载,代更十帝,终以孤儿寡妇毕其社稷。称今追昔,视帝王之尊荣,浮云太空,逝如春梦。然其入关之初,乘时继统之命世帝才,如康熙、雍正、乾隆三代父子,虽上溯汉唐隆盛,并无愧色。后之论史者,每况其武功之烈,或统驭之严,而略其砥定有清一代文治之懋也。康熙以幼冲继位于未定之局,削平诸藩于内忧外患之际,内用黄老,外崇理学,励精图治,躬亲力学,晓畅天文、历算,擅长中外文言,颁行圣谕条训,集孔孟人伦孝悌之义于笃行,以弭明末诸大儒履践忠君复国之学于无形。且著述群典,网罗思辨学致之士,尽瘁于博学鸿词之间,固亦有功文化学术于来世。然持弄先王仁义之说,为当时统治之权宜,使前明遗老,失据于素王圣贤之域,不入于醇酒美人,即遁于丛林布衲,而反躬诚明于法王觉海,澹泊其忧愤,遂使元明以来敝禅,稍振儒佛不分之宗风。康熙游刃于黄、老、孔、孟仁慈之术,而暗于方外,致使逃禅韬晦者,得以潜养其兴复机运。

雍正蛰居藩邸,屈志潜飞。初则因宫廷崇信佛道,窥奇禅悦而从迦陵性音禅师,与章嘉呼图克图志学禅密,得识濡沫江湖者之用心利弊。故登极以后,不惜以九五之尊,躬自升堂说法,秉拂谈禅,谦居为宗门伯匠、与诸山长老较一日之短长。从学之徒,近有王室宗亲,远有比丘禅和、黄冠羽士。遂使山林沉潜之耳目,尽入彀中。其屡诏削灭汉月藏法裔,严令尽入临济宗乘,既以澄清王学末流蠹蚀宗门之颓风,复塞前明非常之士隐沦山岳、逃迹湖海之思路。轻举无为无不为之旨,活用于禅机道佛之间,可谓瞒尽天下老和尚眼目。虽然，雍正自于宗门作略，并非徒作口头禅语，捏弄空花阳焰于野狐队里，固已笃践真参实悟于行证之途，迫出一身白汗，深得拈花妙旨。其开示三关见地，印以唯识知见，迥出常流。且选辑语录，揭标《肇论》、永嘉为先。以寒山、拾得为辅。诚为独具只眼，昭示释迦心法东来之禅宗，实受中国文化儒道学术灌溉而滋茂也。至于唐、宋以来宗门，则以沩、仰、赵州、云门、永明雪窦、圆悟克勤为主。以清初禅门宗匠玉琳琇、茆溪森为殿。过此以往，则目视云汉，自许荷担禅宗开继之任，即自称为圆明居士住持之当今法会而已矣。而拣择禅门宗匠之外，于道家，则独崇张紫阳为性命圆融之神仙真人。于净土，则推尊莲池大师为明末郢匠。且捞摝历代禅师之机锋转语，以自标其得正法眼藏之妙用。寡人位置大雄峰顶，气吞诸方。直欲踏破毗卢顶上，会法王人王之尊于一身。抑使儒冠学士与方外缁素，钳口结舌，无敢与之抗衡。狂哉豪矣！可谓汇萃魔佛内外之学于一炉，继康熙定鼎之后，清廷帝子英才，舍此其谁？

（三）

但自清初以后，禅宗之徒，别持三世因果之论而作异说，传称雍正为明末天童密云圜悟禅师之转世。密云悟者，宜兴蒋氏子，幼时不学而慧，长事耕获樵苏。偶读《六祖坛经》而策心上宗。年二十九，弃家披鬀，得临济宗传。密云高弟汉月法藏禅师者，无锡苏氏子，为明末儒生。剃染后，初从密云受其心印而名噪一时。于是明末清初，避世入山，与逃儒入佛之文人志士，皆入于汉月藏之门。师弟承风，互相标榜。俟密云发现汉月知见未臻玄奥，且薄视师承，常以实法予人而为禅宗授受，即力斥其非，著《辟妄》之文开示正见。而汉月弟子固多明末宿儒名士，习于儒林鄙见，素视其师祖密云悟出身寒微，不足为齿，复著《辟妄救》一书以力维师说。密云鉴于其已成之势,乃密以临济法统转付破山海明禅师,破山亦避乱返蜀,隐于其皈依弟子秦良玉之戎幕。迨张献忠之攻渝州,破山曾不辞腥秽,化导群魔,救免戮杀者,存活无数。从此禅门知见之争,与文字之讼,未因明清异代而稍戢。及雍正出而鼎擎密云法统,力灭汉月一支为魔外之学,扫穴犁庭,方致销声匿迹。上谕二则,皆切中僧伽流弊,无可厚非。故宗门相传雍正为密云悟后身之说,言之凿凿矣。自清初至今二百馀年,汉月之禅与学,已不得而见。汉月其人其事,稽之逸史,亦不多觏。意为逃儒入佛之明末名士,洵无可疑。今所仅存者,唯汉月遗绪湛愚老人所著之《心灯录》,犹得见其概要。民国二十馀年间,有湖北万氏倡《心灯录》之禅为极则,为之梓版而广流通。而著者湛愚老人之事迹,犹茫然未详。书中屡称三峰,即汉月往昔虞山隐居之别庵,由此而窥汉月知见传承,亦足多矣。

《心灯录》之禅说,首标释迦"天上天下,唯我独尊"之宗旨为直指,辅以○圆相为真诠。世尊说法,于般若,而标无我、无相、无说为依归。于涅槃,而揭常乐我净为圆极。于华严、唯识,而立非空不有之胜义。如珠走盘,无有定法可得。而《心灯录》建立独尊之"我"为极则,以○圆相为玄奥,予人有法,立我为禅。故具透关手眼而留心宗乘如雍正者,宁不颠扑而无容其流衍耶。稽之《心灯录》之见地,实从明末阳明学派心性之说与禅学会流,亦即援儒入佛之异禅也。立○圆相以标宗,盖取诸道家与宋易太极之学说。指一我为究竟,盖取诸《大学》慎独与王学良知良能之知见。循此以往,分梳历代禅师公案、机锋、转语之断案,一使读者闻者即知即得而为之首肯,适与般若实相无相、涅槃妙心之旨背道违缘不知其几千万里。雍正拈提《肇论》,当可以救其偏。虽然,道并行而不悖,孟子非杨、墨,而杨墨得以显。孔子杀少正卯,而少正卯因仲尼而并彰其名。时异势易,何须雍正之斤斤。但留为后之具眼者,拣其染净,参其几微,容何伤哉。

(四)

异者有曰:雍正既趋诚禅道,何其心之忍,而其行之残耶?此盖囿于稗官野史之说,谓其夺嫡与血滴子之传闻,及其被刺而不保首领之言耳。夺嫡一事,亦为清廷疑案之一,确证为难。然例之唐太宗、宋高宗处骨肉间事,古今中外权位攫夺之事,常使智者慧珠晦吝,理难焚欲者,数数如也。雍正参禅虽已具透关之见,而身为帝室贵胄,乏良师锻炼于造次行履之际,虽自号圆明,实明而未圆,极高明而未道中庸,此为其病耳。大丈夫若无泥涂黄屋,远志山林之胸襟,不淹没于富贵尊荣者,甚为稀有。至于统驭过严,逻察以密,乃局限于当时种族私见之治术,昧于礼治之本。而观其著《大义觉迷录》,以抗汪景祺、曾静、吕留良等民族志士,作文字之争,则知自康熙以还,清廷治权,遍布思想障碍,虽枝叶茂盛而根基未稳。故一变罗致安抚之策,而为锄芳兰于当门之计,其未臻君子大人明德之度,亏于王道之政,过无所逭也。然而《觉迷录》泯民族之歧见,如易时易位而处,用之今日五族平等之说,庸有何伤?且其除弊政而振乾纲,著《朋党论》而督诫廷臣之阿私,更考试旧制而责成徇私取士之宿患,革削隶籍与山西乐户以除奴隶之陋习,升棚民惰民于编氓以持平阶级之善政,在位十有三载,而使中外臣服,平民感恩,济康熙宽柔而以刚猛,故有乾隆坐享六十馀年升平之盛世。微雍正,岂偶然可致哉!递此以降,清室帝才,卑卑无所建树。乾隆以后,衰乱已陈。论清史者,每比雍正为汉景之刻薄。核实言之,汉景碌碌,不足为埒,未必可为定论。迨其生死之际,事涉臆测,抑犹仇者之诅咒,盖吾汉族先民所期望杀之而甘心之说欤!霸才已矣,王业不足凭。英明如雍正者,孰知于一代事功之外,独以编著禅宗语录而传世未休。于此而知学术为千秋慧命大业,非毕世叱咤风云之士所可妄自希冀也。若使雍正有知,当于百尺竿头,废然返照,更求向上一著,行证解脱于禅心乎!

〔一九六六年,台北〕

重印足本《憨山大师年谱疏证》前言

佛教大小乘各种说法,自始至终,无非为修行证果而设。圣远时遥,说理者愈多,真修实证者愈少,致使平实如理之言,堕为支离破碎之见,流布虽广,益增俗谛妄想而已,欲求修行证果经验之谈,如飞空鸟迹,无迹可寻。至若中国先贤修行实证事迹,虽有历代《高僧传》等之作,又皆限于史书体例,简而不详。后世各宗派中,素以注重修证标榜,如西藏密宗,将一生成佛作祖记载,明白显示传述者,亦不多觏,唯《密勒日巴尊者(又译称木讷祖师)传记》,较为具体而脍称人口,学者顶礼膜拜,赞叹景仰无已。尊者苦行精神,甚为稀有,然求之中国内地先贤行谊,能发大勇猛心,志诚求道者,亦代有其人。唯以谦光自牧,不自宣说其难行能行,难忍能忍之德,且后人为之立传,述其苦行之事,亦但称"幽栖岩穴,木食涧饮",或"胁不至席,昼夜行道"等寥寥数字,即已概其生平。致使后之学者,视为具文,昧于微言大义,怠思忽辨,而轻掉失之。

明代佛教,人才随时衰竭,世称明末四大老者,如憨山、紫柏、莲池、蕅益,皆有特立独行高风,传述后世,而当时诗僧如苍雪法师者,犹不预其次。然欲推寻明、清间朝野轶史,凡此方外数老之文献掌故,皆为史料遗珍,不宜忽视。憨山大师者,以不世之才,居僧伽领袖,言行攸关朝野,著述影响士林,尤其苦节修持,精勤向道,求之末世法门耆宿,并不多见。《憨师年谱》,自经其门弟子福徵疏证,于修证实验之处,向为禅门所借镜,尤足珍惜。余于一九四八年间,避世来台,箧中携有此书,后经人借去影印,惜司其事者,为省节篇幅,不识疏证所述修持经验之重要,概略删除。买椟还珠,此心常为耿耿,今经宋今人、巫文芳两居士发起重印,至诚随喜赞

叹,乐助其成,并为拈提所当著眼数事如次:

一曰:即生成就与即身成就。佛法自元、明以还,世传密宗有即身成就之实,禅门唯即生成就之果。实则,未必尽如所云,经云:“方便多门,归元无二”,不但禅密归趋之极则不二,即各宗修持圆满极果,皆亦同归一致。唯禅宗与显教各门,视身物如梦如幻,留形住世与即幻归真,原皆馀事,故现在不重“色不异空”之旨,直取无上菩提,诞登正觉。藏密依心物不二之宗,趋心能转物之途,即从形色而修真,依地、水、火、风四大自性而修气修脉,证“空不异色”之趣,故或即生而证身通,间能有之,例如密勒日巴尊者临寂之际,饮毒药如醍醐,慈悲喜舍而逝,与憨山及诸禅师等肉身委蜕,历劫数百年而犹存瞻仰,其趣并无二致,不可徒生凡夫分别知见。

二曰:文化根基之差别。余于昔时,尝亲近康、藏佛教密乘之修法,极为钦迟藏密学者信仰之诚,笃行之切,故修学行人,或多或少,易得觉受。至于显密各宗学人,说理谈禅,容或悦耳可心,求其实证之见地功用,则百无一是。旋经再三思惟,乃知与地方民族之文化根基有关,例若憨山大师,立身于明末之世风,学兼儒、道之长,精通文教慧业,然能放下一切,至于一字不识之境,独求真修实证于冰雪丛山,其难能可贵之处,尤足多者。倘能细读《密勒日巴尊者传记》,与《憨师年谱》异同之处,不待言而可知其殊途同归之理。

三曰:苦行之异同。隋时僧那禅师有言:“祖师心印,非专苦行,若契本心,发随意真光之用,则苦行如握土成金。若唯务苦行而不明本心,为憎爱所缚,则苦行如黑月夜履于险道。”佛用梵语称此世间为“娑婆世界”,义译谓之“堪忍”。凡大乘志士,身入世而心出世,密符六度万行之教,无一而非难行难忍之德。密勒日巴尊者以一身苦行而求道,先证自度而后度人,功德无量。憨山大师具大坚忍之力,即此世间而备历人情险巇,运大悲大勇大智之量,周旋于帝王将相与贩夫走卒之间,虽毁誉相乘并隆,而持心不动,如履冰棱,如踏剑刃,其险难苦行,未可因形迹之异,而轻掉不恭,视与独居苦行之修为为异德也。

四曰:定慧之辨别。无论大小乘之教,与禅密各宗佛法,得大自在解脱之极则者,实为慧悟之道果,或顿或渐,言悟言迷,皆为道慧之权名,此乃佛法所谓不共之密也。至于定学,乃心止一境,精勤专注所生之境界,是乃内外各教,与异宗外道通途之共法,佛法亦依定境而证慧果,但取禅定为慧学之梯阶已耳。且定境中之觉受(三昧),有无量差别,然皆从心缘一境所引起,《憨山大师年谱》所记:在五台冰雪堆中,及居弟子家中,忽入于寂忘定境,经多日而觉,及在盘山顶上,与崂山海滨,证海印发光三昧之境,此皆因五阴自性,为用工逼切所发定境之力,并非为禅悟之极果。亦如密乘学者修得飞身绝迹,或相似神通之用,皆为四大五阴自性引起之功用,不可视为佛法之极则,其理趣一如也。后世学者习禅,昧于真知灼见,每因误解先贤工用过程妙境,往往以求得顽空寂默,或神通妙用,为禅之究竟者,对此不能不辨,庶免陷于枯禅与阴魔之窠臼。虽然,末世人心障浊,当忽轻视空寂之易得,苟能得达心空神足而为历阶,机缘纯熟,得良匠而加以锻炼,较之未能入流者亦多殊胜矣。

五曰:憨师之道缘。禅宗振盛于唐宋,衰落于元朝、明代三百年间,大抵皆宗承有本,一脉单传,仍如隋、唐以前之潜符密行。当憨师住世之时,禅门硕德如密云圆悟禅师等,法席隆盛于天童、育王等处,然皆偏于江南也。憨师初从教下入手,自后行脚苦参,亦唯往来于山东、山西一带,其后名动公卿,望重朝野,仍局于北方,未曾南行参学,晚年遭贬以后,方流于岭南而退居匡庐。憨师生平所学,皆从教下而自入于禅,与禅宗传统之宗门无涉,观其年谱或所撰文献中,与南方宗门名宿,极少往还,而明末禅宗传统记载中,亦不以憨师涉入,故憨师终生行履,与紫柏禅师,亦略异其趣。后学常举憨师而拟论禅宗,辄生误解,于此不得不加辨别,然于憨山大师之证悟高风,毫无贬抑,此又不能不知也。

六曰:出世与入世。小乘佛法行径,以遁迹山林,专志涅槃,不循世道为尚。大乘以出世而入世,入世而出世为自利利他之业。若以行谊而论,中国历代高行沙门中,颇多榜样,如玄奘法师辞唐太宗畀以宰辅之邀,坚不还俗,诚为盛名高位沙门之第一楷模。然以出世之身,阴辅太宗治世之德,其功非浅。南宋大慧宗杲禅师,以出世之身,激扬士林忠君爱国之忱,不遗馀力,终遭秦桧之忌而受贬,堪为高蹈缁流之典范。明末憨山大师因牵涉立储而遭遇忌贬,而终不失于律仪,砥励道业于造次颠沛之中,较之先贤,并无逊色。至若南朝陆法和,统帅江南,介于亦僧亦俗之间。元代刘秉忠,屈志功名,保存国家民族命脉。明代姚广孝,甘遭世谤而羽翼成祖,化其滥杀狂心。此皆苦节存心,盖棺而不求世谅之金刚道慧,迥非凡夫俗眼可测其造诣之高深也。今并举之以供读《憨师年谱》者之助识,冀于文字言语之俗谛外,别得深心省悟之旨也。

〔一九六七年清夏,台北〕

《禅与道概论》前言

去秋今春,两度应刘白如先生之约,在政大教育研究所讲述道佛两家学术思想与中国文化。初拟以最短时间,有限范围毕其事。孰知言难局约,枨触多端,繁芜散漫不得中止。两次讲辞之半,又经《大华晚报》披露,致使爱憎之者,函电催梓全文,欲了知其究竟。秋初白如先生远游前夕,犹以速印为辞。且杨管北先生亦愿印赠送本三千册,乐为之助。乃冒溽暑深宵,匆匆整理讲稿付梓,纰漏错谬,情多惶恐。居常有意贯串儒释道三家源流,叙述其与中国文化上下数千年之通论,然默计时间与篇章,若非尽多年之力,穷数百万言之辞,难概其要。自忖学养未逮,动遭悔咎。况人事丛脞,日不暇给,每又为之辍止。傥天假以年,或于晚岁成之,亦未可必也。本书所述,仅举其端倪,就正大雅而已。且在酷热清稿期中,适逢内外诸多障难,幸而有成,实得力于林登飞、汤宜庄、徐芹庭、孙毓芹、宋今人、汤珊先诸君之力,并此致谢,以志念也。

〔一九六八年中秋,台北〕

附:

宋明理学与禅宗*

本题是一个极其广泛的问题,如果要穷源溯本,牵涉之广,几乎上及周、秦,下至现代,可以概括中国文化全部的发展史与演变史。现在为了讲解的方便,姑且借用目前流行的西历纪元,作为代表时代性的计算方法,大约可分为七个阶段,极其简要地说明其要点。又再概括它的内容来讲,则可归纳为两大重心:一、从历史分判中国文化思想的大势。二、简介理学与禅宗的关系。

提到历史文化的演变与发展,我们可以再用一个新的观念来说,在人类历史文化的发展过程中,有两个非常尖锐对比的事实,它始终存在于历史的现实之中。

(一) 为人尽皆知的历史上治权的事实,包括古今中外历代帝王的治权,这是一般人所谓的大业。

(二) 为学术思想的威权,它虽然不像历史上帝王治权那样有赫赫事功的宝座,但是它却在无形之中领导了古今中外历史的趋向,而非帝王将相之所能为。过去中国的文化界,尊称孔子为“素王”,也便是内涵有这个观念。这是千秋大业,也许当人有生之年,却是长久的寂寞凄凉,甚之是非常悲惨的,可是它在无形之中,却左右领导了历史的一切,而且它有永久的威权和长存的价值。

前者在庄子与孟子的共同观念中,应该称之谓“人爵”;后者称之谓“天爵”。而且我们借用孟子的“五百年必有王者兴,其间必有名世者”的两句话来讲,在人类历史文化发展史上,的确若合符节,

---

* 本文系一九七二年二月六日上午,南教授应孔孟学会邀请专题演讲之讲词记录。

并非虚语。因此,我们在前面说过,姑且借用西历纪元作标准,以五百年作一阶段,简要地说明本题的内涵。

一、从历史分判中国文化思想的大势

(一)周代文化——文武周公阶段

本题为了针对儒家学术思想的趋势来说,因此断自周代文化开始,换言之:第一个五百年间,便要从周公的学术思想开始(约当公元前一一一五——一〇七九年间)。因为孔子的学术思想,是“祖述尧舜,宪章文武”,而且也自认为随时在梦见周公,推崇“郁郁乎文哉”的周代文化,是集中国上古以来文化的大成。

(二)孔孟思想的阶段

第二个五百年,约始自公元前五七一——五四五年间,才是孔、孟思想兴起的阶段。孔子生于周灵王二十一年(公元前五五一年)。孟子生于周烈王四年(公元前三七二年)。由此而经六国到秦、汉时期(公元前二五五——二〇二)。孔、孟与儒家的学术思想,虽然崛立于鲁卫之间,但当此时期诸子百家的学术思想普遍流行,道、墨、名、法、纵横、阴阳等家,弥漫朝野,它被诸侯之间所接受和欢迎,还胜于孔、孟思想。即如汉初统一天下,从文景开始,也是重用道家的黄、老思想。一直到公元前一四〇年间,由汉武帝开始重视儒术,再经公孙弘、董仲舒等的影响,因此而“罢黜百家,一尊于儒”。孔子的学术思想,和董仲舒等所代表的儒家思想,才从此而正式建立它的学术地位。这也正是司马迁所说:“自周公卒,五百岁而有孔子。孔子卒后至于今五百岁,有能绍明世,正易传,继春秋,本诗、书、礼、乐之际,意在斯乎! 意在斯乎! 小子何敢让焉。"的阶段。但在西汉这一阶段的儒家学术思想,着重在记诵辞章与训诂之学,并无性命的微言与道统问题的存在。而且当时的代表大儒董仲舒,他是集阴阳、道家思想的儒学,也可以说是外示儒术、内启阴阳谶纬之学先声的儒学。至于公孙弘等见之于从政的儒行,几近"乡愿",远非孔、孟的精神,司马迁在《史记》上列述公孙弘的史事,备有微言,不及细述。

(三)儒、道、佛文化思想的交变阶段

到了第三个五百年,正当西历纪元开始,也正是新莽篡位到东汉的时期(王莽于公元九年正式篡位。而且扬雄所著《太玄》的术数之学,另启东汉阴阳术数的儒学思想之渐)。由此经汉末到三国之间,也正是儒家经学的注疏集成阶段,将近三百年来两汉的儒学,到此已近于尾声。代之而起的,便是中国文化史上有名的"三玄"——《易经》、《老子》、《庄子》之学的抬头。从此历魏、晋、南北朝而到梁武帝的阶段,便是佛教禅宗的初祖——达摩大师东来的时期(梁武帝自公元五〇三年建国,达摩大师的东来,约当公元五一三年间的事)。我们必须注意王莽的思想,也是承受儒家政治思想的一脉,以恢复井田制度的理想为目的。但他缺乏心性修养之学的造诣,与孔、孟的儒学思想无关。

在这第三个五百年间,自汉末三国之际,由于佛教传入之后,儒、佛、道三家的优劣,和宗教哲学的争论,以及有神(非宗教之神的观念)与无神之辩,一直延续到隋唐之际。有关这些文献的资料,我们都保留得很多,可惜注意它的人并不太多。因此可说这个时期,是儒、道、佛文化思想的交变阶段。

其次佛教的各宗,也在此阶段开始逐渐萌芽。例如与禅宗并

重的天台宗,也自梁天监十三年到唐贞观年间正式形成。负有盛名的天台宗智者大师,便在隋开皇十七年间才开张他的大业。

如果以儒家学术为主的立场来讲,这五百年间可以说是儒学的衰落时期。

(四)隋、唐文化与儒、道、佛及理学勃兴的阶段

第四个五百年,便是隋、唐文化到宋代理学兴起的阶段。中国佛教十宗与中国佛学体系的建立确定,便是由隋到初唐而至于天宝年间的事(约当公元六〇〇——七五六年间)。但这个阶段,却是中国文化最光荣的阶段,也可以说是唐代文化鼎盛的阶段,可是儒家的学术思想,除了词章记诵以外,并无太多义理的精微。其中最值得一提的:

(1) 便是文中子融会儒、道、佛的学术,影响领导初唐建国的思想颇大。

(2) 其次,便是孔颖达有关儒学注疏的撰解,以及天宝年间李鼎祚《易经集解》的完成,都对汉儒之学有其集成的功劳。

禅宗的兴盛:但自唐太宗"贞观"之后,从达摩大师传来一系的禅宗,南能(在南方的六祖慧能)和北秀(在北方的神秀)之后嗣,便大阐宗风,风靡有唐一代。我们如果强调一点说初唐的文化,便是禅的文化,也并不为过。但在此时期,道教正式建立,道家和道教的学术思想,自"贞观"以后,也同禅宗一样,同样地具有极大的影响力,因为佛教受到禅宗影响而普遍地宏开,于是引起中唐以后,中国文化史上有名的韩愈辟佛事件。

韩愈辟佛开启宋儒理学的先声:韩愈辟佛事件及其著作《原性》《原道》和《师说》的名文,是在唐宪宗"元和"间(约当公元八一九年)的事。我们说句平实的话,只要仔细研究韩愈的思想和当时文化与宗教的情形,与其说韩愈是在辟佛,毋宁说韩愈是在排僧,

或者可以说激烈地在排斥佛教的形式而已。至于韩愈在《原道》中所提出“博爱之谓仁”的思想,那是从他专门研究墨子思想的心得,融化入于儒家思想之中。一般人都忘了韩愈的学问,致力最深的是墨学,因为后世很多人忘记了这个重点,便人云亦云,积重难返了。其实,除了韩愈的辟佛,渐启后来宋儒理学的先声之外,真正开启宋儒理学思想的关键,应该是与韩愈有师友关系的李翱所著之《复性书》一文。

禅宗五家宗派的隆盛:由大历、大中(公元七七〇——八五三年)到元和、咸通、开成、天复(公元八三九——九〇一年)乃至五代周显德(公元八八四——九五六年)之间。禅宗的五家宗派,鼎峙崛起,各自建立门庭,互阐禅宗。如沩仰宗所建立〇(圆)相的旨趣,开启宋代“太极图”的先河。曹洞宗的五位君臣,取《易经》重离之卦的互叠作用,激发宋代邵康节的易学思想。临济宗的“三玄三要”之旨,对宋儒理学的“太极涵三”之旨趣,极有影响。

此外,云门宗和法眼宗的说法,也都与理学有息息相关之妙。

(五) 宋儒的理学阶段

第五个五百年,便是继晚唐五代以后宋代儒家理学的兴起。宋太祖的建国,正当公元九六〇年间的事。到了乾德五年(公元九六七年)便有中国文化史上有名的“五星聚奎”的记事。这个天文星象的变象,也就是后世一般人认为是感应宋初“文运当兴”的象征。因此认为宋初产生了理学的五大儒,就是“五星聚奎”的天象应运而生的。

到了宋仁宗景德年间(约当公元一〇〇〇年间),儒家的理学大行,已有要取禅宗而代之的趋势。但在此之先由宋真宗开始,道教也大为流行,一直影响了徽、钦北狩和高宗南渡的局面。在此同时可以注意的,便是公元一〇六八年间,宋神宗起用王安石,又想要恢复井田制度等的理想,因此宋代的党祸和理学门户之争,便也在此时期揭开了序幕,这是中国文化学术史上一件非常遗憾,也许可以说是一件很有趣的史事。

可是在当此之前五百年间,禅宗的王气将衰,到了这个五百年间,宋代五大儒的理学思想,崛然兴起而替代了禅宗五家宗派的盛势,虽曰人事,岂非天命哉!

(六)明代理学与王学的阶段

第六个五百年,就是由宋儒朱熹、陆象山开始,经历元、明而到王阳明理学的权威时期。朱熹生在建炎四年(公元一一三〇年),卒于庆元六年(公元一二〇〇年)。陆象山生于绍兴九年(公元一一三九年),卒于绍熙三年(公元一一九二年)。朱熹的"道问学"和"集义之所生"的宗旨,和陆象山的"尊德性"而直指心性,不重支离琐碎的探索,便是中国文化史上非常有名朱、陆思想异同之争的一重学案。到了明代宪宗成化、嘉靖之间(约当公元一四七二——一五二八年间),王阳明理学的思想大行,从此以后,中国文化思想的领域,大半都是陆、王的思想。

由此经明武宗而到万历,王学大行,末流所及,弊漏百出,终至有"圣人满街走,贤人多于狗"之讥。理学到此,已势成强弩之末,也与禅宗一样,都有等分齐衰之慨了。

(七)清代经学与理学的阶段

第七个五百年,就是清初诸大儒,如顾炎武、黄梨洲、顾习斋、李二曲等人,遭遇国亡家破之痛,鉴于明末诸儒"平时静坐谈心性,临危一死报君王"的迂疏空阔,大唱朴学务实,学以致用于事功的成就。一变明末理学的偏差,大有宋儒陈同甫、辛弃疾的风范。而且极力鼓吹民族正气的良知,延续中华民族的正气和中国文化的精神,因此影响直到清末而产生了国父孙先生的思想,如"建国方略"和"心理建设"等等,也可以说是承接顾炎武、黄梨洲之后而继孔、孟儒家思想,融会古今中外的文化学术而构成简明易晓的大成。

由清兵入关而到"甲申"建国的时期,也便是公元一六四四年间的事,从此自十九世纪的末期而到现在的二十世纪,我们的学术思想和历史文化,又遭遇一个古今中外未有的巨变阶段。理学的形式和禅宗的新姿态,似乎正在复活,它将与古今中外的洪流,有接流融会的趋势。衡之历史的先例,以及"易经"术数之学的证验,很快的将来,新的中国文化的精神,必将又要重现于世界了。孟子说:"五百年必有王者兴,其间必有名世者,由周而来,五百有馀岁矣。以其数,则过矣,以其时考之则可矣。"我们这一代的青少年们,真需要发心立志,记住张横渠的:"为天地立心,为生民立命,为往圣继绝学,为万世开太平"的名训,作为国家、为自己事业前途的准绳。

二、理学与禅宗的关系

我们已就历史的观念,分判中国文化思想的大势,有关禅宗与理学兴起的大概,便可由此而了然于心。至于理学与禅宗学术思想交互演变的详情,实非片言可尽,现在仅就其要点,稍作简介,提供研究者参考之一得,其间的是非得失,则各有观点的不同,"道并行而不悖",要亦无伤大雅也。

(一)理学名词的问题

宋儒的理学,原本只是远绍孔、孟、荀子以来儒家的学术思想,起初并无专以“理”字作为特定的名词。自周濂溪以下，讲学的方式，已经一变性与天命，夫子罕言的风格，动辄便以天人之际的“宇宙”观与形而上的“道体论”作根据，由此而建立一个人生哲学的新体系。濂溪以次，以“理气”、“理欲”等新的名词，用作心性之理的整体的发挥，因此后世便以宋儒的儒学，别称谓“性理学”，简称叫做“理学”。《宋史》对此，又别创体裁，特在《儒林传》之外，又另立《道学传》的一格，专门收罗纯粹的“理学家”，以有别于“儒林”。其实，无论周、秦以来的儒家，以及孔、孟的学术思想，并无特别提出以“理”驭“气”，或“理气”二元并论，同时亦无以“天理”与“人欲”等等规定严格界别的说法。至于根据《说卦传》的文言，以“穷理尽性以至于命”的“理”字作根据，确定“理学”家们“理”即“性”，“理”即“天”的定论，那是有问题的。况且《说卦传》是否为孔子所作的可靠性，也正为后世所怀疑，事非本题的要点，所以姑且略而不论。

在中国文化思想的领域里，正式以“理”字作为入道之门的，首先应从南朝梁武帝时期，禅宗初祖达摩大师所提出的“理入”与“行入”开始，从此而有隋、唐之间，佛学天台宗与华严宗的分科判教，特别提出修学佛法的四阶段，从“闻、思、修、慧”而证“教、理、行、果”以契合于“信、解、行、证”的要点，因此而有特别重视“穷理尽性”的趋向，由教理的“观行”而契证“中观”的极则(包括形而上的本体论与形而下的形器世间——即由宇宙论而到人生哲学)的涵义。确立为事法界(形器与人物之间)、理法界(理念与精神之际)、事理无碍法界、事事无碍法界的“四法界”观念。应为开启宋儒契理契机的强有力之影响。关于华严“四法界”之说，但读唐代澄观法师、圭峰法师、李长者等的巨著可知，恕不详及。

但华严宗的大师，如澄观、圭峰等，都是初游禅宗之门而有所得，从此宏扬教理，特别提倡华严思想体系的建立，融会禅理与华严教理的沟通。因此互相影响，到了中唐以后，如创立沩仰宗的沩山大师，提倡：“实际理地(对心性与宇宙贯通的形而上本体的特称),不受一尘。万行门中(指人生的行为心理与道德哲学),不舍一法”的名言,特别强调“理地”作为心性本际的标旨。从此“实际理地”的话头,便流传于禅宗与儒林之间极为普遍。

综合以上所讲自梁武帝时代,达摩大师提出“理入”法门开始,和天台、华严等宗对于“理”的观念之建立,以及沩山禅师提倡“实际理地”的名言之后,先后经过五百年间的互相激荡,因此而形成宋儒以“理”说性的种种思想,便成为顺理成章的事实了。其间学术思想的演变与发展,以及互受影响的种种详实,已可由此一斑,而得窥全豹了。

其次,在唐宪宗大历、大中迄开成、天复之间,沩山、仰山师徒所建立的禅门,以九十六〇圆相纲宗(包括圆相、暗机、义海、字海、意语、默论等六重意义)。洞山、曹山师徒以重离☲卦而立五位君臣的宗旨。因此演变发展而逐渐启发周濂溪的《太极图说》,与邵康节易理象数的哲学思想,都有极其密切的关系和迹象可寻。但因涉及文化思想史的考证范围,又非片言可尽。现在只能举其简略,以资参考而已。至于沩仰与曹洞师徒的〇圆相与重离思想的来源,则又自挹注《易经》与道家的观念而注释禅修的方法,那又别是一个问题,以后另行讨论可也。

(二)周濂溪游心禅道的资料

相传周茂叔曾经从学于润州(江苏镇江)鸿林寺僧寿涯,参禅于黄龙(山名)慧南禅师,及晦堂祖心禅师。又尝拜谒庐山归宗寺之佛印了元禅师,师事东林寺僧常聪。释感山所著《云卧纪谈》谓:“周子居庐山时,追慕往古白莲社(晋代净土宗初祖慧远法师所创立)故事,结青松社,以佛印为主。”常聪门人所著《纪闻》谓:“周子与张子得常聪‘性理论’及‘太极、无极’之传于东林寺”。又,周濂溪常自称“穷禅客”,这是见于游定夫的语录中的实话。至于他所作的诗,经常提到与佛有缘的事,并不如后代理学家们的小气,反而讳莫如深。例如《题大颠壁》云:“退之自谓如夫子,原道深排拂老非。不识太颠何似者?数书珍重寄寒衣。”(因韩愈在潮州时,曾三函大颠禅师。在袁州时,曾布施二衣)故茂叔诗中特别提出此事。《宿山房》云:“久厌尘劳乐静玄,俸微犹乏买山钱。徘徊真境不能去,且寄云房一榻眠。”如《经古寺》云:“是处尘埃皆可息,时清终未忍辞官”。至于周子的《通书》四十章,揭发“诚”与“敬”之为用,实与禅宗佛教诚笃敬信的主旨,语异而实同,不必说论。

(三)邵康节学术思想的渊源与曹洞宗旨的疑案

关于邵子的学术思想,如果说是出于道家,这是不易引起纷争的事。倘使有人认为他与禅宗有关,那么可能就会引起哗然訾议了。但由多年来潜心研究的邵子的易象数之学与《皇极经世》的观物内外二篇的思想,愈加确立此一信念。至少可说邵子对易学的哲学观念,实为远绍禅、道两家的思想启发而来。即如他所祖述的陈抟本人的思想,亦与禅宗具有密切的关系。此事言之话长,今但就最简要易晓的略一说明而已。

今据大家手边易找的资料,如全祖望在《宋元学案》的叙录说:“康节之学,别为一家。或谓《皇极经世》,只是京、焦末流。然康节之可以列圣门者,正不在此。亦犹温公之造九分者,不在潜虚也。”黄百家云:“周、程、张、邵五子并时而生,又皆知交相好……而康节独以图书象数之学显。考其初,先天卦图,传自陈抟;抟以授种放,放授穆修,修授李之才,之才以授先生。顾先生之教,虽受于之才,其学实本于自得……盖其心地虚明,所以能推见得天地万物之理。即其前知,亦非术数之比。”据此以推,陈抟为唐末五代间人,陈抟之先,先天八卦图,又得授受于何人?唐以前无人,亦如理学家在唐以前,并无此说是一样地截流横断而来,岂非大有可疑者在也?

如果推求于禅宗的五家之中,曹洞师徒,便已开其倪端。虽然对邵子的术数之学,略无牵涉,但陈抟与邵子的易象数之学,与唐代的一行禅师的术数之学,都有关联之处。根据易理象数而言宇宙人物生命之本元问题道(哲学)的思想,与曹洞宗旨,却极其“性相近也。习相远也。”其中理趣,大有可观,唯限于时间篇幅,仅略一提撕,提起研究者之注意而已。

曹洞宗据重离䷝卦的五位君臣说:五位乃洞山良价禅师所创,借易之卦爻而判修证之浅深(名为功勋之五位,为洞山之本意),示理事之交涉(名为君臣之五位,为曹山之发明)。洞山禅师以“—”代表正也、体也、君也、空也、真也、理也、黑也。“--”代表偏也、用也、臣也、色也、俗也、事也、白也。并取离卦回互卦变之而为五位。其叠之次第:1. 重离卦䷝。2. 中孚卦䷼,取重离卦中之二爻加于上下。3. 大过卦䷛,取中孚卦中之二爻加于上下。4. 巽卦☴,取单离,以其中爻回于下。5. 兑卦☱,取单离,以其中爻回于上。

洞山禅师又由爻之形而图黑白之五位:1. ☴巽卦◓君位。正中偏:正者体也、空也、理也。偏者用也、色也、事也。正中之偏者,正位之体处,具偏用事相之位也。是能具为体,所具为用,故以能具之体,定为君位。学者始认体具之用,理中之事,作有为修行之位,为功勋五位之第一位。配于大乘之阶位,则与地前三贤之位相当。2. ☱兑卦◒臣位。偏中正:是偏位之用,具正位之体之位。因之以能具之用,定为臣用,即君臣五位之臣位也。在修行上论之,则为正认事具之理,用中之体,达于诸法皆空真如平等之理之位,即大乘之见道也。3. ䷛大过卦⊙君视臣。正中来:有为之诸法如理随缘,如性缘起者,即君视臣之位。学者在此,如理修事,如性作行,是与法身菩萨由初地到七地之有功用修道相当者。4. ䷼中孚卦◉臣向君。偏中至:事用全契于体,归于无为者,即臣向君之位。学者于此终日修而离修念,终日用而不见功用,即由八地至十地之无功用修道位。5. ☲重离卦●君臣合。兼中到：是体用兼到，事理并行者。即君臣合体之位，为最上至极之佛果也。

以上就法而论，事理之回互，为君臣之五位。就修行上而判浅深，为功勋之五位。

上面仅就部分的研究资料而说，其他如洞山良价禅师因涉溪水照影而悟道的偈语说："切忌从他觅，迢迢与我疏。我今独自往，处处得逢渠。渠今正是我，我今不是渠。应须恁么会，方得契如如。"它与邵康节的："冬至子之半，天心无改移。一阳初动处，万物未生时。"以及邵子观物吟："耳☵目☲聪明男子身，洪钧赋与不为贫。因探月窟方知物，未蹑天根岂识人。乾☰遇巽☴时观月窟，地☷逢雷☳处见天根。天根月窟闲来往，三十六宫都是春。"其间的思想脉络互通之处，实在是颇饶寻味。至于《皇极经世》书中，假设"元会运世"的历史哲学之观念，与佛学"成住坏空"的"劫运"、"劫数"之说，更有明显的关连。总之，邵子之学，发明禅道两家的学术思想之处甚多，义属专题，一时也恕难详尽。

（四）张横渠排斥佛老与佛道之因缘

与周濂溪、邵康节同时而稍后的理学家，便有张载和二程——程颢、程颐。张横渠少有大志，喜谈兵。尝上书干谒范仲淹。仲淹对他说："儒者自有名教可乐，何事于兵？"授以《中庸》。乃立志求学。初求之佛、老，后恍然曰："吾道自足，何事旁求？"世传横渠之学，以"易"为宗旨，以"中庸"为目的，以礼为体，以孔、孟为极。但是横渠的任气尚义，在气质上，与孟子的风格，更为相近。

周濂溪的学说，在"太极"之上，加一"无极"。其用意，似乎为调和儒家的"太极"与道家的"无极"。有人说濂溪"太极"的涵义，犹如佛学的"依言真如"。"无极"的涵义，犹如佛学的"离言真如"。但他说"无极"而"太极"，则又似佛说"性空缘起"，以及老子的"有生于无”。

张横渠只说到“太极”,并不提“无极”。但他对于“太极”的解释,又不可说是“无”。而且他批评老子“有生于无”之说,以为错了,又是以“有”作根据的。自语相违,互自矛盾之处,甚多。这是周、张二人思想的根本不同之处。横渠说出“气”字,又提出性有“天地之性”与“气质之性”的不同。周濂溪对于佛教,很少有显著排斥性的批评。张横渠的著作中,排佛之言甚多。例如驳斥佛学“以山河大地为见病,以六合为尘芥,以人生为幻妄,以有为赘疣,以世为荫浊。”又说:“彼语寂灭者,往而不反;徇生执有者,物而不化。二者虽有间矣,以言乎失道,则均焉”等等,大体都是粗读《楞严经》的“世界观”、“人生观”而立论,并未深知《华严》、《涅槃》经等的理趣。但他在《西铭》中,开示学者,“民吾同胞,物吾与也”的观点。以及他平时告诫学者“为天地立心,为生民立命,为往圣继绝学,为万世开太平”等观念,则又似佛学的众生平等,因此兴起“同体之悲,无缘之慈”,以及视心佛众生为“正报”,山河大地为“依报”之说的启发交变而来。至于上述他的著名之“四句教”,简直与禅宗六祖慧能教人的“无边众生誓愿度,无尽烦恼誓愿断,无量法门誓愿学,无上佛道誓愿成。”完全相似。又如他在《正蒙》中所称的“大心”,便是直接套用佛学“大心菩萨”的名词和涵义,而加以儒家化的面貌而已。也可以说,他是因袭禅宗六祖的思想而来的异曲同工,也并不为过。关于张横渠所著的《正蒙》,以及他的“理气二元”的立论,则大半是挹取道家的思想,启发易理观念,这也是事实。这些都是从他“初求之佛、老”而得来的启迪,大可不必有所讳言。

(五)二程的思想与禅佛

二程——兄颢(明道先生)、弟颐(伊川先生)“少时,从学于周濂溪，既然有求道之志，后泛滥诸家，出入老、释几十年，返求诸六经而后得之云。”根据《宋史》记载这些有关的资料，宋儒的理学大家们，几乎都是先有求道之志，而且都是先求之于佛、老若干年或几十年后，再返求诸六经或孔、孟之说而得道的体用。我们都知道，六经与孔、孟之书，至今犹在。佛、道之书，也至今犹在。大家也都读过这些书，究竟是六经与孔、孟之书易读，抑或是佛、道之书难读，这是不须再多辩说的问题。同时佛、老之“道”，其“道”是什么？六经、孔孟之书，其“道”又是什么？这个问题，界限也极其分明。真不明白何以他们都愿意把这些问题，混作一谈，便说“‘道’在是矣”的含糊话，这未免使“理学”的声光，反而大为减色。至于二程之学，如较之周、张、邵子，则在气度见地上，早已逊有多筹了。

《宋史·道学传》说大程子“出入老释几十年”，其弟伊川也如此说他。但明道的辟佛与非禅之语有说：“山河大地之说与我无关，要简易明白易行。”这是他批评《楞严经》的话。如用现代眼光来看，简直是毫无科学头脑，非常颟顸。因此可以说他的“理学”思想，也只属于“心理道德”的修养学说，或者是“伦理”的养成思想而已。又如他批评《华严经》的“光明变相，只是圣人一心之光明。”未免太过笼统，不知此语已自落入禅家机锋转语的弊病，并非真知灼见。又如批评《涅槃经》要旨“一切众生皆有佛性”的话，他便说：“蠢动含灵，皆有佛性为非是。”更是缺乏哲学思辨主题的方法。馀如说：“道之不明，异端害之也。昔之害近而易知，今之害深而难见。昔之惑人也，乘其暗迷；今之惑人也，由其高明。与云穷神知化，而不足开物成务；其言无不同偏，实外于伦理，穷深极微而不入尧舜之道。”这些都是似是而非，隔靴搔痒的外行话。佛道与儒家的尧舜思想，本来就是两回事，不必混为一谈，多此一辟。而且佛学中再三赞扬治世的“转轮圣王的功德，等同如来”的福业，也并不专以出世为重而完全忽略入世的“伦理”思想。所谓“转轮圣王”，便有近似儒家所谓“先王之道”的情况。况且佛学大乘的菩提心戒,对于济人利物求世的思想,尤有胜于儒家的积极,他都忽略不知,也甚可惜。至于他批评禅的方法说:"唯觉之理,虽有敬以直内,然无义以方外,故流于枯槁或肆恣。"这倒切中南宋以后禅家提倡参究(参话头、参公案等)的方法,以及重视机锋、转语等便认为是禅宗的真谛之流弊,的确有其见地。但他对于真正的"禅"是什么?老实说,毕竟外行,有太多的观念尚待商榷。

程伊川与佛教的禅师们,也常相往来,宋人编的《禅林宝训》中,便有灵源禅师给程伊川的三封信,其中有:"闻公留心此道甚久","天下大宗匠历叩殆遍","则山僧与居士相见,其来久矣","纵使相见,岂通唱和","虽未接英姿,而心契同风"等语。伊川也曾见过灵源之师晦堂禅师,故灵源有信给他说:"顷闻老师言公见处,然老师与公相见时,已自伤慈,只欲当处和平,不肯深挑痛剧。"等语。而且还有别的资料,足可证明伊川与灵源禅师等的通问交往,虽老而未断,这等于朱熹要钻研道家的丹道之学,为了一个门户之见的骄慢心所障碍,不肯问道于白玉蟾,到老也没有一点入处,只好化名崆峒道士邹䜣,注述《参同契》一书以自慰了。《二程遗书》又说:"伊川少时多与禅客语,以观其学之浅深。后来则不观其面,更不询问。"但他尝说:"只是一个不动之心。释氏平生只学得这一个字。""学者之先务在固心志。其患纷乱时,宜坐禅入定。"这与以"静"为学的基础一样,同样地都以采用禅定(并非禅宗)为教学的方法。然而他的排佛言论却特别多,尝自言:"一生正敬,不曾看庄列佛书。"如果真的如此,则未免为门户的主观成见太深,自陷于"寡闻"的错误。因此他引用佛学,便有大错特错之处,例如说:"释氏有理障之说,此把理字看错了。天下惟有一个的理,若以理为障,不免以理与自己分为二。"他对于佛学"理障"(即所知障)的误会,外行如此,岂能服天下知识佛学者之心。并且又不知辨析的方法,不知比较研究的真实性,但在文字名词上与佛学硬争,更落在专凭意气之争的味道了。陆象山所谓:"智者之蔽,在于意见。"真可为伊川此等处下一注脚。

至于他教学者的方法说:“涵养须用敬,进学则在致知。”在“用敬”之前,又须先习“静坐”。他所讲的“静坐”、“用敬”、“致知”的三部工夫,正是由佛学“戒、定、慧”三学的启迪变化而来,但又并不承认自己受其影响,且多作外行语以排佛,反而显见其失。实例太多,不及枚举,暂时到此为止。其他如程明道先生的名著《定性书》文中说:“动亦定,静亦定,无将迎,无内外……既以内外为二本,则又乌可遽语定哉!”等观念,完全从他出入佛、老,取用《楞严经》中楞严大定的迥绝内外中间之理,而任运于“妙湛总持”的观念作基础,再加集庄子的“心斋”等思想而来。但对于理学家们的教学修养的价值,那真是不可轻易抹煞的伟著。

我们略一引述宋儒理学家的五大儒,与禅之关系的简要处以外,其馀诸儒中,有关这些资料者,多得不及缕述,只好到此暂停了。

(六)有关理学家们排佛的几个观念

根据以上所讲,好像在说宋儒的理学,都是因袭佛、道两家学术思想的变相,理学的本身,便无独特的价值似的。这是不可误解的事,须要在此特作声明。现在只因时间与篇幅的关系,仅就本题有关禅与理学的扼要之处,稍作简介而已。如果必须要下一断语,我们便可以说:“禅宗到南北宋时,已逐渐走向下坡,继起而王于中国学术思想界者,便是‘理学’。相反地,元、明以后一般的禅宗,或多或少已经渗有‘理学’的成分了。”换言之,“理学”就是宋代新兴的“儒家之禅学”。元、明以后的禅宗,也已等同是“禅宗之理学”了。佛学不来中国,隋、唐之间佛教的禅宗如不兴起,那么,儒家思想与孔、孟的“微言大义”可能永远停留在经疏注解之间,便不会有如宋、明以来儒家哲学体系的建立和发扬光大的局面。幸好因禅注儒,才能促成宋儒理学的光彩。

如果再要追溯它的远因,问题更不简单。自汉末佛教传入中国以来,引起学术思想界儒、佛、道三家的同异之争,一直历魏、晋、南北朝而到隋、唐,争论始终不已。由汉末牟融著《理惑论》,调和三教异同之说开始,直到唐代高僧道宣法师汇集的《广弘明集》为止,其中所有的文献资料,随处可见在中国的学术思想界中,始终存在着这股洪流。初唐开国以后,同尊三教,各自互擅胜场,已经渐入融会互注的情况。宋儒"理学"的兴起,本可结束这个将近千年来的争议,但毕竟在知识见解的争论上,更有甚于世俗的固执。理学家们仍然存有许多不必要的意见与误解,因此而使禅与理学,都不能爆放更大的慧光,这是非常遗憾的事。

但在禅宗方面,却一直对儒家思想和理学,并无攻毁之处,甚之,还保持相当的尊重。因为无论学禅学佛的人,只要是读过书的人,都曾受过孔、孟思想教育熏陶,不会忘本而不认账。即使毫未受过教育的学佛者,凡是中国人,对于圣人孔、孟思想的尊敬,也都牢入人心。并且已将儒家和孔、孟的思想,变成个人生活与中国社会形态的中心,极少轻蔑的意识。

理学家们排佛的要点,除了对于"宇宙观"和形而上"本体论"的争辩以外,攻击最力的,便是出世(出家)和入世(用世)的问题。有关"宇宙观"和形而上"本体论"的哲学思辨,理学家们的观点,虽然属出入佛、老而契入《易经》与孔、孟的学术思想范围,毕竟还不如禅佛的高深。此事说来话长,而且也太过专门,暂时不谈。至于有关入世和出世的问题,的确有值得商榷之处。不过他们忘记了在唐、宋以来的中国社会,虽有大同仁义的思想,但并未像现代有社会福利的制度,因此贫富苦乐悬殊,以及鳏、寡、孤、独、残疾、疲癃、幼无所养、老无所归的现象,也是一件非常严重的社会问题。幸好有了佛、道两教出家人可以常住寺观等的制度存在,无形之中,已为过去历代帝王治权和社会上,消弭一部分的祸乱,解决了许多不必要的惨痛事故,未尝不是一件极大的功德。因此而批评离世出家,就等同墨子"无父无君"的思想,那也是一般不深入的看法。这是理学家们,大多都未深入研究大乘佛学的精神和大乘戒律思想的误解。况且墨子思想的"尚同""兼爱""尚贤",也并非真如他们所说的完全是"无父无君"的惨酷。不过这又要涉及儒、墨思想的争端问题,在此不多作牵连了。

此外,宋、明以来理学家们讲学的"书院"规约之精神,是受禅宗"丛林制度"以及《百丈清规》的影响而来。理学家们讲学的"语录"、"学案",完全是套用禅宗的"语录"、"公案"的形式与名称。不过这些都是属于理学与禅宗有关的小事,顺便一提,聊供参考而已,并不关系大节。

总之,本题是有关中国学术思想史的演变与发展的大问题,实非匆促可以讨论的事。当时因为黄得时、钱鞮男两位先生的命题,我只好提出一些有关的简略报告,等于是作一次应考的缴卷,并未能够详尽其词,敬请见谅。

〔一九七二年,台北〕

《禅话》序

——兼答叔、珍两位质疑的信

清人舒位诗谓:“秀才文选半饥驱”,龚定盦的诗也说:“著书都为稻粱谋”,其然乎!其不然乎?二十多年来,随时随地,都需要为驱饥而作稻粱的打算,但从来不厚此薄彼,动用头脑来安抚肚子。虽然中年以来,曾有几次从无想天中离位,写作过几本书,也都是被朋友们逼出来的,并非自认为确有精到的作品。

况且平生自认为不可救药的缺点有二:粗鄙不文。无论新旧文学,都缺乏素养,不够水准,此所以不敢写作者一。秉性奇懒,但愿“饱食终日,无所用心”,视为人生最大享受。一旦从事写作,势必劳神费力,不胜惶恐之至,此其不敢写作者二。

无奈始终为饥饿所驱策,因此只好信口雌黄,滥充讲学以糊口。为了讲说,难免必须动笔写些稿子,因此而受一般青年同好者所喜,自己翻觉脸红。此岂真如破山明所谓:“山迥迥,水潺潺,片片白云催犊返。风潇潇,雨洒洒,飘飘黄叶止儿啼。”如斯而已矣乎!

但能了解此意,则对我写作、讲说,每每中途而废之疑,即可谅之于心。其馀诸点,暂且拈出一些古人的诗,借作“话题”一参,当可会之于心,哑然失笑了!

关于第一问者:

“中路因循我所长,由来才命两相妨。劝君莫更添蛇足,一盏醇醪不得尝。”

（杜牧）

“促柱危弦太觉孤，琴边倦眼眄平芜。香兰自判前因误，生不当门也要锄。”

（龚自珍）

关于第二问者：

“饱食终何用，难全不朽名。秦灰招鼠盗，鲁壁窜鲰生。刀笔偏无害，神仙岂易成。

无留残阙处，付与竖儒争。”（吴梅村）

关于第三问者：

“一钵千家饭，孤身万里游。青目睹人少，问路白云头。”（布袋和尚）

“勘破浮生一也无，单身只影走江湖。鸢飞鱼跃藏真趣，绿水青山是道图。大梦场中谁觉我，千峰顶上视迷徒。终朝睡在鸿濛窍，一任时人牛马呼。”（刘悟元）

〔一九七三年，台北〕

《庞居士语录》与庞公的禅(代序)

禅宗自中唐以后,阐扬宗风最为有力的,全靠南宗的马祖道一和尚。但马祖与石头希迁和尚又相互呼应,在教授后进方面常常对唱双簧,作育有志继起之士。例如马祖告诫他的弟子邓隐峰说:"石头路滑"!便是传诵千古有名的"禅机"风趣。因为马祖教授禅道的手法高明,当时他的门下造就出七十二员南宗禅的大匠,名震朝野。前人有比之如孔子的门人数字,所谓"弟子三千,贤人七十"。但其中大部分都是出家的和尚,只有一位庞蕴居士,始终以在家俗人的身份,参列在中唐时期禅林的名匠之间,颇为当时及后世所乐道、所崇拜。

关于庞居士的传记以及他的悟道因缘与各种事迹,散见各书者虽然大同小异,但皆语焉不详,禅宗汇书如《祖堂集》、《传灯录》、《人天眼目》、《五灯会元》、《指月录》等。他书如《唐诗纪事》中的摘要,仍未出于禅门传闻以外。《庞居士语录》所刊无名子《序》一篇,作者之年代姓名皆谦退不具,更无法稽考,且其所叙庞居士的家世等,尤其难辨真实与否。但据我所闻于耆年老宿的口述,亦如此说。无名子之《序》,宋元之间亦早流传,似又不须怀疑。

现在除了考据问题以外,综合各书传叙的庞居士传略,仍然以《指月录》较为可用。因《指月录》在禅宗的汇书中,是最后刊出的著作,作者博洽,大体已经综合各书的意见集成为一介绍,对于庞居士悟道因缘与事迹,亦较有次序,且与《语录》所载亦甚相合,读之颇为方便合理。

传奇的身世

襄州居士庞蕴者,衡州衡阳县人也。字道玄。世本儒业,少悟尘劳,志求真谛。唐贞元初(唐德宗年号,约当公元七八五年间)谒石头。乃问:“不与万法为侣者,是什么人?”头以手掩其口。豁然有省。

后与丹霞为友。一日,石头问曰:“见老僧以来,日用事作么生(怎么样)?”士曰:“若问日用事,即无开口处。”乃呈偈曰:“日用事无别,惟吾自偶谐。头头非取舍,处处没张乖。朱紫谁为号,邱山绝点埃。神通并妙用,运水及搬柴。”头然之。曰:“子以缁耶(出家为僧服)?素耶(在家为白衣)?”士曰:“愿从所慕。”遂不剃染。

后参马祖。问曰:“不与万法为侣者,是什么人?”祖曰:“待汝一口吸尽西江水,即向汝道。”士于言下顿领玄旨(《指月录》)。

依据各书所载,庞居士先见石头或先见马祖,略有出入。但从《语录》记载,以及他承嗣法统于马祖的事实来看,似乎以先见石头,后见马祖较为合理。

至于他的身世,如《指月录》所述,以及无名子的序言,都说他先世是襄阳(湖北)人,无名子《序》:

“父任衡阳(湖南)太守,寓居城南。建庵修行于宅西,数年全家得道,今悟空庵是也。后舍庵下旧宅为寺,今能仁(寺)是也。”

依据各书所载,庞居士悟道以后,自把所有的资财都沉没在湘水中,此事历代禅门传为佳话。这是各书公认而无异议的记载。那么,庞居士的确出身世家,而且拥有相当的遗产,所以他才有沉珍溺宝,弃之犹如敝屣的豪举,也是不成问题的事实。问题只在于他为什么要那样做?这也是禅门的宗风吗?后文再来讨论。

一口吞江与不作万法之侣

中唐以后南宗的禅,再经马祖的阐扬,盛行于江(西)、湖(南)之间,这是众所熟知的事。庞居士也如一般读书人——知识分子一样,接受时代风尚的影响参禅学佛,并非如东汉以前一样颇为稀奇,也不如现代一样视为落伍。他是当时的读书人——知识分子,也是非常有慧根的人。由他见石头和尚与马祖和尚的问话看来,在未见他们之前,对于佛法的要义已有相当的"知见"和理解。所以一开口便问:"不与万法为侣者是什么人?"

"法"字在佛学中的理趣,代表了一切事、一切理。也可说它代表了一切心、一切物。"万法",当然包括了在世俗间的一切事物,同时也包括了出世间的一切佛法。庞居士一开口便能问:"不与万法作伴侣的,你说是什么人?"可见他对于自己"知见"学理的见解实在颇为自负。

照一般的观念,一个人能做到不与万法为侣当然是一超人。等于说:弗(不)是人,便成佛了。妙就妙在石头和尚的教授法。他对于庞蕴的问题绝口不提,只把一只手掩住他开口问话的嘴巴,使他当时气索面红,半个念头也转不出来。由他反躬自照,的的确确认得自己"不与万法为侣"的是什么,所以才能使他当下休去、悟去。这种宗门的教授法,后世绝少人能作得到,必须要千手千眼,眼明手快,拿得准,认得稳,才可下手接引。如果庞居士事先没有"知见"成就,又没有石头一样的明师手法,岂非一场笑话,不引起两人对打一架才怪呢!

从此以后,他就真的大彻大悟了吗?慢慢来!还有问题的。虽然他能说出:"神通并妙用,运水及搬柴",未必不是口头禅。因为读书人——知识分子学道参禅,在"知解"方面到底占了便宜。但在实证的工夫上,也正因为有太多的"知解",吃了聪明反被聪明误的亏。好在他有一个同有头巾习气的出家朋友,那便是马祖为他取名外号为“天然”和尚的丹霞。他本来要进京去考功名而考进了“心空及第归”的禅门中来。他俩互相切磋,就此牵牵扯扯来看马祖和尚。本来马祖和石头是一鼻孔出气的同门道友,他两个人的弟子也时常交换教导,二人门下向来就有“寄学生”的惯例。庞居士因丹霞的关系来向马祖参学,是很自然的事。

怪就怪在他来问马祖的话,仍然还是那个老问题:“不与万法为侣者是什么人?”切须留意,只此一句话,它所包涵的内义之广泛,程度之深浅,大有不同。庞居士在石头处有个入门的“悟解”,若说彻头彻尾、透过向上一路,还有问题存在。只要看他悟后来见马祖时还是问此一语,便可见他心里多少时来,还在运水搬柴,还在嘀嘀咕咕。好在马祖气势惊人,他一开口便向庞居士说:“待汝一口吸尽西江水,即向汝道。”这一下,比起石头的掩住嘴巴,倒抽一口冷气更厉害。这是有道理也毫无道理的话。所以使得庞居士就此宽心大放,了解无疑了。

关于这重公案,古人拈提出来颂解的很多,禅要真参实证,本来不须再画蛇添足。不过像我这个拙棒,仍然不死心,再重提一下对于此事的一首绝句,以供一笑,也可以说是口头禅的外语吧!

“庞蕴当年见石头,一经掩口便宜休。何须吞尽西江水?亘古江河自不流。”

除了真参实证之外。如要只谈禅学,就不妨参考一下《肇论》的:“旋岚偃岳而常静,江河竞注而不流”便可了然。不过理解得就完了。此所以谈“知解”论“禅学”者止于如斯而已矣。

石头和尚对庞居士的掩口葫芦,马祖的“一口吸尽西江水”,到了近代以来,花样翻新,又有人加以特解。过去在参学诸方的时期,碰到有些修学道家、密宗的人说,石头掩住庞居士的嘴巴,马祖教他“一口吸尽西江水”都是要他气功到堂,做到了“宝瓶气”,乃至“气住息停”才能悟道。这种见解可能照旧还会流传,如果古来禅宗大德们听了,一定哈哈大笑。天哪!天哪!

珍宝沉江竹器上市

少悟尘劳,志求真谛,这是庞居士参禅学佛的本怀。但他自有所入门,有所证悟以后,石头和尚问他要出家?要在家?他便说"愿从所慕"。因此就没有披剃头发,染就缁衣。仍然儒冠儒服,做一个佛门的居士。在马祖门下,他可说是一个特殊的典型。那么,他志愿所慕的风格又是谁呢?是佛门中的大乘菩萨吗?菩萨果然不论出家或在家,但庞居士的行径作风又不太像。因为他的行迹,耽空住寂,偏向于小乘的风规。只以形式而论,他也许很倾慕南朝时代的傅(翕)大士。傅大士悟道以后并未出家,有时身披僧衣,头戴道冠,足穿儒履,用以表示非僧、非儒、非道,也可以说是儒、释、道集于一身的表相。但傅大士终身宏扬佛法,竭力布施,甚至卖掉妻子以为施舍。庞居士呢,在这方面完全不像学他的榜样。如记载:

居士悟后,以舟尽载珍橐数万,沉之湘流,举室修行,有女名灵照,常鬻竹漉篱以供朝夕。有偈曰:"有男不婚,有女不嫁,大家团栾头,共说无生话。"

栖心佛道之士,敝屣功名富贵,情愿过着乞食的生涯,度此朝夕,那是佛门的"比丘"风格,戒行,无可轻议。即如以世法人道称圣的孔子,也同样说:"饭蔬食、饮水、曲肱而枕之,乐在其中矣。不义而富且贵,于我如浮云。"又说:"富贵而可求也,虽执鞭之士吾亦为之。如不可求,从吾所好。"这与佛家、道家的精神,基本上并无二致。但佛门最重布施,大乘佛法尤其必须以施舍为先。庞居士薄资财、重佛法,一点也不错。可是为什么悟道以后,不以所有的资财广行布施,偏要把它沉之江底?实在费人疑猜。已往参学诸方时,曾经听过一位禅门的老和尚讲解过此事。他说:"庞居士悟道以后，决心要把全部珍宝资财沉之江底，当时他的夫人便说：不如用来大作布施。庞居士却说：布施也非究竟，世间人有了钱财反而容易作恶造罪。而且贫富永远不能均衡，易启争心，不如沉之江底为了当。"我不知道他这段传述，依据什么而断定庞居士当时有此意见。问他的根据，也是从前辈老宿传述而知，无法寻根究柢。唐人诗云："帆力劈开千级浪，马蹄踏碎万山青。浮名浮利浓于酒，醉得人间死不醒。"庞居士把资财沉到江底，恐怕要引来好多人劈开千级波浪，沉江寻宝而送掉性命，那又何苦来哉！"博施济众，尧舜犹病。"善门虽然难开，何尝没有方便的办法？此所以有些人认为唐、宋以来禅宗大师们的造诣，充其量只是佛法小乘的极果，它与大乘佛法始终还有一段距离。其然乎？其不然乎？大有讲究之处。

无论如何论辩，庞居士当时沉资财、弃富贵的一场举动，的确给予人们惊奇、慨叹、敬仰的一棒。所以宗门一直传为佳话，不再深究他这种行履究竟是何用心。尤其是他可以坐享富贵，虽然学佛参禅悟道以后，仍可以依仗他的资财，大摇大摆地当一位佛家的大居士、大护法。逢庙过寺，随便高兴或多或少到处捐出些香火钱，就可被人们侧目而视，视如天人般巴结了，岂不一乐！然而他不此之图，偏要与一家人过着最穷苦、辛勤的起码日子。每天要作手工，编编竹漉篱，带着女儿上街去兜售，卖出了由劳力换来的工钱，购取维持生活的柴、米、油、盐。这又是为了什么呢？这是人的本分，也是后来百丈禅师"一日不作，一日不食"的禅门家风。他告诉人们不要取巧偷生，做那些不劳而获、无补时艰、无利于人的事。至少，人要了解人生，自己用手或用脑解决人生基本的生活，然后可求精神生命的平静、安详而升华。"仰不愧于天，俯不怍于人。"此一乐也。不过庞居士个人能做到如此固然难能可贵，更值得钦羡的是庞居士夫人和他的女儿。这种全家洁身自好的美德精神，实在值得世人效法、崇敬。"刑于寡妻，至于兄弟。"我于庞公应无间然。如果从大乘佛法乃至华严境界来讲,那又须另当别论了。然耶？否耶？

游戏生死及其家人

庞居士举家参禅学佛,男女老幼个个都有成就,尤其对于生死之间,潇洒如同儿戏。这是马祖会下禅门特出的一章,迥然不同于其他出家禅师们的作法。如记载:

"居士将入灭,为灵照曰:视日早晚,及午以报。照遽报:日已中矣,而有蚀也。士出户观次,灵照即登父座,合掌坐亡。士笑曰:我女锋捷矣。于是更延七日,州牧于公頔问疾次,士谓之曰:但愿空诸所有,慎勿实诸所无。好去。世间皆如影响。言讫,枕于公膝而化。遗命弃江湖。"

另如《庞居士语录》所载无名子序言,又稍有异同。而其情景更切实际,如在目前。如云:

"经七日,于公往问安。居士以手藉公之膝,流盼良久曰:但愿空诸所有,慎勿实诸所无。好住。世间皆如影响。言讫,异香满室,端躬若思。公亟追乎,已长往矣。遗命焚弃江湖。旋遣使人报诸妻子,妻子闻之曰:这痴愚女与无知老汉,不报而去,是可忍也。因往告子,见劚畬,曰:庞公与灵照去也。子释锄应之曰:嗄!良久,亦立而亡去。母曰:愚子,痴一何甚也,亦以焚化。众皆奇之。未几,其妻乃遍诣诸乡闾,告别归隐,自后沉迹敻然,莫有知其所归者。"

关于庞居士一家人的悟道、成就,根据《语录》等所载,"高山仰止"自然都无疑问,唯各家记载,都只及其妻女,并无儿子之说。但从庞公自己的偈语说:"男大不婚,女大不嫁。"显见其有儿有女。而且无名子的序言决不晚于《祖堂集》《传灯录》之后,所述较为可靠。过去社会以方外僧道、闺门女子、行径特殊者较易出名,故其女灵照的事迹,尤为禅门所衬托而乐道。其子则名也不传,这与庞公语录序言作者的无名子,同为高士,亦无须再论。庞夫人后来归隐不知所终,我常疑为与后来的丰干、拾得、寒山等三大士往来中有一老婆子,可能即是庞公夫人。岂其留形住世亦如迦叶或宾头卢尊者之流亚欤?

庞居士的话与诗

唐、宋以后的宗门,历来推崇庞居士悟缘的奇特之外,便是他与夫人及其女公子灵照的对话。如云:

"居士一日庵中独坐,蓦地云:难!难!十石油麻树上摊。庞婆接声云:易!易!百草头上祖师意。灵照云:也不难,也不易,饥来吃饭困来睡。"

其实,这则对话中的难易之说,固然隽永有味,但只是说明人根各有利钝,悟道并无先后。如果对这一则话也当"话头"来参,那真是埋没禅宗了。

据传记、语录等资料所载,庞居士自悟道以后,终其一生,但与烟霞为伴,神客为侣,既不如有些禅师们各居一方,宏扬教化;亦不是高蹈远引,不知所终。如依旧式史学家们的观点,应该属于隐逸或高士传中的人物。正因为他是高士,而且是佛门中的高士,所以他生平所作的诗偈,就被大家所乐于称道、传诵。他的诗、偈,语语出于平淡、浅显,但包涵了高深的佛理,指点世俗的迷津。它不是纯文学境界的诗,它是将高深的佛学道理融化在平常口语中的白话文学。在他以前,志公大师与傅大士有过这样的创作。在他以后,便是寒山子与拾得的作品了。《全唐诗》的编辑,采录了他几首近于纯文学境界的诗。《唐诗记事》又特别选出他的:"未识龙宫莫说珠,从来言说与君殊。空拳只是婴儿信,岂得将来诳老夫。"例如这首绝句,看来很平实有味,但他的内涵却是引用佛经中龙女献珠,八岁成佛的故事。空拳诳儿,黄叶止啼,也都是佛经的典故。如不曾涉猎过佛经、佛学,只从纯文学的诗之角度来看,自然就会被摒弃于诗的文学之门外了。庞公的诗、偈是如此,寒山子的诗、偈又何尝不如此?只因目前大家把寒山子的诗加上一顶白话诗、平民文学的冠冕,所以便又蜚声一时。不知此次庞公语录与诗、偈的重出,能否也有这样的运气?唯恐正如庞公所说:“难!难!十石油麻树上摊。”如是而已。

庞居士与于刺史

历来一般谈禅的人,无论是僧是俗,纷纷猜测“一口吞尽西江水”的内义以外,最乐于称道、崇敬的事,便是庞居士的“但愿空诸所有,慎勿实诸所无”的话了。诚然,这两句简捷的名言,的确足以包括了佛说一部《金刚经》的要点,也足以作为后世学佛参禅者的圭臬。但推开佛法禅宗,再来研究一下庞居士当时说此话的对象,便可又进一层而知庞居士与本书编集人——于頔刺史的关系了。

根据《旧唐书》、《新唐书》的记载,于頔是世家公子出身,是晚唐开始时期的一个权臣,也是一个很跋扈骄横的藩镇。大凡世家公子出身的,总很容易流于骄横霸道,修养的欠缺太多。但是于頔可也有他的一面,做了许多有益于国计民生的事,很合于佛家宗旨所谓的善行功德。因此他的功过,颇难定评。

庞居士与于頔的关系究竟是世谊或新交?无法考据而知。但以臆测,很可能在于頔出镇湖南或襄阳这个阶段有亲切的来往。正因为庞居士看透了于頔的为人与心地,所以在他临终的时候,拉着他手,流盼地盯着他看了很久,然后现身说法,告诉他,人总归要死的。以尸谏的精神来规劝他,以尽朋友之道,提醒他佛法的要义,所以他教于頔以“但愿空诸所有,慎勿实诸所无。”世事一切都如梦幻空花,希望他不要做绝了,更希望他不要存有“琼楼最上层”

的奢望。否则一定没有好下场,一定会倒下来,像他一样奄然而去,倒在于頔的腿上。这便是神通,这便是智慧。虽然他没有像佛图澄阻止石勒的为恶,少做许多杀人放火的事,但他能使唐朝少去一个藩镇之祸,减少中原许多残酷的杀业,乃至对于頔的心理影响,使他晚年也能保其首领以终,都是莫大的功德。如果我们换一个立场,把他临终时所说的话,对照孔子的:"不义而富且贵,于我如浮云。"就可看出是另有一番注解了。这是警世钟声,这是热中病的良药。禅的境界与修养,岂可随便而测?

于頔的善缘

"于頔,字允元,河南人也。周太师燕文公谨之后也。始以荫补千牛,调授华阴尉。黜陟使刘湾辟为判官,又以栎阳主簿,摄监察御史,充入蕃使判官。再迁司门员外郎,兼侍御史、赐紫。历长安县令,驾部郎中,出为湖州刺史。

"因行县至长城方山,其下有水曰西湖,南朝疏凿,溉田三千顷,久堙废。頔命设堤塘以复之,岁获杭稻蒲鱼之利,人赖以济。州境陆地褊狭,其送终者往往不掩其棺櫘。葬朽骨凡十馀所。改苏州刺史,浚沟渎,整街衢,至今赖之。吴俗事鬼,頔疾其淫祀废生业,神宇皆撤去,唯吴太伯、伍员等三数庙存焉。"

于頔的劣迹

"虽有政绩,然横暴已甚……追憾湖州旧尉封杖,以计强决之……由大理卿迁陕虢观察使,自以得志,益恣威虐官吏,日加科罚,一迹椽姚岘,不胜其虐,与其弟泛舟于河,遂自投而死。

"贞元十四年,为襄州刺史,充山南东道节度观察。地与蔡州邻,吴少诚之叛,頔率兵赴唐州,收吴房朗山县,又破贼于濯神沟。于是广军籍,募战士,器甲犀利,僴然专有汉南之地。小失意者,皆以军法从事。因请升襄州为大都督府,府比郓魏。时德宗方姑息方镇,闻頔事状,亦无可奈何,但充顺而已。頔奏请无不从。于是公然聚敛,恣意虐杀,专以凌上威下为务。

"判官薛正伦卒,未殡,頔以兵围其宅,令孽男逼娶其嫡女。

"累迁至左仆射,平章事,燕国公。俄而不奉诏旨,擅总兵据南阳,朝廷几为之旰食。及宪宗即位,威肃四方,頔稍戒惧,以第四子季友求尚主,宪宗以长女永昌公主降焉。

"穆宗时于頔死后论谥,右补阙高钺,太常博士王彦威交疏争议,极为反对,王彦威疏中论及,頔顷节旄,肆行暴虐,人神共愤,法令不容,擅兴全师,僭为正乐,侵辱中使,擅止制囚,杀戮不辜,诛求无度。"

据此可知他的专横跋扈比想象更甚。但终以太子太保致仕(退休)。至于他的文辞著作,并不多见,可能只知作威作福,如班固所谓:"不学无术"者。

《旧唐书》的评语有两个观念,第一个观念推论人品,并评及他养成人品的原因。如云:

"史臣曰:于燕公以儒家子,逢时扰攘,不持士范,非义非侠,健者不为,末涂沦踬,固其宜矣。"第二个观念,在赞词里综括为两句话,评他为:"于子清狂,轻犯彝章。"直截了当说他骄横地蔑视国法。不过,始终没有忘了他的好处。对于整个品格的评语,说他太过清狂而已。这清狂一词下得很中肯。他毕竟不如庞居士对他的期望"但愿空诸所有,慎勿实诸所无"。

〔一九七四年端阳,台北〕

荷兰文《初译禅宗马祖语录》记言译作的经过

一九七五年的冬天，我正要主持在高雄佛光山的一个禅七法会，政大教育系的名教授祁致贤先生打电话来，极力推荐他的女婿李文对佛学与禅宗都有高度的热情和兴趣，希望能够允许他参加禅七。祁教授的学养高风，素来受人敬重，有他的关照，李文参加禅七便很自然而顺利通过。不过，我所担心的，他是比利时人，对中文和中国话的素养，是否能够听得透澈了解？尤其是我的口音带有浓厚的乡土方言，只怕他听而不懂，结果却会辜负他一片向学的诚心，甚至误解了禅宗的教学法，那真要变成毫无趣味的笑头，比过去宗师们那些无义语的“话头”更无意义了。谁知报到的时候，他却带来一位忠实的翻译员——也便是他贤慧的妻子，这一对志同道合为沟通东西文化而努力的夫妇同参，倒使这次禅七法会别开生面。不过，他们的心得究竟如何？那应该说，只有“如人饮水，冷暖自知”了。

下山以后，他要回国完成硕士论文的交卷大事，因此他告诉我，决心将禅宗马祖道一禅师的语录译成荷兰文。这是东西文化交流的一件伟大工作，做起来相当困难。但是我知道他原来便是研究宗教哲学的高才生，而且学过印度瑜伽禅定，也对日本的禅学颇有研究，所以非常赞成。不过，他从这次参加禅七以后，对于禅宗与《马祖语录》许多关键，和过去所接受的观念有了怀疑，希望我扼要的为他再讲解一番。因此，又专门为他讲了一次《马祖语录》和南岳禅有关的一些问题。他当时认为“豁然有省”，好像禅宗所说的,“如有所悟”。而且认为过去介绍到西方的禅学,有重新检查的必要。

他回国以后,也就是一九七七年的冬月,我开始再度闭关专修。他来信说:“《马祖语录》已经翻译完成,而且有一出版商愿意发行这本书。”他的本国老师们也很赞成,但是有些细节他想和我讨论清楚。同时,还想到台湾来完成博士学位,希望能够长时间跟我进一步的探讨,后来知道我已经闭关了,怅然如有所失。

到了今年(一九七八)的二月,也正是我闭关圆满一年的春天,为了答应美国方面几位学人专诚来台进修,破例开讲“修证圆通”的课程三个月。因此,也通知了李文夫妇。据说,他当时知道了此事,惊喜交集,情不自禁地掉下了眼泪。生存在侧重现实的时代里,一个人为了求学术修养而有这样的情操,应该说他早已能够得到自证自肯了。这是他的美德,和我毫不相关。从他在比利时接到通知到筹备动身来台湾,先后经过,只匆匆的十天。而他的太太祁立曼,带着两个孩子,也由欧洲转道美国探亲后迅速转来参加听课,仍然充当他的义务翻译。

有关马祖和禅宗的四个问题

最近,他急需要赶回欧洲印出这本书。为了再加小心求证,他再提出几个重要问题,要我答复。

(一)目前,西方人认为禅宗是反对佛教原来的教理,而且也反对佛教原来的修持方法。甚之,他们认为各种宗教是彼此否认,彼此反对,是否正确。

关于这个问题我的答案是否定的。这个误解的关键,近因是近代的学人们,随便把中国的禅宗,比作是佛教革命,这个“革命”一词的观念所引起。无论是“革命”也好,“革新”也好,在一般意识思想的习惯上,这种名词,都是含有反动性的意象。所以便“一人传虚,百人传实。”的被误解了。佛教原来的教义,包括大、小乘的教理与修持方法,传到中国以后,到了隋唐时期,形成“禅宗”一宗的兴起,它全盘接受了佛教原有的教理和所有的修持方法。只是为了适合于中国文化思想,以及民情风俗等习惯,吸收儒家、道家的精华,运用了中国式的教授法而已。不但禅宗如此,佛教在中国所兴起的十宗,以及“分科判教”的佛学教理的研究方法。大体上都不离其宗地完全接受佛陀的教理和修证方法的。如果要提出证明,至少可以提一百个简要的引证,不过说来话长,又需另成一部专书以说明。

最简明地说,过去禅宗的宗师们,素来宗奉一则名言,那便是:“通宗不通教,开口便乱道,通教不通宗,好比独眼龙。”甚之,如所传《永嘉禅师禅宗集》上的《证道歌》所说:“宗亦通,教亦通,定慧圆明不滞空。”这便是最好的说明了。但是现在的学者们,有人对《永嘉证道歌》,又提出了怀疑的反考据,愈辨而缚愈坚,实在很麻烦。引用禅师们的话说,便是:“万法本闲,唯人自闹”了。而且进一步要把《马祖语录》的语意内涵,引证对照佛教的教理来作说明,可以说没有那一句话是不合于佛教教理之出处的。不过这样一来,又要成为另一部的研究专著了。

当然,对西方学者的观点而言,还有一个远因,是十七世纪后欧洲学者研究佛学,因为已找不到佛教前期的原始资料,大多数从南传小乘佛教和巴利文的佛典中引作为征信。再加上在十八九世纪时期,国际现势有意无意间,故意在排斥、薄视中国文化,而连带轻视中国佛教的大部分资料,因此形成误解。后来又加上第二次世界大战以后,从东方的日本引进了禅学到欧美去。而日本在明治维新以来的学术研究路线,所谓的东方文化——也即是中国文化,不论这其中的哪一门学术,都在有意无意之间因袭了西方的治学观念,甚之,也如西方一样,夹杂了民族意识和某种政治思想的因素。在这种情况下,禅宗的真精神——完全变质。但也可以说是人类历史文明褪色的大势所趋,真有无可奈何之感。

至于说到各种宗教是彼此否认,彼此反对的观念。那是比较宗教哲学上的一个大问题。也可以说,任何一个人,或任何一门学识,因为观点的立场不同,思想推论便完全两样。在我而言,我认为除了所有宗教的形式和教授法之外,任何宗教形而上的精神,都是彼此调和,彼此融通,甚之,可以互相比类注解。因为真理只有一个,正如佛说的"不二法门"。禅宗大师们所说的,"除此一事实,馀二皆非真"。

(二)何以在隋唐以前,中国的佛教和中国的学佛者,修小乘禅定的路线,证果的人不少,为何唐朝以后,才有大乘禅的成就?他们与四禅、八定,以及佛教的经、律、论的关系又如何?马祖时代,他们所修持与戒律大多用哪一方法,及当时常用的经典是哪些?

关于这个问题,我的答案与所问的程序是相反的。中国的佛教,凡是真正的学佛者,无论是走小乘或大乘的修证路线,他的目的,都是注重在求证。求证的方法在学理的基础上,始终不能离开经、律、论的要点。在修证的方法上,无论大、小乘,也都是以四禅、八定为基点。在隋唐以前,佛学大乘的经典,还没有全部传入,所以修证的路线,是比较偏重在小乘的禅观方法。唐朝中叶时期,不但禅宗鼎盛,其他各宗也同时并兴,因此才有大乘禅的流行。如果以教理来讲,后来禅宗所说的"如来禅,祖师禅"也都可归纳在大乘禅的范围。小乘禅观的方法,是根据佛学小乘的教理,排除身心内外的物欲世界,专心一意把守精神心念的专一,以求证解脱外物世界的束缚而自在升华。因此用力勤而成果的表现也多,如有为的神通和在生死之际的坐脱立亡等等。用一个比较切实的譬喻来讲,小乘禅观的求证方法,是把散乱无归犹如纷纷飞扬的面粉,用一集中的小空点,把它渐渐地归集在一处,然后再来扬弃它而永远住在空寂清净的境界上。大乘的方法,也是根据大、小乘的教理,是把心意识的每一点或面,直接从其中心爆破,使它毕竟空寂而灵明自在。

马祖时代的禅宗,他们所修持的戒律,相当严谨。当时唐朝佛教鼎盛时期大、小乘阶梯的三种戒律,佛教的术语叫做三坛大戒,即小乘的沙弥戒律、比丘戒、大乘的菩萨戒。当时的比丘戒,禅宗是采用《四分律》,也有少数用别的戒本。大乘菩萨戒,中国内地一律采用《梵网经》。西藏是一直沿用《瑜伽师地论》弥勒菩萨的戒本。那个时期,禅宗通俗的经典,大部分是以《金刚(般若波罗密)经》作入门的依据,所以后来有人叫禅宗作"般若宗",也有叫它是"达摩宗"的。不过,大禅师们,还是非常重视《楞伽经》、《维摩经》、《涅槃经》、《法华经》等。至于马祖以后的五宗禅派,如临济宗、法眼宗禅师们,有的还都是唯识法相学的大师。

(三)禅学的特点在哪里?对中国佛教的贡献与流弊何在?何以自马祖以后禅宗如此普遍流行?

关于这个问题,看来很简单,详细地说,又可以做三本专门的著作。用最简单的答复。禅宗的特点,是把最高深佛学,心法求证形而上道的复杂而详细分析的方法,归纳到最简捷形而下的人生日常生活,也就是说在平常事物之间,便可证得。因此它对中国佛教的贡献,是使其普遍地深入上、中、下各阶层之间,变成中国文化的中心之一,根深柢固地代代相承传播。但也正因为它把高深的形而上道,变化在平凡的人生日常生活之中而自然的流露,因此产生了后世的狂禅者流,走入未证言证,未悟言悟的"口头禅"了。所以在宋代而因此一刺激,便有儒家的"理学"产生,以严谨的态度,一反狂禅者流空疏的流弊。但自明末以后,理学与禅宗,又一再反复而产生了空疏与迂阔两种后遗症。这是古今中外学术上矫枉过正的通病,也是势所难免的。

至于马祖以后禅宗何以如此普遍流行?这个问题,就是上面所讲答案的结果。因为自马祖先后的大师们,都把佛学的内涵,讲得非常口语化,辟开了艰深的专有名词,所以便形成佛学中另一形态的“语录”,这种语录的文字非常平实,内容非常生动,禅宗大师们以日常生活的事务,以及我们自己的身心为说法的内容,对佛法作身体力行的切实说明。这种宗下的话录,和逐字逐句,偏重理论探讨的论、疏等,各有不同的优点。

至于禅宗的“公案”和语录又有所不同。语录纯粹以禅宗大师的言“论”、道“理”为主。公案则包括了师生之间的“事”迹、“行”径。譬如禅宗大师为了什么事情而发起怀疑,开始追究宇宙人生的真谛。他们又在哪一种环境下,或者听了哪一句话而对这最高的真理有所领会。这些禅宗大师们在学道过程中,又经过哪些关键性的启发等等。公案者虽然只是记载叙述一些事件的经过内容,但却是前贤们力学的经过和心得,足为后世学者观摩奋发,印证自己的见地、功用。

由于语录、公案的通俗以及口语化,因此对学者的感受比较深,也比较容易被接受。这也是马祖以后,禅宗普遍流行的原因之一。

(四)禅宗沉默了一段时期以后,到了现在,又重新流行起来,尤其是在西方的欧、美各地。你认为它给西方人能带来什么福音?

关于这个问题,我的答案是乐观的、祝福的。禅宗是“直指人心,见性成佛”的宗派,佛教高深形而上道的学理,以及切实修行求证的方法,随着时代的演变,发展出许多宗教的形式,以及教条式重重束缚的教义,禅宗在这种情况下,摆脱了传统的限制,脱颖而出。直接从纯粹唯心——“心能转物”的大前提中,求得大智慧的解脱,绝对自由自在的心证。它的教授法和精神,表面上是一种非宗教、非哲学、非科学的表达。但实际上是正因为它有如此大自在、大智慧的解脱。所以它才能为宗教、为哲学、为科学作综合性的解答。换言之,惟有禅宗的精神和求证的方法,才真正能使人们摆脱物质欲望的困扰,达到精神心灵的真实升华。这对于今天人类被物质文明所困惑，理性被人欲所淹没的世界，应该是一绝妙的消炎剂、清凉药。

有关《马祖语录》中三段示众的提要

第一段：是直接指示达摩所传禅宗的心法，是根据佛说《楞伽经》的“佛语心为宗，无门为法门”的要点，这里所说的“心”，不是普通意识形态的心理学上的“心”。这个“心”或“性”的名词，是指形而上和形而下的全体大机大用的中文代名词。这里所说无门的法门，是表示不采用任何一种固定方法的方便法门。他在本段的结论，根据佛说的教义，特别扬弃物质的空性，而显现出心物一元的自性本体的空灵，和虽然生生不已而常自空灵清净的觉性之体用。

第二段：是根据佛说教义所指示身心状态的“生”起、幻“灭”的作用，那只是一种心性上所起的作用和现象，是不可把捉，不存在的空花幻相。那个能生起，能灭了的自性功能，从本以来就寂然空净的。不了解这一真理的事实，便是凡夫。证悟到这个超越现实的形而上自性，便是得解脱的圣位。但是证悟的境界程度，也有深浅，有透彻和不透彻的不同之处。悟得浅，悟得不彻底的，便是小乘的成果(声闻或缘觉等罗汉的境界)。悟得深而彻底的，便是大乘菩萨，乃至彻悟到最究竟则成就佛果。但无论由凡夫而升华到佛陀等的修持证悟的过程中的哪一个阶段，都仍然不离此众生与佛不二的本来心的自性之外。

第三段：是活用了《大乘起信论》一心的生灭作用，和本来寂灭不生不灭的真如自性的道理。指示学人们在其中参要真参，悟要实悟的老实圆成修行证道的极则。

总之，在这三段示众的要点中，首先一段标明了“佛语心为宗。无门为法门”的前提，最后都是指示真参实悟到无修无证的极则。其实所谓无修无证的话，并不是说禅宗不注重修持，不注重证悟的,那只是说修证到真正的极果时,再不需要去修,再不需要去求证,而只是自然的呈现,自然的存在。譬如一个人要学一种专工科技或某一门艺术学问,当他到了最高峰的成就境界时,就自然而然地和这门技术学问融为一体。同样的,修证到最高境界时,那如来本体无上的智慧,便很简易、敏捷、轻巧、空灵而自在,自然而然,随时随地和你同在,这样便是大涅槃。

〔一九七八年,台北〕

序焦金堂先生《一日一禅诗》

凡人生必具有情志，此自然之理也。情志感乎外而应乎内，则兴山川风月，草木鱼鸟之变幻。发乎内而形乎外，则为音声笑貌，文字语言之形态。此所以“诗言志，歌咏言”理所当然也。此理初不限于时空，亦无囿于种类，如万壑之怒号，咽呜叱咤，咸其自取耳。唯人习积成章，乃效法于天然，各自规格于形式，虽因此有伤于性灵，而规律之美而疏导于悲欢，复为涵泳情志，回环表达之适莫也。

追乎佛之禅道出，以言思路绝，心行处灭，泯情志，趋寂乐为旨归，视文字语言，已属多馀，又何取于刻意攀缘，舒情声律之作哉！孰知此犹为一时方便，向上半提之说。情尽无情，觉梦双清，大音希声，返闻闻性，则此虫鸣鸟语之聒噪，风云月露之流行，本自空灵，无待禅寂而莫非本然。于是言而无言，作而不作，如虫御木，偶尔成文而不著意，则又何违乎道行哉！

然法久弊生，自盛唐以后，于道行外而专攻于韵律，特以诗禅、诗僧而鸣高者，则如亡羊别径，洵可慨乎其多歧矣。故贯休献诗于石霜禅师：“赤旃坛塔六七级，白菡萏花三四枝。禅客相逢唯弹指，此心能有几人知。”之句。石霜即问之曰：如何是此心？贯休茫然未知所对。石霜曰：汝问我答。休即问之。石霜曰：能有几人知？此正为自误于诗禅、诗佛者流之辣棒也。

皖当焦金堂先生，宿学志业，肃恭端俭，行不由径。初未尝学诗，更未习于禅道，自参《论语》讲座，闻予言孔子之说诗也，诗不云乎之旨，见猎心喜，乃留心于词章之逸韵也。洎乎偶与禅席，不期然而有会于心，于是乃以一日一禅诗立为规策，自求其放心于藩篱之外,输诚于性天风月之间。不期年而成集,举以见似,且感其不自作而无成有终之旨,殊可喜,且可观。然其白云,则未上及魏晋,甚之秦汉,意犹未尽者。闻言而识人,知其于诗之禅悦,禅之诗境,悠然确有会于心矣。

或曰,魏晋秦汉以上,禅之名既未之立,禅道之实,更未之传,岂得有词章之与禅悟相契耶!乃曰:此则不然。禅非别境,即心即佛。时有今昔,心无异代,此所谓“风月无今古,情怀有浅深”也。若铄之以禅,则诗三百篇,何一而不有契于禅。如帝王世纪之载唐尧时世之《击壤歌》曰:“日出而作,日入而息。凿井而饮,耕田而食。帝力于我何有哉!”此非禅而禅,是为上乘。至若古诗十九首,处处推情入性,言下忘言而豁开灵智于了脱之境,何待禅之为名乎!他如建安诸子之诗,曹魏父子之作,莫不萧然有落寞之感,悠然兴超缠之思。如曹瞒《短歌行》之句,其云:“对酒当歌,人生几何,譬如朝露,去日苦多。”“月明星稀,乌鹊南飞,绕树三匝,无枝可依”。当此之时,其有感于世事变幻之莫定,慨乎盈虚消息之难测,大有情厌物累,欲罢不能之哀鸣。倘时遇马祖道一,直指见性,庶或屠刀放下,顿转杀机也欤!至若曹丕之《善哉行》,有云:“上山采薇,薄暮苦饥,溪谷多风,霜露沾衣。野雉群雊,猿猴相追。还望故乡,郁何垒垒。高山有崖,林木有枝,忧来无方,人莫之知。人生如寄,多忧何为?今我不乐,岁月如驰。汤汤川流,中有行舟,随波转薄,有似客游。策我良马,被我轻裘,载驰载驱,聊以忘忧。”俨然相薄寒山,敲钟唤梦之作,又何待于桑门落日,然后兴悲哉!

至若初唐开国之际,禅道未得宏开,诗风尚不大行,虞世南曾辞让唐太宗宫体诗之不当,确乎纯臣之志也。然李世民之《帝京篇》有云:“得志重寸阴,忘怀轻尺璧。”及其《临池柳》诗云:“岸曲丝阴聚,波移带影疏,还将眉里翠,来就镜中舒。”其非诗思与禅境之将毋同乎!馀如岩岩特行之臣如魏徵之诗,有:“郁纡陟高岫,出没望平原,古木鸣塞鸟,空山啼夜猿。”“人生感意气,功名谁复论。”莫不与禅悦冥合，逸情境外。等而次之，才人词笔，如刘希夷之“年年岁岁花相似，岁岁年年人不同。”以及崔涂之“绣轭香鞯夜不归，少年争认最红枝。东风一阵黄昏雨，又到繁华梦觉时。”唐彦谦之“乍闻明主提三尺，眼见愚民盗一抔，千古腐儒骑瘦马，灞陵斜日重回头。”等作，多不胜载，何一而非即诗即禅，岂待习禅而后方有出尘解脱之隽语乎！并此转似金堂道友，盖有伫望其上下古今续编之作也。拙诗鄙俚不韵，唯承偏爱录入，诚有狗尾续貂，佛头著粪之诮，何足道哉？不足道也！

〔一九七九年，台北〕

《大乘学舍常课》初序

释迦文佛教化,自汉明帝时流传中土,初置白马寺,经魏晋南北朝三百馀年之递嬗,转易西竺“阿兰若”、“伽蓝”等旧称,兴起庵堂寺院等大小梵宇建筑,山林原野,处处皆有供人清修膜拜道场。然于苦行禅修之外,配合暮鼓晨钟乐章而为课诵者,仪礼未立。迨盛唐之世,马祖道一与百丈怀海禅师师徒创立丛林制度,拟订《百丈清规》之后,仍以禅悦清修为主,犹未闻有以唱诵为业者。间或有之,然皆以整部经文为诵修准则。清代以还,佛教寺庙流传之早晚课诵,揉集显教经文,密教咒语,甚之,禅净律等小段节文,凑泊宋词元曲馀音,称为梵唱,号作羾修法门,实为古所未闻,于今则似未落。且其泛滥所至,甚有形同挽丐,供人凭吊唏虚而已,于僧俗学佛修持行愿,形如有关而实不切实。今应以梵唱部分,依据华严字母及悉昙遗音,取其适合时代乐章,重加厘订外,凡本舍同修,早晚应依经遵新订课本,作为正思惟诵修常课,俾与行业相应,速证菩提,是为至要。愿以此功德,回向诸有情,同证无上觉。

〔一九八〇年初冬,台北大乘学舍〕

为周勋男叙《印普庵禅师咒及记传》

神通不是道，得道者未必皆有神通。道为形而上而超然于心物内外，亦通入于内外心物之总体也。神通者，不离于遍心物内外之表；故道为根本，神而通之则为外用者。迷于外用而不知归元，则离道益日远矣。是故古之得道者，未必皆为神通，即或有之，设以神通示现而使世人惑乱于神通而为道者，过莫大焉。故佛之遗教，大小乘之戒范，绝不言以神通为教化者；即此之故，益恐善世之正教而惑乱于神通，有失其正法眼藏也。

咒语不是道，但不失为万法中之一方便法门。梵文称咒语为陀罗尼，译为“总持”之意。总持者，即为归纳多义而为简易符咒之谓也。故佛之密教曰：“一切音声，皆是陀罗尼。”佛语诚言，义至显矣，其奈世智者终不能通明其真诠乎？临济禅师有言：“一语中具三玄门，一玄门中具三要义。”可为陀罗尼之总论者矣！然世智者尤不能通而明也。

经言：“八地菩萨，皆能自说陀罗尼。”然此亦为半提之教也。修证而登于第八不动地者，岂只能自说陀罗尼，即其语默动静之间，无一而非陀罗尼，何独喁喁于咒语云何哉！

中土禅宗秉承佛之心法，以不立文字言语见传于世，尤不以标奇立异之神通末术为尚。然传习至于唐宋之间，适当衰乱之世，即有如普庵印肃、灵隐道济（济公）之俦者出。独以神通咒语见称于世者，岂非祖师衣钵之骈拇指乎？其然，其不然耶？盖叔季受乱之际，人多失其知正见，不示以道之末而难以见于善世之道者，故如佛图澄辈，初皆以神通示现以拨乱而返之于正也。以此观之，普庵、道济之功，实亦翼道之圣者，何足非矣。

惟世传普庵传记所载之迹,有背于佛法慈悲喜舍之旨者颇多,要皆为世俗误传讹语执偏之辞,杂以见浊相争胜负之言,不足为信,不尽为实也,学者须自知之,则不为辞害义矣。

今因门人周勋男远道寄书,自言将发心重印普庵禅师旧传之事迹并及其咒文,促余一言以坚其志云云。时余适奔波役于海外,久矣不事笔墨,但因其所请而勉为书数行,而述自知于其端,聊以酬其所望者。诚语无伦次,但塞责耳!所谓陀罗尼者,即非陀罗尼,是名陀罗尼。其此之谓乎否耳?

〔一九八八年七月之杪寄记于香江之滨〕

密宗之部

《密宗六成就法》前叙

神秘之学

自古以来,哲学科学尚未昌明之先,凡探寻宇宙人生奥秘之学术,即尽归于宗教,故古之宗教,皆极尽神秘玄奇。迨世界学术昌明以后,有以智慧穷理探讨宇宙人生奥秘之哲学,嗣复有以知识实验追求奥秘之自然科学,纷纷崛起,于是宗教神秘之藩篱,几已破碎无馀。时在二千年前,有虽为宗教,而重于实验心理、物理、生理之真知灼见,无过于佛教之修持证悟,及中国道家修真养性之学术。若融会此二者于一炉,发扬而光大之,其医世利物之功,岂有限量哉!

佛法密宗

佛之全部教法,其最高成就,以澈见宇宙万有之全体大用,会于身心性命形而上之第一义谛为其究竟,确乃涵盖一切,无出其右者。其中教法所传之即事即理,亦已发挥无遗,尽在于三藏十二部之经论述叙之中,固无所谓另有秘密之存在。有之,即明白指出心性之体用,当下即在目前,亲见之,亲证之,即可立地成佛,而人不能尽识者,此即公开之秘密是也。盖其密非在他人不予,只在自己之不悟,诚为极平实而至玄奇者也。等此而下,有以修持证悟之方法,存为枕中之秘,非遇其人而不轻传者,即为佛法秘密宗之密学。当盛唐之时,一支东传中国,后又流传日本,又一支传入中国边陲之西藏。前者人称为“东密”，后者人呼为“藏密”。值此二密之门未开，每于宫墙外望，或登堂而未入室者，皆受神秘玄奇之感染，几乎完全丧失人之智慧能力，一心依赖神秘以为法，此实未得其学术之准平者，亦可哀矣。

密宗修法

密宗修持方法，固有其印度渊源所自来，原与中国道家之学术，相互伯仲之间，难分轩轾。自经佛法之融通，术超形而上之，确已合于菩提大道矣。今且去其用神秘以坚定信念之外衣，单言其修持身心之方法，归纳而次序之，大体不外乎“加行”、“专一”、“离戏”、“无修无证”之四步。迨达无修无证之域，即佛地现前，所谓前行之步骤，皆视为过渡之梯航，术而糟粕之矣。然未及佛地之间，则非依术而作涉律之度筏，终恐不易骤至也。且其下手正修之观点，大体都以先加调伏身体生理之障碍着手。盖人生数十寒暑，孜孜屹屹，大半为生理需求而忙。且心为形役，人之所以不能清净圆明者，受身体感觉之障碍为尤多。故彼与道家者流，有先以调身为务，良有以也。然身之基本在气脉，是以调身必先以修气修脉开始。但此气非呼吸之凡气，此脉非血管神经之筋脉。如强作解人，依现代语而明之，则可谓此乃指人身本具灵能所依之路线，唯神而明者，确能证实此事。若徒藉形躯神经而摸索之，此实似是而非，毫厘之差，天地悬隔矣。

六成就法要

密宗修法有多门，然此“六成就法”者，已可概其大要。所谓“六种成就”者，第一重要，即“气脉成就”。此乃调伏身体生理，去障入道之要务也。盖人身乃秉先天一种业气力量之所生，凡百烦恼欲望之渊源，病苦生死麇集这窠囊。如不能首先降伏其身，其为心之障碍，确亦无能免此。而修气修脉之要，大体会于一身中之三脉四轮。“三脉”谓其左右中之要枢，“四轮”谓其上下中之部分。此与道家注重任督冲带脉之基础，根本似乎不大相同。其实，平面三脉，与前后任督，各有其妙用，而且乃殊途而同归。苟修持而有成就之人，一脉通而百脉通，未有不全能之者。否则，门庭主见占先，各报一端之说，难有夫子之木铎，亦难发聋振聩之矣。密宗主五方佛气，道家则主前任后督中冲左青龙右白虎，其名异而同归一致之理，何待智者之烦言哉。唯修气修脉，法有多门，大抵皆易学而难精，托空影响之谈，十修则九见小效，殊难一见大成。此盖智与理之所限，能与习之不精，师传指示，大而无要之所致，均非其术之咎也。

气脉成就已达堂奥，或进而修持第四之“光明成就”。首得身心内外之有相光明，再以智慧观照，而得佛智之无相光明。或由此而修第二之“幻观成就”，则可坏欲界人间世之世间相，证得确实入于如梦幻之三昧。第二“幻观成就”，与第三之“梦成就”，修法最近相似，皆为趋向有为法修得小神通之路也。此之四法，已经概括密宗修持身心之全部过程。于此旁枝分化，即有各宗各派之驳杂方法，或加以其他外貌，几乎使人有目迷十色，耳乱多方之感矣。过此以往，恐人或一生修持而无成者，则有补救之二法，即第五之“中阴成就”。乃于人之临死刹那前，依仗佛力他力，度其中阴神识，即俗所谓灵魂成道。再又不能，即第六之“破哇成就”，即所谓“往生成就”，乃促使人之神识往生他方佛国，不致堕落沉迷之谓也。

总之，六成就法中之后五种，皆以第一修气脉为其基础。如此基不立，间或有独修其中一法者，虽现在小得效验，若缺虔诚之信仰心，终又归于乌有。但气脉之修法，既有理论，又需得过来人明师之真传，方能如科学家之实验求证得到。不然，徒知方法，不能博知其理，又不足以望其成。徒知理论，不知实行，又不能望有成就。如全修而全证之，则宇宙人生之奥秘，不待他力而神自明之矣。密宗诸法，虽亦有法本存在，但有时亦有尽信书不如无书之憾。何况翻译之法本，有通梵藏文字而不谙中文，有通中文而不谙梵藏，甚之，有两不通达，亦作托空影响之言，欺己迷心，大可哀也。六成就一种，比较信达可征者，即为美国伊文思温慈博士纂集，而由张妙定居士译为中文者。

出版因缘

萧兄天石，自创自由出版社以来，贡献于古典文化事业，已达十馀年，选刊《道藏》精华已近百馀种。今又发心搜罗密宗典籍，出为专帙，以冀利益修持行者。其志高远，其心慈悲。然持有密宗之典籍，或习密宗之法者，唯恐深藏名山之不暇，岂肯轻以付人。复虑得之者，挟术以自欺欺人，则其过尤甚于保守而绝迹矣。故虽百计搜罗，尽数年之力，始有收获，其中不少为世所罕见之珍本。并劝余亦出所藏密典，印行少数，以公之于世，俾供研究密学密法，与有志于道密双修者参持之用。今复以出版之事相商，并与论其可否，踌躅寻思，迟迟已达数年。然每念古圣先哲，既已作书，其志乃惧法之将灭，欲寄于文字而流传也。既已见之文字，世界各国学者，又已有外文之翻译，等同普通书籍销售。如吾人犹欲抱残守阙，自作敝帚千金之计，亦恐非先哲之用心矣。苟或有人得此，不经师授心法，挟其粗浅经验而炫耀售寄者，终必自食其果，噬脐无及，此于流通者之初衷无伤也。况且修一切有为法者，如不亲证性空之理，体取无为之际，无论或密，或显，为佛法，为道家，终为修途外学，何足论哉。故于其付印之先，乃遵嘱为叙，言之如是。

〔一九六一年，台湾〕

《大圆满禅定休息清净车解》前叙

佛教秘密一宗,初传入于西藏之时,适当此土初唐盛世。开启西藏密宗之教主,乃北印度佛法密教之莲花生大师,据其本传,称为释迦如来圆寂后八年,即转化此身,为密教之教主也。当其初传之佛学概要,已见于拙著《禅海蠡测》中之"禅宗与密宗"一章。其土自莲师初传之密宗修持方法,即为西藏政教史上所称之"宁玛派",俗以其衣着尚红,故称为"红教"。红教修法,除灌顶、加行、持咒、观想等以外,则以大圆满等为最胜。此后传及五代至宋初期,有因红教法久弊深,嫌其杂乱者,又分为噶居派,俗以其衣着尚白,故称为"白教"。迨元代时期,又有分为萨迦派者,俗以其衣着尚花,故称为"花教"。复至于明代初期,西宁出一高僧,名宗喀巴,入藏遍学显密各乘佛法,有憾于旧派之流弊百出,乃创黄衣士之"黄教"。递传至现代为达赖、班禅、章嘉等大师初祖也。大抵旧派可以实地注重双修,黄教则以比丘清净戒律为重,极力主张清净独修为主。此则为藏密修持方法分派之简略观点。至于所谓双修,亦无其神秘之可言,以佛法视之,此乃为多欲众生,谋一修持出离之方便道也。苟为大智利根者,屠刀放下,立地成佛,又何须多此累赘哉!如据理而言,所谓双修者,岂乃徒指男女之形式!盖即表示宇宙之法则,一阴一阳之为道也。后世流为纵欲之口实,使求出离于欲界、色界、无色界之方便法门,反成为沉堕于三界之果实,其过只在学者自身,非其立意觉迷之初衷也,于法何尤哉!

民国缔造之初,对于汉藏文化沟通尤力。东来内地各省,传红教者,有诺那活佛。传白教者,有贡噶活佛。传花教者,有根桑活佛。传黄教者,有班禅、章嘉活佛等等。各省佛学界僧俗入藏者,实繁有徒，指不胜举。密宗风气，于以大行。上之所举，亦仅为荦荦大者。活佛者，即“呼图克图”之别号，表示其为有真实修持，代表住持佛法之尊称，实无特别名理之神秘存焉。红教徒众，集居于西康北部者为多。白教徒众，能集居于川康边境者为多。花教徒众，亦以散居于西康及云南边境者为多。黄教则雄踞前后藏，掌握西藏之政教权，以人王而兼法王，形成为一特殊区域之佛国世间矣。

因汉藏佛教显密学术之交流，密宗修法，亦即源源公众。而且于近六十年来，传布于欧美者为更甚。大概而言，红教以大圆满、喜金刚为传法之重心。白教以大手印、六成就法、亥毋修法等为传法之重心。花教以大圆胜慧、莲师十六成就法为传法之重心。黄教以大威德、时轮金刚、中观正见与止观修法为传法之重心。当其神秘方来，犹如风行草偃，学佛法而不知密者，几视为学者之不通外国科学然，实亦一时之异盛也。

要之，密宗之侧重修持，无有一法，不自基于色身之气脉起修者。只是或多或少，糅杂于性空缘起之间耳。大圆满之修法，例亦不能外此。所谓“大圆满”者，内有心性休息一法，即如禅宗所云明心见性而得当下清净者。又有“禅定休息”一法，即为修持禅定得求解脱者。又有“虚幻休息”一法，即以修持幻观而得成就者。今者，自由出版社萧天石先生，先取禅定休息之法疏通之，即其中心之第二法也。其修法之初，势必先能具备有如道家所云：法、财、侣、地之适当条件。尤其特别注重于择地。一年四季，各有所宜，且皆加有详说。至于择地之要，当须参考《大藏经》中密部之梵天择地法，则可互相证印矣。至其正修之方法，仍以修气修脉，修明点，修灵能，如六成就法之第一法也。其中尤多以注视光明而定，与注视虚空平等而定之法。道家某派，平视空前之法，其初似即由此而来者。最后为下品难修众生，又加传述欲乐定之简法。此即《大圆满禅定休息车解》一书之总纲也。造此偈论者，乃莲师之亲传弟子,名“无垢光尊者”所作。解释之者,乃龙清善将巴所作。译藏文为中文者,乃一前辈佛教大德,意欲逃名,但以传世为功德,故佚之矣。本书旨简法要,大有利于修习禅定者参考研习之价值。唯所憾者,盖因藏汉文法隔碍,译笔失之达雅,良可叹耳。但有宿慧之士,当参考六成就、大手印等法而融会之,自然无所碍矣。如能得明师之口授真传,了知诸法从本来,皆自寂灭相,性空无相,乃起妙有之用,则尤为难得之殊胜因缘。至于译者称此法本,名为《大圆满禅定休息清净车解》,此皆为直译之笔,故学者难通其义。如求其意译为中文之理趣,是书实为《大乘道清净寂灭禅定光明大圆满法要释论》,则较为准确。其馀原译内容,颠倒之句,多如此类。今乏藏本据以重译,当在学者之心通明辨之矣,是为叙言。

〔一九六一年腊月,台湾〕

密宗《恒河大手印》《椎击三要诀》合刊序

溯自元初忽必烈帝师登思巴传译西藏密宗大手印法门始，大乘密道之在国内，犹兴废靡定。迨民国缔造，藏密之教，再度崛起，竞习密乘为时尚者，尤以“大手印”为无修无证之最上法，以“椎击三要诀”为大手印之极至，得之者如获骊珠，咸谓菩提大道，独在是矣。然邃于密乘道者，又称大手印与椎击三要诀等，实同禅宗之心印。且谓达摩大师西迈葱岭之时，复折入西藏而传心印，成为大手印法门。余闻而滋疑焉！昔在川康之时，曾以此事乞证贡噶上师，师亦谓相传云尔。待余修习此法后，拟之夙习禅要，瞿然省证，乃知其虽有类同，而与达摩大师所传心印者，固大有差别，不可误于习谈也。盖禅宗心印，本以无门为法门，苟落言诠，已非真实，何况有法之可传，有诀之可修也哉！有之，但略似禅宗之渐修，固难拟于忘言舍象之顿悟心要也。倘依此而修，积行累劫，亦可跻于圣位，如欲踏破毗卢顶上，向没踪迹处不藏身而去，犹大有事在。况以陡然斥念而修为法门，不示“心性无染，本自圆成”，则不明“旋岚偃岳而不动，江河竞注而不流”之胜。以“乐、明、无念”为佛法极则，而不掀翻能使“乐、明、无念”者之为何物，允有未尽。以“心注于眼，眼注于空”为三要之要，而不明“目前无法；意在目前；不是目前法，非耳目之所到”之妙旨，则其能脱于法执者几希矣。今遇是二法本合刊之胜缘，乃不惜眉毛拖地，揭其未发之旨而赘为之序。

〔一九六一年冬月，台北〕

影印《大乘要道密集》跋

人生数十寒暑耳,孩童老迈过其半,夜眠衰病过其半,还我昭灵自在,知其我自所为生者攒积时日而计之,仅有六七年耳。况在此短暂岁月中,既不知生自何处来,更不知死向何处去,烦忧苦乐,聚扰其心。近如身心性命所自来者,犹未能识,遑言宇宙天地之奥秘,事物穷奇之变化,固常自居于惑乱,迷晦无明而始终于生死之间也,审可哀矣。余当束发受书,即疑其事,访求诸前辈善知识,质之所疑,则谓世有仙佛之道,可度其厄,乃半信半疑而求其事。志学以后,耽嗜文经武纬之学,感怀世事,奔走四方。然每遇古山名刹,必求访其人,中心固未尝忘情于斯道也。学习既多,其疑愈甚,心知必有简捷之路,亲得证明,方可通其繁复,唯苦难得此捷径耳。迨抗战军兴,羁旅西蜀,遇吾师盐亭老人袁公于青城之灵岩寺,蒙授单提直指,绝言亡相之旨,初尝法乳,即桶底脱落,方知往来宇宙之间,固有此事而元无物者在也。于是弃捐世缘,深入峨嵋。掩室穷经,安般证寂。三年期满,虽知此灵明不昧者,自为参赞天地化育之元始,然于转物自在,旋乾坤於心意之功,犹有憾焉。乃重检幼时所闻神仙之术,并密乘之言,互为参证,质之吾师。老人笑而顾曰:此事固非外求,但子狂心未歇,功行未沛,何妨行脚参方,遍觅善知识以证其疑。倘有会心之处,即返求诸自宗心印,自可得于圜中矣。

从此跋涉山川,远行康藏,欲探密乘之秘,以证斯心之未了者,虽风霜摧发,饥渴侵躯,未尝稍懈也。参学既遍,方知心性无染,本自圆成,实非吾欺,第锻炼之未足,犹烹炼之未至其候也,乃返蓉城,以待缘会。日则赴青羊宫以阅《道藏》,夜则侍吾师盐亭老人,并随贡噶、根桑二位上师,以广见闻。既会心于禅、密、道、法之馀,复核对藏密迻译法本,于其文辞梗隔,义理阻滞,深引为憾。时前辈同参,潼南傅真吾、华阳谢子厚,皆深入藏密之室,且得密乘诸教之精髓者,感同此见,乃促余肩荷整理藏密法本之责。傅谢二公,并尽出其历年搜集密本,付予审编。余乃谓欲探穷密乘之赜者,当从《大乘要道密集》求之,则于清末民初东传内地之诸宗秘典,皆可迎刃而解,而得其游刃有馀之妙矣。故拟从编年之式,首冠其书。方欲编辑全帙,则适值日本投降。即因事南游,入滇转沪,遂未果所愿。乃举昔年共同搜集密乘典籍,寄托友家,以期他日蒇事。忽焉二公作古,余亦尘屐名山。时穷势变,蜀道艰难。吊影东来,法本荡然。每于梦寐思之,常复自笑多此结习也。壬寅之春,故交邵阳萧兄天石,发心印行藏密典籍,商之于余。窃谓大劫馀灰,已非名山旧业,与其藏之私阁,徒资珍秘,何如公之同道,以冀众护。但求无负吾心,何须踌躇损益,乃促其完成斯业。萧兄即不辞劳瘁,亲赴香港搜求。有志者事竟成,终复觅得斯本,并嘱冠记其端,余以庆遇所愿,随喜无似,遂不辞肤陋,率尔为叙。

夫《大乘要道密集》者,乃元代初期,崇尚藏密喇嘛教时,有西藏萨迦派(花教)大师登思巴者,年方十五,具足六通,以童稚之龄,为忽必烈帝师。随元室入主中国,即大宏密乘道法,故拣择历来修持要义,分付学者,汇其修证见闻,总为斯集。其法以修习气脉、明点、三昧真火,为证入禅定般若之基本要务,所谓"即五方佛性之本然,为身心不二之法门"也。唯其中修法,杂有双融之欲乐大定,偏重于藏传原始密教之上乐金刚、喜金刚等为主。终以解脱般若,直指见性,以证得大手印为依归。若以明代以后,宗喀巴大师所创之黄教知见视之,则形同冰炭。然衡之各种大圆满,各种大手印,以及大圆胜慧、六种成就、中观正见等法,则无一而不入此范围。他如修加行道之四灌顶,四无量心,护摩,迁识(颇哇)往生,菩提心戒,念诵瑜伽等,亦无一不提玄钩要,阐演无遗。但深究此集,即得密乘诸宗宝钥,于以上种种修法,可以了然其本原矣。至于文辞简洁,迻释精明,虽非如鸠摩罗什、玄奘大师之作述,而较之近世译笔,颠倒难通者,何啻云泥之别。集中如道果延晖集,吉祥上乐轮方便智慧运道,密哩干巴上师道果集等,皆为修习喜乐金刚、成就气脉明点身通等大法之总持。如修习自在拥护要门,修习自在拥护摄受记,则为修六成就者之纲维。如大手印顿入要门等,实乃晚近所出大手印诸法本之渊源。其他所汇加行方便之道,亦皆钩提精要,殊胜难得。若能深得此中妙密,则于即身成就,及心能转物之旨,可以释然,然后可得悟后起修之理趣。且于宋、元以后,佛道二家修法,其间融会互通之处,以及东密藏密之异同,咸可得窥其踪迹矣。

或曰:若依所言,则密乘修法,实为修持成佛之无上秘要,馀宗但有理则,而乏实证之津梁耶?答曰:此则不然。显密通途,法无轩轾。至道无难,唯嫌拣择。修习密乘之道,若不透唯识、般若、中观之理,则不能得三止三观之中道真谛。习禅者,苟不得气脉光明三昧,则终为渗漏。自唐宋以后禅宗兴盛,虽以无门为法门,而于显密修学,靡不贯串无遗。第历时既久,精要支离,故后世成就者少。借攻错于他山之石,炼纯钢于顽铁之流。幸而有此,能不庆喜。至若心忘筌象,透脱法缚。一超直入,不落窠臼,则舍达摩传心之一宗,其馀皆非真实。末后一句,直破牢关。自非道密二家所能也。进曰何谓末后句,可得闻乎?曰:也须待汝一口吞尽西江水时,再向汝道。是为叙。

〔一九六二年,台北〕

西藏密宗艺术新论

人类精神文化的延续,在言语文字之外,应该首推绘画。上古之世,文字尚未形成之先,在人们精神思想的领域中,凡欲表达意识,传播想象之时,唯有藉画图作为表示。中国文化之先的八卦、符箓,与埃及的符咒,印度的梵文等,推源其始,都是先民图画想象之先河。降及后世,民智日繁,言语、文字、图画、雕刻、塑像,各自分为系统,而绘画内容,亦渐繁多。人物、翎毛、花卉、山水、木石,由平面的线条画,进而至于立体。抽象与写实并陈,神韵与物象间列。由此可见人类意识情态综罗错杂,不一而足。但自穷源溯本而观,举凡人类所有之言语、文字、图画等等,统为后天情识之产品。形而上者,原为一片空白,了无一物一事可以踪迹。故禅门不取言语文字而直指,孔子以"绘事后素"为向上全提,良有以也。

由图案绘画而至于描写人物、神像,在中国画史而言,据实可征,首推汉代武梁祠石刻。过此以往,史料未经发现,大抵不敢随便确定始作俑者,起于何代何人。自汉历魏、晋、南北朝、唐、宋以还,佛教文化东来,佛像绘画与人物素描,即形成一新的纪元,如众所周知的云冈石窟、敦煌壁画,以及流传的顾恺之的维摩居士图、吴道子的观音菩萨等,形神俱妙,但始终不离人位而导介众生的神识想象,升华于天上人间。

然自隋唐初期,随佛教东来之后,由中北印度传入西藏之密教佛像,神精笔工,形式繁多,颇与当时敦煌壁画相类似。唯大行于边陲,中原帝廷内苑供奉,亦少所概见。迨元蒙以后,方渐流行。明、清以来,民间稍有流传而亦不普遍。在绘事而言,西藏的佛画、雕塑,均与内地隋唐以前,同一法则。所有佛与菩萨之造形,大多都是细腰婀娜，身带珠光宝气，如佛经所谓："璎珞庄严"者也。宋元以后，凡中国内地之佛像，大体皆喜大肚粗腰，颟顸臃肿，肌体以外，最好以不带身外之物为洒脱。由此可见，隋唐以来之佛像，无论绘画或雕塑，多具有佛经内典的宗教气氛，以及浓厚的印度文化色彩。宋元以后，画像与雕塑，亦受禅宗之影响，具有农业社会的素朴，人位文化的平实。此从大概而言，要当如是。

晚清以来，文明丕变，西藏密宗忽又普及内地。而中国与流传日本的显密各宗，彼此互相融会。旧学、新说之外，连带久秘边陲之藏密佛像、图画、雕塑，无论为单身、双身或坛城(曼荼罗)，已非昔日锢闭作风，大部公开流传。抗战时期，成都四川省立图书馆，曾经举办一次西藏密宗佛像原件的大展览，洋洋大观，见所未见。及今思之，当时这批博大文物，想已烟消云散，不知是否尚在人间，颇为怅然！

初来台湾时，显教之经典画像，亦寥寥少见，遑论密教文物。间或有之，大抵皆深藏不露，视为绝不可公开的神圣瑰宝，不是视同拱璧，即是价值连城。佛说："法无正末，隐显由人。"今之行者，不知与时偕行之理，徒以抱残守阙之愚，欲与科学时代之公开文明相拒，岂非自取灭裂。《易》乾文曰："先天而天弗违。后天而奉天时。"此理不明，何以言佛。西藏大变后，凡藏人僧俗携出之佛像，绘画的，雕塑的，均可于海外各地随便收购而得。而国内行者缺乏整体概念，不知从文化观点作一统筹收集，致使吾佛如来、诸大菩萨，亦皆随时与势易，流落他方。而二十馀年后的今日，大多藏密佛像，已在美国被人收集而作学术性、艺术性、神秘性的公开翻印，公开研究。无论为单身的、双身的、坛城的，皆有黑白集与彩色集之影印，与大幅像、小型像之销售。青年学生留学彼邦者，或为崇敬请购，或为趣味欣赏，大体都视为奇异刺激而疑情顿起。国故外流而家人乖睽，自家文化宝藏不识而求珍于异域，良可慨也！

但在美国而言，密宗画像之收集翻印，初由少数医生，试用密宗的神秘修法,作医学治疗试验。渐而扩充为精神科学的研究,将摆脱宗教色彩而形成新文化的一系,与原始宗教信仰的形式,已大异其趣。且已有人将莲花生大士与各种坛城图案,做成旅行袋或腰袋背心上之装饰,蔚成一时风气。思想形态古今变易,宗教信仰与物质文明互相抵触,卫道者仅从表面视之,颇为忧愤。殊不知未来科学发展的归趋,正为剖寻昔日宗教的目标,终无二致。过去在民智未开之时,宗教以神秘作风指示生命的真谛。现今以后,科学以精详剖析,寻讨生命神秘之究竟。即俗即真,空有不二,不受形拘,但求神髓,终至两不相妨而相成也。

唯今国外因密宗艺术佛像之公开出版,质疑函询,争论繁兴。今就其中问题之荦荦大者,并此寄语。

一为密宗画像之形态问题:

如由表面视之,此类画像已失去显教佛像庄严慈祥本色,且坦然言之,却易使人生起狰狞怖畏之反感,何况大多不类人形,又异习见物像,其故为何?曰:在佛而言佛,一切佛皆就体相用而取法报化三身之别名。显教佛像之庄严慈祥面目,乃表示本性清净法身之本来。密教佛像之奇形异态者,乃表示化身、报身之各具因缘。诸如多目、多头、多手、多足、多身、异类身等等,统为佛学内涵之表相。举一言之,如大威德金刚像之怪异,实皆为显教教义之图形,旧称谓之表法。如云九面者,即表大乘九部契经。二角者,表真俗二谛。三十四手,加身语意三门,即表三十七品。十六足者,表十六空。右足所蹈人兽等八物,表八成就。左足所蹈鹫等八禽,表八自在。裸形,表无罣碍。发竖,表度一切苦厄。他如有身具三十六足者,即为三十七菩提道品之表法。十八手者,即为大般若之十八空,亦为十八界。三眼者,即三明,亦为佛眼、慧眼、法眼之示相。九个头者,为九次第定,亦示大乘以十度为首。两只角者,即为智慧庄严、福德庄严之示现。其面为牛头者,即具大力之意,亦含有印度文化习惯观念,尊重牛的象征。风土人情不同,不必拘为一谈。全身璎珞庄严者,表示一切差别智的圆满。脚下有许多的牛鬼蛇神,人非人等,即表示解脱下界,破除魔军,升华绝俗之意。其他画像如六臂者,即表六度法相。四臂者,示慈悲喜舍风规。凡此等等,皆为佛经义理之图形,故为浅智众生,由识图而明义而已。是以经说大威德金刚,即为大智文殊师利化身。举此一例,馀由智者类推可知,不必一一详说。

至于各种坛城表法,与人身气穴亦有关联。如莲花为心脉气轮。三角为海底脉气轮,但视初生婴儿之外形即知会阴为三角地带也。在此附带说明今日针灸之学,一般皆未仔细研究及此。盖人身之气穴,并非完全如圆形,正如天体星星相同,有三角形的,有长方形的,有椭圆形的,有六角形的等等。故有时用针,抽出稍带血迹者,虽无碍人体,但实不知人身乃一小天地,某部某穴,如天体星星的布列,应属何种形状,倘在三角形穴道之处,针偏外角,已非正穴,略偏外围,故触及微血管,拔之即有血迹。如明乎此,对于针灸气穴之运用,又当另启新境界也。此乃古传所秘,我今在此亦明白说出,俾更有益于医学,如用佛学术语,则可说为。以此功德,回向法界众生,同得乐康之身,是所愿也。

一为密宗双身佛像,迹近秽亵问题:

此实古今中外久远存疑,昔日人所讳言,今则因教育之发达,国外性教育之公开,反有欲盖弥彰之势。甚之,在国外之流毒,有因此而促进性行为之泛滥不轨者。在国内而言,不知内义之士,往往将清代雍和宫之欢喜佛与《金瓶梅》并列为诲淫之嫌。旧时视此为密教之密者,当亦有避嫌之意。其实此一问题,有三重要义理,却非一般所知。

首先以宗教教旨而言,此乃吾佛慈悲,为欲界多欲众生,谋此一路,正如《法华经》所说:“先以欲钩牵,渐令入佛道。”为教育上不得已的诱导向善的方便,智者一望而知,不足为训。

次则,昔日中外文化,无论为宗教的、哲学的、教育的、伦理的,对两性问题,不是遏阻的不许谈论,即是道德的逃避之。然文不胜质,千古人类,未尝因宗教或教育而稍戢淫欲,甚之,可说是随时代的演进,愈趋愈烈,在古代而言,不避嫌疑而面对现实,作解铃系铃之教育者,唯此藏密和道家南宗而已。综其教育目的,在以楔出楔,警告世人纵欲者不过如此,当从速回头。但世间万事,利害相乘,顺化逆化,都滋流弊,岂止此一事如斯而已。即如今日欧美性教育之公开,亦未敢断言必然是利多于弊。但两害相权,隐亦未必如显耳。

再其次,双身形像,实表示人体生命中,本自具有阴阳二气之功能。凡夫未经严格修持,不能自我中和阴阳二气,故偏逸流荡而引动淫欲。如能中和自我生命之二气,则“天地位焉,万物育焉。”即可超凡入圣。不然即为欲界众生,具体凡夫,生于淫欲,死于淫欲而已。如能严持戒、定、慧而离欲绝爱,方能至于“菩萨内触妙乐”之境,终而成为无男女相,不向外驰求矣。如《大智度论》卷二十一所谓:“是人淫欲多为增淫欲而得解脱。是人嗔恚多为增嗔恚而得解脱。如难陀、优楼频骡龙是。如是等种种因缘得解脱。”智者由此观而精思,不为法缚,不从相求,即可洒然一笑而得除粘解缚。然后方知应以何身得度者,即现何身而为说法。所谓男女相,即非男女相,方能得少分相应。

一为今世现实的人类学与神学问题:

对于密宗画像,凡具有宗教成分者视之,易启精神幻观境界云云。而从学术研究者视之,则认为荒谬绝伦云云。凡此两种观念,亦应有一说。

在前者而言,须当明了密宗佛法之兴趣,确为后期佛学之传承。唯其教理,则凭唯识法相之学。用之表法,则取印度固有婆罗门等教遗绪,糅以佛法而升华之。如真知灼见印度流传至今之婆罗门等教神像,则对此已无足异。例彼与此,大致类同。国内国外收藏家,有印度婆罗门等教之单身双身像者,不乏其人,求证可知。

如不明唯识法相之真义,徒事盲目推崇,未免为有识者所讥,应当自省。

有后者而言,举凡世界各处之宗教神像,要皆与该教发源地之人位本像相同,始终未离人界而能另图天界神像者,其理至为有味。甚之,谈鬼者亦如是,并无二致。唯密宗之像,取欲界、色界之抽象,杂人性、物性之图形为主,故视他家皆为不同。是否神人之形,确为如此,姑存之他日以待求证。

总之,佛说心外无法。“心生种种法生,心灭种种法灭。”禅门古德有谓:“即心即佛”。又说:“不是心,不是物,不是佛。”即是即非,无不非而无不是。如观密宗像法,由艺而至于道也,亦何不可。至于咒语问题,如密宗《大日经义释》曰:“一一歌咏,皆是真言。”且拈此解以为结论,并以应钱浩钱、朱静华夫妇影印是册时,几度虔诚恳嘱之愿,是否有当,皆成话堕。知我罪我,自性体空,还之弥勒一笑可也。

〔一九七二年,台北〕

健身之部

《静坐修道与长生不老》前言

人,充满了多欲与好奇的心理。欲之最大者,莫过于求得长生不死之果实;好奇之最甚者,莫过于探寻天地人我生命之根源,超越世间而掌握宇宙之功能。由此两种心理之总和,构成宗教学术思想之根本。西方的佛国、天堂,东方的世外桃源与大罗仙境之建立,就导致人类脱离现实物欲而促使精神之升华。

舍此之外,有特立独行,而非宗教似宗教,纯就现实身心以取证者,则为中国传统的神仙修养之术,与乎印度传统的修心瑜伽及佛家"秘密宗"法门之一部分。此皆从现有生命之身心着手薰修,锻炼精神肉体而力求超越物理世界之束缚,以达成外我的永恒存在,进而开启宇宙生命原始之奥秘。既不叛于宗教者各自之信仰,又不纯依信仰而自求实证。

但千古以来,有关长生不老的书籍与口传秘法,流传亦甚普及,而真仙何在?寿者难期,看来纯似一派谎言,无足采信。不但我们现在有此怀疑,古人也早有同感。故晋代人嵇康,撰写《养生论》而力言神仙之可学,欲从理论上证明其事之真实。

嵇康提出神仙之学的主旨在于养生,堪称平实而公允。此道是否具有超神入化之功,暂且不问,其对现有养生之助益,则绝难否认。且与中国之医理,以及现代之精神治疗,物理治疗、心理治疗等学,可以互相辅翼,大有发扬的必要。

一种学术思想,自数千年前流传至今,必有它存在的道理。古人并非尽为愚蠢,轻易受骗。但是由于古今教授处理的方法不同,所以我们今天对此不容易了解。况且自古以来毕生埋头此道,进而钻研深入者,到底属于少数的特立独行之士,不如普通应用学术,可以立刻见效于谋生。以区区个人的阅历与体验,此道对于平常注意身心修养,极有自我治疗之效。如欲“病急投医,临时抱佛”,可以休矣。

至欲以此探究宇宙与人生生命之奥秘,而冀求超凡者,则又涉及根骨之说。清人赵翼论诗,有“少时学语苦难圆,只道工夫半未全。到老方知非力取,三分人事七分天。”之说。诗乃文艺上的小道,其高深造诣之难,有如此说,何况变化气质,岂能一蹴而就,而得其圆中之妙哉!

本书的出版,要谢谢多年来学习静坐或修道者的多方探询,问题百出,使我大有应接不暇之感。乃以浅略之心得与经验,扫除传统与私相授受的陋习,打破丹经道书上有意隐秘藏私的术语,作一初步研究心得之平实报道。对于讲究养生的人或者有些帮助。

在此尚须声明,所谓“初步”并非谦抑之词,纯出至诚之言。要求更为深入,实非本书可尽其奥妙。如果时间与机会许可,当再从心理部分,乃至综合生理与心理部分,继续提出研究报告。

〔一九七三年,台北〕

《易筋经》叙

相传达摩祖师西来,传授禅宗心法以外,复授有《易筋》、《洗髓》二部工夫,以为修习禅定即身成就之助。后传至武术界,成为少林派之上乘工夫云云。稽此二功法之目的,为炼精化气,炼气化神,达于形神至妙,而为成佛作祖之助道品。与历来武术界视为绝顶神功者,意有迥别。相传洗髓工夫,传承幽渺,似已中断。易筋工夫,虽习者代有其人,然各家所传不同,莫衷一是。尤以坊间流行及钞传之秘本,相似者各有出入,不同者面目全非。各称嫡传,真伪难辨。达摩祖师传授禅宗心法以外,同时传有外功方术,当为事实。河南嵩山少林寺,自祖师以后传出之易筋洗髓工夫,以谙于武术之学者考证,则非祖师本来面目,乃唐宋间武师,入山出世,揉集中国固有之武术内功,参合道家导引之法而成。厥后流传愈广,出入愈多,附托者有之,假借者有之。且武术家一脉师承,常多秘惜真传,盖恐险恶者得之,如虎添翼,适为其作奸犯科之利器,故讳莫如深,不尽其说,支离授受,各师其师,各是其得,欲穷溯本原,考定真伪,殊非易事。然凡所传习者亦必各得其一支,能综而择其善者而从之,则大可为炼功养生之助矣。

一九四三年秋,余憩影峨眉,偶于中峰绝顶一苦行头陀处,得睹此祖师真传珍本,阅其内容,与历来传授者迥异。头陀习此有年,年逾耄耋而宛如四五十许人,攀山越岭,健步如飞,拔竹折木,犹如拉朽。尝戏引钟杵重击其腹,屹然不动,撞击百馀,若无事焉。过从既久,恳其借钞,慨然付授。第频年转从,鬓添二毛,而书剑荒芜,百无一就,萧条行箧中,历年抄录之秘笈荡然,惟此孤本尚存,殆非夙缘耶!自由出版社年来搜印中国隐秘典籍,以广流传,藉保吾先民之传统文化遗产，独任艰巨，至感钦迟。承嘱将此本公诸于世，并与叙说出处，因不敢自秘，乃略述其因缘如上，至于此本所传之工夫方法，是否即为上乘，当在学者之抉择，谫陋如余，未敢贸然臆断也。

〔一九五七年，台湾〕

葛武棨先生著《气功之理论方法与效力》序

吾闻学问之道,在变化气质。变化气质之道,大约不外二途:从斋心敬一而诚意正心修身,至于致知格物,此为其一,乃集义之所生,由内而达外者,理极平实,行之非易。其次,从苦其筋骨,劳其体躯做起,至于炼气凝神,以定静之功以变化气质之性,乃修炼之功,由外而进于内者,事极易行,而坚贞有恒笃行之者,亦不易得。知者过之,愚者不及。故学道者皆是,及其成而臻于实用者颇不多得。葛武棨先生,韶年立志报国,半生奔走革命,其事业勋名,素为识者深知,不待推述。避居台湾,偶得重病,于药物不能治疗之时,改习气功,三年勤奋,昼夜无间,不但体健色壮,且已知其中玄奥,不觉欣然雀跃,认为道在斯矣。乃秉其坦率仁爱之念,欲推己及人,救世利物,著此气功一书,属余为言。余自愧慕道无成,行无馀力学文,恐辞多害意,唯信笔述其事实如此。

〔一九五九年,台湾〕

谢译《印度瑜伽健身术》序

瑜伽者,原为古印度学术思想之一派。与婆罗门、数论等学齐名并驱,当释迦牟尼开创佛教之时,固并存而未稍戢也。梵语“瑜伽”,译义谓“观行”、“相应”,或亦译为“禅思”。数论学派的学说,大抵为二元之实在论,倾向于无神之说。而瑜伽则以神我、梵我为主,作清净之观行修持,以求解脱欲世之累,升华而达于梵净之域。故原本《瑜伽经》之内义,依四品立说。一曰《三昧品》,述说禅定境界之本质。二曰《方法品》,说明入定境界修持之方法。三曰《神通品》,演叙神通之原理及种类。四曰《独存品》,阐述其终极目的,而入于神我之境。此派学术思想,大体承受数论学说,析“自性”为二十四谛,“神我”为二十五谛,更建立“神”为第二十六谛,即佛经所称之“自在天神”,为色界主者。其学说思想,既形成一大宗派,自必有言之成理,理足为文之一家之言。

该派实验修持之方法,大体建立“八支行法”,为达神通境界而至于解脱之次第。所谓“八支行法”之原则,即禁制、劝制、坐法、调息、制感、执行、静虑、等持也云云。依此修持之极,即变八微为八自在。所谓八微者,即地、水、火、风、空、意、明、无明也。八自在者即能小、能大、轻举、远到、随所欲、分身、尊胜、隐没也。本此学说与方法之演变,枝蔓分衍,乃有各种瑜伽之术互相授受,其中以军荼利瑜伽术,播扬尤广。

此种学说方术,迨释迦牟尼兴起,整理印度从古以来全部文化,融通诸家异同之说,删芜刈蔓,归之真如,无复往昔之盛。盖佛学中唯识法相之学兴,糅集整理瑜伽等各派之理,熔铸陶冶,趣之正智。禅观密行之学兴,撷取瑜伽等各派之观行方术,含英咀华,流归法性。论藏中如无著大师所述之《瑜伽师地论》,穷源探本,理极其精。东密藏密,术极其能。如日照萤光,果然灭色。但吾国自宋元以还,印度本土,已无佛学。他山之石,早已移植于此土。故彼邦历近千年而迄于今,由婆罗门、瑜伽派之馀绪,郁然复萌,渐渐形成印度教之建立,而与回教等并存而不相悖也。

大抵人生宇宙之学术,富于神秘色彩者,莫过于东方古老国家之文物;中国、印度,尤为彰明较著者也。近世以来,欧美人士探求东方之奥秘,如雨后春笋,争相挖掘。彼等惊震于瑜伽术之神奇,竞相传译其学。流风所及,近年国人竞相访习,不乏其人。因之以讹传讹,欺世自误者,亦在所不免。如以该派之术而论,其特异效验之处,确有速成之功,较之吾国方伎气功丹经家言,实有超胜之处。甚之,其精细透辟,尤有优越于彼者在也。至于佛家禅定观行,博大精微,与瑜伽术等相较,更不可相提并论。唯国人数典忘祖,目迷外观,不能内省自疚,起而整理之,研究而实验之,致使悲叹迷方,不知所归。身怀异宝而行乞四方,曷胜浩叹。

吾友谢君元甫,研究博物,毕生从事教学,历任国内各大学教授有年。近复有志国故,涉猎道家方伎之学,药物之方,因此而于瑜伽术亦发生兴趣。数年前,嘱为代购《印度瑜伽健身术》一书,赓即亲自翻译以成。冒暑涉寒,心不退转,其意为学术兴趣而研究,固不计其他也。书成以后,将由真善美出版社宋君今人为付铅椠,复速缀数言为介。义不容辞,姑妄言之如是。其译文注重质朴,以征信为尚,匆匆不及藻饰,其亦留待后之有心人为之耳。

〔一九六四年,台北〕

《印度军荼利瑜伽术》前言

瑜伽之学，源于印度，为彼土上古学术之巨流，与婆罗门相传之“四吠陀”典递相表里。自释迦文佛应现彼邦，汇原有百家之说，删芜刈繁，归于无二，瑜伽之术，亦入其宗矣。瑜伽之义，旧释为“相应”，新释为“连合”，皆指会二元于一体，融心物而超然之意；与此土之天人合一，性命双融之说意颇相似。稽之内典，凡趋心禅寂，依思惟修，由心意识至解脱境，皆已摄于《瑜伽师地论》中。复次从有为入手，修一身瑜伽而证真如本性，则密宗胎藏界三部中之忿怒金刚、军荼利瑜伽等法尚焉。西藏密宗传承，无上瑜伽之部，内有修气脉明点，引发自身之忿怒母火（又曰“拙火”，或灵力、灵热等），融心身于寂静者，亦即胎藏界中忿怒金刚之修持也。凡此受授，皆经佛法陶融，因习利导，而入于菩提性相之中，是乃佛法之瑜伽，志在解脱也。此外，印度原有瑜伽之教，固自代有传承，源流未替，变化形蜕，如现在印度教等，术亦属焉。年来国际形势转移，世界各国沟通学术，互资观摩，欧美人士，初接瑜伽之教，惊彼修士神异之迹，递相转告，于物质科学之目迷十方，耳聩八音外，群相骇异；于是印度瑜伽修士，在海外应科学家试验者，时有所闻，或沉水不溺数十日，或埋土不死若干周，或火不能焚其身，或物不能挠其定，各种神通奇迹，变化莫测，则未可以现代科学知识论矣。凡此之徒，乃瑜伽派修士，与密宗修身瑜伽学术，大同而小异，其中心宗旨与乎究竟归趋，迥然有别，军荼利瑜伽，即为其术中之主干也。

以瑜伽而言瑜伽，凡诸究心身性命之学，趋心神寂者，莫不属之；故瑜伽修法，大体可分为心身二门，若依心而起修，则禅思观想等属之；外其身而证真我，空其意而登净乐。尤其依密宗字音声明证入宇宙真谛,感通于形而上者,为其法中密要;即同佛法之返闻自性,观音入道之门也。伟哉观音!远在婆罗门教之前,固已常存宇宙,为诸教之宗师矣。而军荼利修身瑜伽中,于此仅具端倪,未窥全貌,欲探其源,必须通明密咒奥秘,入观音之室,方得而知。若依心而起修,则气脉明点,忿怒母火之修法等属之;化朽腐为神奇,融心物于一元,指物炼心,莫此为胜;军荼利瑜伽,已见其梗概,而犹未尽其妙也。

本书中传述诸法,若持之有恒,如立竿见影,功效卓著:小而却病延年,大而神妙莫测,而修得五通(天眼通、天耳能、他心通、宿命通、神足通),诚非戏语。而若干细微过节,及对治之方,苟无师传,受害亦非浅鲜。且其法首重独身,专志苦行。不能遗世独立,修之适得其反。例如诸身印之术,在彼土专修者,往往坐立倒持,可历久长时日,以勉强为精进,以苦行为勇猛,一般学者,实非所宜。又如用布洗胃,以刀割舌,乃至吐火吞刀之流,即易入魔,又易致病而夭折,未可妄自尝试。更如用银管以炼下行气,吸水提收之术,妄者习之,即流于房中采战之歧,可以杀身,可以败德,与瑜伽之本旨,背道而驰矣。此举其荦荦大者,馀未详述。若心恋世情之囿,术操超解脱之方,此为绝对矛盾,不待智者言而自明焉。

或曰:佛重修心,道主炼气,以密宗修气脉明点与乎瑜伽之术,同于道家,固为佛斥为外学也,习之可乎?曰:心非孤起,依境而生,境自物生,心随能动;所谓能者,充塞宇宙,生万物而不遗,依心而共丽,同出而异用;心身相依,交互影响,凡心求定而未能者,即此业气为累;犹浪欲平而风未止,云无心而气流不息;苟心气同息,转物可即,此为定学之要,非空腹高心者可得而强难也。定学为诸家共法,直指明心,岂能外此。若道家导引、吐纳、服气、按摩之术,为其专主修身之一端,属于炼气士之修法,法天地阴阳化育,参生机不已妙用;大抵皆粗习其支离片段,自秘为绝学,能通其全要者,殊不多见。若武术家习炼之气功,则又为其支分,不足以概全也。依道家而言道家,瑜伽气脉之修法,同其导引服气之术;而二者比较,瑜伽之术,较为粗疏,此则难逃明眼者拣择。唯此土修炼之士,有一传统习惯,造就愈高深者,入山唯恐不深,逃名愈恐不及,终至寥落无闻,受授不识。而瑜伽之学,适以时会所趋,张明广著,宏扬于海外,得其译本者,或宝为枕秘,或恐为流毒,多深藏而不布,其心固可嘉,其事则未是,“谩藏诲盗,冶容诲淫”,珍密法而神秘之,其斯之谓乎!

庄生有言:“野马也,尘埃也,生物之以息相吹也。”极言穷宇宙之奇,唯此一气之变化,天地为一大化炉,人生为一大化境。此气者,即现代科学所谓电子原子之能也。苟以宇宙为炉鞴,以人物为火蜡,以智能为工具,以气化为资源,持其术以治之,摩挲炉鞴火蜡之间,则宇宙在手,万化生身,宁非实语!若进而知操持修炼之本,不外一心;天地人物原即幻化,觅心身性命而了不可得,何用系情事相,搬心运气,弄幻影之修为哉!萧兄天石,应同好之请,翻印《印度军荼利瑜伽术》一书,辱承枉问,自憾养气未能,吹嘘无似,聊缀数语,以塞责耳。

〔一九七一年,台北〕

《少林寺与少林拳棒阐宗》前介辞

有文治者必有武功,此乃中国传统文化之名言,亦为显示上古之世,文武合一之名训。然所谓武者,即止戈为武之义,以威杀而止残杀,以奋战而达非战,实为护生仁术之功德也。但武学约有分为广狭两畴,广义之武,即为军国大防兵法战阵之学,必以戒慎恐惧,好谋而成,非徒似暴虎凭河之所为也。狭义之武,即手足搏击,乃至以器械搏斗,所谓执兵戈以御社稷者是也。至于任侠尚气,睚眦必报,流血五步,在所不惜者,已非尚武之大义,徒为匹夫之勇耳,犹所不豫焉。然皆立基于强身健体,养志率气之道,则无论为兵经之武学,抑为个人之武术,其道一也。

远溯吾先民之尚武精神以迄汉、唐以后,由徒手胝足之搏击而至于把捉兵器之武术,由技而进乎道者,昔皆与文艺并重而称之曰武艺。习武而造诣于艺术之境,则其道也,已超越于搏击残杀为本事者,深且远矣。然武艺之境,谁能创此?曰:非为一人一家之所创始,实集先民累世之学力与实习之所得者,因时因地因人而授受,固非一端也。唯自唐宋以后,辄由博而返约,局于因袭成见,称外家而独尊少林,内家而推崇武当,殊为浅且陋矣。且言少林者,必宗主达摩,言武当者,则祖崇张三丰,尤不值识者之嗤也。

推究技击武艺之造诣,刚柔相生,内外互用,高低相倾,上下相应,左右兼顾,轻重并济,内炼精神气,外炼筋骨皮,无论少林、武当,乃至百家技艺,皆须臻于圆通,不可偏废。所谓武当源出于少林,少林创始于达摩,此皆因人而崇拜,囿于盛唐以后,禅宗之有五家宗派之分立,道家之有南北玄门之歧途,分河饮水,相习成风,门庭建立,执守师承,谬误生矣。然则,达摩固传有《易筋》、《洗髓》二经，抑为非是耶？曰：传出有因，事非稽古。盖因华佗五禽戏而至小乘禅观之有安般呼吸以治禅病法门，乃有易筋、洗髓之说兴起。后世之《易筋经》，世传多种，各有专长。《洗髓》一经，并非亡佚，实自《禅秘要法》中白骨观变相之说也。至于少林拳棒，实为汇集各家善于技击，而遁入空门者之所长，代有增益，实非定于一人一技之发明也。例如明清以来世所习之大洪拳、太祖棍等，亦相传自宋祖赵匡胤所习于少林寺者。如依此附会，则周侗传岳武穆之形意拳、长蛇枪法等，源出河南，亦何尝不可谓胎变于少林，不须复归于内家拳之列矣。要之，后世之习武者而大半不文，故于我国五千年来技击武艺细密深沉之史学，杳然而不可考矣。惜哉！

余生自体弱多病，唯自童年即嗜好固有之技击国术，亦曾遍参南北诸师，醉心于少林、武当等内外功之学术。唯限于弱质，且禀赋疏懒，尤耽于寂静自恣。壮岁以后，心染世务，复厌倦于武林之不学无文也，故而尽弃所学，聊寄梦幻浮身以度劫浊。多歧亡羊，好学而无所成就，故杜口而不言技击国术者，已五十馀年矣。今因张震海先生之促，重作冯妇，赘叙其所专著《少林寺与少林拳棒阐宗》，惭惶无似。先生乃民初大侠杜心五先生与胡半仙等之传人，擅长武艺而又为西洋运动学之名教授，蜚声国际，旅居美洲。况又勤于写作，潇洒成文，意之所至，兴之所发，随即远寄长函，旷论今古，殷勤咐嘱，敢不从命以应。至于本书所授拳棒架式，若能勤而习之，颖悟其中三昧，当可运用无方，强身御祸，自应无疑。谚云："艺多不养家。"学者当三复斯言，即可得其圆中矣。是为之介。

〔一九八四年，台北〕

历史之部

《武圣关壮缪遗迹图志》序

老古出版社自成立以来,发行书籍皆以开继承启文化为职志。顷者,负责业务之古生国治,编辑部之曾生令伟,偕来问讯,且告知即将出版《武圣关壮缪遗迹图志》一书,嘱为之序,骤闻其请,诚有难以下笔之感。盖自元明以来,关公事迹,由史乘而衍为演义,自人位而极为帝天,迷离惝恍,家喻户晓,俗成聚实,贤者犹不免于信奉,况已成为民俗文化之中坚信仰,普为四海同钦,须欲辨别其是非有无之际,诚无益于化民成俗之旨,且徒乱于季世神道设教之风也。

尝谓上下五千年,中国文化之人物,于史册名闻之外,而独能普遍流芳于百代,且又为后世所尽知之人物,誉圣颂帝,数不多得,文如尼山之孔夫子,固不具说。武则关、岳并称,而尤以关公为普闻,其故何哉?思之再三,俗称岳武穆独以精忠报国为典训,其量止于君臣之阃,而未能化及人伦之大者。至如世所标榜关公之忠义,则于忠道之诠释,不仅施于君臣之际,且可尽于人伦纲常之间。其于义道之影响,且可概于朋友之适而及于社会之则。是诚春秋大义之微旨,故关公之典范,终能由人道而臻于神明之尊,岂偶然哉?非徒然也。

孟子有言曰:“可欲之谓善。有诸己之谓信。充实之谓美。充实而有光辉之谓大。大而化之之谓圣。圣而不可知之之谓神。”以之律于关公生平之尽心志节,诚如孟子所言前二者之实,后四者之基。若夫身后之修,抑为精诚之渐进,或为聪明正直,死而为神之美崇,洵有不可知者。佛曰:不可思议,亦其斯之谓耶?

论者有曰:征之史实,演义之说关公事迹,不可尽信,且其为人所盛传徐州依曹之玷,计较马超之忌,拒绝孙吴之执,以及荆州之失,其可议者殊多,曷足以当武之圣者之誉乎?曰:此亦有说。孟子曰:“尽信书,则不如无书。”况陈寿之撰,依违曹魏而轻议蜀汉,亦理所必至,事有固然也。然寿之史传曰:

初,曹公壮羽为人,而察其心神,无久留之意。谓张辽曰:卿试以情问之。既而辽以问羽。羽叹曰:吾极知曹公待我厚,然吾受刘将军厚恩,誓以共死,不可背之。吾终不留。吾要当立效以报曹公乃去。辽以羽言报公。公义之。及羽杀颜良。曹公知其必去,重加赏赐。羽尽封其所赐,拜书告辞而奔先主于袁军,左右欲追之。曹公曰:彼各为其主,勿追也。

即此而观陈寿之微言,于关公之志节神采,及其进退权宜之际,情至义尽,从容不迫,固深得于《春秋》大义之旨,岂可以古文简略其叙述而诬以依曹为失节耶!故罗贯中之作《演义》,衍其内蕴,虽非信史,亦无溢美史迹之誉。《易》曰:“知进退存亡而不失其正者,其唯圣人乎!”此诚万古纲常之典范,美哉其人是之足以谓之神也!

寿传又曰:

闻马超来降,旧非故人,羽书与诸葛亮,问超人才,可谁比类?亮知羽护前。乃答之曰:“孟起兼资文武,雄烈过人。一世之杰,黥、彭之徒,当与益德并趋争先,犹未及髯之绝伦逸群也。”羽美须髯,故亮谓之髯。羽省书大悦,以示宾客。

后之论者,据传所谓“亮知羽护前”一语,谓公有忌才之嫌。复以“省书大悦,以示宾客”,量其器度之不广。殊不知公与刘先主,崛起草莽,世途之辛苦艰难,人情诚伪莫测,备尝备知。方其独当一面,威负重镇,乍闻西陲降将,而又非创业故旧,衡之国策,岂可不有此一问,以定全面战略之机,何忌之有?至于传称“亮知羽护前”者,盖谓诸葛亮深知公情重故旧,嫌疑新降之意,故以老友轻松游戏之笔,以释其疑。书称“犹未及髯之绝伦逸群也”。足以见诸葛孔明与公情谊之亲切,故出之于戏言之句,因之而有公之"省书大悦,以示宾客"之举。实非器局狭小之态,洵为君臣朋友相得无间之情事。倘徒依文解义,不究其微言之妙,则其诬也,固亦当然矣!

至若其拒婚孙吴,则在陈寿之传,及典略所载,固已详述。当是之时,公"威震华夏,曹操议迁徙许都,以避其锐。"可见孙吴之议和,仅为权谋而诡计,则公之拒婚,义固当然也。况孙吴前有婚盟于刘先主,而终亦以违亲亲为诡谋,前车覆辙,殷鉴不远。此公固知和亲于吴之不足恃,拒婚于孙吴亦不足恃。公谊私情,两皆无益,当机在局者应所深知,殊非千载以后可轻议得失也。

及其荆州之失,固又出于孙吴之渝信背盟,又复牵掣于故旧将校,麋芳、傅士仁等辈之变志投敌,虽有"间谋"失察之嫌,而古今至诚直道之君子,往往祸起萧墙,困厄于亲信旧谊之间者,史实难以胜数,此所以读史者每为千古人心险恶易变而掩卷长叹者,虽曰人事,岂非天命哉!蜀记有曰:

公初出军围樊,梦猪啮其足,语子平曰:吾今年衰矣,然不得还江表!

观此,此非公已预知时至,其亦生而神灵者乎!今为辑印此图书,并附论及之。近者,世俗传称,天志易运,民封神榜曰"关圣大帝",且非民心即天心,神由人兴之意欤!是为序。

〔一九七八年冬月,台北〕

陈光栋教授与《泛论中美外交关系》一书

去年(一九七一年)的秋天,为应清华大学同学专题演讲之邀请,特别去了一趟新竹。我向来不喜欢记事,更不愿意死记着往事的日期和数字,虽然事隔不久,也早已忘记是哪一月哪一天的事了。那天的上午,洪同教授打电话给我说:他有事到台北开会,不能在学校里等我,一切招待的事,已托陈光栋教授代劳。其实,我很怕这些公式化的应酬,什么招待不招待,毫无意思,答应来讲演就讲演,管他那些事作什么?但洪同教授以前与我有过一段因缘,现在他是清华的总务长,更重视礼节,陈光栋教授又是老朋友,很久不见,见面多谈谈,总是好的。

我记得到达新竹站时,已经日近黄昏,华灯初上了。我不认得来接我的同学们,同学们也不认得我,当我自己正要叫车去清华时,幸好来接我的校车上的司机,头脑真够清华,他看我东张西望,像个丧家之犬,便问我是否是到清华去演讲的,我就笑说:“是的。”于是,来接的同学们也知道了,大家半中半西地礼貌一番,嘟的一声,直放清华。

到了地头,光栋教授早已在招待室内,彼此长久不见,见了面,就互道思念之情,如此如彼地嘘寒问暖一番。他和负责招待的同学们,陪我吃了中式的西餐晚饭以后,又上来一杯咖啡,打开了另一面的话匣。据我所知,光栋教授是一个杰出的人才,多才多艺,倜傥风流,兼而有之。但因时间匆促,我们来不及谈风趣,我只关心他的中国史的大著,有未完成。他当时对我说:目前正忙着写一部《泛论中美外交关系》的书，而且告诉我他所写的立意和方向。我当时听了，首先叫好，要他赶快完成这部书。因为我有自知之明，太粗疏，但可乐于与人为善，而且有激扬别人长处的呆劲，所以特别高兴听他谈著作的计划。如果当天不是被拖上“来讲演”的空架子，真想请他好好地讲下去，我极愿意作他的听众。

事情过去了，又快到过年了，恰好在一九七一年（阴历）除夕的那一天，接到陈光棣教授给我寄来了他的一部巨著。开始我不知道是谁寄来的闲书，随手一放，堆在平日惯例的来件中，等到有空时再慢慢地清理。当时，站在我身旁的一位同学说：“这好像是陈光棣教授寄来的新书呢！老师经常说他是很风趣的人，就是他吗?”我听了就叫他替我赶快拆开来看，才知道就是他那天对我讲的《中美外交关系》的新书出版了。因此，我连忙读他的序文——前言，顺便又翻阅目录，一面看，一面情不自禁地叫好。那个仍然站在我身旁的同学问我好在哪里？我说：这是此时此地，你们这一代青年同学们必须要知道，要先读为快的书，好就好在他为你们搜集撰述了应该知道的当代史料，可以使你们温故而知新，对于国家和个人的未来前途，知道应该走哪一条路。同时也可以使你们对于世界局势的变化，有更深刻的了解。

我向来不会替人作书评，而且读了每一本书，都好像无从评起，因此欠的这类文债也特别多。有些因所求不遂，或另有所写的人，因此便拚命骂我是“江湖”，是“旁门左道”。好在我对这些事，已听惯不惊，而且当它是过分恭维的耳边风，殊不知道我连“左道旁门”和“江湖”都不够格。但是对于陈光棣教授这一本书，我却乐意要为它推介，这是“世事洞明皆学问”的事，而且现代中国的青年学生们必须要读。也可以说，这就是我“任兴”的一面，只要自己兴趣所在，认为“义所当为”，就不管是非，该作该说的就说就作了，更不要通知光棣教授。——最后，附带说明，陈光棣教授的这部书，据我看到的版权页上所记载，在世界书局可以买到。

〔一九七二年,台北〕

陈著《孙子兵法白话解》序

人类世间,既有名器,即起争心。虽曰天人,犹难免与阿修罗战斗。况世运衰降,人心非古,欲弭灾劫,战防岂能免乎!故《易》系传曰:“弧矢之利,以威天下,盖取诸睽。”《阴符经》曰:“地发杀机,龙蛇起陆。人发杀机,天地反覆。”虽皆为警世之言,实示唯止戈为武,乃得成武德而全武道也。故吾国先民文化,言武德者皆不离于道。周秦以还,兵家谋略,政法刑名,莫不祖述道德,散为外用。道家者流,阐阴阳而统兵机,老庄已启其契。汉魏以后,凡神仙家言,靡不谈兵。《鸿烈》、《抱朴》,阐其玄奥。孙武、孙膑,亦皆道术之分化,岂能舍道而独言兵事哉!然道也者,广漠无朕,寂然不动,感而遂通。欲循而无迹,欲盖而弥彰。唯智者神而明之,应用无方,是得自然之智,而知离有离无之用。兵机道术,其揆一也。故今昔名将,虽曰不学,而皆暗合兵法。兵事随时变,随势易,岂固有不变之定法耶?而云暗合者,非法之法,徒以文字言语示之,如斯而已矣。但自战国孙子,有兵经之始,十三篇之说,为世圭臬,历久常新。木立而影见,径辟而途从,后之论兵事者,舍之而无足以立言。犹“六经”之后,违之而不称为学也。故历代之作,荦荦可名,如《孙子兵法十家注》,以及李筌兵书,岂固墨守成规,方得以言兵学,盖亦借石他山,眩目攻错,托古之名而扬新说耳。今者,四明陈君行夫,汇其昔日在美国曾作讲学之《孙子兵法白话解》一书,刊而出之,迨亦寓意笔说,藉露心言。然后乃以知命馀年,伏枥而学易矣。故乐其请而为之序。

〔一九七二年,台北〕

黄著《中国近代思想变迁史》前言

我和黄公伟教授认识已有二十六年。黄教授过去在大陆时，曾有党、政、军、学、新闻事业等许多经历。那时虽然我们还不相识，但他的朋友长官们，有些我都熟识，因此也间接知道黄教授的为人，忠厚笃实，治学甚勤。在最近十馀年来，我又和他同列教席，相见的机会比较多，相知也比较更深一层。他除了教书以外，便潜心著作，专志名山事业，求之现在的读书人中，实为不可多得的，值得钦佩。

当我在一九七一年夏天，开始创办《人文世界》杂志的同时，曾经对"二十世纪青少年的思想与心理问题"连续作过十多次专题演讲。我深深觉得要后来的一代，知道如何"拨乱反正"，需要把过去一个世纪以来影响历史文化变故的学术思想，有系统地告诉他们，这是很重要的工作。我想做，但精力和时间都不许可。同时也感觉到论议古人容易，评述今人未免有许多困难和忌讳。所以一再因循，始终没有着手。有一天，和黄教授一起吃饭，在席上我谈起此事。希望这位涉猎渊博的现代学人，能够担负起这件工作。当时，他慎重考虑之后，总算愿意一试。

到了一九七二年的元月，我又写了一篇《从处变自强说起的另一页》专论，刊载于《人文世界》(见本刊第二卷第二期)。虽然是言者谆谆，听者藐藐。但身为现代的读书人，有所见而必须要说的，总要坦陈而出。在这以后，有几位同学对我说："黄老师正在埋首写那一部书，他说，是您出的主意，真害苦了他。搜集资料，删订裁剪，大费心力。也许这是他关门的著作，完成以后，他想再不写书了。"我听了更加肃然起敬。

去年再度与黄教授见面,他对我说:“已经完成此书,虽然有许多困难,不能尽如人意,但总算大体完功了。”并且要我写一篇文章,留作此事因缘的纪念。我虽谫陋,实也难逃其责。后来我想来想去,毕竟才思有限,另外写不出什么道理,只有把这篇旧作交卷,忝附骥尾,以陪衬黄教授宏著。

〔一九七二年,台北〕

其他

《人文世界》杂志创刊词

新办刊物,循例须有创刊词,宣明其宗旨、目的、内容、风格,与读者作者的共同需要、共同兴趣,冀以引起共鸣与支持。当今世界,传播事业,如风起云涌,一般知识的普及,几已无须藉文字帮助。新闻报章,行将渐趋落伍;何况此时此地,杂志刊物的流行,到处可见,创刊皆有词,且皆文章华丽,构思精辟,再复侈言文化学术,宣称为中国文化而努力,为东西方文化交流而服务,不是流为口号,即是成为具文,多加一本刊物,多增一堆废纸而已。而吾辈不避艰辛,不畏挫折,为融会交流东西方文化思想,为复兴中国学术文化而创此园地,固然明知故犯,实亦不忍坐视人类世界自罹浩劫;而中国累积数千年的文化精神,足可补救物质文明的缺陷者,亦将随浮薄浊乱的世风剧变而沉沦也。

然东西方的文化学术,百绪千端,整理已经为难,欲穷源溯往,力求正本而开展新机,谈何容易?况今日世界,新迷于科学文明的疯狂,久困于精神意境的贫病,东西文化学术,几已陷于思想瘫痪的境界,徒藉平白之身,言不足以动听,名不足以惊众,思欲振聋发聩,挟泰山以超北海,适见其不知自量。虽然,学术文化,追根穷柢,莫不基于人类的思想而来,而一般人思想的蔽锢,多由于物质欲望的朦蔽,知识分子思想的停塞,多由于主观成见的阻碍;如能打通物质欲望的坎限,进向精神升华的领域,泯除主观的成见,窍开停塞的大道,万一有助于人类、世界、国家、民族者,亦足以告慰安心,庶几对于人类社会,薄有交代,便可长揖世间,身随物化而无遗憾于虚生矣。

然而文化学术,事非凭空虚构,心藉历史时代的潮流而运成其际会。自十九世纪以迄于今,西方文化学术的风潮,波澜壮阔,夹泥沙玉石滚滚而来;初则突破东方各国传统保守的藩篱,挹注西方学术的新思潮,促成历史文化的变乱。继之,由西方工商业革命与经济的影响,随同唯心哲学与唯物哲学的冲击,汇成各国政治思想的争变,扩而充之,形成国际间思想战的壁垒。人类社会应有的人伦道德,社会秩序,人生哲学,与今后自然科学发展结果的新趋向,新境界,既遭人类历史的大势所趋而破坏于前,又无新的思想学术,可与科学会师而整建于后。虽举世界皆知其弊病日深,而乏救时的良药;物质文明愈趋进步,精神思想愈加颓丧,方今人文思想,更无新的指标可以导致人类消弭乱源,几已至于真空状态。后起之秀的一代青年,统皆感受现实的困扰而陷于紧张、恐怖、冷酷、斗狠的境地,于是造成本世纪的末期,尽为镇定剂与麻醉药品的时代,前因后果,慄然可惧。

本刊创办,实欲藉此园地,温故知新,集思广智,希望对此混沌世界,罅开人文思想的曙光,或者汇集涓滴的精思而益成智海,或者融通古今中外的精华而沛注慧学,皆有待于今后的精诚从事,与各界的不吝匡正。

〔一九七一年五月,台北〕

东西精华协会宗旨简介

——节录自《东西精华协会中华总会纪要》

我们要担起挽救狂澜的工作

今天的世界,普遍陷在迷惘中,是非缺乏标准,善恶没有界限。它的远因近果,实由于物质文明高度发达的反映,人们但知追求物欲而忽略了精神上的修养,于是变得没有理想,没有目标,浑浑噩噩,茫然而无所措、无所从。人心如此,国际如此,整个世界人类何尝不如此,危机重重,人类再不回头,终将走入没顶的深渊。

东西精华协会(East-West Essence Society)便是在这种情况下诞生的,实在说,这个协会的诞生,乃是基于现代的需要。中、美两国有心之士,发起这个组织的宗旨,正如本协会的名称所揭示的,要从东方文化中和西方文化中摘“精”取“华”,身体力行之,发扬光大之,挽救思想文化之狂澜于将倾,导引人类走向“老有所终,壮有所用,幼有所长。”和平安乐的大同境界。

也许有人以为本协会的陈义过高,可能流于口号,但以下所叙述的本会成立经过及今后的做法,可以说明我们深切了解“行远自迩,登高自卑”的道理,愿我们脚踏实地地努力,能得到大家的共鸣和支持。

东西精华协会发起的动机实是始于我国,而国际总会却最早成立于美国。发起这个组织的都是对东西文化有深切认识,而且普及于社会各阶层。公元一九六九年八月,总会在美国加利福尼亚州 California 成立时,会员只有十几人,可是不旋踵间,便得到社会各方的热烈反应,赞成的人数增加得很快。目前世界各地都有成立分会之议,中华总(分)会可说开其先驱。总(分)会的宗旨不营利,不分国界、种族、宗教,不牵涉政治,与国际总会的宗旨相同,而其着力点则在于发扬东方文化——亦即中华文化——之所长,以济西方科学文明之不足,而为社会人类谋福祉。此点可说与中华文化复兴运动的宗旨殊途同归,百虑一致。

东西精华协会的做法将是实际的,譬如中华总会目前所致力的重点工作,便是辅导青少年问题的社会青年教育,及筹建可供养老的"安颐别业",同时并将分别设立儒学中心 Confucian Center、禅学中心 Ch'an (Zen) Center、道学中心 Tao Center、西洋哲学中心 Western Philosophies Center、医学中心 Medical Center,渐次开办有关中华文化的各种进修班和研究班,藉以振兴中国文化,进一步谋求东西文化之交流、融合。

东西精华协会中华总会的所有活动,都将采取绝对超然的立场予以贯彻,并且都将聘请受人敬仰的专家学者主持其事。献身于这项工作的人,都出之以热忱,但求心之所安,对于名利和毁誉是丝毫不计的。

我们要特别声明,这个协会的目的既不是复古,也不愿被人加上"创新"之名,我们只是平实地为人类寻找可行及可努力的道路,免得大家再迷失了本性,迷失了方向。

在中华总会成立的过程中,有许多人自愿加重本身的负担,出钱、出力参加工作,也有许多善心人士,毫无条件地捐地捐钱,其中特别值得首先一提的是赖宏基父子,他们捐献的大笔土地,大有助于本会今后的发展,我们在此要特别表示谢意。但是由于本会初期的工作方向为文化、出版等事业,无法兼顾土地、建设其他工程,因而又将原地奉还。

现在,本会一切尚在初创时期,要求开花结果,还须有识、有心之士共同来灌溉,切盼大家能认清时势所趋,和本会携手来努力以发扬东西文化精华的工作。

东西精华协会六问

一、东西精华协会的性质如何?

本会不分国籍、种族、宗教,不以营利,不牵涉政治为宗旨。以致力于东西文化的融会贯通为己任,同时并从事社会教育及福利事业。

二、何人发起此一组织?成立于何时何地?

本会系由对东西文化有深刻认识和研究的中美两国人士所发起,成立于一九六九年八月,在美国加州。

三、中华总会成立于何时何地?组织如何?

中华总会成立于一九七〇年三月,在台北市。本会以会员大会为最高权力机构。会员大会闭会期间,由理事会代行其职权,而以会长负实际推动会务之责任。

四、中华总会做些什么事?

在融会东西文化的大前提下,中华总会将举办各种进修班,如禅学班、西洋哲学班、国画班、国乐班、国医班、语文班等,均欢迎有志进修人士报名参加。

本会并将举办各种社会福利事业,如为养老而筹设的安颐别业,为导引问题青少年回归正路而筹办的青少年辅导院等。

本会并将设立出版事业委员会,编译事业委员会,出版编译各种有助于融会东西文化之书籍。

五、怎样可以加入为会员?

本会对会员的审查要求极端慎重,凡合于本会章程规定,获准加入为本会会员者,其在社会上的声誉,即应当获得极大的保证。

六、会员有哪些权利和义务?

本会章程虽规定会员有若干权利和义务,但希望大家能了解,本会是个服务社会教育及社会慈善福利团体,这是一项施舍的工作。

我们要做什么

今日的世界,由于西方文化的贡献,促进了物质文明的发达,如交通的便利,建筑的富丽,生活的舒适,这在表面上来看,可以说是历史上最幸福的时代。但是人们为了生存的竞争而忙碌,为了战争的毁灭而惶恐,为了欲海的难填而烦恼,这在精神上来看,也可说是历史上最痛苦的时代。在这物质文明发达和精神生活贫乏的尖锐对比下,人类正面临着一个新的危机。

这种危机正同患了癌症一样,外部显得很健康,而内部却溃烂不堪。今天我们过分迷信科学的万能,以为自己可以超迈古人,而任意推翻传统,杜塞了几千年来,无数圣哲们替我们开发出来的教化源泉。譬如中国,由尧、舜、禹、汤、文、武、周公、孔子等所揭发的诚意、正心、修身、齐家、治国、平天下的思想;印度由七佛、释迦牟尼(Śākyamuni)、龙树(Nāgārjuna)、马鸣(A′svāghosa)、无著(Asanga)、天亲(Vasubandhu)等所开展的救世救人的大乘;西方由苏格拉底(Socrates)、柏拉图(Plato)、亚里士多德(Aristotle)、奥古斯丁(Augustine)、马丁路德(Martin Luther)、康德(Kant)等所发挥的人文和宗教的求真求善精神。在这三大文化系统内所蕴积的无尽宝藏,我们都没有好好开拓、整理,发挥它们的精华,来充实我们的精神生命。西方文化在科学方面,虽然登陆月球,迈入了太空,而在人文文化方面,却等于留级而退学。都由于东西双方文化,不从根本处针砭,只求表面的妥协,非但不能达成人类世界的永久和平,反而徒增紊乱。

生在"前不见古人,后不见来者"的今天,我们将何以自处?我们虽失望,但不能绝望,因为要靠我们这一代,才能使古人长存,使来者继起。为了想挑起这承先启后的大梁,我们一方面要复兴东西方固有文化的精华,互相截长补短,作为今天的精神食粮;一方面更应谋东西方文化的交流与融会,以期消弭迫在眉睫的人类文化大劫。

当然,这是一个安定人类社会的大事,不是三言两语所能尽意,在这里,我们只是向大家表达这点感受和苦心,希望能引起共鸣,促使天下有心人士,为了这一目标,来共同努力。

东西精华协会中华总会的任务

近一二百年间,人类历史的进展,由于交通工具的发展,在空间领域上,融天下为一家;由于电信知识的传播,在种族观念上,使四海之内皆兄弟。虽然如此,但肝胆楚越,世界各国的战火未已;兄弟阋墙,人类社会的动乱频仍。无论东方或西方,都有数千年文化的蕴积,都极尽宗教、哲学、科学、教育之能事。但仍然不能消弭战火,安定社会,使人类得到梦寐以求的和平与幸福,实为有识人士所扼腕而长叹不已。

回顾人类的历史,因果相仍,循环不已。在中世以前,东西方社会,都能顺时听天,安居乡土。自中世以后,知识随科学的发明而开展,欲望也随海洋的交通而澎湃。工业革命制造了代替人力的机械,也促进了物质的文明。但物欲驱心,军国主义的侵略火把,燃起了漫天的战火。科学与物质文明贡献于人类生活的利便,反成为人类文化的障碍,世界浩劫的助力。直到今天,领空观念,随太空科学而扩张,人类是否能为了对另一世界的征服与追求,而放弃了在地球上的争夺,这当然还有待于天心运会,人事因缘的互变,未便言之过早。

虽然,鉴古可以证今,观今可以知来。欲知明日的天下,先须认清今日之世界。今天人与人间的仇杀,国与国间的争夺,暂且不谈。就拿现代人自诩为经济、政治、教育的高度文化来说,也没有一样不是百孔千疮,问题严重。以雄踞世界首席,自命执西方文明牛耳的美国来论,内不足以安己,外不足以和协万邦,束手徬徨,举棋不定。而以东方古国的中、印来说,又复局促于自然科学的落后和物质文明的穷困,虽有救世的苦心,救时的良药,但巧妇难为无米之炊,奈何心有馀而力不足了。

然而长夜漫漫,鸡鸣不已,举世皆醉,岂无独醒之人。今由中、美双方有识人士的倡导,首先在美国创立了国际性的东西精华协会,以不营利,不牵涉任何地区的政治,谋求东西文化的交流为宗旨;发扬东方文化的所长,补救西方科学文明的不足为原则;而达成为人类社会求幸福的极致目的。由于这一意义的重大,世界各地都纷纷设立分会,而我中华总(分)会,正是首先创立的先驱。这也是为了响应中华文化的复兴运动,为救国救世,利己利人的工作而努力。

东西精华协会,首先在中国设立总会,其主要精神有三:

一、唤醒近世东方各国,使他们恢复自信,不再舍弃固有文化的宝藏,而一味盲目地全盘西化。

二、重新振兴中国人文思想的精神,以纠正西方物质文明的偏差。

三、沟通东西文化,以谋人类的和平与幸福。

本会基于这种理想,首先为社会福利及教育两大目标,展开最基本的工作如下:壹、社会福利方面:本着孔子所谓“老者安之,少者怀之”的大同理想,筹建安颐别业。

筹建安颐别业的愿望

中国传统文化,在社会而言,始终讲究“养生送死而无憾”。所以《礼运·大同篇》特别强调:“使老有所终,壮有所用,幼有所长,矜、寡、孤、独、废、疾者,皆有所养。”

孔子集上古文化的大成,以孝为一切德行的根本。他的学生曾子,在《大学》上,便以修身、齐家,为内圣外王的枢纽。他的孙子子思,也把明诚之教,归本于孝弟之行。从此拓展出了中国以孝义治天下的特殊文化。

这种文化正像一个十字架,以自己为中心,上孝父母而及于天,下爱子女以垂万世;两旁以兄弟、姊妹、夫妇而及于朋友;这个十字架不是宗教的,而是伦理的,它是中国社会的缩影,是中国文化的象征。

西方文化却不然,虽然他们秉承希腊文化的传统,主张自由,固有其特殊的贡献。但他们完全以个人自由为出发点,对上既不能孝父母,直通天道,两旁又忽视兄弟姊妹的手足之情,而朋友之交更是唯利相接。至于对子女,虽然认为是自己天赋的责任,却尽量逃避。所以西方的文化,正如自毁十字架的精神,实无伦理关系可言。

中国文化自十九世纪以来,受西方文化的冲击,使固有完美的十字架,也被冲得东倒西歪。随着工业社会的发展,小家庭制度的普遍,孝悌之道也就逐渐地被人所淡忘。老年人的孤露飘零,淹留一息于凄凉的晚景,成为时代的必然趋势。

本会有鉴于此,为了发扬中国文化以孝义立国的传统道德,本着"老吾老以及人之老"的"大孝于天下"的精神,而筹建"安颐别业"。

(一) 安颐别业的基本原则

(1) 不限国籍与种族(但合于本会安颐规章……)。

(2) 不拘宗教信仰。

(3) 不限男女同居或男女各别分居,乃至不限制老年男女之结婚。

(二) 安颐别业之理想

(1) 设立各大宗教的教堂与专修之所。

(2) 设立适合于老年正当娱乐等场所。

(3) 设立适合于老年轻便工业或手工业场所。

(4) 设立宝智学术研究所(老乃国之宝,须要薪传他的经验与智慧启迪后人,故设立宝智研究所为传习学问之所)。

(5) 设立医院与老人医疗所,及养生、保健等中心。

(6) 设立归息乐园。

贰、社会教育方面:本着孔子所谓"志于道,据于德,依于仁,游于艺"的旨趣,筹建青少年辅导院,以辅助政教的不足。

筹建青少年辅导院的主旨

人性是善是恶,这是几千年来,宗教,哲学上争论不决的问题,我们暂且不谈。就以教育的立场来说,人自有生命开始,由婴儿、孩提、幼年、少年,以至于成年,随时随地,都需要教育的培养,所以有胎教、家庭教育、学校教育、社会教育等一系列的教育。而在这一系列的教育中,每个国家,由于他们历史文化背景的不同,因此在教育思想及方法上,都各有其特殊的精神。

西方的文化,在十八世纪以前,由于宗教教育的时时提醒,尚能非常平稳地发展。可是在工业革命之后,由于科学的创制,带来了高度的物质文明,使人心竞逐于物欲,理性迷醉于现实,固有的宗教、哲学,已收拾不住这一将倒的狂澜。举世疯狂,有谁独醒?十九世纪中叶,曾有丹麦医生契尔伽德 Kierkegard 研究神学及哲学,认为要从机械文明所造成,举世疯狂的病态中,解救人类,而提倡存在主义的(Existentialism)。本想医世医人,岂料他自己也无法自医,未及中年,便死于忧郁之症。可是这种尚未成熟的存在主义,却因时代之刺激,普遍于欧陆,风行于美国。附会曲解,乃至于饮鸩止渴;如妄用治疗精神病的药品,来麻醉人心;或剽窃中国道教的糟粕,传会佛家小乘的顽空思想,形成类似印度上古时代的倮形、涂灰等外道来迷惑人心。使无知的青年,以蓬头垢面为适性,以残杀盗淫为自由,而邪风鼓煽,不胫而走传遍全世界。这也足见今日宗教的式微,哲学的没落,和教育的破产。在这时代传染病的侵蚀下,最先遭受毒害的是欠缺抵抗力的青年。而青年的中毒,也等于扼杀了下一代的生机。因此今天我们要解救这一危机,应从青少年的德艺教育,作为励志的辅导,希望能本着"幼吾幼以及人之幼"的古训,使迷惘的这一代不再迷惘,而能走上光明的坦途。

创办国际文哲学院之目的

文化学术,关系世界人类的命运,国家社会的兴衰,至深且巨。在历史上,无论东方或西方,任何一个国家社会的演变,以及战争的原因,常被视为是政治、经济的动乱。其实,这个动乱的根本,还是在于文化学术。

自十五世纪以来,欧洲文艺复兴运动,促成了科学的发展,为西方社会带来了物质的文明。接着而有工业革命,使西方的文化、学术、思想迈入了一个新的里程。直到十九世纪,东方国家如中国、日本,开始接触西方文化。由于震惊声光电化之奇,船坚炮利之威,而动摇了对固有文化的信念,于是急起直追,由盲目学习西方的科学,遂有全盘西化的趋势。

正在东方国家犹忙于急起直追的当时,西方社会却因物质文明的发展,孵育成唯物思想的暗流,侵蚀了人心,腐化了社会。就拿代表现代西方文化的美国来说,如宗教信仰的贬值,人文哲学的衰落,教育思想的舍本逐末,与国际领导的举措不定,在在都使得智者虑,仁者忧。至于青年人的不满现实,陷于徬徨和盲动,老年人的无家可归,流于绝望之境,这些都给予科学文明以严重的讽刺。这不仅是西方推崇物质文明的自食苦果,而且也波及了东方各国,使人类数千年来所祈求的世界和平与幸福,濒于幻灭。

照理说,东方国家谈不上物质文明,应该不至于陷入这块泥沼。其实不然,一方面固然由于生存在现实的世界,弱肉强食,没有经济实力的国家,只有任人摆布;一方面也由于贪图物质上的享受,抛弃自家宝藏,迷途忘返,其可哀可虑,更有甚于西方国家。

鉴于此,美国有许多先见之士,都认为今后世界局势,能补救西方文化在科学文明发展上的缺点,并作为西方宗教、哲学振衰起弊之良药的,只有东方文化的复兴。国际性的东西精华协会便应乎这一要求而成立。

东方文化的结晶是儒、道、佛三家的思想。近年来,西方人研究东方思想,常归于禅学;最近,追索东方的科学精神,又趋向于儒、道两家同源的《易经》。事实上,佛家明心见性的智慧,道家有全生保真的修养,与儒家立己立人,敦品励行,以及世界大同的理想,如能与西方文化交流融会,必能补救科学思想的不足,拯救物质文明的所失。因此东西精华协会,特别在中国的台湾设立总(分)会以外,同时筹建国际文哲学院,创办禅学中心 Ch'an (Zen) Center、道学中心 Tao Center、儒学中心 Confucian Center、西洋哲学中心 Western Philosophies Center,及医学中心 Medical Center。并与美国及世界各国的各大学学术研究机构合作,接受各国学生来华留学,研究东方文化;培养师资人才,待有相当成绩,再派遣分赴世界各地,阐扬东方文化,为东西文化交流而努力;并将陆续举办人文科学与自然科学等综合性的研究机构,以开风气之先,作为沟通东西文化交流的总站。

创设禅学进修班之愿望

禅乃佛法之心要,佛教之精华,不仅是中国文化之精粹,亦为东方文化人生修养之中心。

近年以来,禅风广被欧美,被誉为“东来之光明”。但因西方人士并未了解禅宗乃东方文化之精蕴,而至于徒托空言,毫无实义,或专拾牙慧,流于疏狂,甚至与嬉皮为伍,参杂今日西方文化之邪见。

本会有鉴于此,特于国际文哲学院,筹建禅学中心,并先行试办禅学进修班,藉以造就禅学师资,俾能专心力学,真参实证,而探其玄阃。由此而敦正人心,改善人类社会之风规,达成自利利他之目的,尤所厚望焉。

开办西洋哲学进修班的因由

西方文化,向来以哲学 Philosophy 思想为主流,其宗教信仰也以哲学为依据,而科学研究更以哲学为其起站。即使宇宙本体之探索,形而上本身之认识,知识来源之确定,人生价值之建立,无一不以哲学为其归趣。

然西方人文文化,即以宗教为泉源,哲学为主流,故无论其为个人之人生,或社会之群治,皆循哲学思想为本位。尤其有关国家世运之兴衰成败,皆以哲学思想为主因。

自文艺复兴运动而至于现代,战争与和平之枢机,无不以哲学思想为其关键。时至今日,西方哲学虽渐呈衰象,而欧洲各国学校,尤其如德、法等国,在中学时代,哲学已列为必修之课程,其重视有如此者。故欲知西方文化,必须对其宗教信仰及哲学思想作深入之研究,方可窥其堂奥而撷其精华。

吾国自十九世纪末期而至今日,虽知哲学思潮之重要,高级学府亦有哲学科系之设立,而并未真知灼见而严加重视。至于目前,徒有其表而乏实义,在一般社会而言,有误认哲学为疯人之学之嫌。在一般学府而言,所有哲学内容,大多成为学院哲学形式。上焉者,停留在研究十八世纪之思潮;下焉者,徒事逻辑思辨之技巧而已。至于今日世界实在缺乏哲学之中心思想,而人文思想之进退失据,乃至唯心、唯物、非心非物,毕竟如何?皆不知所云,茫无准则,处处显见对哲学思想认识之贫乏。由此观之,冀求东西方思想之沟通,完成世界人类和平之福祉,戛戛乎难矣哉!

本会有鉴于此,特创办西方哲学进修班,以期有助于东西方文化之交流,为世界人类和平幸福之思想,作进一步之努力。

开办美术进修班的动机

生活与美术,不可或分。风清月白,云蒸霞蔚,山川展其视野,江海舒其壮阔,此为大自然之美术。楼台栉比,村舍纵横,花鸟虫鱼,点缀风尘,建筑刻画,饰其庭宇,此为人间世之美术。衣裳尽裁剪之能事,视听极怡悦之安排,此为身心享受之美术。育而乐之,一饮一啄之间,授以文教而化之,无一不与美术攸关。西方文化,如古之希腊、罗马,近世之法、意等国,视美术为澡雪精神之阆苑,充沛生命之营卫,良有以也。今者,时易世变,美术之境界,亦随世运而异。云月如故,而意境之今昔各别。抽象与形象交罗,粗犷与文明并杂,是非未定,情智亦随之而杂陈。

唯我中华美术,于世界文化中,早在千馀年前,吸收印度文化精神而一变,交融禅与道之意境而别树一帜,经历久远,自成风格。但每有过重神似而失其真情,挥洒自如而失于透视与比例,古不如新,适为识者所讥。然精心杰作,超神入化而美不胜收者,无论从东西各方不同文化之角度而观,咸有猗欤盛哉之感。

然美术境界,毕竟为精神生命之结晶,当此人竞物欲,生活困于现实之时代,凡昔日独乐徜徉于晓风残月之意趣,行将随机械文明湮没于轮旋而无遗。况际此东西之情调异趣,欲求交互融浑之创作,而图复兴一代民族文化之美术精神,进为人类社会建立新型文化美术之贡献,若不众志一心,承先启后,精心悉力以赴,恐将随时代之轮堕,而愧对于后世。本会有鉴于此,特开办美术进修班,期以有助复兴中华文化之愿望,达成生活与美术之福祉,以符育乐之效果。

创办国乐进修班之目的

中国文化,自古以来,首重礼、乐。但自春秋以后,礼失于时宜,乐亡于通俗。仲尼删订,长悬日月之心。秦、汉更张,犹存古制之意。唐、宋、明、清以还,迭遭世变而时有兴衰,虽非传统,允有可观也矣。及至今世,礼、乐文化之衰颓,莫此为甚。今秉“礼失而求诸野”之义,创建国乐师资之进修,实为响应中华文化复兴运动之用心,以期礼乐教化之兴复,从此有期于成也。

开办语文进修班的希望

文字语言,为表达人类意志与感情之唯一工具,大至万象杂陈,小至无形可觅,无不赖语言文字之功。穷文字技巧之极而入于艺术之境,可通神明之德而类万物之情,透过语意之表而得意忘象,即可不落言诠而超于天地形骸之外。故曰“文以载道”,“语可通神”。

今日世界,交通发达,沟通各国文字语言不同之民族感情,使其文化交流,不再隔膜,必须先求语文之了解,实为当务之急。然习语文者每皆视其为沟通国际人士交往之工具,偏于技巧而忽于文化精华之交互传播,良有憾也。

本会试办语文班之目的,实欲藉此语文之阶梯,进而祈求东西文化之交流,俾使世界文化各大系,交互融会而成为新时代之新型文化思想,为全人类社会谋得真正和平之福祉,诚所望也。

试办国医进修班的主旨

近世科学促进了机械工业的发达,为人类带来了高度的物质文明,可是维护人类生存安全,与生活幸福的技能与学术,却未能随科学的进步而并驾齐驱。如救世救人的医学发展,远不如科学武器残害人类的快速与急烈。尤其在中国,自本世纪开始,受欧风美雨的袭击,本来造福东方人类社会达三千年之久的中国医学,因国人由心理的自卑而失去其自信,对它产生了怀疑,因此使其内蕴的精华,为西方医学所掩夺,至于一蹶不振。

其实东西方医学,各有长短,只是中国医学缺乏科学精神,和科学方法的整理,抱残守缺,师心自用,以致形成家传祖秘的绝学,而无法宏扬为公开而普遍的济世学术,未能促使随时革新的医学。

在今天,无论哪一种学术知识,都须破除门户之见,而互集众长,才能对人类的幸福有崭新的贡献。就拿中西医学来说,由于文化背景的不同,也各互有短长,如:

(一) 中医的理论基础,以中国哲学为出发点,强调精神胜过物质,偏于唯心的路线。

西医的理论基础,以科学实验为出发点,认为物质胜过精神,偏于唯物的路线。

(二) 中医注重养生,如饮食的摄生,寒、温、暑、湿的保养。

西医注重卫生,如注重环境的卫生,预防传染病的流行。

(三) 中医自二千年前,即有生理的解剖,但以活的人物为对象,只是没有如现代具备科学观念与科学工具的辅助,因此不能精益求精。

西医虽然重视生理的解剖,但以死的人体或一般生物为对象,而人非一般生物,生机更非死理可比,藉此类推证明,确有不少弊漏。所以西医解剖的结论,还须再求进步,有重新研究,精益求精的必要。

(四)中医特重气脉与气机的原理,以生命的活动功能为重心,一切药物治疗,和养生的观念,都由此而发。例如一砭、二针、三灸、四汤药的步骤,即由此而来,这种特色,西医尚有缺欠之处。

西医特重躯体腑脏的组织与保护,所以对血液营养的调整,维他命与荷尔蒙的补充,则有独到的贡献。

(五)中药以取于天然为主,所用药物治疗,直接营养,便以服食生物为主。间接营养,是以摄受植物为主。虽然自有充分的理由,但终嫌过于原始,不合于现代的科学方法。

西药以流注人体以后,与生理的组织调配为主,因此无论直接和间接的治疗,多半注重矿物及生物的化学性药物,但终嫌视人如物,且有许多副作用,反而有碍人体生命的真元。

由以上各点大致看来,中西医学,彼此各有长短,不可偏于本位之见。本会有鉴于此,为了发扬中国医学的优点,融会对于东西方医学的专长,拟先试办国医进修班,希望能由此而促进中、西医学的交流,对于人类生存的幸福有更新的贡献。

〔一九七八年十月,台北〕

与哈门教授谈全球性前提计划

按：威理斯·哈门先生(WILLIS W. HARMAN)是史丹福国际研究所(SRI INTERNATIONAL)的资深社会科学家，史丹福大学总体工程经济系统系教授，理性科学研究所(INSTITUTE OF NOETIC SCIENCES)所长。他更潜心于形而上学，心灵中意识奥秘部分的专研，近来已有所得，曾以“改变人格的关键”(TRANSFORMING AFFIRMATION AS A KEY TO PERSONAL CHANGE)一文，寄南怀瑾教授请益，已译成中文，刊于《知见》第十四至十五期。并认为世界人类的和平，须有“全球性前提计划”的正确思想。这便是南教授对哈门教授“全球性前提计划”的回信全文。

哈门教授　席右：久仰
高贤，素所佩钦。前蒙来信征询意见，并赐宏文，尤为感谢，已转译刊载《知见》矣。无奈俗务繁忙，作复迟迟，尚请见谅。

今因李慈雄返校之便，匆匆作答如次：有关全球性前提的计划，立意至善。但须从人类文化前因，如何演变为现在世界现象的后果，寻找出其症结所在，方知究竟。譬如医师用药，必须诊得病源所自，演变如何？才能处方治疗。

(一) 人类文化的大系，大概言之，可以东方与西方文化两大系统概括之。

西方文化的有今日欧、美文明，其源流系别虽多，在政治、社会方面，要皆以今日美国式的民主、自由，作为文明的荣耀。在现实生活方面，要皆以精密科技与工商业经济为决定性的指标。但皆迷失西方文化,因此而形成今日的世界,物质文明似乎予人类生活带来更多的方便,但在精神心灵上愈来愈呈空虚。换言之:物质文明的发达,给予人类生活上许多方便,精神文明,愈形相对的堕落。

东方文化虽概括有埃及、阿拉伯等系统。但无可讳言,唯有中国文化为东方文化的大系,其影响亚洲之巨,历时三千馀年,地区概括东南亚、东北亚、中东一部分。然而以三千年来以农为主而立国的文化,极端重视人道、人文、人生的安康,重视自然而轻视唯物唯利的思想,深根固植已久。但在近今百馀年来,一受西方文化的刺激,仓皇失措,无法自守藩篱。于是要改弦更张,即无如欧、美自十七世纪至十九世纪以来产业革命性的基础。终而形成不东不西、不今不古的败坏之局。倘欲维护固有文明,岂能拒西方文化中后期合理的人文思想,与物质享受的尖锐声光。故至进退失据,形成今日祸乱不息的东方,甚之,波及全球的不安。

更有甚者,近代与现代欧、美高明之士,固真有心救世者,并无一人真正透彻了解东方文化。徒持皮毛之见,以讹传讹,以偏概全。因此,西方谋国救世之士,凡所举措,一施之东方,无不错误百出,图好反坏,施福得祸,终为人所诟病怨愤,敢怒而未敢言。

而在东方各国,师承西方文化者,大多亦皆肤浅从事,仅图科技的实用,而不知欧、美今日的局面,自正病其如何缺乏精神文明安养的不安。

由此互相矛盾,由东至西,由西至东,如日月经天,虽无差别,但各地区之山川陵谷不同,所感之明暗阴晴,即各有不同的反应。倘使对全球综合性气象的无知,则将何以谋定全球性非污染,否定武力竞争之前途计划!

(二)西方文化感人影响的最深切而彰明者,当为法国大革命的先后时间,由孟德斯鸠、卢梭等先贤之学说,而有现在欧、美民主,自由,社会文明的出现。但在西方精神文化的中心,有同于东方文化的博爱思想者，却由工业革命后各国工商的发展，配合亚当斯密的经济思想而演变为今日各家的经济学说，几乎无一而不从小我立场而图富强康乐，何曾有全盘了解全球性各地区民族文化背景的不同，而建立为全人类总体经济工程的大计。

自十七世纪以后，西方文化思想谋求安定社会与解决人类问题，始终认为唯有从经济问题着手，方得解决政治问题。而经济问题，又与工商发展、物质文明的开发，毕竟不可分离。于是如治丝愈紊，仍然未得要领。

东方文化，自古及今的固有思想，始终认为解决社会与人类问题，必须从贤明的政治措施入手，方得安定社会与求得人类和平。而政治与文化思想，又息息相关而不可分。文化与经济，又彼此相乘而不可偏。于是主观各异，莫衷一是而未得融会贯通。

（三）目前世界局势，大部分的注意在于：A. 注重经济的复苏。B. 限制武器与军事的发展。C. 极力宣传抑制人口膨胀，提倡节制生育。其实，凡此种种的作为，只是显见主谋国际和平者束手无策，更无对全球人类平等博爱的远见，而且仍基于国家或个别民族主义的狭隘私心所出发。即使并无小我私见的预谋，亦只是有限度，短时期有效的消极办法，并非为全球人类谋长程福利的良策。

全球性的总体经济问题，其利与弊，都由科技进展与工商开发问题而来，譬如因地而倒，必然因地而起。当此电脑、核子物理等科技的日新月异，生产工业已迈进于产业再革命时期。工业产品与财富，已非无产阶级与资本家间的人事贫富问题。应当有思想、有理论之指导，使其转向共同为全球人类平等谋福利，使人与人间，再无贫富分配不均，阶级差等斗争问题的存在，只有人能如何利用物理与天然的物质资源，转化为高度灵活的精神文明世界。此当为今日及即将来临的科技，必然可以到达总体经济工程所能领导的趋势。唯须如何建立其经济哲学的新理论、新观念，配合科技发展,作为新时代的指导而已。

人口膨胀问题的顾虑,同此理由,其基本出发点,仍旧在农业经济的粮食、居住等经济分配问题而来。有限节制生育,事实并非坏事。但认为人口膨胀,即为世界祸源之说,未免可笑。况且解决粮食、营养、居住等问题,在即来的科技发展,应可迎刃而解,亦只为总体经济工程计划即须待解的一环,并非绝难以处理的死结。

至于限武与裁军问题,必须从人性哲学上谋求解决,基本在人类群体情欲与理性问题。实难片言可毕其词。人类有两大欲求,无论过去、现在、未来,势所难免,除非有超越物外能力的圣哲。此皆基于人性需要饮食、男女两大原性出发,扩展而成为群体的痴肥症:一即支配财富与资本主义,一即富国强兵与霸权思想。我读大作《TRANSFORMING AFFIRMATION AS A KEY TO PERSONAL CHANGE》一文,已知先生自得启示良多。至于深入形而上与形而下关系的探讨,容待他日细论,恕忙不尽所言。现在仅就彼此已知问题,略抒积愫,藉代面谈而已。

〔一九八三年四月八日,台北〕

《南氏族姓考存》前叙

蠢动含灵,形生有情世界,情之所钟,虽山川木石,盈溢生机,故游子思故乡,循源追祖泽,为人之常情所系,此亦人而有人文文化之所立基,其所谓异于禽兽者,岂非此乎?况生当衰世,运逢浩劫,元遗山所谓:“百年世事兼身事,尊酒何人与细论”。于是,乃前有《南氏族姓考》之作,时在一九七八年也。书成铸版,不胫而走。大韩民国南氏大宗会总裁南憙佑先生,首寄《南氏追远志》,继寄《南氏大同谱》以赠,读其序,方知同为南字,而族姓血缘有别。三韩南氏,乃唐玄宗时使日大臣金忠,返国途中,遇台风而飘泊新罗,适当安禄山之乱,明皇幸蜀,韩王景德,以其籍汝南,故赐姓南。此为其一支。复有宁波金氏,漂海入其康津县,合姓氏南,此为其一支。如非憙佑先生《南氏大同谱》之寄赠,则无从稽考其原也。

旋有河北交河南汝鄂过访,方知有山东日照南子田,江苏宿迁南克发等多人,因见《南氏族姓考》而知全国各地羁旅台湾之宗族多人。经诸同宗之不辞劳瘁,不避艰辛,不计毁誉而得各自修其序穆,促开宗亲大会,乃有一九八一年辛酉上元举行南氏宗亲祭祖大典之举。嗣复频繁敦促,拟集修统谱,皆因怀瑾之不敏而迟疑未如所期。寻于一九八一年春,辗转得小舜及南宅前岸族兄常槎之助,遥寄怀瑾之家乘,及历代高祖之遗容与先君遗照,并昔所疑处而亟欲知问者,庆喜得偿宿愿,岂仅如杜工部所谓:“家书抵万金”之可喻耶!故于前所作族姓考缺乐清南宅始祖名讳者,今补完备。又于端八、端十两祖之名次有误者,今补更正。至如逊清末造,吕纯阳真人降乩,嘱于殿后岸边,建石照屏以辉映东海,乩笔画狮子追球,并题诗以赠,盖皆有关身世之悬记,至疑于胸臆者数十年,今并得读其全律及其名联,默觌仙灵,相视一笑,何怪寒山子厌丰干之饶舌哉!

去冬(一九八三年)获知舜铨等之孝思不匮,乃得常槎、麟书等诸君子之助,于杭州临平觅得先君劫后遗骸,于夏历癸亥十二月初十日迎归,安葬故里,稍能弥补骨肉流离之痛于万一。乃起而应宗人汝鄂等之请,即以家乘为主,而订正重印《南氏族姓考存》,以符诸羁旅者之所望,庶可告慰于先灵也。而增华其盛者,有赣南蔡策先生,字翼中,曾为旅外南氏联宗为文。潍县刘大镛先生及济南王凤峤先生分别署其封题。并志为永怀。是为叙。

〔一九八四年,台北〕

附：

乐清县南宅殿后石照屏
乩笔题狮子踏球图

天遣灵狮下，追球过海东。身翻毛有色，目努力无穷。声吼千山震，口呼一剑风。举头惊百兽，善化石屏中。

殿后石照屏乩笔联语

云开日镜毬生色　水受风梭剑有声

《复翁吟草选集》前记

丙寅初夏,时当一九八六年五月之际,忽得味师哲嗣朱璋世兄惠寄先师诗卷于美京近畿寓庐,适值由天松阁迁入兰溪行馆,虽转徙事繁,然犹不忘审细恭读师之遗作,顿忆五十馀载往事,反观七十年来岁月,依稀昨梦,若存若亡,而小楼侍读情景,历历如在目前,此所谓石火电光、梦幻空花之非实非虚也。

师之遗诗,集曰《复翁吟草》,复翁者,师之别号复戡上字之尊称也。《易》之复辞曰:"无平不陂,无往不复。"余方读竟师集,即思此集油印钞写,久恐散佚,当为铸版以期不隳,并存此师弟因缘,以昭垂来兹。

司马子长曰:"君子疾没世而名不称焉。"读书而能下笔为文,作文而能臻于词章上艺,虽曰雕虫小技,安知雕之难而作之不易,其中艰辛成就,岂只大有可观而已。余尝语人云:文人学者之著作,陈列书架而能历数十百年仍受珍视者,实难多觏,故昔人有言:但得留传不在多者,正为享没世之名而大不易也。

且余幼承庭训,每诫文人学者呕心沥血之作为非易。故数十年来,每得前人孤本,无论其为学术或技艺之撰,必设法使之流传,延续作者慧命而不绝,亦为自得其乐之佳事。昔日有一师友,生前曾以身后遗作谆谆付托,孰知萧然长逝之后,所有翰墨因缘,咸毁于魔障,终至只字难觅而莫可如何!由此益知留传作而能称名于后世者,亦有幸与不幸。

味师幸有哲嗣能彰先人遗志,不远万里海外而寄师作于余,岂能不色然喜而毅然为之重梓而广其流传乎。于是,再寄此集于台北,嘱陈生世志负责印行,盖以美东尚无完备之中文印刷可任其事也。陈生世志，祖籍澎湖，长于高雄，卒业于台湾大学，今承余托而负老古文化出版重责，得余书后，迅即铸版完成，覆函恭称为朱太老师之作而如何编排云云，称谓处置无不合礼，求之浇漓季世之士，洵为难能可贵也矣！

至若味师生平事迹行仪，大要已详于乡前辈黄仲荃先生之序，及同门朱铎民先生之传略，余尝欲补述从师受教诗学之因缘，终为俗事尘扰，未能遂作，深以为憾。仅以私记昔年师示所作《扫墓》一律，悲凉愤慨，感念殊深，虽时逾五十载，犹琅琅背诵，一字未忘，今藉此以补此集之未收者，聊以志师道之不坠。且嘱以朱璋世兄寄示近作附焉，并以报友道之足珍也。是为之记。

〔一九八六仲夏，美京近畿〕

重印《复翁诗集》赘言

自初唐进士取才,重视于诗,乃使周孔以还,学养著意于诗礼之旨,成为教化之首,一脉相承,上下竞习,虽无诗人之才,而亦必学习作诗之风,千秋以后,遗绪不坠,此诚中华文化之特色,故亦有称我国为诗人之国者,誉乎,毁乎,诚难言也。

余生当清末民初之世,科举虽废而科学未昌明较著,前朝遗老存者甚多,虽转而执教于新式学堂,而仍秉科举时代习气,涵咏于诗词歌赋,琴棋书画之遗风,炽然如故。风行草偃,虽付竖野牧,工农技艺之暇,当自究攻吟咏者,比比皆是。余所居之乡间,有剃头司务及木刻工艺者能诗,皆所目见亲炙其实者,今虽时隔一甲子,每忆昔日风规,犹为倾倒不已。由此可见,仲尼所谓温柔敦厚,诗之教也,其盛为如何矣!

惟余自溯平生,读书不成,习剑亦不成,学诗更无成,及今而谬随于学者之后,滥竽南郭,固有渐焉。然而能略辨平仄韵味,粗识诗学之藩篱者,允皆良师之德教,迥非吾才吾力之所及也。

然余性喜多门,好学旁骛,数十年间,文武师友,泛泛者数当百计。但于诗学而得启迪其蒙者,首当推重朱师味渊。而余从味师游,仅为一暑假,首尾计时,不及两阅月。而蒙其亲说诗教者,仅为一日。非一长日,实乃师为余亲写竹刻笔筒"波平两岸阔,风正一帆悬。"一联,片刻而已。何以受其滋培影响而如此亲切者,此无他,即古所谓言教不如身教,又有谓一字之师者是也。

时余年十二,方毕业于高等小学,适值海匪洗劫我家,生计顿挫,因之辍学自修。翌年暑假,家严告以味师应王宅姨丈之聘,允任表兄世鹤等暑期家教,可往从之,余闻之雀跃,欣列名儒乡先生之门墙,是为庆幸也。同学七八人,年皆长余而学尤先进,师则每日讲解古文辞有关经史之文一篇,溽暑长夏,小楼一角,轻衫靸履,修髯清癯,把卷吟哦,声达户外。余方初喜读诗,如世俗习诵之《唐诗三百首》,早已耳熟能详,固不知其所谓名诗之好者,妙在何处!惟喜其音韵锵然,足以抒情朗诵,自畅幼怀而已。

一日,偶过师室,翻阅案头有清人吴梅村诗集,检其律诗之什而读之,爱不忍释,师见之,乘兴为余朗吟梅村《琴河感旧》四律,然后掩卷泊然,相与一笑而退。余即取清诗一卷,由梅村而遍读集中诸家之作,情怀磊落,较读唐诗而有胜得,因而心异人言诗须先习盛唐,宗法李杜,方为正规,如清初诸家,不可学也。为此而疑情顿起,横梗胸中二三十年。于是虽劳役四方,从事多途,行事所携,不离诗卷,迨其遍读历代诸名家之作,入乎其内而又出乎其外,会之于心,始得释然。所谓后后者未必不胜于前前也。

厥后每告诸新进后学,欲自探研国故,有一速成而实用之路,即先读近代之作,然后反溯其源而及于上古,诚为径之捷者。例如读史,先研清史再溯明元宋唐而上之,方知后果兴衰之迹,即前因成败之遗,从之鉴古证今,乃识来者之为如何也。

清初盛世百馀年间,士怀前明胜国之思,华夏夷狄民族异同之辨,幽愤悱怨,而又不得形于言词。但处康乾承平之际,文治武功,郁郁乎似尤胜于汉唐往事,故情怀荡漾,心波起伏,所谓矛盾颠倒,实为前史所未有者。故发而为诗词文学,寄意遥深,托情典故,殊非唐初盛晚诸世旷达疏通所可及者,宜乎情之切近于衰乱哀思而尤擅其胜场也。

味师生当清室末造,历经民初鼎革而渐形变乱之局,高尚其志而家无馀资,隐逸远蹈而世途戈矛,忧时伤世,感慨良深。故其所作,律宗杜法而出入于义山元白之间,且于吴梅村、钱谦益之流韵,不无深切影响。

暑假期满,家馆方散之后,客有过余家者,即示师之近作《扫墓》一律,如:“地下或留干净土,人间到处可怜生”,以及“老病日深难拜起,千愁诉尽觉身轻”。又如:“人孰恶生祈死乐,天胡醉梦纵澜狂”等句。悲天悯人之思,溢于言表,读之凄然憬惧。盖余常闻人言诗谶之说,今读师作,疑似谶语,故为不安。旋又见师辘轳体五律,有“露白心肝寒日甚,满城风雨近重阳”之句,例之黄仲则“寒甚更无修竹倚,愁多思买白杨栽。全家尽在风声里,九月衣裳未翦裁。”凄婉尤有过之。讵知次年春间,师果登遐委蜕而逝。言为心声,诗从情发,文字之为谶也,虽为偶中而不可尽信,而亦非不可信而有其因者。此亦师之身言之教而影响余一生之巨者。

至若味师名作如《崖山吊古》一律,起句如:“赵家三百年天下,卷入洪涛巨浪中”。倘混之杜集,应无逊色,此皆昔诸名贤,多所推许者,又如《讽人反游仙诗》有云:“若使刘晨得贤妇,何缘成就入山身。”则隽永有味,典雅温柔,较之袁子才辈之丽句,似又敦厚有加。惟其生不逢时,限于名与位之不高,正如杜牧所谓,“由来才命两相妨”已耳。千古才人,湮没草莱而声名不彰者,何可数计,亦幸与不幸而已,岂胜道哉!

上述余与味师师弟因缘,为时短暂,虽如昙花梦影,而花落韵遗,梦过影留,故余每言诗教,常忆师之音容风仪,犹如目前。今隔数十寒暑,余则风霜凋其短发,劫火燎其馀生,行脚四方,不文不武,劳尘一世,非俗非僧,余若能诗善画,综此一生行迹,可为诗情画意者,何止千题。惜乎好学无成,终惭笔墨。

迨一九八五年间,余方飘泊美京,筱戡世兄寄赠味师诗选剩稿,忻喜无已,即转寄台北付印以行。实则,余生平不尽喜诗选之集。盖选者皆凭一己喜爱而集为一册。见仁见智,何好何恶,固难定论。欧阳修所谓“文章千古无凭据,但愿朱衣暗点头”者,即此意也。然而前人遗作,虽为残篇剩稿,亦足以传,聊胜于无矣。但事后方知,筱戡兄检赠师之全集旧印者仅存一册,因邮误迟到,故与之约必为印兹全集,方了余愿。旋而俗务纷繁,余又自北美往返欧亚之间,尘劳于役,一再延期,积为心垢。今将台北已铸之版,移转香港印出,因诺筱戡兄为作前记,不敢辞以不文,谨述其先后因缘如是,谨以报命耳。此为之记,且为诗志其缘曰:

家馆角楼原小友,七旬以外独言诗。
商量旧学悲前哲,鼓荡新潮看后知。
四海游龙空期许,三生梦影转成痴。
支离事业皈文佛,月在中天一笑迟。

〔己巳仲秋公元一九八九年八月记于香江旅次〕

《日本感事篇》序

己酉季秋中日文化访问团抵京都之日,即识彼邦学者木下彪先生于旅次。借游八日,蔼然可亲,读其诗益见其忠君爱国之思涌于风月江山之表,屈赋贾文,情当如是。自注感事,见或各殊,然云月等同,邦家异域,盖亦思不出于其位者也。

时在东方文化座谈会席中,曾允携归再版,即显彼邦耆宿,长于汉诗之才,且欲藉兹篇之纪事,使后之来者,览资殷鉴而斋戒自省已耳!

〔一九七〇年季秋,台北〕

致答日本朋友的一封公开信

十月十一日下午，中日文化访问团在东京参加东方文化座谈会，关于我要讲的“东西文化在时代中的趋向”一事，因为时间有限，为了珍惜中日两国难得的盛会与宝贵的时机，我自动停止讲话，希望两国与会人士，有较多的时间，可以互相商讨重要的议案。当我宣布这个意见以后，大和学园的负责人土屋米吉先生，便提出我讲演稿末后一段引用司马迁所说：“载之空言，不如见之于行事之深切著明也”一句话，要我提出较为具体的意见。而且土屋先生很客气地说：“要讲东方文化，中日两国原为兄弟之邦，中国是老大哥，所以希望贵国以兄长的立场，开诚布公有所指教。”同时他又问我此行对于日本的观感。

土屋先生彬彬有礼的质询，经过我方翻译人员的转述，以及当时观察土屋先生谦和而诚恳的态度，使我不得不作答复。但我有主要的两点声明：(一)因为时间不够，有许多可以贡献给大家的意见，无法详细说明。(二)这是我第一次到日本，先后匆匆七天，都在旅途播迁之中，由京都经伊势而到达那智山，再经过在日本文学上负有盛名的朝熊岳山而到达东京，车尘轮迹，赢得一身疲累，虽有不少的观感，但自认并不成熟，故暂时保留意见。然而散会以后，日方著名汉学家兼汉学诗人木下彪先生，以及我国访问团同行的几位朋友，都一致告诉我说：当时我说的话，翻译人员辞未达意，不能充分通译，而且遗漏了许多要紧的关键，非常遗憾。后来又有日方的几位与会人士通过翻译，要我见之于文字而写出来，作为此次历史性与会的纪念。十二日中午返国以后，事务麇集，实在懒得执笔。但与木下彪先生有诗文之约，而且土屋米吉先生所提的询问,确甚重要,故匆匆写就本文,公开寄与土屋米吉及木下彪两位先生,并献给日本此次参加东方文化座谈会的诸位先生,作为此行备受殷勤招待的答礼。秀才人情,书生拙见,未必可登大雅之堂,但如野人献曝,各抒一得之见,山人野叟之言,聊备一格而已。但是这只是代表我私人的观点,并不代表中日文化访问团,或任何文化团体与我国人的意见,其中或有不妥当的观点,可以付之一笑,希望不要因此而引起争论,如果有此情形发生,须得事先声明,恕我愚拙而又冗忙,不拟再答复。

现在我要再加申复我当日所说的话而稍加补充:

主席和各位先生:本来为了珍惜会议的时间,我要求不必说话,现在为了土屋先生指定要我答复问题,又只好开口讲话。但是这个问题牵涉很广,如果要将我所知的资料,贡献给贵国及本会议席,在短短的时间中,又势所不能尽毕其说,只好留待将来,有机会时再作补充。现在我要提起诸位注意的:据我所见,贵我两国今天与会中的许多人,可能都犯了一个容易错误的偏见,因为大家对于贵我两国,以及东方各国之间今天的文化思想,与造成社会风气的败坏,国家前途的殷忧,工商业社会导致人心陷溺于现实的趋势,乃至青年心理的徬徨与颓废,教育的失败等等,一律都归罪到西方文化的错误。大家不要忘记,我们今天开会会场的种种设置,便是现代化西方物质文明发展中的产品,甚之,与会人士的衣、食、住与交通工具等等,大多数仍是西方文化自然科学发达以后,物质文明发展中的结晶。西方文化中的自然科学与物质文明的发达,它给予人类在生活上的利便,生存中的幸福,并无过错,而且只有好处。但是东方各国,在传统保守文化的情感中,认为人生伦理、社会秩序、道德观念、生活方式等一切突变中的乱象,都是受到西方文化影响的关系,所以厌恶甚而鄙弃西方文化;其实,这是东方人,或者说,贵我两国自己被西方文化物质文明的形态冲昏了头,自己放弃、忘却了东方固有文化的传统精神;换言之,也就是自己抛弃中国的传统文化,所以才有今天的窘态。以中国话来讲,我是一个土包子,而且是一个非常顽固的爱好中国文化的分子。因为我从来没有出洋去留过学,所以没有对西方文化偏爱的情感与嫌疑。而且我以山野之身可以公平地说一句,西方文化,自然科学发展成果中的物质文明,并没有带给东方人以太多的祸害。至于我们接受西方文明以后所发生的流弊与偏差,那只怪我们自己抛弃了东方固有文化的宝藏,而自毁其精神堡垒所得的应有惩罚。

其次,所谓西方文化,并不能以今天的美国文化而概括一切西方文化,由希腊时期而到今天的欧、美,它本身也自有三千年的历史。它的人文科学,在精神文化上的成就,由宗教而哲学,由哲学而科学的互相递嬗,也是有它的精神所在。不幸的是,今天欧、美的国家与社会,也正因为自然科学促进物质文明的长足进步,而使人文文化的精神堡垒濒临崩溃,而无所适从。它与我们东方所遭遇的困惑和烦恼,只有病情轻重的不同,而其同病相怜的情况,并无二致。因此,我们要放开胸襟,放大眼光来看,目前我们所面临的局势,是东西方人文文化将要同临崩溃,新的世界人类文化尚茫然无据,危机隐伏的时代。我们不仅是需要为复兴贵我两国的东方固有文化而努力,我们更应该为人类文化开创新的局面,肩负起拯救世界人类危机的责任;要发扬东方人文文化与固有的人生哲学,来补救因自然科学促进物质文明的发展,所造成的工商业社会之弊病。而且我还要郑重地希望贵我两国与会的高明人士,必须认清一个重要的关键,对于过去历史文化上的光荣,不能留恋,过去的历史,是无法挽回的,留恋往事,只是文学的情绪。至于时代的演进,是无法倒流的,悲伤时事,那是无补时艰的诗人情感。历史的排版,各有千秋的一页,时代的演进,是当前的大势所趋,我们要放开胸襟与眼光,如何振兴东方文化,来补救西方文化在世界时势中的不足,这才是我们的责任,也是对贵我两国前途有利的大目标。中国文化,素来秉承儒家的“民吾胞也,物吾与也”的精神,与佛家“众生平等”,“心、物、众生,三无差别”的明训,所以对于东方人或西方人,都认为“人同此心,心同此理”。我个人以山野之身,积十多年从事教育,以及教导西方各国友人学习中国文化的经验来说,深切体会到“诚以待人,无物不格”的古训。许多朋友认为我有许多外国学生,应该会有很多的收入,事实上,我为弘扬中国文化,为沟通东西文化而努力的工作,是作的蚀本生意。当西方学者要向我学习的时候,每每问到我要多少钟点费的问题,这时我便告诉他们,我只要求依礼来学,并不讲求代价。西方人从商业的观念,重视学问的代价与价值,所以把学问与知识,也变成商品,东方人素来认为道是天下之公道,只要执礼而来,中国文化便以学问知识作为应该交出的布施,并无代价,更不要求还报。因此,从我学习或交游的西方人,大多数都与我变成家人父兄的感情,渐渐进入东方文化的人生境界。他们有别我而去的,仍然保持充沛的感情,一如东方人的“礼尚往来”。例如一个美国学生,为了看到我吸烟太多而流泪,因为他怕吸烟而妨碍到我的健康。一个德国学生,临去时向我跪拜辞行,起来时泪眼婆娑,舍不得离去。最近一位美国的女学生对我说:“当我付出代价去学习时,与在老师家里学习的心情完全不同,因为用代价换来的知识,那只有商业行为的感觉,并无感谢的心情。”又当美国前任总统肯尼迪遇刺的时候,以及美国对亚洲政策种种矛盾措施的过程中,我与另一位美籍有识之士,也是美国退休的将军,谈论到东西方文化与东西方观念的差别,我问过他对现在局势的感想,他告诉我说:“我觉得美国的历史,倒退了一个世纪。”他也为美国的前途,以及东西方文化思想的矛盾,与人类文化前途而担忧,才发出这种内涵无限感喟的叹息。我现在提出这些极其微末的资料,只是为了提供我们今天要复兴东方文化的精神之工作,应当如何作法的一个参考。我们需要放开胸襟,放大眼光,了解今天的局面,不只是为复兴东方文化而工作,实在要为拯救世界人类在文化思想上的危机而努力。至于有许多重要而比较复杂的资料与意见,实在限于时间,一时讲不清楚,希望大家原谅。

以上是我当时在东京参加东方文化座谈会临时答复土屋米吉先生的一番话。现在追忆补述出来,只是为了日本朋友的要求,并弥补当时翻译人员未能把握重点的遗憾。

回国以后,国内一些朋友与美国留华的少数友人,关心此行与会的情形,及留心东方问题与日本问题的人,也如土屋米吉先生一样,要我说出此行对于日本的观点与感想,使我觉得有一言难尽,碍难答复之处。

为了提供给会后中日两国将来筹备东方文化复兴策进协会的参考,姑且综合我的一些观点,公开答复。但是,这仍然只属于我的一隅之见,未必甚然。老子说的:“正言若反”,或者具有“他山之石,可以攻错”的作用,那都不是我预料所及了。

关于日本经济发展中工商业社会的观点:我们一行二十多人,抵达京都那一天的下午,便游览了旧的内廷与二条城(德川幕府时代的大本营)的外景。一路行来,朋友们的赞扬或批评,加深了我对历史哲学的感喟与惆怅。

第二天乘长途游览车直达那智山,虽然受到长日车途劳顿之苦,但很高兴能够走马观花地看到由明治维新而第二次大战结束之后日本的农村,新近进入工商业发达和都市繁荣的日本现代化经济的外貌。既使人低徊联想固有东方农业社会的诗情画意,追忆安静宁谧的旧历史时代;同时又使人想到两三年前日本农村妇女的大游行,要求壮丁回到农村去的情景。从表面看来,第二次大战以后,日本的乡村建设,与农业社会,极其快速地进入东方式现代化的阶段,非常值得钦佩与欣赏。但头脑过于哲学化的我,很快地就会感触到十九世纪以来西方各种经济思想与工商业社会的发达,带给东方经济思想的影响而忧虑。经过四天的旅行,由丰桥乘高速夜车到了世界闻名的名都东京以后,看见最新型而合于国际水准的种种建筑与都市建设,有人问我作何感想?我只反问一句:这些都是第二次大战以后二十多年来的成果吧?他说是的。我说:那么,我想休息,不想再看了。当然,不但问话的人,不会太满意我的答复。同车的日本朋友们,恐怕也不会了解我这句话的机锋。

总而言之,战后的日本,在精疲力竭之馀,举国上下,经过二十多年的刻苦砥砺,一致努力于工商业的发展,能有今天的成果,的确值得兴奋与自豪,但是这种自豪与兴奋,并非日本之福,也不是东方文化应有的精神,一个国家与社会,如果忘记历史过去的教训,缺乏未来远大的眼光,困惑于现实而自豪,那是非常可虑的趋势。现在就我所感觉到的粗浅观念,提供日本过去与未来经济发展的参考:

(一)我所谓过去的日本,仅是指战后二十多年前的时期。在第二次世界大战结束以后,日本始终很幸运地在复兴。因为它碰到我国政府当时秉中国历史文化"兴灭国,继绝世"的精神,毅然决定"以德报怨"的政策,主张保存日本人传统历史文化的精神堡垒,而不废除天皇存在的制度,不要求赔偿,更没有分裂其土地与内政上的治权,因此战后的日本,才在非常幸运中重整国家,发展工商业,而有今天在经济上的成就。我在那智山与东方文化座谈会上,曾经亲自两次听到日本人大久保传藏先生对于此事的重复讲话,慷慨激昂地表示衷诚的感谢,并要求大家不要忘记历史的这一页。然而言者谆谆,听者藐藐,而且据我观察,除了中年以上少数高级知识分子,感觉到心情的沉重以外,一般社会与工商界的资本家们,尤其是后起之秀的日本人,早已对历史淡忘而漠不关心,甚之,还很可能对于大久保先生的论调,会嗤之以鼻。我说这些话,既不是要日本人感恩图报,也不是别有用心,因为中国文化,素来有"施恩不望报,受惠不能忘"的明训。我只是说明现代经济成长中日本幸运的前因,由此而说明以下第二点日本未来经济思想的可虑之处。同时也就是解释前因我之所以答不想看东京都市繁荣新建设的道理。因为在现代的经济思想与物质文明的时代中,一个国家如果没有战争,没有内忧外患,举国上下,能够同心协力,从事经济的发展与建设,那是任何国家都作得到的事情,既不足为奇,更不必叹为观止。

(二)未来的日本经济趋势,据我的观察,那是一个非常严重的问题。我们必须知道,世界上有两种工具,对人类的生存具有正反两面的作用:一是武力与武器,一是金钱与财富。防护国家的安全,必须有精良的战备;稳固国家的基础,必须有充沛的财政与健全的经济。然而战备强的国家,如果没有高度文化的政治哲学,往往会使得一个国家民族,生起唯我独尊的侵略野心。同样地,一个经济发展到实力充沛的国家,如果没有远大的经济哲学的思想,往往会踌躇满志,挟富而骄,而欺凌弱小。而且人类有天性的弱点,当他在强有力的时候,必定想要耀武扬威,控驭一切。如果在富有的阶段,必定会恃富而骄,凭陵孤寡。何况东方民族中的日本,素来具有奋发雄飞,不甘寂寞的个性。它在今天的世界局势中,工商业的发达,已渐渐可以媲美国际水准,跃登世界第二位的宝座,经济的成长,也是力可左右落后地区,而扬威于先进地区。那么,日本现在的资本家与政治界的高级知识分子,如果缺乏在现代经济学上远大的思想,一有偏差的观念,恐将为他自己的国家与东方各国,带来新的危机。但我并没有充分了解现代的日本资本家以及他们的经济思想,只是凭泛泛观察所有的一得之见,先有杞人忧天的顾虑而已。虽然我对于近代与现代,西方或东方的经济思想,没有很深切的研究,但从哲学的观点来看,任何一种来自西方文化的经济思想,严格地说来,都只适用于某一个国家或某一类型的社会,并没有一种为谋求增进全世界人类的福祉,能够平等而统一的适应各地区的经济思想。假定是有,也会因某一种政治思想与政治方略而变质,更何况并未得见,就以今天雄长世界的美国而论,又何尝例外。因此,我希望今后的日本,要放开胸襟,放大眼光,要在东方文化思想,济弱扶贫,与大同思想的观念中,产生一种新的经济思想,用来指导工商业的发展,为全世界人类谋福祉,开创未来新的局面,这是一番千秋大业,今后的日本正好赶上时代,大有可为。否则会走上想以现有经济上的成就,而变相地雄长亚洲,那就于人于己,都是大有可虑的新生之忧了。

关于文化思想的观点。我们此行的任务,主要是参与日本所举办的东方文化座谈会,以及参加日本全国师友大会二十周年的盛典。除了这两次的重要会议,冠盖云集,胜友如云以外,并无个人的接触,也没有与后起之秀的日本学人们交往。在全国师友大会席上,我们看到了日本剑道与吟诗(读汉诗)等东方固有文化的节目以外,同时也看到名闻国际的作曲家须摩洋朔,亲自指挥演奏的节目。听了安冈正笃先生与有关人士们为日本文化及东方文化前途而担忧的讲演,同时也听到木下彪先生对日本文化与国家社会风气的隐忧与沉痛地说辞。我们看到京都宫殿上所绘中国十八名臣的壁画,也看过东京皇宫的气象。然而过去所知行到皇宫前面必须顶礼膜拜,或脱帽鞠躬的现象,已经成为无可追寻的往迹。我只看到日本青年男女的嬉皮,携手蹀躞在宫墙外的苍松绿草间,一派罗曼蒂克的画面,与一大群嬉皮在车站横七竖八的情景。我看到穿着和服男女们的彬彬有礼,也看到夜总会前面红男绿女们东西合璧的新面目与新潮派的作风。当然,我也看到在公共汽车上,女人抱着孩子,拿着东西,站在车厢里被挤,青年男女们公然堂皇就坐,而不让位的东方式大丈夫的作风。同时也看到关闭了的大学门前的布告与封条。凡此种种,与我在国内所见所闻,大同小异,只是触目惊心,更加感觉到这是东西方文化,在现代工商业发展,物质文明膨胀浪潮中的大流弊。欧、美的国家,已经开始自食恶果地图谋对策。它的传染影响,不幸地,竟会这样快速地到达日本社会,纵然有老年人的坐以论道,企图力挽颓风的感喟,恐怕将随暮年而消逝,而无补于新文化思想的一片漠然与空白。阳明之学,创造了明治维新一代的日本,但阳明之学也带给日本在事功上的苦果,这是学术思想上一个非常深奥的大问题,姑且置而不论。关于青年的嬉皮与学生闹事问题,带给教育界与学术界的苦恼,其中实有两种本质不同的问题存在,日本真具有领导权威者,应该加以注意。由美国存在主义演变中造成的嬉皮,在素质来讲,大多是中人之产以上的子弟,而且都是受过较高等教育的青年,因为不满世界的情势,而反对前辈在学术思想与政治思想上领导的偏差所引起。这是他们在教育上,习惯于注重批判,寻求自我一代的新生观念,结果又茫然无据而不知其所归向的必然现象。但是东方式与日本的嬉皮,却是西子捧心,东施效颦在胡闹而已。这是过分曲解自由与民主,对优良传统的风气,矫枉过正的病态。总之,我拉杂列陈匆匆七八天内,在日本所见所闻的这些事实与现象,相信每一问题,都具有专题论述的价值,当然无法一一详说。一言以蔽之,日本在文化思想上的危机,的确是一件更为值得担忧的问题。他们举办东方文化的座谈,以及中日两国,此次在会议中,双方共同要举办东方文化复兴运动的提案,实在是一件任重而道远的工作,我希望大家能够做好,但又怕不容易真做得好。现在为了答复土屋米吉先生的询问,我只提供有关日本文化思想方面的两个观念:

(1) 所谓复兴东方文化的内涵。如果放开胸襟,开诚布公来讲,实际上便是复兴中国文化。当时所以造成明治维新的壮盛局面,无非是真能做到汉学为经,西学为纬所得的成果。除了汉学——中国文化以外,如果东方文化还有别种精华,那就非我所知了。过去一个世纪,日本在东方文化的地位,据我所知,它一直为中国接受西方文化的先河,一向成为东方文化的转运站,犹如今天日本在工商业上的成就一样,创造的不太多,吸收融会而改良的倒不少。东方人自有东方文化的历史背景与价值,正如西方人自有西方历史背景与价值相似,如要两者融会交流而创建新文化时代,为时尚早,起码还须要有半个世纪到一世纪的努力。所以我们为了挽救东方在现实存在世界上的危机,必须要共同整理,重新振兴东方文化,为了日本所谓的汉学的精神作新注,我的大体观点,已经见之于十一月十一日的演讲词与前面一段话中,不必再说。

(2) 值得注意日本文化学术界的优良作风。由于我此行两次参加日本有关文化学术界的会议,看到日本经济界的资本家们,能够与文化学术界密切合作,相互提携,这是值得钦佩的优良风气,也是日本学习到西方文化较好的一面。一个真正现代化讲自由经济与民主政治的国家,从事工商业的资本家们,他们和文化学术与政治,往往是不可或分的。除非教育水准不够的社会,学问知识的低落,不能洗涤个人满身金钱的俗气,以及长年沉醉在书卷中充满酸气的人们,不能了解时与势变的经世之道,于是便彼此扞格不入,分道扬镳,各行其是,小至对于个人,大至对于社会国家,都无真正的利益而反受其害。因此,此行参观后,对日本工商界的资本家与文化学术界合作的精神,是深为赞佩。至于今后努力的方向应当如何?那就要看东方文化复兴后的作为了。说句老实话,依我的浅见,日本在经济上的成就,尽管已使工商业跃登世界第二位的宝座,但是在学术思想上,还是非常贫乏的。工商业发达的社会,往往会造成文化思想上的空虚。因此欧洲人往往有个共同看法,那就是"日本只是专讲商业利益的国家",对于这点,我希望日本当今踌躇满志之际能略加注意(因为此时希望日本察纳雅言,未免太难了)。

最后我要反复地声明,以上所述来去匆匆七八天中对于日本的观感,说句老实话,有许多地方,我们是有同病相怜的沉痛,这也正是今日世界东西方文化在激流交汇中所有矛盾的病态,尤其在东方各国为更甚。所以重整东方文化,融会东西古今中外的工作,真是刻不容缓的事。"国家兴亡,匹夫有责。"我想,中日两国的学人，今后面临的重任，当然有不胜重压之感。

〔一九六九年十一月三十日，台北，《中央日报》副刊〕

跋萧著《世界伟人成功秘诀之分析》

自我英雄意识,与崇拜英雄观念,无论古今中外,在人类心理中都是普遍存在之共通现象。由此以观,推而广之,即如动物界中,凌弱畏强,亦等同存有人类崇拜英雄意识,此乃自然现象,原无足怪。唯人类秉有性灵知识,异于动物禽兽之本能,因而产生后天教育与人格道德等理性观念;复进而修整美化人生之规格,范围类别,因人而定智贤愚不肖之谓,而且美其特出之士,曰圣贤、曰豪杰,以示尊崇德业事功成就之不同。诚可谓饰智文行,极尽智巧思辨之能事。究其实,无非为人类普遍潜在之心理意识作祟,仍乃自我英雄意识,与崇拜英雄观念之演变。"仁者见之谓之仁,智者见之谓之智。"乃各自适其理解之异同,各是其是而非其所非而已。

人们对英雄意识崇拜之心理,既如上述,以此研读历史,举古今中外历史人事之累积,勉强而说某时、某地、某人,为自由民主之思想,此并非落伍之崇拜英雄主义;要皆为文人学士,所谓知识分子等辈之舞文弄墨,强调薄视英雄思想为标榜,毕竟难以视为笃论。然则,所谓自由民主等美号,亦仅为人类生存界中,某时某地一种人群生活之方式,并非绝对之真理。盖真理之所以为真,尽举古今中外所有宗教哲学之思想言论,至今犹无定论。至真非理,至理无真。遇英雄之运用,即成其为英雄方式,遇圣贤之作为,即成其为圣贤之事业。所以时代无论新旧,范围无论大小,求其建功立业而卓然有所立于天地之间者,同为英雄心理,固为千古一辙也。

自十九世纪末至二十世纪之间,西风东渐,所谓新潮流之思想理论,蔚然成风,于是指英雄之称谓而讳其为旧意识,而代以伟人之称谓,作为新名辞。旧瓶新酒,汤换药存,举世滔滔,多半在狙公之幻示下而高谈其暮四朝三之称谓，君诩谓伟人事业而非英雄思想，用相吹嘘。此一观念，即随自由民主之思潮而并进，于是几变传统儒家思想之人人可为圣贤一辞，将其易为人人可为伟人之意识。进而求其人之所以成其为伟者，不从德业事功之自立，唯事权巧方法之造作。故国人迻译西洋驭人秘诀等书，应运而出。以待人接物，而曰驭，曰牧；以处世治事，而曰管理，曰控制。不从温良恭俭让以得之，不从宽厚性情而处之，终至于人自疑猜，祸变不测者，此岂非事有必至，理有固然。

余友萧天石先生，英姿挺拔，才气纵横，早于二十馀岁，即有鉴于此，乃著《世界伟人成功秘诀之分析》一书，以为讽世而寓雅诲。自此书问世以后，举国上下，竞读而研习之者，遍于朝野，而著者亦因是书之作，名满宇内。旋因东来海隅，复秉其二三十年之经验阅历，再加修整再版二十次之原书，完成此一巨作，即可想见其内容之丰富与体验之确切矣！所论进德修业之言，虽主儒家思想，亦多有出入于佛老之间，确为别有会心之处，其言人生修养与乎世道士风之高见，亦确为当代言青年修养诸书之冠。至于博论宏辞，尤多发见，不待再为宣论其价值。唯于感跋之馀，谨补伟人成功秘诀之向上一语曰：苟欲为世界上真正之伟人，唯一秘诀，只是平实而已。此句可谓成功之向上语，末后句，极高明而道中庸，非常者，即为平常之极至耳。以此质之高明，信必首肯。是为跋。

〔一九五四年，台北〕

景印《地理天机会元》序

堪舆之学,远绍于春秋,高推至上古,其原盖出于阴阳家言,后与杂家相混,故为缙绅先生所诟病。汉初司马迁著《史记·日者列传》,有堪舆家之称,《淮南子·天文训》谓"堪舆徐行,雄以音知雌"。许慎注曰:"堪天道,舆地道。"而孟康则释"堪舆"为神名,与许说异焉。朱骏声又谓"堪为高处,舆为下处,天高地下之意也"。《汉书·艺文志》列有《堪舆金匮》十四卷,今称相地者曰"堪舆",而汉以前书已佚,今未之见也。

世传晋人郭璞著《葬经》,凡言堪舆学者,靡不祖述,其书之真伪莫辨,但大有异于后世之著述。盖《葬经》以山川形势,论断于阴阳,五行胜克之理,古朴可玩。中唐以后,其学益形驳杂,祖述宗派,各有所长,而形胜之说,尤重于冈峦之体势,是此非彼,习者难宗。迨乎两宋,理学大儒辈出,标仁术而重孝道,卜葬之说愈加兴盛。范仲淹、朱熹诸贤,靡不输诚其学,而邃于其述。古之养生送死而无憾者,至此已极其能事矣。如墨子复生,或王充再世,必更有甚其讽讥矣。

元、明以后,邵雍"卦气运会"之说大盛,凡涉阴阳术数之学,概如百岳朝宗,趋为至鹄。于是堪舆之说,亦以邵学为准,注重天心合运,竞为理气为归,效地法天之旨,证今引古,言之凿凿。故明、清以后,无论江右大家,浙、赣学派,皆采峦头理气之说,互争短长,综其所学,或宗"三元"以悬空打卦之理气为主,或主"三合"以天心正运之形胜为依。辨方择时,则有紫白之术,选吉择日,则有奇门遁甲之流,动辄有忌,讳莫如深。然《四库》编集,独推"三合"而鄙弃"三元",谓无所据,实则"三元"之秘,隽非清儒所知,故蓬心自用,但崇师说而已。综此以观,堪舆演变之史迹,约概如斯。

时至今日,科学之说繁兴,言地者即有地理、地质、地球物质种种之学,言天者,复有天文、气象、历法、星象、太空等等之盛。历古相传堪舆地理之说,生死人而肉白骨者,将皆嗤之以鼻,以视为妖,然侫于其道者,举世毁之而不加阻,犹笃信如神。无论穷乡僻壤之愚夫愚妇,或市朝冠盖之缙绅先生,面避迷信之迹,隐崇阴阳之宅,比比皆是。贵之如此,鄙之如彼,其为此道之学术者,固为是耶?非耶?诚为难决也。

余于传统国故之学,东方神秘之术,秉好奇求知之性,靡不探索玩习,初犹疑信参半,慎思难辨,及乎年事日长,涉猎既多,憬然而悟。所谓"堪舆"者,实为吾国上古质朴之科学研究,托迹于生死孝道之际,穷究其地质之妙,与道家五岳真形图之旨,皆为别具肺肠,揭示地球物理之心得也。其学是否足为定论,遽难下一断语,然两千馀年,囿之于埋葬之说,加之于妖妄之言,诚为大过矣。若今之学者,能先尽自然科学之基础,融通人天哲学之理念,掘发古学之长,阐扬今学之妙,则堪舆之为说,亦大有可观也矣。惜余识陋智浅,事忙意乱,未能遂其所欲,深入而浅出,变古而之今,诚为一大憾事。

宋今人君,从事出版,历有年矣。前过吾寓,睹此《地理天机会元》一书,请予景印。余谓之曰:此必俟吾师黄陂胡玉书夫子一言为序,方可阐其内蕴。宋君恳之再三,余为请之胡师,时师已行年八十有三,倦于讲习,乃嘱余为之言。吾闻之先辈言风水者,有曰:一德、二命、三风水、四积阴功、五读书。由此可知,迷信堪舆阴阳之说,足以转变人生命运者,可以瞿然醒悟矣。若取《史记·日者列传》与《龟策列传》,详细绎读,则知古今迷信其术,徒为笑谈者多矣。倘由此而开发新知,据以穷天人物理之妙,则温故知新,当无憾于斯学也,是为序。

〔一九六九年季冬,台北〕

南怀瑾先生著述目录

1. 禅海蠡测 (1955)
2. 楞严大义今释 (1960)
3. 楞伽大义今释 (1965)
4. 禅与道概论 (1968)
5. 维摩精舍丛书 袁焕仙 南怀瑾合著 (1970)
6. 禅话 (1973)
7. 静坐修道与长生不老 (1973)
8. 论语别裁 (1976)
9. 习禅录影 (1976)
10. 新旧的一代 (1977)
11. 参禅日记(初集,原名:外婆禅) 金满慈著 南怀瑾批 (1980)
12. 参禅日记(续集) 金满慈著 南怀瑾批 (1983)
13. 定慧初修 袁焕仙 南怀瑾合著 (1983)
14. 孟子旁通(一) (1984)
15. 净名庵诗词拾零·佛门楹联廿一副·金粟轩诗话八讲 (1984)
16. 观音菩萨与观音法门 (1985)
17. 历史的经验(一) (1985)
18. 道家、密宗与东方神秘学 (1985)
19. 中国文化泛言(原名:序集) (1986)
20. 历史的经验(二) (1986)
21. 禅观正脉(上) (1986)

22. 一个学佛者的基本信念——华严经普贤行愿品讲记（1986）
23. 老子他说(上)　（1987）
24. 中国佛教发展史略述　（1987）
25. 中国道教发展史略述　（1987）
26. 易经杂说——易经哲学之研究　（1987）
27. 金粟轩纪年诗初集　（1987）
28. 如何修证佛法　（1989）
29. 易经系传别讲　（1991）
30. 圆觉经略说　（1992）
31. 金刚经说什么　（1992）
32. 药师经的济世观　（1995）
33. 原本大学微言　（1998）